Acerto de Contas

Do autor:

Dinheiro Sujo

O Último Tiro

Destino: Inferno

Alerta Final

Caçada às Cegas

Miragem em Chamas

Serviço Secreto

Sem Retorno

Acerto de Contas

LEE CHILD

Acerto de Contas

Tradução
Marcelo Hauck

2ª edição

BERTRAND BRASIL
Rio de Janeiro | 2017

Copyright © Lee Child 2003

Título original: *Persuader*

Capa: Raul Fernandes

Texto revisado segundo o novo
Acordo Ortográfico da Língua Portuguesa

2017
Impresso no Brasil
Printed in Brazil

CIP-BRASIL. CATALOGAÇÃO NA PUBLICAÇÃO
SINDICATO NACIONAL DOS EDITORES DE LIVROS, RJ

Child, Lee, 1954-

C464a   Acerto de contas / Lee Child; tradução Marcelo Hauck. –
2ª ed.   2ª ed. – Rio de Janeiro: Bertrand Brasil, 2017.
23 cm.

Tradução de: Persuader
ISBN: 978-85-286-2175-4

1. Ficção inglesa. I. Hauck, Marcelo. II. Título.

                                          CDD: 823
17-39472   CDU: 821.111-3

Todos os direitos reservados pela:
EDITORA BERTRAND BRASIL LTDA.
Rua Argentina, 171 – 2º andar – São Cristóvão
20921-380 – Rio de Janeiro – RJ
Tel.: (21) 2585-2000 – Fax: (21) 2585-2084

Não é permitida a reprodução total ou parcial desta obra, por
quaisquer meios, sem a prévia autorização por escrito da Editora.

Atendimento e venda direta ao leitor:
mdireto@record.com.br ou (21) 2585-2002

Para
Jane e as aves costeiras

1

O POLICIAL DESCEU DO CARRO EXATAMENTE QUATRO minutos antes de tomar um tiro. Ele se movimentava como se soubesse de antemão seu destino. Empurrou a porta contra a resistência de uma dobradiça rígida, girou lentamente no gasto banco de vinil e plantou os dois pés na rua. Agarrou a porta com as duas mãos e se puxou para fora. Ficou parado no ar frio e limpo por um segundo, depois se virou e fechou a porta. Continuou imóvel por um segundo mais. Em seguida, caminhou para a frente e se apoiou na lateral do capô, perto do farol dianteiro.

O carro era um Chevrolet Caprice de sete anos, preto e sem nenhuma identificação policial. Mas possuía três antenas de rádio e calotas cromadas lisas. A maioria dos policiais jura que o Caprice foi o melhor carro de polícia já feito. Esse sujeito parecia concordar. Ele parecia um detetive veterano de roupas simples com toda uma frota de viaturas à disposição. Era como se tivesse escolhido o Caprice porque gostava dele. Como se não estivesse interessado nos Fords novos. Eu conseguia ver a personalidade teimosa de tira das antigas só no jeito como ele se portava. Era grande e largo e estava com um terno escuro feito com uma espécie de lã pesada. Era alto, porém andava curvado. Um homem velho. Ele virou-a-cabeça, conferiu os lados norte e sul da rua, depois ergueu o pescoço grosso e olhou para trás por cima do ombro para fitar o portão da faculdade. Estava a trinta metros de mim.

O portão em si era uma coisa meramente cerimonial, dois pilares de tijolos altos que se elevavam de uma grande extensão de gramado bem-cuidado atrás da calçada e eram conectados por um portão duplo de barras de ferro, curvados, dobrados e retorcidos em formatos pomposos. Era de um preto brilhante. Parecia recém-pintado. Provavelmente retocavam a pintura a cada primavera. Não tinha nenhum aspecto funcional em relação a segurança. Qualquer um que quisesse evitá-lo poderia atravessar o gramado de carro. Ele ficava totalmente aberto, de qualquer forma. Havia uma estradinha logo além e pequenos postes de ferro na altura dos joelhos, em ambos os lados, a dois metros e meio. Eles tinham trincos. Cada metade do portão estava presa a um deles. Totalmente escancaradas. A estradinha levava a serenos prédios de tijolo aconchegados a aproximadamente cem metros de distância. Eram construções de telhados pontiagudos cobertos de musgo e árvores pendiam sobre eles. A estradinha era margeada de árvores. Havia árvores em todo lugar. As folhas tinham acabado de brotar. Eram pequeninas, encaracoladas e verde-claras. Dali a seis meses estariam grandes, vermelhas e douradas, e fotógrafos enxameariam o lugar tirando fotos para o panfleto da faculdade.

A vinte metros do policial, de seu carro e do portão, do outro lado da rua, havia uma caminhonete estacionada. Estava bem próxima do meio-fio. De frente para mim, a cinquenta metros de distância. Parecia um pouco deslocada. Era de um vermelho desbotado e tinha um quebra-mato preto fosco na frente, que parecia ter sido amassado e consertado algumas vezes. Havia dois homens na cabine. Eram jovens, altos, distintos e tinham cabelos claros. Estavam sentados ali, completamente imóveis, com o olhar fixo à frente, sem observar nada em particular. Não olhavam para o policial. Não olhavam para mim.

Eu estava virado para o sul, ao lado de uma van marrom anônima estacionada em frente a uma loja de artigos musicais. Era o tipo de loja que se encontra perto de um portão de faculdade. Havia CDs usados em racks na calçada e nas vidraças atrás, pôsteres fazendo propaganda de bandas de que as pessoas nunca tinham ouvido falar. Eu deixara as portas de trás da van abertas. Havia três caixas empilhadas lá dentro. Eu segurava um maço de documentos. Estava com um casaco, porque era uma fria manhã de abril Usava luvas, porque as caixas na van tinham grampos soltos nos lugares em que haviam sido abertas. Estava com uma arma, porque sempre estou com uma arma. Presa na minha calça, atrás, debaixo do casaco. Era uma Colt Anaconda, um revólver de aço inoxidável enorme com tambor para cartuchos .44 Magnum. Tinha 34,5 centímetros de comprimento e pesava quase dois quilos. Não era a minha arma preferida. Ela era desconfortável, pesada e fria — eu estava sempre sentindo sua presença.

Parei no meio da calçada, tirei os olhos dos documentos e ouvi o distante motor da caminhonete ser ligado. Ela não foi a lugar algum. Ficou onde estava, em ponto morto. Fumaça branca da descarga envolvia as rodas traseiras. Fazia frio. Era cedo, e a rua estava deserta. Fui para trás da van. Em frente à loja de artigos musicais, olhei para o lado na direção dos prédios da faculdade. Vi um Lincoln Town Car preto aguardando em frente a um deles. Havia dois caras de pé ao lado do carro. Eu estava a cem metros de distância, mas nenhum deles se parecia com um motorista de limusine. Motoristas de limusine não andam em duplas, não são jovens e fortes e não agem de maneira tensa e cautelosa. Aqueles caras tinham a aparência exata de guarda-costas.

O Lincoln aguardava em frente a um prédio que parecia um pequeno alojamento. Havia letras gregas acima de uma grande porta de madeira. Enquanto eu observava, ela foi aberta, e um jovem magro saiu. Parecia estudante. Tinha o cabelo comprido e bagunçado e estava vestido como um sem-teto, mas carregava uma mala que parecia feita com um couro caro e lustroso. Um dos guarda-costas ficou parado prestando atenção enquanto o outro segurava a porta do carro. O jovem jogou a mala no banco de trás e entrou logo em seguida. Fechou a porta. Eu a ouvi bater, débil e abafada a cem metros de mim. Os guarda-costas vasculharam os arredores com o olhar por um segundo e depois entraram pela frente juntos. Um momento depois, o carro arrancou. Trinta metros atrás dele, um veículo de segurança da faculdade saiu roncando lentamente na mesma direção, não como se tivesse com a intenção de formar um comboio, mas como se estivesse ali por acaso. Havia dois seguranças dentro. Estavam afundados em seus bancos e pareciam sem rumo e entediados.

Tirei as luvas e as joguei na parte de trás da van. Desci para a rua onde a minha visão era melhor. Vi o Lincoln percorrer a estradinha a uma velocidade moderada. Ele era preto, imaculado e brilhante. Tinha muitas partes cromadas. Muita cera. Os seguranças da faculdade estavam bem atrás. O veículo parou ao portão cerimonial, virou à esquerda e seguiu para o sul na direção do Caprice preto da polícia. Na minha direção.

O que aconteceu em seguida ocupou oito segundos, mas a sensação foi de que durou um piscar de olhos.

A caminhonete vermelha desbotada afastou-se do meio-fio vinte metros atrás. Acelerou muito. Alcançou o Lincoln, avançou e o passou exatamente quando estava emparelhada com o Caprice. Passou a trinta centímetros dos joelhos do policial. Depois acelerou novamente e ficou um pouco adiante do outro carro, quando o motorista virou de uma vez o volante e a ponta do quebra-mato esmagou o para-lama da frente do Lincoln. Ele manteve o volante virado, o pé bem no fundo, forçando o Lincoln a sair da rua e subir na calçada. A grama foi arrancada, e o Lincoln diminuiu radicalmente a velocidade antes de bater de frente em uma árvore. Ouviu-se o *bum* de metal cedendo e rasgando e de vidro de farol despedaçando. Uma grande nuvem de vapor subiu e as pequeninas folhas verdes balançaram e sacolejaram ruidosamente no ar parado da manhã.

E aí os dois caras na caminhonete saíram atirando. Tinham pistolas automáticas pretas e disparavam no Lincoln. O som era ensurdecedor, e eu conseguia ver arcos de metal chovendo no asfalto. Depois os caras puxaram as portas do Lincoln. Abriram-nas com força. Um deles se inclinou para dentro da parte de trás e começou a arrancar o garoto magro dali. O outro ainda estava atirando na parte da frente. Em seguida, ele enfiou a mão esquerda no bolso e pegou uma granada. Arremessou-a para dentro do Lincoln, bateu as portas, agarrou seu companheiro e o garoto pelos ombros e os virou e puxou para baixo, fazendo os dois se agacharem. Uma explosão alta brilhou dentro do Lincoln. Todas as seis janelas foram despedaçadas. Eu estava a mais de vinte metros de distância e senti o abalo inteiro. Cacos de vidro estouraram para todos os lados. Fizeram um arco-íris ao sol. Em seguida, o cara que tinha arremessado a granada se levantou, atabalhoado, e saiu correndo para o lado do passageiro da caminhonete, enquanto o outro, com o braço esticado, puxou o garoto para dentro depois que entrou. Bateram as portas, e vi o rapaz preso lá dentro sentado entre os dois. Enxerguei o terror no rosto dele. Estava branco, em choque, e, através do para-brisa sujo, vi a boca dele se abrindo num grito silencioso. O motorista engatou a marcha e escutei o motor rugindo, os pneus cantando e a caminhonete veio exatamente na minha direção.

Era uma Toyota. Dava para ver TOYOTA na grade atrás do quebra-mato. Ela avançava com a suspensão alta, e eu conseguia ver um enorme diferencial preto na parte da frente. Era do tamanho de uma bola de futebol. Quatro por quatro. Pneus grandes e largos. Lataria cheia de amassados e pintura desbotada que não havia sido lavada desde que saíra da fábrica. Vinha exatamente na minha direção.

Eu tinha menos de um segundo para decidir.

Levantei a borda do casaco e saquei a Colt. Mirei muito cuidadosamente e atirei na grade da Toyota. A arma comprida lampejou, trovejou e deu um coice na minha mão. O enorme projétil .44 estraçalhou o radiador. Atirei novamente no pneu esquerdo dianteiro. Ele estourou numa explosão espetacular de fragmentos de borracha preta. Metros de bandas de rodagem chicotearam o ar. A caminhonete sacolejou, derrapou e parou com o lado do motorista de frente para mim. Dez metros de distância. Eu me abaixei atrás da traseira da van, bati as portas, fui para a calçada e atirei de novo no pneu esquerdo traseiro. Mesmo resultado. Borracha para todo lado. A caminhonete cedeu na borda esquerda e ficou inclinada. O motorista abriu a porta, se esparramou no asfalto, se levantou atabalhoado e ficou apoiado em um dos joelhos. Estava com a arma na mão errada. Com um movimento de malabarista, ele a jogou de lado e eu aguardei até ter certeza de que a apontaria para mim. Então usei a mão esquerda para apoiar o antebraço direito e sustentar os quase dois quilos da Colt, mirei cuidadosamente no centro de massa como tinham me ensinado muito antes e puxei o gatilho. O peito do cara explodiu, disparando uma enorme nuvem de sangue. O garoto magrelo estava petrificado dentro da cabine. O olhar parado devido ao choque e ao terror. Mas o segundo sujeito estava do lado de fora da cabine, movendo-se desajeitadamente ao redor do capô na minha direção A arma dele se voltava para mim. Girei para a esquerda, esperei um pouco e apoiei o antebraço. Mirei no peito dele. Disparei. Mesmo resultado. Ele despencou de costas atrás do para-lama numa nuvem de vapor vermelho.

O garoto magrelo começou a se movimentar na cabine. Corri até ele, puxei-o para fora por cima do corpo do primeiro cara. Fiz com que corresse para a minha van. Ele estava mancando devido ao estado de choque e transtorno. Dei um empurrão nele para que entrasse no banco do passageiro, bati a porta, virei com agilidade e fui para o lado do motorista. No canto do olho, vi um terceiro cara vindo bem na minha direção. Enfiando a mão no bolso. Um cara alto e pesado. Roupas escuras. Apoiei o braço, atirei e vi a enorme explosão vermelha no peito dele exatamente no mesmo milésimo de segundo em que me dei conta de que era o velho policial do Caprice, enfiando a mão no bolso para pegar seu distintivo, um escudo dourado em uma carteira de couro gasto que voou da mão dele e saiu às cambalhotas até parar no meio-fio bem em frente à van.

O tempo parou.

Olhei fixamente para o policial. Ele estava de costas na sarjeta. Seu peito inteiro era um caos vermelho. Espalhado por cima dele. Não havia movimento nem pulsação. Nem sinal de batimento cardíaco. Um grande e vermelho buraco na camisa. Estava totalmente imóvel. A cabeça virada e a bochecha contra o asfalto. Os braços arremessados para fora deixando visíveis as veias pálidas nas mãos. Eu estava ciente da negritude da rua, do vívido verde da grama e do azul claro do céu. Conseguia escutar a vibração da brisa por sobre os tiros que ainda rugiam nos meus ouvidos. Vi o garoto magrelo olhando fixamente através do para-brisa da van para o policial caído e depois para mim. Vi a viatura da segurança da faculdade virando à esquerda ao sair pelo portão. Estava se movendo mais devagar do que deveria. Dezenas de tiros haviam sido disparados. Talvez estivessem preocupados em saber onde a jurisdição deles começava e onde terminava. Talvez estivessem apenas com medo. Vi os pálidos rostos cor-de-rosa deles atrás do para-brisa. Estavam virados para mim. O carro devia estar a uns 25 quilômetros por hora. Rastejava bem na minha direção. Olhei para o escudo dourado na sarjeta. O metal era liso devido ao desgaste de uma vida de uso. Olhei para a minha van. Permaneci completamente imóvel. Aprendi há muito tempo que é facílimo atirar num homem. Mas é absolutamente impossível desatirar.

Ouvi o carro da faculdade se movimentar lentamente na minha direção. Ouvi os pneus esmagando as pedrinhas no asfalto. Todo o resto era silêncio. Então o tempo recomeçou, uma voz na minha cabeça berrou *vai vai vai* e fugi correndo. Entrei me arrastando na van, joguei a arma no banco ao meu lado, liguei o carro e dei meia-volta com tanta velocidade que o veículo ficou em duas rodas. O garoto magrelo foi jogado para tudo quanto é lado. Desvirei o volante, meti o pé no acelerador e disparei na direção sul. Eu tinha uma visão limitada no retrovisor, mas vi os seguranças da faculdade ligarem a sirene no teto e virem atrás de mim. O garoto ao meu lado estava em total silêncio. Boquiaberto. Concentrava-se em permanecer no banco. Eu me concentrava em acelerar o máximo que podia. Felizmente, o trânsito estava tranquilo. Era uma cidadezinha serena da Nova Inglaterra, no início da manhã. Fiz a van atingir 110 quilômetros por hora, firmei as mãos no volante até os nós dos dedos ficarem brancos e foquei na rua à frente, como se não quisesse ver o que estava atrás de mim.

— A que distância eles estão da gente? — perguntei ao garoto.

Ele não respondeu. Estava sem reação devido ao choque e colado no banco, o mais longe de mim que conseguia. Encarava o teto. A mão direita atada à porta. Pele pálida, dedos longos.

— A que distância? — perguntei novamente. O motor rugia alto.

— Você matou um policial — disse ele. — Aquele cara velho era policial, você sabe disso.

— Sei.

— Você atirou nele.

— Acidente — respondi. — A que distância os outros estão?

— Ele estava mostrando o distintivo.

— *A que distância os outros estão?*

Ele se mexeu, virou, abaixou um pouco a cabeça para conseguir enxergar pelas pequenas janelas traseiras.

— Trinta metros — disse ele, soando incerto e amedrontado. — Bem perto. Um deles está para fora da janela com uma arma.

Exatamente nesse instante, escutei o estalo distante de um revólver se sobressaindo ao ronco do motor e ao chiado dos pneus. Peguei o Colt no banco ao meu lado. Soltei novamente. Estava vazio. Já tinha atirado seis vezes. Um radiador, dois pneus, dois caras. E um policial.

— Porta-luvas — falei.

— Você deveria parar — opinou ele. — Explicar a eles. Você estava me ajudando. Foi um engano.

Ele não estava olhando para mim, mas pelas janelas de trás.

— Atirei em um policial — argumentei, mantendo a voz completamente neutra. — É só isso que eles sabem. É só o que querem saber. Não vão se importar em como nem por quê.

O garoto ficou calado.

— Porta-luvas — repeti.

Ele se virou novamente e abriu desajeitadamente a portinha. Havia outro Anaconda ali dentro. Idêntico. Aço inoxidável brilhante, totalmente carregado. Tomei-a do garoto. Abri toda a minha janela. O ar gelado entrou como um vendaval. Ele carregava o som de disparos de revólver bem atrás de nós, rápidos e constantes.

— Merda — xinguei.

O garoto ficou calado. Os tiros continuavam a vir na nossa direção, altos e abafados e percussivos. *Como eles estavam errando?*

— Deita no chão — falei.

Deslizei de lado até o ombro esquerdo estar bem pressionado à porta e estendi o braço direito por cima do peito até a arma nova estar do lado de fora da janela apontando para trás. Atirei uma vez, e o garoto me encarou aterrorizado, depois deslizou para a frente e se agachou no espaço entre a ponta da frente do banco e o painel com os braços envolvendo a cabeça. Um segundo depois, a janela traseira explodiu, três metros atrás de onde a cabeça dele tinha estado.

— Merda — xinguei de novo.

Arredei para a lateral da rua para melhorar meu ângulo. Tiros atrás da gente de novo.

— Preciso que você vigie — falei. — Fica o mais abaixado que conseguir.

O garoto não se mexeu.

— Levanta — ordenei. — *Agora.* Preciso que você vigie.

Ele se levantou um pouco e se contorceu até que a cabeça estivesse alta o suficiente para enxergar lá atrás do lado de fora. Percebi que a janela estilhaçada capturou a atenção dele. Vi o garoto se dar conta de que sua cabeça tinha estado bem naquele caminho.

— Vou desacelerar um pouco — avisei. — Vou frear pra eles nos ultrapassarem.

— Não faz isso — pediu o garoto. — Você ainda consegue dar um jeito nisso.

Ignorei. Diminuí a velocidade para uns oitenta quilômetros por hora e virei para a direita; o carro da faculdade instintivamente abriu à esquerda para chegar perto da minha lateral. Disparei os últimos três tiros. O para-brisa estilhaçou, e o veículo foi até o outro lado da rua como se o motorista tivesse sido atingido ou um pneu tivesse estourado. Entrou de frente, sulcando o acostamento contrário, e atravessou esmagando uma fileira de arbustos, sumindo então de vista. Soltei a arma vazia ao meu lado no banco, levantei o vidro da janela e acelerei com tudo. O garoto ficou calado. Olhava fixamente para a traseira da van. A janela quebrada lá atrás estava emitindo um gemido esquisito por causa do ar que era sugado para fora.

— Tá — falei, sem fôlego. — Agora dá pra gente ir na boa.

O garoto se virou para me olhar e disse:

— Você está doido?

— Você sabe o que acontece com quem atira em policiais? — devolvi a pergunta.

Ele não tinha resposta. Nós seguimos adiante em silêncio por mais aproximadamente trinta segundos, quase um quilômetro, piscando, ofegando e com o olhar fixo à frente através do para-brisa como se estivéssemos hipnotizados. O interior da van fedia a pólvora.

— Foi um acidente — afirmei. — Não tenho como trazer o cara de volta. Então supera isso.

— Quem *é* você? — perguntou ele.

— Não, quem é *você*? — devolvi a pergunta.

Ele ficou em silêncio. Arquejava. Conferi o retrovisor. A rua estava completamente vazia atrás de nós. Completamente vazia à frente. Estávamos a campo aberto. Talvez a dez minutos do trevo de uma rodovia.

— Sou um alvo — disse o garoto — de abdução.

Era uma palavra estranha de se usar.

— Eles estavam tentando me sequestrar — explicou ele.

— Você acha?

Ele fez que sim com um gesto de cabeça e disse:

—Já aconteceu antes.

— Por quê?

— Dinheiro — respondeu o garoto. — Por que mais?

— Você é rico?

— O meu pai é.

— Quem é ele?

— Só um cara.

— Mas um cara rico — completei.

— Ele é importador de tapetes.

— Tapetes? — questionei. — Como assim, tipo carpete?

— Tapetes orientais.

— Dá pra ficar rico importando tapete oriental?

— Muito — respondeu o garoto.

— Você tem nome?

— Richard — respondeu ele. — Richard Beck.

Conferi o retrovisor novamente. A estrada atrás ainda estava vazia. À frente também. Diminuí um pouco a velocidade, firmei a van no meio da minha pista e tentei dirigir como uma pessoa normal.

— Então, quem eram aqueles caras? — indaguei.

Richard Beck abanou a cabeça e respondeu:

— Não faço ideia.

— Eles sabiam onde você ia estar. E quando.

— Eu estava indo pra casa por causa do aniversário da minha mãe. É amanhã.

— Quem sabia disso?

— Não tenho certeza. Qualquer um que conhece a minha família. Qualquer um na comunidade de tapetes, eu acho. A gente é bem conhecido.

— Existe uma comunidade? — questionei. — De tapetes?

— Nós competimos uns com os outros. Mesmas fontes, mesmo mercado. Todo mundo se conhece.

Fiquei calado. Segui dirigindo, noventa quilômetros por hora.

— *Você* tem nome? — perguntou ele.

— Não.

Ele demonstrou que tinha entendido com um gesto de cabeça. *Garoto esperto.*

— O que você vai fazer? — perguntou ele.

— Vou te deixar perto da rodovia — respondi. — Você pode pegar uma carona ou chamar um táxi e depois esquecer que eu existo.

Ele ficou em silêncio.

— Não posso te levar pra polícia — falei. — Isso simplesmente não é possível. — Você entende isso, né? Matei um policial. Talvez três. Você me viu fazer aquilo.

Ele permaneceu em silêncio. *Hora da decisão.* A rodovia ficava a seis minutos dali.

— Eles vão jogar a chave fora — expliquei. — Eu fodi tudo, foi um acidente, mas eles não vão me dar ouvidos. Nunca vão. Então não me pede pra chegar perto de *ninguém* em lugar nenhum. Não como testemunha, não como nada. Vou desaparecer daqui como se não existisse. Ficou bem claro?

Ele continuou calado.

— E não dê a eles minha descrição — instruí. — Fala pra eles que você não se lembra de mim. Fala que estava em choque. Ou eu te encontro e te mato.

Ele não respondeu.

— Vou te largar em algum lugar — expliquei. — Como se você nunca tivesse me visto.

Ele se mexeu. Ficou de lado, olhou diretamente para mim e disse:

— Me leva pra casa. Até lá. Nós vamos te dar dinheiro. Te ajudar. A gente te esconde se você quiser. Meus pais vão ficar agradecidos. *Eu* estou agradecido. Acredita em mim. Você salvou a minha pele. O negócio com o policial foi um acidente, não foi? Só um acidente. Você deu azar. Era uma situação de muita pressão. Eu entendo isso. A gente mantém segredo.

— Não preciso da sua ajuda. Só preciso me livrar de você.

— Mas eu preciso chegar em casa — argumentou ele. — Nós estaríamos ajudando um ao outro.

A rodovia ficava a quatro minutos dali.

— Onde é a sua casa? — perguntei.

— Abbot.

— Que Abbot?

— Abbot, Maine. No litoral. Entre Kennebunkport e Portland.

— Nós estamos indo na direção errada.

— Você pode virar pro norte na rodovia — sugeriu ele.

— Deve ficar a mais de trezentos quilômetros, no mínimo.

— Nós vamos te dar dinheiro. Vamos pagar bem pelo seu tempo.

— Eu posso te largar perto de Boston — ofereci. — Lá com certeza vai ter ônibus pra Portland.

Ele balançou a cabeça violentamente, como em uma convulsão.

— De jeito nenhum — disse ele. — Não posso pegar ônibus. Não posso ficar sozinho. Não agora. Preciso de proteção. Aqueles caras ainda podem estar por aí.

— Aqueles caras estão mortos. Igual ao bendito policial.

— Eles podem ter associados.

Outra palavra estranha. O rapaz era pequeno, magro e estava assustado. Sua pulsação estava aos pulos no pescoço. Usou as duas mãos para afastar o cabelo da cabeça e se virou na direção do para-brisa para me mostrar a orelha esquerda. Ela não estava ali. Havia apenas um tecido cicatrizado no formato de um pequeno calombo duro. Parecia um pequeno pedaço de macarrão cru. Como uma pequena flor de tortellini crua.

— Eles cortaram a minha orelha e mandaram pelo correio — disse ele. — Na primeira vez.

— Quando?

— Eu tinha 15 anos.

— O seu pai não pagou?

— Não rápido o bastante.

Fiquei calado. Richard Beck ficou sentado lá, me mostrando a cicatriz, em choque, assustado e respirando ruidosamente como uma máquina.

— Você está bem? — perguntei.

— Me leva pra casa — pediu ele. Como se estivesse suplicando. — Não posso ficar sozinho agora.

A rodovia ficava a dois minutos dali.

— Por favor — implorou ele. — Me ajuda.

— Merda — xinguei, pela terceira vez.

— Por favor. Nós podemos ajudar um ao outro. Você precisa se esconder.

— Não podemos ficar nesta van — falei. — Temos de supor que a descrição dela está sendo espalhada por todo o estado.

Ele me encarou, cheio de esperança. A rodovia ficava a um minuto dali.

— A gente vai ter que achar um carro — falei.

— Onde?

— Em qualquer lugar. Tem carro pra todo lado.

Havia um centro comercial, daqueles que se espalham por um terreno e são localizados fora das cidades, aconchegado a sudoeste do trevo da rodovia. Eu já conseguia vê-lo ao longe. Eram construções amareladas gigantes, sem janelas e com placas de neon. Havia estacionamentos gigantes com carros ocupando mais ou menos metade da capacidade. Eu me aproximei e dei uma volta inteira no lugar. Era grande como uma cidadezinha. Havia pessoas por todo lado. Elas me deixavam nervoso. Dei a volta novamente, entrei e passei ao lado de uma fileira de contêineres de lixo na parte de trás de uma loja de departamentos.

— Aonde a gente está indo? — perguntou Richard.

— Estacionamento de funcionários — respondi. — Os clientes entram e saem o dia inteiro. Imprevisível. Mas o pessoal das lojas fica lá durante o horário do expediente. Mais seguro.

Ele olhou para mim como se não tivesse entendido. Segui na direção de uma fila de oito carros estacionados de frente para uma parede lisa. Havia uma vaga ao lado de um Nissan Maxima desbotado com uns três anos de uso. Servia. Um veículo bem anônimo. O estacionamento era afastado, reservado e isolado. Passei da vaga e estacionei nela de ré. Coloquei as portas de trás da van bem próximas à parede.

— Tenho que esconder a janela estourada — expliquei.

O garoto ficou calado. Enfiei as duas Colts vazias nos bolsos do casaco e desci. Tentei abrir as portas do Maxima

— Arranja um arame pra mim — pedi. — Um cabo elétrico grosso ou um cabide.

— Você vai roubar esse carro?

Fiz que sim. Fiquei calado.

— Isso é uma boa ideia?

— Você ia achar se você fosse quem tivesse atirado acidentalmente num policial.

O garoto ficou com o rosto inexpressivo por um segundo, depois voltou a si e começou a procurar. Esvaziei as Anacondas e joguei os doze estojos em um contêiner de lixo. O garoto voltou com um cabo elétrico de um metro, que encontrou numa pilha de sucata. Retirei o encapamento isolante com os dentes, fiz um pequeno anzol na ponta e enfiei atrás da tira de borracha de vedação que selava o vidro da janela.

— Você é o vigia — falei.

Ele se afastou um pouco para examinar o estacionamento, e eu afundei o fio dentro do carro, fiquei sacolejando-o, fazendo o mesmo com a maçaneta da porta até abrir. Arremessei o fio de volta no lixo, curvei-me por baixo da barra da direção e arranquei a proteção de plástico. Vasculhei os fios ali até encontrar os dois de que precisava e encostei um no outro. O arranque ganiu, o motor girou, pegou e permaneceu ligado. O garoto estava com uma expressão adequadamente impressionada.

— Juventude desperdiçada — falei.

— Isso é uma boa ideia? — repetiu ele.

Fiz que sim e justifiquei:

— Melhor ideia do que esta não dá pra ter. Não vão dar falta dele até às seis da tarde, talvez oito. Enfim, quando a loja fechar. Você vai estar em casa muito antes disso.

Ele ficou parado com a mão na porta do passageiro, depois meio que deu uma sacolejada no corpo e entrou. Arredei o banco do motorista para trás, ajustei o retrovisor e dei ré para sair da vaga. Andei devagar pelo estacionamento do centro comercial. Havia uma viatura se arrastando a aproximadamente noventa metros. Estacionei novamente no primeiro lugar que vi e fiquei ali com o motor ligado até o policial se afastar. Em seguida, apressado, fui até a saída e dei a volta no trevo. Dois minutos depois, seguíamos para o norte em uma larga e lisa rodovia a respeitáveis noventa quilômetros por hora. O carro estava com um cheiro forte de perfume, e havia duas caixas de lenço nele, além de uma espécie de urso peludo preso no vidro da janela traseira com ventosas plásticas transparentes, onde deveriam ficar as patas. Havia uma luva da Little League de Beisebol no banco de trás, e eu escutava o barulho de um taco de alumínio sendo chacoalhado no porta-malas.

— Táxi de mãe — comentei.

O garoto não respondeu.

— Não se preocupa — tranquilizei. — Ela provavelmente tem seguro. Provavelmente é uma cidadã de bem.

— Você não se sente mal? — perguntou ele. — Pelo policial?

Encarei o rapaz. Magro e pálido, ele se retraiu novamente para o mais longe de mim que conseguia. Sua mão estava apoiada na porta. Seus dedos longos lhe deixavam com um aspecto de músico. Acho que ele queria gostar de mim, mas eu não precisava que chegasse a esse ponto.

— Merdas acontecem — afirmei. — Não há necessidade de ficar todo nervoso por causa disso.

— Que diabo de resposta é essa?

— A única que existe. Foi um dano colateral menor. Não significa nada a não ser que volte pra cobrar o preço. Conclusão: não temos como mudar aquilo, então seguimos em frente.

Ele ficou calado.

— De qualquer maneira, foi culpa do seu pai — falei.

— Por ser rico e ter um filho?

— Por contratar péssimos guarda-costas.

Ele desviou o olhar. Ficou calado.

— Eles *eram* guarda-costas, não eram?

Ele confirmou com um gesto de cabeça. Ficou calado.

— Então, *você* não se sente mal? — perguntei. — Por eles?

— Um pouco — respondeu ele. — Eu acho. Não os conhecia bem.

— Eles eram inúteis — afirmei.

— Aconteceu tão rápido.

— Os bandidos estavam esperando bem ali — informei. — Uma caminhonete velha caindo aos pedaços igual àquela, parada ali à toa numa cidadezinha universitária metida a besta. Que tipo de guarda-costas não nota uma coisa dessas? Eles nunca ouviram falar de avaliação de ameaça?

— Está falando que você notou?

Assenti.

— Notei.

— Nada mal para um motorista de van.

— Eu fui do Exército. Fui policial do Exército. Entendo o serviço de guarda-costas. E entendo dano colateral.

O garoto assentiu, confuso.

— Você já tem nome? — perguntou ele.

— Depende — respondi. — Preciso entender o seu ponto de vista. Posso estar me envolvendo em todo tipo de problema. Temos no mínimo um policial morto e um carro roubado.

Ele ficou em silêncio. Fiz o mesmo, quilômetro após quilômetro. Dei a ele tempo para pensar. Estávamos quase saindo de Massachusetts.

— A minha família aprecia lealdade — disse ele. — Você fez um serviço ao filho deles. E você fez um serviço pra *eles*. Fez com que poupassem um dinheiro, pelo menos. Eles vão demonstrar gratidão. Tenho certeza de que a última coisa que eles vão fazer é entregar você.

— Você precisa ligar pra eles?

Ele fez que não e disse:

— Estão me esperando. Contanto que eu apareça lá, não preciso ligar.

— Os policiais vão ligar. Eles acham que você está em sérios apuros.

— Eles não têm o número. Ninguém tem.

— A faculdade deve ter o seu endereço. Eles conseguem encontrar o seu número.

Ele fez que não novamente e informou:

— A faculdade não tem o endereço. Ninguém tem. Somos muito cuidadosos em relação a esse tipo de coisa.

Dei de ombros, fiquei quieto e dirigi mais dois quilômetros.

— E você? — perguntei. — Você vai me dedurar?

Eu o vi encostar na orelha direita. A que ainda estava ali. Era óbvio que se tratava de um gesto totalmente subconsciente.

— Você salvou a minha pele — disse ele. — Não vou te dedurar.

— Ok. Meu nome é Reacher.

Passamos alguns poucos minutos cortando caminho por um cantinho de Vermont, depois saímos para o nordeste através de New Hampshire. Então nos preparamos para a longuíssima viagem. A adrenalina se dissipou, o garoto superou o choque e nós dois acabamos um pouco abatidos e sonolentos. Abri a janela para que um pouco de ar entrasse e de perfume saísse. Isso fez com que o carro ficasse barulhento, mas me manteve acordado. Conversamos um pouco. Richard Beck me contou que tinha 20 anos. Estava no penúltimo ano de faculdade. Cursava algo meio expressão artística contemporânea que para mim soava muito como pintura com os dedos. Ele não era bom com relacionamentos. Filho único. Havia muita ambivalência na família. Obviamente se tratava de um tipo de clã com ligações muito íntimas, e uma metade de Richard queria sair enquanto a outra precisava fazer parte daquilo. Era nítido que tinha sido muito traumatizado pelo sequestro anterior. O que me fez questionar se algo havia sido feito com ele, além do negócio da orelha. Quem sabe algo muito pior.

Contei sobre o Exército e me alonguei nas minhas qualificações para o serviço de guarda-costas. Queria que ele sentisse que estava em boas mãos, pelo menos por enquanto. Mantive a velocidade alta e constante. O Maxima tinha acabado de ser abastecido. Não precisávamos parar para encher o tanque. Ele não quis almoçar. Parei uma vez para ir ao banheiro. Deixei o veículo ligado para que não precisasse perder tempo com os fios da ignição de novo. Voltei para o carro e o encontrei imóvel lá dentro. Nós voltamos para a estrada, passamos por Concord em New Hampshire e seguimos na direção de Portland, no Maine. O tempo passou. Ele ia ficando mais relaxado à medida que nos aproximávamos da casa da família. Porém, mais quieto também. Ambivalência.

Atravessamos a fronteira do estado, e, a uns trinta quilômetros de Portland, ele se virou para o lado, ficou observando com muita atenção e me disse para pegar a próxima entrada. Nós pegamos uma estrada estreita no sentido leste, na direção do Atlântico. Ela passava por baixo da I-95, depois estendia-se por mais de 25 quilômetros de promontórios de granito à beira-mar. Era o tipo de paisagem que seria belíssima no verão. Mas ainda estava frio e úmido. Árvores raquíticas definhavam com o vento salgado, e afloramentos rochosos ficavam expostos onde ventanias e marés meteorológicas tinham lapidado a terra. A estrada se retorcia e curvava como se estivesse tentando abrir à força o caminho o mais ao leste possível. Vislumbrei o oceano à frente. Prosseguimos por entradas à esquerda e à direita. Eu via pequenas praias de areia grossa. Então a estrada fez uma curva para a esquerda e logo em seguida, imediatamente, virou para a direita, elevando-se até um promontório com o formato da palma de uma mão que estreitou abruptamente e se transformou em um único dedo estendido em direção ao mar. Era uma península rochosa de uns cem metros de largura e pouco menos de um quilômetro de extensão. Eu conseguia sentir o vento fustigando o carro. Segui dirigindo sobre a península e vi uma fileira de árvores sempre-vivas raquíticas que tentavam esconder um muro alto de granito, no entanto não eram nem altas nem densas o suficiente para conseguirem. O muro tinha uns dois metros e meio. Grandes rolos de arame farpado estavam espalhados pelo topo. Havia luzes de segurança espaçadas em intervalos. O muro se estendia de um lado ao outro dos cem metros de largura do dedo e se inclinava abruptamente nas pontas, que desciam até o mar, onde suas fundações gigantescas apoiavam-se em enormes blocos de pedra musguentos e cobertos de algas marinhas. Havia um portão de ferro no muro, exatamente no meio. Estava fechado.

— Pronto — disse Richard Beck. — É aí que eu moro.

A estrada levava direto ao portão. Atrás dele, ela se transformava em uma longa e reta entrada pavimentada. Ao final, havia uma casa cinza de pedra. Enxerguei-a no final do dedo, bem perto do oceano. Logo depois do portão, havia um chalé de um andar. Tinha o mesmo estilo que a casa e era feito com a mesma pedra, mas era bem menor e mais baixo. Compartilhava sua fundação com o muro. Reduzi a velocidade e parei o carro em frente ao portão.

— Buzina — disse Richard Beck.

O Maxima tinha uma saliência na tampa do airbag. Eu a pressionei com um dedo, e a buzina ressoou educadamente. Vi uma câmera de vigilância, inclinando e virando, no pilar do portão. Era como um pequeno olho de vidro olhando para mim. Depois de um longo momento, a porta do chalé foi aberta. Um cara de terno escuro saiu de lá. Era óbvio que o terno tinha sido adquirido em uma loja de roupas de tamanhos especiais e que aquele era provavelmente o maior que já tinham vendido, mas mesmo assim ainda estava muito apertado nos ombros e curto nos braços do dono. Ele era muito mais alto do que eu, o que o colocava imediatamente na categoria das aberrações. Era um gigante. Aproximou-se do portão pelo lado de dentro e olhou para fora. Passou um longo período olhando para mim e um curto para o garoto. Em seguida, destrancou o portão e o abriu.

— Vai direto para a casa — disse Richard. — Não para aqui. Não gosto muito desse cara.

Passei pelo portão. Não parei. Mas mantive a velocidade baixa e dei uma conferida no local. A primeira coisa a fazer quando se entra em um lugar é procurar a saída. O muro se estendia até as águas bravias em ambos os lados. Era alto demais para pular, e o arame farpado por cima dele tornava impossível escalá-lo. Havia uma área aberta uns trinta metros atrás dele. Uma espécie de terra de ninguém. Ou um campo minado. As luzes de segurança tinham sido montadas para cobrir toda a extensão. Não existia outra maneira de sair a não ser pelo portão. O gigante o estava fechando atrás de nós. Eu o via pelo retrovisor.

O caminho até a casa era longo. Oceano cinza de três lados. A casa era uma construção alta e antiga. Talvez tivesse sido a casa de um capitão do mar em tempos antigos, quando matar baleia gerava fortunas respeitáveis. Era pedra pura, com cornijas, raias e dobras intrincadas. Toda a superfície de frente para o norte era coberta de líquen cinza. O restante era salpicado de verde. Tinha três andares. Uma dezena de chaminés. O contorno do telhado era complexo. Havia arestas por toda parte com calhas curtas e dezenas de canos grossos de ferro para drenar a água da chuva. A porta principal, feita de carvalho, tinha acabamento e adornos de ferro. A entrada pavimentada abria e transformava-se em uma rotatória. Contornei-a no sentido anti-horário e parei bem em frente à porta. Ela foi aberta, e outro sujeito de terno escuro saiu dela. Era mais ou menos do meu tamanho, o que fazia com que fosse bem menor do que o cara do chalé. Mas não gostei dele nem um pouco mais. Tinha feições endurecidas feito pedra e olhos inexpressivos. Ele abriu a porta do passageiro do Maxima como se estivesse esperando vê-lo, o que suponho que estava mesmo, porque o grandão no chalé devia ter ligado para avisar.

— Você me espera aqui? — perguntou Richard.

Ele desceu do carro, caminhou para dentro da penumbra da casa, o cara de terno fechou a porta de carvalho pelo lado de fora e se postou em frente a ela. Ele não olhava para mim, mas eu sabia que estava em algum lugar na sua visão periférica. Desconectei os fios debaixo da barra de direção para desligar o carro e aguardei.

Foi uma espera razoável, provavelmente em torno de quarenta minutos. Sem o motor funcionando, o carro esfriou. Ele balançava gentilmente à brisa do mar que envolvia a casa. Eu olhava para a frente através do para-brisa. Estava virado para o nordeste, e o ar era forte e limpo. Dava para ver o contorno da costa virando à esquerda na nossa direção. Eu vi uma fraca mancha marrom no ar a aproximadamente trinta quilômetros. Provavelmente poluição, erguendo-se de Portland. A cidade propriamente dita estava escondida atrás de um promontório.

Então a porta de carvalho foi novamente aberta, e o segurança deu um passo hábil para o lado. Uma mulher saiu. Era a mãe de Richard Beck. Sem dúvida. Sem dúvida alguma. Tinha o mesmo corpo delgado e o mesmo rosto pálido. Os mesmos dedos compridos. Estava de calça jeans e uma blusa de lã grossa. O cabelo voava com o vento. Devia ter uns 50 anos e era dona de uma aparência cansada e tensa. Parou a aproximadamente dois metros do carro, como se estivesse me dando a oportunidade de perceber que seria mais educado se saísse e fosse me encontrar com ela no meio do caminho. Então abri a porta e desci. Estava travado e tenso de frio. Dei um passo à frente e ela esticou a mão. Apertei-a. Estava geladíssima e era cheia de osso e tendões.

— Meu filho me contou o que aconteceu — disse ela. Sua voz era baixa e soava um pouco rouca, como se ela fumasse muito ou tivesse chorado demais. — Não tenho como expressar o quanto estou agradecida por você tê-lo ajudado.

— Ele está bem? — perguntei.

Ela fez uma careta, como se não tivesse certeza.

— Ele está deitado agora.

Soltei a mão dela, que voltou a ficar dependurada ao lado do corpo. Houve um curto e constrangedor silêncio.

— Sou Elizabeth Beck — apresentou-se.

— Jack Reacher — falei.

— O meu filho me explicou a sua situação — disse ela.

Foi uma palavra neutra agradável. Não falei nada em resposta.

— O meu marido estará em casa à noite — continuou ela. — Ele saberá o que fazer.

Houve outro silêncio constrangedor. Aguardei.

— Gostaria de entrar? — perguntou ela.

Ela se virou e caminhou de volta para a entrada. Segui-a. Passei pela porta, que apitou. Olhei novamente e vi que um detector de metal tinha sido instalado bem rente à ombreira interior da porta.

— Você se importaria? — perguntou Elizabeth Beck. Ela fez um encabulado gesto apologético para mim, depois outro para o cara grande e feio de terno. Ele se aproximou para me revistar.

— Duas armas — avisei. — Vazias. Nos bolsos do meu casaco.

Ele as pegou com movimentos naturais e experientes que sugeriam que ele já tinha revistado muita gente. Colocou-as em uma mesinha de canto, se abaixou e passou as mãos pelas minhas pernas, levantou e verificou meus braços, minha cintura, meu peito, minhas costas. Ele foi muito meticuloso e não muito delicado.

— Desculpe — disse Elizabeth Beck.

O cara de terno se afastou e ficou parado. Houve outro silêncio constrangedor.

— Você precisa de alguma coisa? — perguntou Elizabeth Beck.

Eu podia pensar em um monte de coisas de que precisava. Mas apenas neguei com a cabeça.

— Estou um pouco cansado — falei. — Dia longo. Preciso muito tirar um cochilo.

Ela deu um breve sorriso, como se estivesse satisfeita, como se colocar o seu matador de policial pessoal dormindo em algum lugar fosse aliviá-la de uma pressão social.

— É claro — disse ela. — O Duke vai te levar a um quarto.

Ela olhou para mim um segundo mais. Por baixo da tensão e da palidez, era uma mulher bonita. Tinha um belo corpo e a pele bonita.

Trinta anos antes, o assédio em cima dela devia ser de matar. Virou-se e desapareceu nas profundezas da casa. Voltei-me para o cara de terno. Supus que fosse o tal Duke.

— Quando pego as armas de volta? — perguntei.

Ele não respondeu. Apontou para a escada e me seguiu. Indicou a próxima escada e chegamos ao terceiro andar. Ele me levou até uma porta e a abriu. Entrei no quarto quadrado e revestido com carvalho. A mobília era antiga e pesada. Uma cama, um guarda-roupa, uma mesa, uma cadeira. Havia um tapete oriental no chão. Parecia fino e puído. Talvez fosse um item inestimável. Duke passou por mim, caminhou sobre ele e me mostrou onde ficava o banheiro. Estava agindo como um funcionário de hotel. Passou por mim novamente e seguiu na direção da porta.

— O jantar é às oito — informou ele. Nada mais.

Saiu e fechou a porta. Não escutei som algum, mas, quando conferi, percebi que ela tinha sido trancada por fora. Não havia buraco de fechadura do lado de dentro. Aproximei-me da janela e olhei a vista. Eu estava na parte de trás da casa, e a única coisa que podia ver era o oceano. De frente para o leste, não havia nada entre mim e a Europa. Olhei para baixo. Eram quinze metros de altura; lá embaixo havia pedras com ondas espumando ao redor. Parecia que a maré estava subindo.

Andei novamente até a porta, colei a orelha nela e me concentrei para escutar alguma coisa. Não ouvi nada. Examinei o teto, as cornijas, a mobília, muito cuidadosamente, centímetro por centímetro. Não havia nada ali. Nenhuma câmera. Não me importava com microfones. Não ia fazer barulho algum. Sentei na cama e tirei o sapato direito. Virei-o de cabeça para baixo e usei as unhas para tirar um pino do salto. Girei a borracha dele como uma portinha, desvirei o sapato e o balancei. Um pequeno retângulo de plástico caiu na cama e quicou uma vez. Era um dispositivo de e-mail wireless. Nada sofisticado. Um produto comercial qualquer, mas havia sido reprogramado para enviar mensagens a apenas um endereço. Era do tamanho de um pager grande. Havia um pequeno e espremido teclado com teclas minúsculas. Eu o liguei e digitei uma mensagem curta. Depois apertei *Enviar*.

A mensagem era a seguinte: *Estou dentro.*

2

A VERDADE É QUE NAQUELE MOMENTO EU ESTAVA *dentro* já fazia onze dias, desde uma úmida e clara noite de sábado na cidade de Boston, quando vi um homem morto atravessar a calçada e entrar num carro. Não era um delírio. Não era uma semelhança misteriosa. Não era um sósia, nem um gêmeo, nem um irmão, nem um primo. Era um homem que tinha morrido uma década antes. Sem dúvida alguma. Não era uma ilusão por causa da luz. Ele parecia ter envelhecido proporcionalmente a essa quantidade de anos e carregava as cicatrizes dos ferimentos que o tinham matado.

Eu estava caminhando na Huntington Avenue e faltava pouco mais de um quilômetro para chegar a um bar de que tinha ouvido falar. Era tarde. As pessoas tinham acabado de começar a sair do Symphony Hall. Eu era teimoso demais para atravessar a rua e evitar a multidão. Simplesmente fui me enfiando nela. Era uma massa de gente bem-vestida e perfumada, a maioria velha. Havia carros parados em fila dupla e táxis ao meio-fio. Os motores estavam ligados e os limpadores de para-brisa socavam de um lado e de outro em intervalos irregulares. Vi o cara sair pelas portas do foyer à minha esquerda. Vestia um sobretudo pesado de casimira e segurava luvas e um cachecol. Não estava usando nada na cabeça. Tinha aproximadamente 50 anos. Quase trombamos. Eu parei. Ele parou. Olhou direto para mim. Ficamos numa daquelas situações que ocorrem em calçadas lotadas em que nós dois hesitamos, ambos começamos a nos movimentar e depois paramos de novo. A princípio achei que ele não tinha me reconhecido. Então o rosto dele ficou sério. Nada definitivo. Eu me detive, ele atravessou em frente a mim e entrou atrás num Cadillac DeVille preto que aguardava ao meio-fio. Fiquei parado ali, observei o motorista arrancar lentamente e se meter no meio do trânsito. Ouvi o pneu cantar no asfalto molhado.

Peguei o número da placa. Não estava entrando em pânico. Não questionava nada. Estava preparado para acreditar na evidência dos meus próprios olhos. Dez anos de história tinham dado uma reviravolta em um segundo. *O cara estava vivo.* O que me deixava com um problema enorme.

Aquele foi o dia um. Esqueci completamente o bar. Voltei direto ao meu hotel e comecei a ligar para números mais ou menos esquecidos dos meus tempos na Polícia do Exército. Precisava de alguém que eu conhecesse e em quem confiava, mas eu já tinha saído fazia seis anos na época, era sábado, tarde da noite, então as probabilidades estavam contra mim. No final, me conformei com alguém que alegou já ter ouvido falar de mim, o que poderia ou não ter feito diferença para o resultado final. Ele era um subtenente chamado Powell.

— Preciso que você rastreie uma placa civil — disse a ele. — Estou pedindo um favor.

Ele sabia quem eu era, por isso não me desapontou falando que não poderia fazer aquilo. Passei os detalhes. Disse que tinha quase certeza de que o registro era particular e não de uma empresa que alugava carros com chofer. Ele pegou o meu número e prometeu retornar a ligação de manhã, que seria o dia dois.

Ele não retornou a ligação. Em vez disso, me dedurou. Acho que naquelas circunstâncias qualquer um teria feito isso. O dia dois era um domingo e eu acordei cedo. Pedi café da manhã no quarto do hotel e fiquei esperando o telefone tocar. Em vez de receber uma ligação, alguém bateu na minha porta. Logo depois das dez horas. Usei o olho mágico e vi duas pessoas de pé bem próximas uma da outra, de maneira que aparecessem na lente. Um homem, uma mulher. Jaquetas escuras. Sem sobretudo. O homem segurava uma maleta. Ambos tinham levantado identidades oficiais, um pouco inclinadas para que capturassem a luz do corredor.

— Agentes federais — disse o homem, com a voz alta o suficiente para que eu escutasse através da porta. Numa situação como aquela, não adiantava fingir que não estava lá dentro. Eu já tinha sido o cara no corredor com muita frequência. Um deles fica bem ali e outro desce para buscar o gerente com a chave-mestra. Então abri e dei um passo atrás para que entrassem.

Ficaram desconfiados por um momento. Relaxaram assim que viram que eu não estava armado e não parecia um maníaco. Eles me entregaram as identidades e andaram pelo quarto enquanto eu as decifrava. Na parte de cima, estava escrito: *Departamento de Justiça dos Estados Unidos*. Na parte de baixo: *Agência de Combate às Drogas*. No meio ficavam todo tipo de chancelas e assinaturas e marcas d'água. Havia fotos e nomes digitados. O homem era Steven Eliot, com um *l*, igual ao antigo poeta. *Abril é o mais cruel dos meses*. Estava certo para cacete. A foto era uma boa representação dele. Steven Eliot aparentava estar em algum lugar entre os 30 e os 40, era atarracado, moreno, um pouco careca e tinha um sorriso que parecia amigável na foto e mais ainda pessoalmente. A mulher era Susan Duffy. Um pouco mais jovem que Steven Eliot. Um pouco mais alta também. Era clara, esbelta, muito atraente e tinha mudado o cabelo depois que a foto fora tirada.

— Vão em frente — falei. — Revistem o quarto. Já faz muito tempo desde a última vez que eu tive alguma coisa a esconder de vocês.

Devolvi as identidades, eles colocaram-nas no bolso de dentro e se certificaram de movimentar as jaquetas de modo que eu visse que estavam armados. As armas estavam em coldres de ombro bem-colocados. Reconheci o cabo texturizado da Glock 17 debaixo da axila de Eliot. Duffy tinha uma 19, que era a mesma coisa só que um pouco menor. Estava acomodada sob o seio direito. Ela devia ser canhota.

— Não queremos revistar o quarto — disse ela.

— Queremos conversar sobre a placa de um carro — revelou Eliot.

— Não tenho carro — enrolei.

Ainda estávamos todos de pé formando um pequeno e perfeito triângulo logo atrás da porta. Eliot continuava com a maleta na mão. Eu tentava descobrir quem era o chefe. Talvez nenhum dos dois. Podiam estar no mesmo degrau da hierarquia. Patentes relativamente altas. Estavam bem-vestidos, mas pareciam um pouco cansados. Talvez tivessem trabalhado a maior parte da noite e pegado um voo de algum lugar para chegarem ali. De Washington, talvez.

— Podemos nos sentar? — perguntou Duffy.

— Claro — respondi. Mas um quarto de hotel barato deixava aquilo meio esquisito. Havia apenas uma cadeira. Estava enfiada debaixo de uma pequena mesa espremida entre uma parede e o móvel que sustentava a televisão. Duffy a puxou e virou de maneira que ficasse de frente para a cama. Sentei perto dos travesseiros. Eliot foi para o pé da cama e colocou a maleta sobre ela. Ainda dava seu sorriso amigável para mim, e não consegui encontrar nada de falso nele. Duffy estava linda na cadeira, que tinha a altura perfeita para ela. A saia era curta e ela estava de meia-calça escura, que clareava na dobra dos joelhos.

— Você é o Reacher, certo? — perguntou Eliot.

Tirei os olhos das pernas de Duffy e confirmei com um gesto de cabeça. Eu tinha certeza de que eles já sabiam disso.

— Este quarto está em nome de Calhoun — disse Eliot. — Pago em dinheiro, por uma noite apenas.

— Hábito — expliquei.

— Está indo embora hoje?

— Pago um dia de cada vez.

— Quem é Calhoun?

— Vice-presidente no governo de John Quincy Adams — respondi.

— Achei que combinava com este lugar. Já gastei os presidentes todos há muito tempo. Agora estou usando os vice-presidentes. Calhoun era esquisito. Ele renunciou para concorrer ao Senado.

— Ele foi eleito?

— Não sei.

— Por que o nome falso?

— Hábito — repeti. Susan Duffy estava olhando diretamente para mim. Não como se eu fosse maluco. Como se estivesse interessada.

Ela provavelmente já tinha descoberto que isso era uma técnica de interrogatório valiosa. Quando interrogava pessoas no passado, eu fazia a mesma coisa. Noventa por cento do ato de fazer perguntas consiste em escutar as respostas.

— Conversamos com um policial do Exército chamado Powell — disse ela. — Você pediu a ele para rastrear uma placa.

A voz dela era baixa, cordial e um pouco rouca. Fiquei calado.

— Aquela placa é totalmente monitorada por nós — informou ela. — Assim que a investigação dele caiu no sistema, nós ficamos sabendo. Ligamos para ele e perguntamos por que estava interessado nela. Ele nos disse que o interesse era seu.

— Relutantemente, espero eu — falei.

Ela sorriu e continuou:

— Ele se recuperou rapidamente o bastante para nos dar um número de telefone que na verdade não era o seu. Então não precisa se preocupar a respeito da lealdade da sua antiga unidade.

— Só que no final ele te deu o número certo.

— Nós o ameaçamos — disse ela.

— Então os PEs mudaram desde a minha época — comentei.

— É importante pra nós — disse Eliot. — Ele percebeu isso.

— Então agora você é importante pra gente — completou Duffy.

Desviei o olhar. Sou rodado demais, e mesmo assim o som da voz dela dizendo aquilo ainda me deu uma leve excitação. Comecei a pensar que talvez ela fosse o chefe. E uma interrogadora do cacete.

— Um cidadão comum liga querendo informações sobre uma placa — disse Eliot. — Por que ele faria isso? Talvez ele tenha se envolvido em um acidente com o carro que tinha essa placa. Talvez fosse um caso de fuga do local do acidente. Mas ele não iria à polícia nesse caso? De qualquer maneira, você acabou de contar para gente que não tem carro.

— Então talvez você tenha visto alguém *no* carro — disse Duffy.

Ela deixou o restante pender no ar. Era um perfeito beco sem saída. Se a pessoa no carro era amiga minha, então eu provavelmente era inimigo. Se a pessoa no carro era inimiga minha, então Duffy estava pronta para ser minha amiga.

— Já tomaram café da manhã? — perguntei.

— Tomamos — respondeu ela.

— Eu também — falei.

— Nós sabemos — revelou ela. — Serviço de quarto, uma porção pequena de panquecas com um ovo por cima, frito dos dois lados. Mais um bule grande de café, puro e sem açúcar. Você pediu que entregassem às 7h45, serviram às 7h44, você pagou em dinheiro e deu uma gorjeta de três dólares ao garçom.

— Eu gostei?

— Você comeu.

Eliot abriu as trancas da maleta, que deram um estalo, e levantou a tampa. Pegou uma pilha de papel presa com um elástico. O papel parecia ser novo, mas o conteúdo escrito nele estava borrado. Fotocópias de faxes, provavelmente feitas durante a noite.

— A sua ficha da época do Exército — disse ele.

Vi fotos na maleta. Uma foto em preto e branco de 20 x 25. Algo relacionado a monitoramento.

— Você foi policial do Exército por treze anos — disse Eliot. — Foi promovido muito rapidamente, chegando de segundo-tenente a major. Várias condecorações e medalhas. Eles gostavam de você. Você era bom. Muito bom.

— Obrigado.

— Melhor do que muito bom, na verdade. Você era o cara a quem recorrer em numerosas ocasiões.

— Acho que era mesmo.

— Mas eles mandaram você embora.

— Fui rifado — falei.

— Rifado? — repetiu Duffy.

— RIF, *Reduction in Force*, ou seja, redução na força. Eles adoram transformar as coisas em siglas. A Guerra Fria acabou, os gastos com as forças armadas sofreram cortes, o Exército ficou menor. Aí não precisavam mais de tantos sujeitos a quem recorrer.

— O Exército ainda existe — disse Eliot. — Eles não cortaram todo mundo.

— Não.

— Então por que você em particular?

— Você não entenderia.

Ele não contestou.

— Você pode nos ajudar — disse Duffy. — Quem você viu no carro?
Não respondi.

— Havia drogas no Exército? — perguntou Eliot.

Sorri e respondi.

— Exércitos adoram drogas. Eles sempre têm. Morfina, benzedrina.
O Exército alemão inventou o ecstasy. Era um moderador de apetite.
A CIA inventou o LSD e o testou no Exército dos EUA. Marcham
com as veias cheias.

— Recreativas?

— A idade média dos recrutas é de 18 anos. O que você acha?

— Isso era um problema?

— Não criávamos muito caso com aquilo. Um sujeito sai de licença
e fuma uns baseados no quarto da namorada, a gente não ligava pra
isso. Tínhamos chegado à conclusão de que é melhor vê-los com uns
dois baseados do que com um fardinho de cervejas. Quando longe dos
nossos cuidados, preferimos que eles sejam mais dóceis do que agressivos.

Duffy deu uma olhada para Eliot, que usou as unhas para juntar as
fotos e tirá-las da maleta. Ele as entregou a mim. Eram quatro. Todas as
quatro eram de baixa resolução e um pouco embaçadas. Todas as quatro mostravam o Cadillac DeVille que eu tinha visto na noite anterior.
Reconheci pelo número da placa. Estava num tipo de estacionamento
fechado. Havia dois caras de pé ao lado do porta-malas. Em duas das
fotos, a tampa estava abaixada. Nas outras duas, levantada. Os dois caras
olhavam para alguma coisa lá dentro. Sem condições de dizer o que era.
Um dos caras era um gângster hispânico. O outro, um homem mais
velho de terno. Eu não o conhecia.

Duffy devia ter ficado observando o meu rosto.

— Não é o homem que você viu? — questionou ela.

— Não falei que vi alguém.

— O hispânico é um traficante dos grandes — disse Eliot. — Na
verdade, ele é *o* traficante da maior parte do condado de Los Angeles.
O que não temos como provar, é claro, mas sabemos tudo sobre ele.
Seu lucro deve ser de milhões de dólares por semana. Ele vive como
um imperador. Mas foi até Portland, no Maine, para se encontrar com
esse outro cara.

Encostei em uma das fotos e perguntei:

— Isto é em Portland, no Maine?

Duffy fez que sim com um gesto de cabeça e completou:

— Um estacionamento fechado, no centro. Mais ou menos nove semanas atrás. Eu mesma tirei as fotos.

— Então quem é este outro cara?

— Não temos muita certeza. Nós rastreamos a placa do carro, é óbvio. Está no nome de uma corporação chamada Bizarre Bazaar. A sede fica em Portland. De acordo com o que descobrimos até agora, ela foi fundada há muito tempo como um negócio meio hippie e mambembe de importação e exportação de produtos do Oriente Médio. Agora ele é especializado em importar tapetes orientais. De acordo com o que podemos afirmar até agora, o dono é um cara chamado Zachary Beck. Estamos supondo que seja ele nas fotos.

— O que o torna gigantesco — completou Eliot. — Se esse cara de Los Angeles está disposto a pegar um avião e despencar lá na ponta leste pra se encontrar com ele, o cara deve ter uma posição importante no esquema todo. E qualquer pessoa que ocupe uma posição acima desse cara de Los Angeles é estratosférico, pode acreditar em mim. Ou seja, esse Zachary Beck é um figurão e está de sacanagem com a gente. Importador de tapete, importador de entorpecente. Está zoando a gente.

— Sinto muito — falei. — Nunca vi esse cara.

— Não precisa se desculpar — disse Duffy, antes de se inclinar para a frente na cadeira. — É melhor pra gente ele não ser o cara que você viu. Nós já o conhecemos. É melhor pra gente se você tiver visto um dos sócios dele. Podemos tentar chegar a ele desse jeito.

— Por que vocês não partem pra cima do cara de uma vez?

Houve um breve silêncio. A impressão que tive foi de que havia certo constrangimento.

— Temos alguns problemas — confessou Eliot.

— Parece que vocês têm uma causa provável contra um malandro de Los Angeles. E têm fotos que o colocam lado a lado com o tal do Beck.

— As fotos estão corrompidas — disse Duffy. — Cometi um erro.

Mais silêncio.

— A garagem era propriedade privada — disse ela. — É debaixo de um prédio comercial. Eu não tinha mandado. A lei torna as fotos inadmissíveis.

— Não dá pra vocês mentirem? Falarem que estavam do lado de fora da garagem?

— As condições físicas não permitem isso. O advogado de defesa descobriria num minuto, e o caso desmoronaria.

— Precisamos saber quem você viu — disse Eliot.

Não respondi.

— Precisamos saber mesmo — insistiu Duffy. A voz com que falou isso era do tipo que fazia homens pularem do alto de prédios. Mas não havia artifício ali. Nenhum fingimento. Ela não tinha noção do quanto a voz dela tinha soado maravilhosa. *Ela realmente precisava saber.*

— Por quê? — perguntei.

— Porque preciso resolver esse negócio.

— Todo mundo erra.

— Nós mandamos uma agente atrás do Beck — revelou ela. — Disfarçada. Uma mulher. Ela desapareceu.

Silêncio.

— Quando? — perguntei.

— Sete semanas atrás.

— Vocês a procuraram?

— Não sabemos onde procurar. Não sabemos pra onde o Beck vai. Não sabemos nem onde ele mora. Ele não tem propriedades registradas no nome dele. O dono da casa deve ser alguma corporação-fantasma. É uma agulha num palheiro.

— Você não seguiram o cara?

— Tentamos. Ele tem guarda-costas e motoristas. Eles são bons demais.

— Bons demais para a Agência de Combate às Drogas dos Estados Unidos?

— Pra nós. Estamos sozinhos. O Departamento de Justiça rejeitou a operação quando eu fiz merda.

— Mesmo com um agente desaparecido?

— Eles não sabem que a agente está desaparecida. Nós a envolvemos depois que cancelaram a nossa investigação. Ela estava agindo por debaixo dos panos.

Encarei-a.

— Essa coisa toda está sendo feita por debaixo dos panos — confessou ela.

— Então como vocês estão conseguindo agir?

— Sou líder de equipe. Ninguém fica na minha cola todo dia. Finjo que estou trabalhando em outra coisa. Mas não estou. Estou trabalhando nisso.

— Então ninguém sabe que essa mulher está desaparecida.

— Só a minha equipe — respondeu ela. — Somos sete pessoas. E agora você.

Fiquei calado.

— Viemos direto pra cá — continuou Duffy. — Precisamos de uma pista. Por que outro motivo teríamos voado pra cá num domingo?

O quarto ficou silencioso. Tirei os olhos dela, encarei Eliot e depois os voltei para Duffy. Eles precisavam de mim. Eu precisava deles. E eu gostei deles. Gostei muito deles. Eram pessoas honestas e simpáticas. Eram parecidos com as melhores pessoas com quem eu costumava trabalhar.

— Faço uma troca — propus. — Informação por informação. Vemos como nos entrosamos. E a partir daí a gente vê o que faz.

— Do que você precisa?

Eu disse a ela que precisava de um prontuário hospitalar de dez anos atrás de um lugar chamado Eureka, na Califórnia. Disse a ela que tipo de coisa tinham que procurar. Disse a ela que eu ficaria em Boston até me procurarem de novo. Disse a ela para não colocarem nada no papel. Eles foram embora, e esse foi o dia dois. Nada aconteceu no dia três. Nem no dia quatro. Fiquei de bobeira. Achei Boston aceitável por dois dias. Era o que eu chamava de cidade-48. Depois de 48 horas, ela começa a ficar entediante. É claro que a maioria dos lugares são assim para mim. Sou uma pessoa inquieta. Por isso, no início do dia cinco eu estava ficando louco, quase admitindo que tinham se esquecido completamente de mim. Estava prestes a dar o assunto como encerrado e voltar para estrada. Tinha Miami em mente. Lá embaixo estaria fazendo muito mais calor. Mas, no final da manhã, o telefone tocou. Era a voz dela. Foi ótimo escutá-la.

— Estamos a caminho — disse ela. — Encontramos você perto da estátua grande daquele sujeito em cima de um cavalo, lá no meio da Freedom Trail, às três horas.

Não era um encontro muito preciso, mas eu tinha entendido. O lugar ficava em North End, perto da igreja. Era primavera e estava frio demais para que alguém quisesse ir lá sem um propósito, mas cheguei cedo de qualquer maneira. Sentei-me em um banco ao lado de uma senhora idosa que alimentava pardais e pombos com casca de pão. Ela me olhou e se mudou para outro banco. Os pássaros se apinharam ao redor de seus pés, bicando as migalhas. Um sol aguado lutava contra nuvens de chuva no céu. Era Paul Revere no cavalo.

Duffy e Eliot apareceram bem no horário marcado. Estavam com casacos impermeáveis pretos cheios de presilhas e fivelas e cintos. Podiam muito bem estar usando placas no pescoço que diziam *Agentes Federais de Washington D.C.* Sentaram-se, Duffy à minha esquerda e Eliot à direita. Recostei-me e eles se inclinaram para a frente com os cotovelos nos joelhos.

— Paramédicos pescaram um cara nas ondas do Pacífico — disse Duffy. — Dez anos atrás, bem ao sul de Eureka, na Califórnia. Homem branco, de aproximadamente 40 anos. Tinha levado dois tiros na cabeça e um no peito. Calibre pequeno, provavelmente .22. Chegaram à conclusão de que ele tinha sido jogado de um penhasco no oceano.

— Estava vivo quando o pescaram? — perguntei, embora já soubesse a resposta.

— Por pouco — respondeu Duffy. — Ele tinha uma bala alojada perto do coração e o crânio estava quebrado. Assim como um braço, as duas pernas e a pélvis, por causa da queda. E estava meio afogado. Eles o operaram por quinze horas direto. Ficou na UTI durante um mês e se recuperando no hospital por mais seis.

— Identidade?

— Não tinha nada. O nome dele nos registros é John Doe.

— Eles tentaram conferir a identidade dele?

— A digital dele não estava em nenhum sistema — disse ela. — Em nenhuma lista de pessoas desaparecidas. Ninguém apareceu pra procurá-lo.

Demonstrei que tinha entendido com um gesto de cabeça. *Computadores com os registros de digitais informam aquilo que são programados para informar.*

— E aí? — perguntei.

— Ele se recuperou — respondeu ela. — Tinham se passado seis meses. Eles estavam tentando resolver o que fazer com o sujeito quando ele repentinamente desapareceu. Nunca mais o viram.

— O cara contou alguma coisa a eles sobre quem era?

— Foi diagnosticado com amnésia, certamente por causa do traumatismo, porque isso é quase inevitável. Chegaram à conclusão de que ele realmente não devia se lembrar do incidente nem de um ou dois dias antes. Só que acharam que ele era capaz de se lembrar de coisas anteriores a isso e tiveram a forte impressão de que o cara estava fingindo não se lembrar. O arquivo do caso é bem extenso. Psiquiatras, tudo. Eles o interrogavam regularmente. O sujeito foi muito resoluto. Nunca disse uma palavra sobre si mesmo.

— Qual era a condição física dele quando saiu?

— Bem satisfatória. Tinha cicatrizes visíveis por causa dos ferimentos de bala e só.

— Certo — falei. Reclinei a cabeça e olhei para o céu.

— Quem era ele?

— Qual é o seu palpite? — perguntei.

— Tiros de baixo calibre na cabeça e no peito? — disse Eliot. — Jogado no oceano? Foi crime organizado. Um assassinato. Um matador de aluguel pegou o cara.

Fiquei calado. Olhei para o céu e me arrastei no tempo para dez anos antes, um mundo completamente diferente.

— Vocês sabem alguma coisa sobre tanques? — perguntei.

— Tanques militares? Esse tipo de armamento? Não muito.

— Eles não têm nada de mais — falei. — Digo, a gente quer que eles sejam capazes de se movimentar com velocidade, quer alguma confiabilidade e não se opõe à possibilidade de ele ser econômico em relação a combustível. Mas, se eu tenho um tanque e você tem um tanque, qual é a única coisa de que eu quero saber?

— O quê?

— Eu consigo atirar em você antes de você atirar em mim? É isso que eu quero saber? Se estamos a um quilômetro e meio de distância, a minha arma consegue te alcançar? Ou a sua arma consegue me alcançar?

— E?

— É claro, física é física, a resposta provável é que se eu consigo te atingir a um quilômetro e meio, você também consegue me atingir a um quilômetro e meio. Então o foco se volta pra munição. Se eu me afasto mais duzentos metros para que o seu projétil ricocheteie em mim sem me machucar, consigo desenvolver um projétil que não ricocheteie em você? O importante nos tanques é isso. O cara no oceano era um oficial da inteligência do Exército que estava chantageando um especialista em armas também do Exército.

— Por que ele estava no oceano?

— Você assistiu à Guerra do Golfo na TV? — perguntei.

— Assisti — respondeu Eliot.

— Esquece as bombas inteligentes — falei. — A verdadeira estrela do show era o tanque de combate M1A1 Abrams. Eles derrubaram uns quatrocentos e tantos iraquianos, que estavam usando o que de melhor alguém poderia ter dado a eles. Mas exibindo a guerra na TV nós revelamos os nossos segredos para o mundo inteiro, então era melhor continuarmos a inventar alguma coisa nova pra próxima parada. Foi o que fizemos.

— E? — perguntou Duffy.

— Se você quer que um projétil voe até mais longe e tenha um impacto mais forte, pode enfiar mais propelente dentro dele. Ou fazer com que fique mais leve. Ou as duas coisas. É claro, se você enfia mais propelente nele, tem que fazer algo bem radical em alguma outra parte para que ele fique mais leve. Que foi o que fizeram. Tiraram a carga explosiva dele. O que soa estranho, certo? Tipo, o que vai acontecer? Ele vai fazer um barulhão quando atingir o metal, *clang!*, e ricochetear? Mas eles mudaram o formato. Inventaram um negócio que parecia um dardo gigante. Com as rabetas e tudo mais. Era moldado com tungstênio e urânio empobrecido. Os metais mais densos que existem. Eles voam muito rápido e chegam muito longe. Chamaram o negócio de penetrador por energia cinética.

Duffy me olhou com as pálpebras baixas, sorriu e ruborizou, tudo ao mesmo tempo. Devolvi o sorriso.

— Mudaram o nome — falei. — Agora o chamam de APFSDS. Eu te falei que eles gostam de siglas. *Armour Piercing Fin Stabilized Discarding Sabot.* É energizado, basicamente, por um pequeno motor de propulsão próprio. Ele atinge o tanque inimigo com uma energia cinética tremenda. E a energia cinética se transforma em energia térmica, do jeitinho que ensinam na aula de Física do ensino médio. Ele derrete a carcaça do tanque inimigo, entra em um milésimo de segundo e borrifa o interior dele com metal derretido, o que mata os tripulantes do tanque e detona qualquer coisa explosiva e inflamável. É um negócio muito bem bolado. De qualquer maneira, o esquema é "atirou, comemorou", porque, se a blindagem do inimigo for muito grossa ou se você tiver disparado de muito longe, o negócio fica espetado pela metade, igual a um dardo, e racha, o que significa que ele fragmenta a camada interior da armadura e espalha crostas de metal escaldante lá dentro como uma granada de mão. A tripulação inimiga é despedaçada igual a sapos num liquidificador.

— E o cara no oceano?

— Ele conseguiu os projetos com o cara que estava chantageando — expliquei. — Uma parte de cada vez, durante um longo tempo. Nós estávamos vigiando o sujeito. Sabíamos exatamente o que estava fazendo. Ele planejava vendê-los para a inteligência iraquiana. Os iraquianos queriam que, no futuro, o campo de batalha ficasse mais equilibrado. O Exército americano não queria que isso acontecesse.

Eliot me encarou e perguntou:

— Então eles mataram o cara?

Abanei a cabeça e disse:

— Mandamos dois PEs para prendê-lo. Procedimento operacional padrão, tudo legal e dentro do regulamento, acredite em mim. Mas deu errado. Ele fugiu. Ia desaparecer. O Exército americano não queria que isso acontecesse *de jeito nenhum*.

— Então, *aí*, eles o mataram?

Olhei para o céu novamente. Não respondi.

— Aí o negócio deixou de seguir o procedimento padrão — comentou Eliot. — Não foi?

Fiquei calado.

— Aconteceu por debaixo dos panos — continuou ele. — Não foi? Não respondi.

— Mas ele não morreu — disse Duffy. — Qual era o nome dele?

— Quinn — respondi. — Acabou sendo o pior sujeito que eu já conheci.

— E você o viu no carro do Beck no sábado?

Confirmei com a cabeça e disse:

— Tinha um chofer levando ele embora do Symphony Hall.

Passei a eles todos os detalhes que tinha. Mas enquanto eu falava nós todos sabíamos que a informação era inútil. Era inconcebível que Quinn estivesse usando a identidade anterior. Então a única coisa que eu tinha a oferecer era uma descrição física de um cara branco, de aparência comum, com aproximadamente 50 anos e duas cicatrizes de bala .22 na testa. Melhor do que nada. Mas isso na verdade não os levava a lugar nenhum.

— Por que as digitais dele não foram identificadas? — perguntou Eliot.

— Ele foi apagado — falei. — Como se nunca tivesse existido.

— Por que ele não morreu?

— Foi usada uma .22 silenciada — respondi. — Nossa arma de serviço padrão para serviços secretos executados de perto. Só que não é muito poderosa.

— Ele ainda é perigoso?

— Não pro Exército — esclareci. — Ele é história antiga. Isso tudo foi há dez anos. Os APFSDS estarão num museu em breve. Assim como os tanques Abrams.

— Então por que tentar localizá-lo?

— Porque, dependendo do que exatamente ele se lembra, esse cara pode ser perigoso pro sujeito que foi lá acabar com ele.

Eliot assentiu e ficou calado.

— Ele parecia importante? — perguntou Duffy. — No sábado? No carro do Beck?

— Ele parecia rico — respondi. — Sobretudo de casimira caro, luva de couro, cachecol de seda. Parecia um cara que estava acostumado a andar por aí de chofer. Ele simplesmente entrou no carro, como se fizesse isso o tempo todo.

— Ele cumprimentou o motorista?

— Não sei.

— Precisamos situá-lo — disse ela. — Precisamos de contexto. Como ele agiu? Estava usando o carro do Beck, mas ele parecia o dono da situação? Ou era como se alguém o estivesse fazendo um favor?

— Ele parecia o dono da situação — afirmei. — Como se o usasse todos os dias da semana.

— Então ele está no mesmo nível do Beck?

Dei de ombros e falei:

— Ele podia ser o chefe do Beck.

— Sócio, na melhor das hipóteses — disse Eliot. — O nosso cara lá em Los Angeles não viajaria para se encontrar com um subalterno.

— Não vejo o Quinn como sócio de alguém — falei.

— Que tipo de pessoa ele era?

— Normal — respondi. — Pra um oficial da inteligência. Na maioria dos aspectos.

— Exceto pela espionagem — comentou Eliot.

— É — concordei. — exceto por isso.

— E o que quer que tenha dado a ele a condição de morto mesmo estando vivo.

— Isso também.

Duffy tinha ficado quieta. Estava muito concentrada. Eu tinha certeza de que estava pensando nas maneiras como podia me usar. E eu não me importava com isso de jeito nenhum.

— Você vai ficar em Boston? — perguntou ela. — Onde a gente pode te encontrar?

Respondi que ficaria, eles foram embora, e esse foi o fim do dia cinco.

Encontrei um cambista num bar de esportes e passei a maior parte dos dias seis e sete no Fenway Park vendo o Red Sox pelejando em uma série de partidas que fez em casa. O jogo de sexta-feira teve dezessete entradas e acabou muito tarde. Por isso dormi a maior parte do dia oito, depois voltei ao Symphony Hall à noite para observar a multidão. Talvez Quinn tivesse ingressos para uma série de concertos. Mas ele não apareceu. Repassei na cabeça a maneira como ele tinha olhado para mim. Devia ter sido somente aquela coisa chata de esbarrar com alguém numa calçada lotada. Mas podia ter sido mais do que isso.

Susan Duffy me ligou de novo na manhã do dia nove, domingo. Ela parecia diferente. Parecia uma pessoa que tinha feito muito mais reflexões. Parecia uma pessoa que tinha um plano.

— Lobby do hotel ao meio-dia — disse ela.

Apareceu de carro. Sozinha. Era um Taurus totalmente básico. Encardido por dentro. Um veículo do governo. Ela estava de calça jeans desbotada, sapatos bons e jaqueta de couro surrada. Depois de eu entrar pelo lado do passageiro, Duffy cruzou seis pistas no trânsito e foi direto para a boca de um túnel que levava à Mass Pike.

— Zachary Beck tem um filho — revelou a agente.

Ela pegou uma curva subterrânea em velocidade, o túnel acabou, e nós saímos na fraca luz de abril, ao meio-dia, bem atrás do Fenway.

— Ele está no penúltimo ano de faculdade — informou ela. — Um lugar vagabundo de humanas, não muito longe daqui, por acaso. Um colega de sala o entregou pra gente em troca de jogarmos um problema com maconha para debaixo do tapete. O filho se chama Richard Beck. Não é muito popular. Está mais para um pouco estranho. Parece muito traumatizado por alguma coisa que aconteceu há uns cinco anos.

— Que tipo de coisa?

— Ele foi sequestrado.

Fiquei calado.

— Viu só? — disse Duffy. — Você sabe com que frequência pessoas comuns são sequestradas hoje em dia?

— Não — respondi.

— Nunca — revelou ela. — É um crime extinto. Então deve ter sido alguma luta por território. É praticamente uma prova de que o pai dele é mafioso.

— Isso é meio exagerado.

— Tá, mas é muito persuasivo. E nunca foi denunciado. Não existe registro desse sequestro no FBI. O que quer que tenha acontecido foi resolvido por baixo dos panos. E não deu tudo tão certo assim. O colega de sala disse que Richard Beck não tem uma orelha.

— E?

Ela não respondeu. Simplesmente continuou dirigindo no sentido oeste. Eu me espreguicei no banco do passageiro e a fiquei observando pelo canto do olho. Ela estava bonita. Era magra, alta, linda e tinha vida nos olhos. Estava sem maquiagem. Era daquelas mulheres que não precisavam disso de maneira alguma. Eu me sentia muito contente por ela dar uma volta comigo por ali. Só que não era só uma volta comigo. Ela estava me levando a um lugar. Isso era óbvio. Ela tinha um plano.

— Estudei a sua ficha inteira da época em que serviu — disse Duffy. — Muito detalhadamente. Você é um cara impressionante.

— Nem tanto.

— E você tem pés grandes — disse ela. — Isso é bom.

— Por quê?

— Você vai ver — respondeu Duffy.

— Me conta.

— Somos muito parecidos — disse ela. — Você e eu. Temos uma coisa em comum. Quero me aproximar de Zachary Beck pra recuperar minha agente. Você quer se aproximar dele pra achar o Quinn.

— Sua agente está morta. Oito semanas, seria um milagre. Você deveria aceitar isso.

Ela ficou calada.

— E eu não estou preocupado com o Quinn.

Ela olhou para a direita, abanou a cabeça e discordou:

— Está, sim. Com certeza, está. Consigo ver isso daqui. Está devorando você por dentro. Ele é um negócio inacabado. E acho que você é o tipo de cara que odeia negócios inacabados.

Ela ficou em silêncio por um segundo e continuou:

— E vou permanecer com a suposição de que minha agente ainda está viva, a não ser que você me forneça provas definitivas do contrário.

— Eu? — questionei.

— Não posso usar o meu pessoal — disse ela. — Você entende, não é? Esse negócio todo é ilegal do ponto de vista do Departamento de Justiça. Ou seja, qualquer coisa que eu fizer daqui pra frente tem que ser na surdina. E o meu palpite é de que você é o tipo de cara que conhece operações conduzidas na surdina. E que se sente à vontade com elas. Provavelmente até as prefere.

— E?

— Preciso colocar alguém lá dentro da casa do Beck. E decidi que vai ser você. Você vai ser o meu penetrador por energia cinética.

— Como?

— Richard Beck vai te levar pra lá.

★ ★ ★

Ela saiu da estrada aproximadamente sessenta quilômetros a oeste de Boston e virou para o norte, na zona rural de Massachusetts. Passamos por vilas da Nova Inglaterra que dariam perfeitos cartões postais. Os corpos de bombeiros estavam nas ruas polindo seus caminhões. Pássaros cantavam. Pessoas jogavam adubo em seus gramados e podavam os arbustos. Havia cheiro de madeira queimada no ar.

Paramos em um hotel de beira de estrada no meio do nada. Era um lugar imaculado, com uma serena fachada de tijolos e guarnições tão brancas que chegavam a cegar. Havia cinco carros no estacionamento, cada um em frente a um quarto. Eram todos veículos do governo. Steven Eliot aguardava no quarto do meio com cinco homens. Eles tinham pegado as cadeiras de seus quartos e estavam sentados num semicírculo perfeito. Duffy me levou para dentro e assentiu para Eliot. Imaginei que era um gesto que significava: *Falei com o Reacher, e ele não rejeitou. Ainda.* Ela foi até a janela e se virou de modo que ficasse de frente para o quarto. A luz do dia brilhava atrás dela. Fazia com que fosse difícil enxergá-la. Duffy pigarreou. O quarto ficou em silêncio.

— Tá, escuta só, pessoal — começou ela. — Mais uma vez, isso está sendo feito por debaixo dos panos, não foi oficialmente sancionado e será feito por nossa conta e risco. Se alguém quiser sair, a hora é esta.

Ninguém se mexeu. Ninguém foi embora. Era uma tática inteligente. Aquilo me mostrava que ela e Eliot tinham pelo menos cinco caras que os seguiriam até o inferno.

— Temos menos de 48 horas — informou ela. — Depois de amanhã, Richard Beck vai pra casa por causa do aniversário da mãe. Nossa fonte falou que ele faz isso todo ano. Mata aula e tudo mais. O pai dele envia um carro com dois guarda-costas profissionais porque o garoto fica apavorado com a possibilidade de um novo sequestro. Nós vamos explorar esse medo. Vamos tirar esses guarda-costas de cena e sequestrar o garoto.

Ela fez uma pausa. Ninguém falou.

— Nosso objetivo é entrar na casa do Zachary Beck — informou ela. — Nós podemos partir do princípio de que os supostos sequestradores não seriam exatamente bem-vindos lá. Então o que vai acontecer é que o Reacher imediatamente vai resgatar o garoto *das mãos* dos supostos sequestradores. Será uma sequência precisa, sequestro, resgate, desse jeito. O garoto fica todo agradecido e o Reacher é recebido como o herói pelo círculo familiar dele.

As pessoas estavam sentadas tranquilamente a princípio. Depois elas se agitaram. O plano era tão cheio de buracos que fazia um queijo suíço parecer liso. Eu olhei fixa e diretamente para Duffy. Depois me peguei olhando para fora através da janela. *Havia maneiras de tapar os buracos.* Senti o cérebro começando a se movimentar. Eu me perguntei quantos buracos Duffy já tinha identificado. Eu me perguntei quantas respostas ela já tinha. Eu me perguntei como ela sabia que eu adorava aquele tipo de coisa.

— Nossa plateia é de uma pessoa — disse ela. — A única coisa que interessa é aquilo que Richard Beck pensa. A coisa toda vai ser falsa do início ao fim, mas ele tem que ser totalmente convencido de que é real.

Eliot olhou para mim e perguntou:

— Pontos fracos?

— Dois — falei. — Como vocês tiram os guarda-costas de cena sem machucá-los de verdade? Estou supondo que vocês não estão *tão* por debaixo dos panos assim.

— Velocidade, choque, surpresa — respondeu ele. — A equipe do sequestro vai ter pistolas automáticas com muita munição de festim. Além de uma granada de luz. Assim que o garoto estiver fora do carro, nós arremessamos a granada de luz atordoante lá dentro. Muito som e fúria. Eles vão ficar atordoados, só isso. Mas o garoto vai achar que viraram carne de hambúrguer.

— Certo — falei. — Mas, em segundo lugar, essa coisa toda é tipo o método de interpretação, certo? Sou um transeunte qualquer passando por ali e, coincidentemente, o cara que consegue salvar o garoto. O que faz com que eu seja inteligente e capaz. Então porque eu simplesmente não arrasto o rabo dele direto pra delegacia mais próxima? Ou espero os policiais irem até nós? Por que não fico por ali, presto depoimento e consigo todo tipo de testemunhas? Por que eu ia querer imediatamente levar o garoto de carro pra casa dele?

Eliot se virou para Duffy.

— Ele vai estar aterrorizado — disse ela. — Vai querer você.

— Mas por que eu iria concordar? Não interessa o que ele quer. O que interessa é o que é lógico pra mim. Por que a nossa plateia não é de uma pessoa. É de *duas*. Richard Beck e depois Zachary Beck. Ele vai olhar pro esquema em retrospectiva. Temos que convencê-lo da mesma forma.

— O garoto deve te pedir pra não procurar os policiais. Como da última vez.

— Mas por que eu o escutaria? Se eu fosse o sr. Normal, os policiais seriam a primeira coisa a passar pela minha cabeça. Eu ia querer fazer tudo exatamente por cima dos panos.

— Ele iria argumentar com você.

— E eu ia ignorar. Por que um adulto inteligente e capaz escutaria um garoto maluco? É um buraco. É muito cooperativo, propositado, muito falso. *Direto* demais. Zachary Beck iria dar o alarme num minuto.

— Quem sabe você o coloca num carro e é perseguido.

— Eu iria dirigir direto pra delegacia.

— Merda — xingou Duffy.

— É um plano — falei —, mas precisamos torná-lo real.

Olhei através da janela de novo. Estava claro lá fora. Eu via muita coisa verde. Árvores, arbustos, distantes encostas de colinas polvilhadas de folhas novas. Pelo canto do olho, vi Eliot e Duffy com as cabeças abaixadas para o chão do quarto. Vi os cinco caras sentados sem se mover. Eles pareciam um grupo capaz. Dois eram um pouco mais jovens do que eu, altos e loiros. Dois tinham aproximadamente a minha idade, eram normais e comuns. Um era bem mais velho, recurvado e grisalho. Eu me concentrei bastante e refleti muito. Sequestro, resgate, casa de Beck. *Preciso entrar na casa de Beck. Preciso mesmo. Porque preciso achar Quinn. Pensa no jogo como um todo.* Analisei aquele esquema pelo ponto de vista do garoto. Depois observei de novo pelo ponto de vista do pai.

— É um plano — repeti —, mas precisa ser aperfeiçoado. Preciso ser o tipo de pessoa que não iria à polícia. — Fiquei em silêncio. — Não, melhor ainda: aos olhos do Richard Beck, preciso me *transformar* no tipo de pessoa que não *pode* ir à polícia.

— Como? — perguntou Duffy.

Olhei diretamente para ela.

— Vou ter que machucar alguém. Acidentalmente. Na confusão. Outro transeunte. Uma parte inocente. Algum tipo de circunstância ambígua. Talvez eu passe por cima de alguém. De alguma velhinha passeando com o cachorro. Talvez eu até a mate. Eu entro em pânico e fujo.

— Muito difícil de encenar — disse ela. — E, de qualquer maneira, não é o suficiente pra te fazer fugir. Acidentes acontecem em circunstâncias como essa.

Concordei com um gesto de cabeça. O quarto permaneceu calado. Fechei os olhos, pensei um pouco mais e vi o esboço de uma cena começar a tomar forma na minha cabeça.

— Tá — falei. — Que tal isto? Vou matar um policial. Acidentalmente.

Ninguém falou. Abri os olhos.

— É um golaço — falei. — Percebem? É perfeito. Isso faz a cabeça do Zachary Beck ficar tranquila quanto ao motivo pelo qual eu não agi normalmente e *fui* até a polícia. Você não vai à polícia se tiver acabado de matar um policial, mesmo que seja um acidente. Ele vai entender. E isso vai me dar um motivo pra permanecer na casa dele depois. O que eu vou precisar fazer. Ele vai achar que estou lá me escondendo. Vai ficar agradecido pelo socorro prestado ao filho e, afinal de contas, ele é um criminoso, então não vai ter nenhuma crise de consciência.

Não houve objeções. Apenas silêncio, e depois um lento e indefinível murmúrio de avaliação, concordância e consentimento. Analisei o plano do início ao fim. *Pensa no jogo como um todo.* Sorri.

— E fica ainda melhor — continuei. — Ele pode até me contratar. Na verdade, acho que ele vai ficar muito *tentado* a fazer isso. Porque vamos criar a ilusão de que a família dele repentinamente está sob ataque, ele vai ter perdido dois guarda-costas e vai saber que eu sou melhor do que eles porque os caras perderam, e eu, não. O Beck vai ficar satisfeito em me contratar porque enquanto achar que eu sou um matador de policiais e ele está me dando abrigo, vai pensar que é meu *dono*.

Duffy sorriu também.

— Então vamos trabalhar. — Ela se empolgou. — Temos menos de 48 horas.

★ ★ ★

Os dois mais jovens foram escolhidos para representar a equipe de sequestro. Decidimos que usariam uma caminhonete Toyota que pegariam no estoque de veículos apreendidos da DEA. Usariam Uzis confiscadas, com festins de nove milímetros. Teriam uma granada de luz surrupiada dos depósitos da DEA/SWAT. Depois começamos a ensaiar o meu papel como salvador. Como todo bom farsante, decidimos que eu tinha que permanecer o mais próximo da verdade possível, então eu seria um ex-militar andarilho, no lugar e na hora certos. Eu estaria armado, o que, nas circunstâncias, seria tecnicamente ilegal em Massachusetts, mas combinaria com o personagem e seria plausível.

— Preciso de um revólver grande e das antigas — falei. — Tenho que estar com algo apropriado para um cidadão. E o negócio inteiro tem que ser um dramalhão do início ao fim. A Toyota vai até mim, preciso neutralizá-la. Meter bala nela. Então preciso de três munições de verdade e três festins. As três balas verdadeiras pra caminhonete, três festins pras pessoas.

— A gente pode carregar qualquer arma desse jeito — disse Eliot.

Mas eu vou precisar ver os tambores — alertei. — Logo antes de eu disparar. Não vou atirar com uma arma carregada com munição misturada sem fazer uma conferência visual. Preciso saber que estou começando no lugar certo. Então tem que ser um revólver. Grande, não uma coisa pequena, para eu conseguir ver claramente.

Ele entendeu o meu argumento. Tomou nota. Depois elegeu o cara mais velho como o policial local. Duffy propôs que ele fizesse uma asneira no meu campo de tiro.

— Não — discordei. — Tem que ser o tipo certo de erro. Não só um tiro descuidado. O velho Beck precisa ficar impressionado comigo do jeito certo. Preciso fazer isso deliberadamente, mas de maneira imprudente. Como um louco, mas um louco que sabe atirar.

Duffy concordou e Eliot repassou uma lista mental de veículos disponíveis e me ofereceu uma van velha. Disse que eu podia ser um cara que fazia entregas. Falou que isso me daria um motivo legítimo para estar andando ali pela rua. Fizemos listas, em papel e nas nossas cabeças. Os dois caras da minha idade estavam sentados ali sem terem recebido tarefa alguma e pareciam desapontados com isso.

— Vocês serão policiais de apoio — falei. — Suponhamos que o garoto não me veja atirando no primeiro cara. Ele pode ter desmaiado ou alguma coisa assim. Vocês vão precisar nos perseguir, e eu vou acabar com o seu carro quando tiver certeza de que ele está olhando.

— Não dá pra ter policiais de apoio — disse o cara mais velho. — O que está acontecendo lá, afinal de contas? De repente o lugar está enxameado de policiais sem nenhuma razão?

— Seguranças da faculdade — sugeriu Duffy. — Vocês sabem, esses contratados que as faculdades têm. Eles por acaso estão lá. Afinal, onde mais estariam?

— Excelente — elogiei. — Eles podem começar lá de dentro do campus mesmo. Podem controlar o negócio todo por rádio, atrás do veículo dele.

— Como você vai acabar com os seguranças? — Eliot me perguntou, como se isso fosse uma questão.

Entendi o problema. Terei dado seis tiros a essa altura.

— Não posso recarregar — falei. — Não enquanto estiver dirigindo. Não com festim. O garoto pode notar.

— Você pode bater neles? Forçar o carro deles a sair da estrada?

— Não em uma van velha e detonada. Vou precisar de outro revólver. Já carregado, dentro da van. No porta-luvas, talvez.

— Você está perambulando por aí com dois berros de seis tiros cada? — questionou o cara mais velho. — Isso é meio esquisito em Massachusetts.

Concordei com um gesto de cabeça e falei:

— É um ponto fraco. Nós vamos ter que arriscar um pouco.

— Então eu tenho que estar à paisana — disse o cara mais velho. — Parecendo um detetive. Atirar em um policial fardado está muito além de descuido. Isso também seria um ponto fraco.

— Sim — falei. — Concordo. Excelente. Você é um detetive que saca o distintivo, e eu acho que é uma arma. Isso acontece.

— Mas como a gente morre? — perguntou ele. — A gente aperta a barriga e cai, igual num filme antigo de faroeste?

— Isso não é convincente — reclamou Eliot. — Esse negócio todo tem que parecer exatamente verdadeiro. Pro bem de Richard Beck.

— Precisamos de um esquema hollywoodiano — disse Duffy. — Colete à prova de balas e camisinhas cheias de sangue falso que explodem com um sinal de rádio.

— A gente consegue isso?

— Em Nova York ou Boston, talvez.

— O prazo está apertado.

— Nem me fale — reclamou Duffy.

Esse foi o fim do dia nove. Duffy queria que eu me mudasse para o hotel e ofereceu alguém para me levar de carro de volta ao hotel em Boston para eu buscar a minha bagagem. Eu contei a ela que não tinha bagagem nenhuma e ela me olhou enviesado, mas não falou nada. Peguei um quarto ao lado do sujeito mais velho. Alguém saiu de carro para buscar pizza. Todo mundo estava na correria fazendo ligações. Me deixaram sozinho. Deitei na minha cama e repassei o esquema todo na cabeça de novo, do começo ao fim, do meu ponto de vista. Fiz uma lista na minha cabeça das coisas que não tínhamos levado em consideração. Era uma lista comprida. Mas havia um item que me incomodava mais do que todos os outros. Não exatamente *na* lista. Meio que paralela a ela. Eu me levantei da cama e fui procurar Duffy. Ela estava no estacionamento do lado de fora, tinha acabado de sair do carro e se apressava na direção ao quarto.

— Zachary Beck não é o protagonista neste esquema — falei para ela. — Não pode ser. Se o Quinn está envolvido, então o Quinn é o chefe. Ele não ia ser coadjuvante. A não ser que o Beck seja um cara pior do que o Quinn, e não gosto nem de pensar nessa possibilidade.

— Talvez o Quinn tenha mudado — argumentou ela. — Ele tomou dois tiros na cabeça. Talvez isso tenha reprogramado o cérebro dele. Diminuído o cara de alguma forma.

Não respondi. Ela se apressou para o quarto. Eu voltei para o meu.

O dia dez começou com a chegada dos veículos. O cara mais velho ficou com um Chevrolet Caprice de sete anos, que faria o papel de carro policial sem identificação. Era aquele com motor de Corvette, último modelo antes de sair de linha. Estava perfeito. A caminhonete era uma coisa grande pintada de um vermelho desbotado. Tinha um quebra-mato na frente. Vi os caras mais jovens conversando sobre como o usariam. O meu veículo era uma van marrom básica. A van mais anônima que eu já tinha visto. Não possuía janelas laterais — apenas duas, pequenas, atrás. Procurei um porta-luvas. Isso, tinha.

— Tudo certo? — Eliot me perguntou.

Dei uns tapinhas na lateral dela como o pessoal que dirige vans faz, e ela respondeu com um ruído vago.

— Perfeita — falei. — Quero que os revólveres sejam Magnums .44 grandes. Quero três balas de ponta macia e nove festins. Arranjem os festins mais barulhentos que conseguirem.

— Certo — disse ele. — Por que a ponta macia?

— Estou preocupado com o ricochete — expliquei. — Não quero machucar ninguém acidentalmente. Os projéteis de ponta macia vão deformar e grudar em qualquer lugar que baterem. Vou disparar um no radiador e dois nos pneus. Quero que encha os pneus muito acima do recomendado para que explodam quando eu atirar. Temos que fazer um espetáculo.

Eliot saiu apressado, e Duffy veio até mim.

— Você vai precisar disto — disse ela, passando um casaco e um par de luvas. — Vai ficar com uma aparência mais realista se usar isso aí. Vai estar frio. E o casaco vai esconder a arma.

Experimentei o casaco. Serviu muito bem. Era óbvio que ela sabia julgar bem tamanhos.

— A parte psicológica vai ser complicada — disse ela. — Vai ter que estar preparado para improvisar, Reacher. O garoto pode ficar catatônico. Você vai ter de arrancar uma reação dele. Mas o ideal é que ele fique acordado e falando. Nesse caso, acho que você vai precisar relutar em se envolver demais na situação. O ideal é que consiga fazer *o garoto* pedir a *você* que o leve até em casa. Mas ao mesmo tempo você tem que ser dominante. Tem que manter os eventos acontecendo para que ele não tenha tempo de se concentrar naquilo que está vendo.

— Certo — falei. — Nesse caso, vou alterar o meu pedido de munição. Quero que a segunda bala da segunda arma seja de verdade. Vou falar pro Richard deitar no chão, depois vou explodir a janela atrás dele. Ele vai pensar que foram os seguranças da faculdade atirando em nós. Depois vou falar com ele pra levantar de novo. Isso vai aumentar a sensação de perigo e fazer com que ele passe a me obedecer. Além disso, ver os seguranças da faculdade tomarem na cara vai deixá-lo um pouco mais satisfeito. Porque eu não quero que ele fique brigando comigo, tentando me fazer parar. Posso bater a van e matar nós dois.

— Na verdade, você precisa criar um vínculo com ele — disse ela. — Ele precisa falar bem de você mais tarde. Porque eu concordo, ser contratado lá ia ser igual a acertar na loteria. Te daria acesso. Então tenta impressionar o garoto. Mas faz isso com muita sutileza. Você não precisa que ele goste de você. Você só precisa convencê-lo de que é um cara durão que sabe o que está fazendo.

Saí para me encontrar com Eliot, depois os dois caras que fariam o papel de seguranças da faculdade vieram se encontrar comigo. Nós combinamos que a sequência seria a seguinte: eles dariam tiros de festim em mim primeiro, eu daria um tiro de festim neles, eu atiraria pela janela de trás de van, eu daria mais um tiro de festim, por fim, eu dispararia meus três últimos festins. No último tiro, eles estourariam o próprio para-brisa com uma bala de verdade das próprias armas e depois sairiam deslizando da estrada como se tivessem furado um pneu ou sido atingidos.

— Não confunda as balas. — alertou um deles.

— Nem vocês — falei.

Nós comemos mais pizza no almoço e depois saímos para percorrer a área-alvo. Estacionamos a pouco menos de dois quilômetros e analisamos alguns mapas. Em seguida nos arriscamos ao passar três vezes em dois carros bem em frente ao portão da faculdade. Eu preferia ter tido mais tempo para estudar, mas estávamos preocupados em não chamar a atenção. Voltamos de carro para o motel em silêncio e nos reagrupamos no quarto de Eliot.

— Parece bom — falei. — Pra que lado eles vão virar?

— O Maine é ao norte daqui — informou Duffy. — Podemos supor que ele mora em algum lugar perto de Portland.

Assenti.

— Mas acho que eles vão pro sul. Olha os mapas. Você chega à rodovia mais rápido por esse caminho. E a doutrina de segurança padrão é chegar a estradas largas e movimentadas o quanto antes.

— É uma aposta.

— Eles vão pro sul — falei.

— Mais alguma coisa? — perguntou Eliot.

— Eu seria maluco se ficasse com a van — comentei. — O velho Beck vai perceber que, se estivesse fazendo aquilo ali de verdade, eu a teria dispensado e roubado um carro.

— Onde? Perguntou Duffy.

— No mapa, há um centro comercial ao lado da rodovia.

— Ok, a gente vai botar um carro lá.

— Chave sobressalente debaixo do para-choque? — perguntou Eliot.

Duffy fez que não com um gesto de cabeça e falou:

— Falso demais. Precisamos que esse esquema seja absolutamente convincente. Ele vai ter que roubá-lo de verdade.

— Não sei como — falei. — Nunca roubei carro.

A sala ficou em silêncio.

— Tudo o que sei foi o que aprendi no Exército — expliquei. — Os veículos militares nunca ficam trancados. Nem têm chave de ignição. Eles ligam apertando um botão.

— Certo — disse Eliot. — Nenhum problema é insuperável. Nós vamos deixá-lo destrancado. Mas você vai agir como se estivesse trancado e fingir arrombar a porta. Vamos deixar um monte de fio e de cabides ali por perto. Você pode pedir ao garoto pra achar alguma coisa pra você. Fazer com que ele se sinta envolvido. Vai ajudar na ilusão. Aí você enfia o negócio e mexe pra lá e pra cá e, ei, de repente a porta abre. Nós vamos desprender a proteção na barra de direção. Vamos desprender os fios certos e *somente* os fios certos. Você os encosta um no outro e instantaneamente se transforma num bandido durão.

— Brilhante — elogiou Duffy.

Eliot sorriu e disse:

— Faço o meu melhor.

— Vamos fazer uma pausa — disse Duffy. Começamos de novo depois do jantar.

As outras peças foram encaixadas depois do jantar. Dois dos caras voltaram com o restante dos equipamentos. Eles tinham duas Anacondas idênticas para mim. Eram armas grandes e brutais. Pareciam caras. Não perguntei onde foi que as conseguiram. Elas chegaram juntamente com uma caixa de munição Magnum .44 e uma caixa de .44 de festim. As de festim eram de uma loja de ferragens. Foram desenvolvidas para pistolas de prego para serviço pesado. O tipo de coisa que faz pregos perfurarem concreto. Eu abri o cilindro de cada uma das Anacondas e arranhei um X em um dos tambores com a ponta de uma tesoura de cortar unha. O cilindro do revólver da Colt roda no sentido horário, diferente da Smith & Wesson, que roda no sentido anti-horário. O X representava a primeira câmara a ser disparada. Eu iria deixá-la na posição das dez horas, onde eu conseguia vê-la, e ela iria dar um giro para a frente e entrar debaixo do cão com a primeira apertada no gatilho. Duffy levou um sapato para mim. Eram do meu tamanho. O pé direito tinha uma cavidade entalhada no salto. Ela me deu um dispositivo de e-mail que se encaixava confortavelmente no espaço.

— Por isso fiquei feliz de você ter pé grande — disse ela. — Fica mais fácil de encaixar.

— É confiável?

— Tomara que seja — disse ela. — É um item novo do governo. Todos os departamentos estão fazendo suas comunicações secretas com ele agora.

— Maravilha — falei. Na minha carreira, mais erros crassos tinham sido causados por tecnologia defeituosa do que por qualquer outro motivo.

— É o melhor que podemos fazer — avaliou ela. — Eles descobririam qualquer outra coisa. É muito provável que eles te revistem. E a teoria é de que, se eles estiverem monitorando transmissões de rádio, a única coisa que vão escutar é um rápido ruído alto no modem. Eles provavelmente vão achar que é estática.

Eles conseguiram três dispositivos que simulam sangue com um figurinista de teatro de Nova York. Eram grandes e volumosos. Tinham trinta centímetros quadrados, eram feitos com fibra sintética Kevlar e ficavam presos com uma fita ao peito da vítima. Possuíam reservatórios de sangue, receptores de rádio, dispositivos de disparo e baterias.

— Usem camisas largas, pessoal — orientou Eliot.

Os disparadores a rádio eram botões separados que eu teria que prender com uma fita ao meu antebraço direito. Estavam conectados a baterias que eu teria que carregar no bolso de dentro. Os botões eram grandes o suficiente para que eu conseguisse senti-los por cima do casaco, da jaqueta e da camisa, e cheguei à conclusão de que sustentaria bem o peso da Colt com a mão esquerda. Nós ensaiamos a sequência. Primeiro o motorista da caminhonete. Esse botão seria o mais perto do meu pulso. Eu o dispararia com o dedo indicador. Segundo, o passageiro da caminhonete. Esse botão estaria no meio. Dedo médio. Terceiro, o cara mais velho fazendo papel do policial. Esse botão seria o mais perto do meu cotovelo, dedo anular.

— Você vai ter que se livrar deles depois — disse Eliot. — Com certeza eles vão te revistar na casa do Beck. Você vai ter que parar num banheiro ou coisa assim pra jogar esses negócios fora.

Ensaiamos incessantemente no estacionamento do motel. Fizemos uma pista em miniatura. À meia-noite, estávamos o mais preparados que poderíamos estar. Chegamos à conclusão de que precisaríamos no total de oito segundos, do início ao fim.

— A decisão crítica é sua — Duffy falou para mim. — É a sua palavra. Se houver alguma coisa errada quando a Toyota estiver se aproximando, qualquer coisa mesmo, você aborta e a observa passar. Nós vamos dar uma geral no lugar de alguma maneira. Mas você vai atirar três balas de verdade num lugar público e eu não quero nenhum pedestre sendo atingido, nem ciclistas, nem gente que estiver ali dando uma corrida. Você terá menos de um segundo para decidir.

— Compreendido — falei, embora não visse nenhuma maneira de dar uma geral no lugar quando a coisa tivesse chegado a esse ponto. Eliot fez as últimas ligações telefônicas e confirmou que tinham uma viatura de seguranças de faculdade alugada e que estavam colocando um velho e plausível Nissan Maxima atrás da loja de departamentos mais importante do centro comercial. O Maxima fora apreendido de um sujeito que tinha uma pequena plantação de marijuana no estado de Nova York. As leis contra drogas ainda eram pesadas lá. Estava colocando placas falsas de Massachusetts nele e o enchendo de porcarias de lojas de departamento que se esperava que uma senhora carregasse por aí.

— Pra cama agora — disse Duffy em voz alta. — Amanhã vai ser um grande dia.

Assim terminou o dia dez.

Duffy comprou rosquinhas e café para comermos na manhã do dia onze, bem cedo. Eu e ela, sozinhos. Repassamos a coisa toda, mais uma vez. Ela me mostrou as fotos da agente que tinha infiltrado 58 dias antes. Era uma loura de 38 anos que trabalhava de atendente na Bizarre Bazaar usando o nome de Teresa Daniel. Ela era delicada e parecia ter jogo de cintura. Olhei bem para as fotos e memorizei as características dela, porém era o rosto de outra mulher que eu enxergava na cabeça.

— Estou partindo do pressuposto de que ela está viva — disse Duffy. — Tenho que fazer isso.

Fiquei calado.

— Se esforce muito pra ser contratado — pediu ela. — Nós conferimos o seu histórico recente, do mesmo jeito que o Beck deve fazer. O que vimos foi muito vago. Faltava muita coisa, o que me preocupa, mas não deve preocupar a ele.

Devolvi as fotos para ela.

— Está no papo — falei. — A ilusão reforça a si mesma. Ele ficou sem mão de obra e está sendo atacado, tudo ao mesmo tempo. Mas não vou me esforçar muito. Na verdade, vou dar a impressão de ficar um pouco relutante. Acho que qualquer outra atitude vai soar falsa.

— Certo — concordou ela. — Você tem sete objetivos, cujos números um, dois e três são: tomar muito cuidado. Devemos supor que essas pessoas são extremamente perigosas.

Concordei com um gesto de cabeça e completei:

— Podemos fazer mais do que supor. Se o Quinn está envolvido, podemos garantir isso.

— Então aja da maneira adequada — disse ela. — Cai matando, desde o início.

— Sim — concordei. Atravessei o braço sobre o peito e comecei a massagear meu ombro esquerdo com a mão direita. Parei de repente, surpreso. Um psiquiatra do Exército me disse certa vez que esse tipo de gesto demonstra vulnerabilidade. É defensivo. É como se a pessoa estivesse se encobrindo ou se escondendo. Era o primeiro passo antes de virar uma bolinha encolhida no chão.

— Você tem medo do Quinn, não tem? — perguntou ela.

— Não tenho medo de ninguém — respondi. — Mas com certeza eu preferia quando ele estava morto.

— Nós podemos cancelar — sugeriu ela.

Abanei a cabeça e disse:

— Eu gosto da oportunidade de achar esse cara, acredite em mim.

— O que saiu errado durante a prisão?

Abanei a cabeça e respondi:

— Não vou falar sobre isso.

Ela ficou em silêncio durante um tempinho. Mas não insistiu. Desviou o olhar, refletiu um pouco e começou o briefing novamente. Voz tranquila, dicção eficiente.

— O objetivo número quatro é achar a minha agente — informou ela. — E trazê-la de volta pra mim.

Concordei com um gesto de cabeça.

— Cinco, trazer prova sólida que eu possa usar contra Beck.

— Tá — respondi.

Ela passou mais um minuto em silêncio antes de dizer:

— Seis, achar o Quinn e fazer o que quer que tenha que fazer com ele. E sete, cair fora daquela porra.

Concordei com um gesto de cabeça. Fiquei calado.

— Não vamos te seguir — disse ela. — O garoto pode nos ver. Ele vai estar bem paranoico a essa altura. E não vamos colocar um localizador no Nissan, porque eles provavelmente o achariam mais tarde. Você vai ter que mandar um e-mail com a sua localização assim que souber.

— Certo — falei.

— Pontos fracos? — perguntou ela.

Fiz força para afastar a minha mente de Quinn.

— Consigo ver três — falei. — Dois pequenos e um grande. O primeiro dos pequenos é que vou explodir o vidro de trás da van, mas o garoto vai ter uns dez minutos pra perceber que o vidro quebrado está no lugar errado e que não há um buraco correspondente no para-brisa.

— Então não faça isso.

— Acho que tenho que fazer. Acho que temos que manter o nível de pânico alto.

— Certo. Então, de qualquer maneira, vamos colocar um monte de caixas lá atrás, já que você é um entregador. Elas podem escurecer a visão dele. Se elas não escurecerem, o negócio é torcer para que ele não some dois mais dois dentro dos dez minutos.

Assenti.

— Segundo, o velho Beck vai ligar pros policiais daqui, em algum momento, de alguma maneira. Talvez os jornais também. Ele vai estar atrás de informações que corroborem a história.

— Vamos dar um script pros policiais seguirem. E eles vão dar alguma coisa à imprensa. Eles vão fazer a encenação pelo tempo que for necessário. Qual é a fraqueza grande?

— Os guarda-costas — falei. — Por quanto tempo você consegue segurá-los? Você não pode deixar que cheguem perto de um telefone, senão vão ligar pro Beck. Por isso não pode prendê-los formalmente. Não pode inseri-los no sistema. Ou seja, vai ter que deixar os caras incomunicáveis, de maneira completamente ilegal. Quanto tempo você consegue manter esse situação?

Ela deu de ombros antes de responder:

— Quatro ou cinco dias, no máximo. Não podemos te proteger muito mais tempo além disso. Então seja muito rápido.

— Esse é o meu plano — falei. — Quanto tempo a bateria do treco de e-mail dura?

— Uns cinco dias — respondeu ela. — Você vai ter saído de lá a essa altura. Não temos como te dar um carregador. Seria suspeito demais. Mas dá pra você usar um carregador de celular, se conseguir achar um.

— Ok — falei.

Ela ficou me olhando. Não havia mais nada a ser dito. Em seguida se aproximou e me deu um beijo na bochecha. Foi de repente. Seus lábios eram macios. Deixaram uma migalha de rosquinha na minha pele.

— Boa sorte — disse ela. — Acho que não deixamos passar nada.

Mas deixamos passar muitas coisas. Havia erros gritantes no nosso raciocínio, e todos eles voltaram para me assombrar.

3

UKE, O GUARDA-COSTAS, VOLTOU AO MEU QUARTO cinco minutos antes das sete da noite, o que era cedo demais para o jantar. Escutei os passos dele do lado de fora e um quase silencioso click quando girou a tranca. Estava sentado na cama. O dispositivo de e-mail já estava de volta ao sapato, e o sapato, de volta ao meu pé.

— Deu um cochilo, cuzão? — perguntou ele.

— Por que eu fiquei trancado? — perguntei de volta.

— Porque você é matador de policial — respondeu ele.

Desviei o olhar. Talvez ele tivesse sido policial antes de começar a prestar serviço particular. Podia ter sido. Muitos ex-policiais acabavam no ramo de segurança, como consultores, detetives particulares ou guarda-costas. Certamente estava cumprindo algumas ordens, o que podia ser um problema para mim. Mas isso também significava que ele estava comprando a história de Richard Beck sem questionar, o que era o lado positivo. Ele olhou para mim por um segundo sem muita expressão no rosto. Depois me conduziu para fora do quarto, pelos dois lances de escada até o térreo e por passagens escuras até o lado da casa que ficava virado para o norte. Eu sentia o cheiro de maresia e de carpete úmido. Havia tapetes em todo o lugar. Em alguns locais eles eram bem grossos. Brilhavam com cores brandas. Ele parou em frente a uma porta, abriu e deu um passo atrás para que eu fosse canalizado para dentro da sala. Ela era grande, quadrada e revestida com painéis de carvalho. Tinha tapetes por todo o chão. Havia janelas pequenas em cavidades profundas. Do lado de fora, escuridão e pedras e o oceano cinza. Havia uma mesa de carvalho. Minhas duas Colt Anacondas estavam sobre ela, descarregadas. Com os cilindros abertos. Havia um homem à cabeceira da mesa. Estava sentado em uma cadeira de carvalho com braços e um encosto alto. Era o cara das fotos tiradas quando Duffy fez a vigilância.

Em carne e osso ele era praticamente insignificante. Nem grande, nem pequeno. Um metro e oitenta mais ou menos, uns noventa quilos. Cabelo grisalho, nem magro, nem forte, nem baixo nem esguio. Tinha uns 50 anos. Estava de terno cinza feito com tecido caro, costurado sem a menor intenção de ser estiloso. A camisa era branca e a gravata não tinha cor alguma, como gasolina. Suas mãos e seu rosto eram pálidos, como se seu habitat natural fosse estacionamentos subterrâneos à noite, onde fazia rolos com produtos que carregava no porta-malas de seu Cadillac.

— Sente-se — disse ele. Sua voz era grave e tensa, como se saísse inteira da parte superior da garganta. Sentei-me no lado oposto ao dele na outra ponta da mesa. — Sou Zachary Beck.

— Jack Reacher.

Duke fechou a porta suavemente e apoiou seu corpo grande nela pelo lado de dentro. A sala ficou em silêncio. Eu conseguia escutar o oceano. Não era o som ritmado das ondas que se ouve na praia. Era o ir e vir estrondoso, aleatório e contínuo das rebentações nas rochas. Eu conseguia escutar as poças esvaziando, o barulho do cascalho rolando e as vagas explodindo. Tentei contá-las. As pessoas diziam que toda sétima onda é grande.

— Então — disse Beck. Em frente a ele havia uma bebida sobre a mesa. Um líquido âmbar num copo baixo de vidro. Oleoso, como scotch ou bourbon. Ele fez um movimento de cabeça para Duke, que pegou um segundo copo. Tinha ficado à minha espera ali em uma mesinha de canto. Continha o mesmo líquido âmbar oleoso. Ele o carregou desajeitadamente com o dedo e o polegar na base bem embaixo. Atravessou a sala e se inclinou um pouco para colocá-lo cuidadosamente em frente a mim. Eu sorri. Sabia para que ele servia.

— Então — repetiu Beck.

Aguardei.

— O meu filho explicou a sua situação — disse ele. Foi a mesma frase que a esposa tinha usado.

— A lei das consequências imprevistas — comentei.

— Ela me impõe dificuldades — disse ele. — Não passo de um empresário comum tentando agir de acordo com as minhas responsabilidades.

Aguardei.

— Estamos agradecidos, naturalmente — continuou ele. — Por favor, não me interprete mal.

— Mas...

— Há questões legais, não há? — comentou ele com um pouco de aborrecimento na voz, como se estivesse sendo vitimizado por complexidades além de seu controle.

— Não é nenhum bicho de sete cabeças — falei. — Preciso que você faça vista grossa. Pelo menos temporariamente. Como se uma mão lavasse a outra. Se a sua consciência conseguir acomodar esse tipo de coisa.

A sala voltou a ficar silenciosa. Escutei o oceano. Conseguia ouvir um espectro completo de sons vindos de lá. Conseguia escutar frágeis algas marinhas sendo arrastadas pelo granito e uma prolongada contracorrente retornando no sentido leste. O olhar de Zachary Beck movimentava-se por todo aquele lugar. Olhou para a mesa, depois para o chão, para o espaço. O rosto dele era estreito. Não tinha muito maxilar. Os olhos ficavam bem próximos um do outro. As rugas entre as sobrancelhas expunham sua concentração. Seus lábios estavam finos e franzidos. A cabeça movimentava-se um pouco. A coisa toda era um razoável fac-símile de um empresário lutando contra graves problemas.

— Foi um engano? — perguntou ele.

— O policial? — questionei. — Em retrospecto, obviamente. Na hora, eu só estava tentando fazer o que era preciso.

Ele passou mais um tempo pensando, depois gesticulou a cabeça afirmativamente.

— Ok — disse ele. — Nessas circunstâncias, talvez estejamos dispostos a ajudá-lo. Se pudermos. Você prestou um grande serviço à família.

— Preciso de dinheiro — soltei.

— Por quê?

— Vou precisar viajar.

— Quando?

— Agora.

— Isso é uma boa ideia?

Abanei a cabeça e disse:

— Na verdade, não. Eu preferia esperar aqui alguns dias até que o pânico inicial acabe. Mas não quero abusar da sorte com você.

— Quanto?

— Cinco mil dólares devem dar.

Ele não falou nada a respeito daquilo. Apenas começou a ficar olhando para as coisas de novo. Desta vez, havia mais foco nos olhos dele.

— Tenho algumas perguntas pra você — disse ele. — Antes de ir embora. Duas questões são de suma importância. Primeiro, quem eram eles?

— Você não sabe?

— Tenho muitos rivais e inimigos.

— Que chegariam a esse ponto?

— Sou importador de tapete — informou ele. — Não tinha a intenção de ser, mas foi assim que as coisas aconteceram. Provavelmente, você imagina que eu lido somente com lojas de departamento e decoradores de interior, mas a verdade é que eu lido com todo tipo de personagens impalatáveis em vários fins de mundo onde crianças escravizadas são forçadas a trabalhar dezoito horas por dia até os dedos sangrarem. Os donos delas estão todos convencidos de que os estou roubando e estuprando sua cultura, e a verdade é que provavelmente estou mesmo, embora não mais do que eles mesmos. Não são companheiros de negócios bacanas. Preciso de certa severidade para prosperar. E a questão é: os meus competidores precisam também. É um negócio barra pesada pra todos os lados. Ou seja, entre os meus fornecedores e os meus competidores, consigo pensar em meia dúzia de pessoas diferentes que sequestrariam meu filho pra chegar até mim. Afinal, um deles *fez* isso cinco anos atrás, como tenho certeza de que meu filho te contou.

Fiquei calado.

— Preciso saber quem eram os sujeitos — disse ele, como se estivesse realmente falando sério. Fiquei em silêncio por um tempinho depois recontei todo o acontecido para ele, segundo a segundo, metro a metro, quilômetro a quilômetro. Descrevi os dois loiros altos da Toyota com precisão e muito detalhadamente.

— Não significam nada pra mim — comentou ele.

Não respondi.

— Você pegou a placa da Toyota? — perguntou ele.

Eu pensei no acontecido e contei a verdade a ele:

— Só vi a frente. Não tinha placa.

— Ok — falou ele. — Então eles eram de um estado quem não exige placa na frente. Isso estreita as coisas um pouco, suponho eu.

Fiquei calado. Um longo momento depois ele abanou a cabeça e reclamou:

— A informação está muito escassa. Um sócio meu entrou em contato com a delegacia de lá e deu uma sondada como quem não quer nada. Um policial da cidade está morto, um segurança da faculdade está morto, dois estranhos que não foram identificados em uma caminhonete Toyota estão mortos. A única testemunha ocular viva é um segurança da faculdade, e ele está inconsciente depois de um acidente de carro aproximadamente oito quilômetros depois. Ou seja, neste momento, ninguém sabe o que aconteceu. Ninguém sabe por que aquilo aconteceu. Ninguém fez a ligação com a possibilidade de ter sido uma tentativa de sequestro. A única coisa que todo mundo sabe é que houve um banho de sangue lá sem motivo aparente. Estão especulando sobre guerra de gangues.

— O que acontece quando eles investigarem a placa do Lincoln? — perguntei.

Ele hesitou.

— É uma placa corporativa — revelou. — Não conduz diretamente pra cá.

— Ok, mas eu quero estar na Costa Oeste antes daquele outro segurança da faculdade acordar. Ele deu uma boa olhada em mim.

— E eu quero saber quem saiu da linha aqui.

Olhei para as Anacondas na mesa. Elas tinham sido limpas e levemente lubrificadas. Repentinamente fiquei muito satisfeito por ter dispensado os estojos usados. Peguei o meu copo, envolvi o polegar e todos os outros dedos ao redor dele e cheirei o conteúdo. Não tinha ideia do que era aquilo. Preferia uma xícara de café. Coloquei o copo de volta na mesa.

— O Richard está bem? — perguntei.

— Vai sobreviver — respondeu Beck. — Eu queria saber quem exatamente está me atacando.

— Eu te contei o que vi — afirmei. — Eles não me mostraram identidade. Não eram conhecidos meus. Eu estava lá por acaso. Qual é a sua outra questão de suma importância?

Houve uma pausa longa. As ondas explodiam e estrondeavam do lado de fora das janelas.

— Sou um homem cauteloso — afirmou Beck. — E não quero te ofender.

— Mas...

— Mas fico me perguntando quem você é, exatamente.

— Sou o cara que salvou a outra orelha do seu menino — respondi.

Beck olhou para Duke, que deu alguns passos adiante e levou o copo embora. Ele o pegou, bem na base na parte de baixo, com a mesma pinça esquisita feita com o polegar e o indicador.

— E agora você tem as minhas digitais — falei. — Impecáveis.

Beck gesticulou a cabeça novamente, como um cara tomando uma decisão judiciosa. Ele apontou para as armas pousadas sobre a mesa.

— Belas armas — disse ele.

Fiquei calado. Ele movimentou a mão e deu uma cutucada em uma delas com os nós dos dedos. Em seguida ele a fez deslizar pela mesa na minha direção. O aço pesado fez um som oco e reverberante no carvalho.

— Você quer me contar por que tem uma marca arranhada em um dos tambores?

Escutei o oceano.

— Não sei por quê — respondi. — Chegaram pra mim desse jeito.

— Você as comprou usadas?

— No Arizona — falei.

— Numa loja de armas?

— Numa feira de armas — respondi.

— Por quê?

— Não gosto de verificação de antecedentes — respondi.

— Você não perguntou sobre os arranhões?

— Suponho que sejam marcas de referência — falei. — Suponho que algum maluco por arma as testou e marcou qual era o tambor mais preciso. Ou menos.

— Existe diferença entre os tambores?

— Tudo tem diferença — falei. — Essa é a natureza da fabricação.

— Até mesmo com revólveres de oitocentos dólares?

— Depende do quanto a pessoa é exigente — falei. — Se ela sente a necessidade de medir a milésima parte de um centímetro, aí tudo no mundo é diferente.

— Isso faz diferença?

— Não pra mim — respondi. — Quando aponto a arma pra alguém, não me importo em que célula sanguínea específica estou mirando.

Ele ficou sentado em silêncio por um momento. Depois enfiou a mão no bolso e pegou uma bala. Cápsula de latão brilhante, projétil de chumbo opaco. Ele a colocou de pé em frente a si como uma bomba em miniatura. Depois a derrubou e rolou debaixo dos dedos na mesa. Em seguida, a posicionou cuidadosamente, deu-lhe um peteleco com a ponta do dedo e ela atravessou a mesa até mim. Veio fazendo uma curva aberta e graciosa, emitindo um lento zumbido na madeira. Eu a deixei rolar até cair da mesa e a segurei na mão. Era uma Remington .44 Magnum. Pesada, provavelmente mais de trezentos grãos. Um negócio brutal. Devia custar quase um dólar. Carregava o calor do bolso dele.

— Já jogou roleta-russa? — perguntou ele.

— Preciso me livrar do carro que roubei.

— Já fizemos isso.

— Onde?

— Onde não vai ser encontrado.

Ele ficou em silêncio. E eu calado. Olhava para ele como se estivesse pensando *este é o tipo de coisa que um empresário comum faz?* Assim como registrar suas limusines em empresas-fantasma? E se lembrar instantaneamente do preço de uma Colt Anaconda? E pegar as digitais de um convidado em um copo de uísque?

— Já jogou roleta-russa? — perguntou ele novamente.

— Não — respondi. — Nunca joguei.

— Estou sendo atacado — disse ele. — E acabei de perder dois caras. Em épocas assim, preciso contratar gente, não perder.

Aguardei, cinco segundos, dez. Fingi que estava me esforçando para entender o que ele dizia.

— Está pedindo pra me contratar? — perguntei. — Não sei se posso ficar por aqui.

— Não estou pedindo nada — respondeu ele. — Estou decidindo. Você parece um cara útil. Podia conseguir aqueles cinco mil pra ficar, não pra ir embora. Quem sabe.

Fiquei calado.

— Ei, se eu quiser você, fico com você — afirmou ele. — Há um policial morto lá em Massachusetts, tenho seu nome e agora tenho suas digitais.

— Mas...

— Mas não sei quem você é.

— Se acostuma com isso — falei. — Como é possível saber quem uma pessoa é?

— Eu descubro — desafiou ele. — Testo as pessoas. Suponhamos que eu peça a você pra matar outro policial. Como gesto de boa-fé.

— Eu negaria. Repetiria que o primeiro foi um acidente infeliz de que me arrependo muito. E eu começaria a me questionar sobre que tipo de empresário comum você realmente é.

— O meu negócio é o meu negócio. Ele não te diz respeito.

Fiquei calado.

— Joga roleta-russa comigo — disse ele.

— O que isso provaria?

— Um agente federal não faria isso.

— Por que você está preocupado com agentes federais?

— Isso também não te diz respeito.

— Não sou agente federal — afirmei.

— Então prova. Joga roleta-russa comigo. Afinal de contas, eu já estou jogando roleta-russa com você, por assim dizer, ao te deixar entrar na minha casa sem saber exatamente quem é.

— Eu salvei o seu filho.

— E eu estou muito agradecido por isso. Agradecido o bastante para ainda estar conversando com você de maneira civilizada. Agradecido o bastante a ponto de poder te oferecer um refúgio e um emprego. Porque gosto de homens que executam o serviço.

— Não estou procurando trabalho — falei. — Estou querendo um esconderijo por umas 48 horas e depois ir embora.

— Nós cuidaríamos de você. Nunca te encontrariam. Você ficaria completamente seguro aqui. Se passar no teste.

— A roleta-russa é o teste?

— O teste infalível — disse ele. — De acordo com a minha experiência.

Não falei nada. A sala ficou silenciosa. Ele se inclinou para a frente na cadeira.

— Ou você está comigo ou está contra mim — ameaçou ele. — Você está prestes a provar uma coisa ou outra. Eu sinceramente espero que faça a escolha sabiamente.

Duke desencostou da porta. O chão rangeu debaixo de seus pés. Ouvi o oceano. O vento açoitava os sprays que explodiam para o alto, pingos de espuma arqueavam preguiçosamente pelo ar e estapeavam o vidro da janela. A sétima onda chegou estrondeando, mais pesada do que as outras. Peguei a Anaconda na minha frente. Duke sacou uma arma de dentro da jaqueta e a apontou na minha direção para o caso de eu ter outra coisa além da roleta em mente. Ele tinha uma Steyr SPP, que era a submetralhadora Steyr TPM reduzida à categoria de pistola. Era uma peça rara da Áustria, que ficava grande e feia na mão dele. Desviei o olhar dela e me concentrei na Colt. Enfiei a bala em um tambor qualquer, fechei o cilindro e o girei. A catraca ronronou silenciosamente.

— Você começa — disse Beck.

Girei o cilindro novamente, suspendi o revólver e encostei o cano na têmpora. O aço estava frio. Olhei dentro dos olhos de Beck, prendi a respiração e pressionei vagarosamente o gatilho. O cilindro virou e o cão ergueu. O mecanismo funcionava como seda esfregando em seda. Puxei o gatilho até o fim. O cão desprendeu. O click foi alto. Senti a batida do cão pulsar por toda a extensão do aço até chegar à minha cabeça. Não senti mais nada. Soltei a respiração, abaixei a arma e a segurei com as costas da mão apoiada na mesa. Virei a mão e tirei o dedo do guarda-mato.

— Sua vez — falei.

— Eu só queria ver você fazer isso — comentou ele.

A sala ficou em silêncio. Eu sorri.

— Quer me ver fazer isso de novo? — perguntei.

Beck ficou calado. Levantei a arma novamente, girei o cilindro e o deixei diminuir a velocidade até parar. Suspendi o cano até a minha cabeça. Era tão comprido que tive que forçar o cotovelo para cima e para fora. Puxei o gatilho, rápida e decisivamente. O click no silêncio foi alto. Era o som da precisão de um maquinário de oitocentos dólares trabalhando exatamente da maneira como devia. Baixei a arma e girei o cilindro uma terceira vez. Suspendi o revólver. Puxei o gatilho. Nada. Fiz o mesmo uma quarta vez, rápido. Nada. Fiz o mesmo uma quinta vez, mais rápido. Nada.

— Ok — disse Beck.

— Me fala dos tapetes orientais — pedi.

— Não há muito a ser dito — respondeu ele. — Eles ficam no chão. As pessoas os compram. Às vezes por muito dinheiro.

Sorri. Suspendi a arma de novo.

— A probabilidade é de seis para um — afirmei. Girei o cilindro uma sexta vez. A sala ficou completamente silenciosa. Coloquei a arma na cabeça. Puxei o gatilho. Senti a batida do cão no tambor vazio. Nada.

— Chega — disse Beck.

Baixei a Colt, abri o cilindro e joguei a bala na mesa. Alinhei-a cuidadosamente e rolei de volta para ele. Ela zumbiu sobre a madeira. Parou-a com o cutelo da mão, ficou imóvel e não disse nada por dois ou três minutos. Olhava para mim como se eu fosse um animal num zoológico. Como se desejasse que houvesse barras entre ele e mim.

— O Richard me contou que você era policial do Exército — disse ele.

— Treze anos — confirmei.

— Você era bom?

— Melhor do que aqueles palhaços que você mandou buscar o seu filho.

— Ele falou bem de você.

— E devia mesmo. Salvei a pele dele. Com um custo considerável para mim.

— Vão sentir sua falta em algum lugar?

— Não.

— Família?

— Não tenho.

— Trabalho?

— Não posso voltar pra ele agora — comentei. — Posso?

Ele brincou com a bala por um momento, rolando-a com a base do dedo indicador. Depois ele a recolheu e ficou segurando na palma da mão.

— Pra quem eu posso ligar? — perguntou ele.

— Pra quê?

Ficou brincando coma bala na mão. Como se balançasse um dado.

— Pra pedir uma recomendação — disse ele. — Você tinha um chefe, não tinha?

Erros, voltando para me assombrar.

— Trabalhava por conta própria — respondi.

Ele colocou a bala de volta na mesa.

— Com documentação e seguro em dia? — questionou ele·

Fiquei em silêncio por um momento.

— Não exatamente — respondi.

— Por que não?

— Motivos — respondi.

— Tem documento da van?

— Devo ter esquecido onde coloquei.

Ele rolava a bala debaixo dos dedos. Olhava para mim. Eu conseguia ver que estava pensando. Analisando coisas na cabeça. Processando informação. Tentando fazer com que aquilo se encaixasse em seus próprios pressupostos. Eu me antecipava a ele. *Um cara durão armado com uma van velha que não pertencia a ele. Um ladrão de carro. Um matador de policial.* Ele sorriu.

— Discos usados — comentou ele. — Já vi aquela loja.

Fiquei calado. Continuei encarando os olhos dele.

— Me deixa dar um palpite — disse ele. — Você estava comercializando CDs roubados.

O tipo de cara de que ele gostava. Abanei a cabeça e disse:

— Gravações caseiras. Não sou ladrão. Sou um ex-militar tentando ganhar a vida. E eu acredito na liberdade de expressão.

— Sei — falou ele. — Você acredita mesmo é em conseguir grana. *O tipo de cara de que ele gostava.*

— Nisso também — concordei.

— Você estava se dando bem?

— O suficiente.

Ele recolheu a bala novamente e a arremessou para Duke, que a pegou com uma mão e pôs no bolso da jaqueta.

— O Duke é o chefe da minha segurança — informou Beck. — Você vai trabalhar pra ele, a partir de agora.

Olhei para Duke, de volta para Beck e comentei:

— Suponhamos que eu não queira trabalhar pra ele.

— Você não tem escolha. Há um policial morto lá em Massachusetts, temos o seu nome e as suas digitais. Você vai ficar num período de experiência até entendermos exatamente que tipo de pessoa você é. Mas olha pelo lado bom. Pensa nos cinco mil dólares. São muitos CDs.

A diferença entre ser um hóspede de honra e um empregado em período de experiência foi que jantei na cozinha com o restante dos empregados. O gigante do portão do chalé não apareceu, mas Duke e um outro cara que eu considerei ser um mecânico e faz-tudo estavam ali. Havia uma empregada e uma cozinheira. Nós cinco nos sentamos ao redor de uma mesa de pinho simples e jantamos uma comida tão boa quanto à da família na sala de jantar. Quem sabe até melhor, porque a cozinheira podia ter cuspido na deles, e duvido que ela tivesse cuspido na nossa. Eu tinha passado muito tempo com capangas e praças e sabia como eles faziam as coisas.

Não havia muita conversa. A cozinheira era uma mulher amarga de uns 60 anos. A empregada era tímida. Tive a impressão de que estava ali havia pouco tempo. Não sabia direito como devia se comportar. Era jovem e comum. Estava com um vestido reto de algodão e um cardigã de lã. O sapato era grosseiro e sem salto. O mecânico era um cara de meia-idade, magro, grisalho, quieto. Duke também estava quieto, porque refletia. Beck tinha lhe entregado um problema e ele não sabia direito como lidar com ele. Podia me usar? Podia confiar em mim? Ele não era estúpido. Isso ficava claro. Era um cara que enxergava todos os ângulos e estava preparado para passar algum tempo examinando-os. Mais ou menos da minha idade. Talvez um pouco mais jovem, talvez um pouco mais velho. Tinha um daqueles rostos firmes, feios e saudáveis que escondem bem a idade. Era mais ou menos do meu tamanho. Eu provavelmente tinha ossos mais pesados, ele era provavelmente mais corpulento. Nossa diferença de peso devia variar algo entre meio e um quilo. Sentei-me ao lado dele, comi e tentei fazer o tipo de pergunta que esperariam que uma pessoa normal fizesse.

— Então, me conta sobre o mercado de tapete — disse, com um tom de voz que deixasse claro para ele que eu achava que Beck mexia com algo completamente diferente.

— Agora, não — falou ele, como se quisesse dizer *não na frente dos empregados*. Depois olhou para mim de um jeito que só podia significar *de qualquer maneira, não tenho certeza se quero conversar com um cara louco o suficiente pra arriscar dar um tiro na própria cabeça seis vezes seguidas*.

— A bala era falsa, certo? — falei.

— O quê?

— Não tinha pólvora nela — expliquei. — Provavelmente só enchimento de algodão.

— Por que ela seria falsa?

— Eu podia ter atirado nele com ela.

— Por que você ia querer fazer isso?

— Não ia, mas ele é um cara cauteloso. Não assumiria o risco.

— Eu estava dando cobertura.

— Eu podia ter pegado você primeiro e usar a sua própria arma nele.

Ele enrijeceu um pouco o corpo, mas não disse coisa alguma. *Competitivo*. Não gostei muito dele. O que, para mim, estava tranquilo, porque não demoraria muito para ele acabar virando defunto.

— Segura isto — falou Duke.

Ele tirou a bala do bolso, a entregou a mim e ordenou:

— Espera aí.

Levantou da cadeira e saiu da cozinha. Pus a bala de pé em frente a mim, do mesmo jeito que Beck tinha feito. Terminei a minha refeição. Não tinha sobremesa. Nem café. Duke voltou com uma das Anacondas

73

balançando no dedo do gatilho. Ele passou por mim, seguiu na direção da porta de trás e gesticulou com a cabeça para que eu me juntasse a ele. Peguei a bala e a segurei na palma da mão. Segui. A porta de trás apitou quando passamos por ela. Outro detector de metal. Era praticamente integrado à armação. Mas não tinha alarme contra roubo. A segurança deles dependia do mar, do muro e do arame farpado.

Depois da porta de trás havia uma fria e úmida varanda, e depois uma raquítica contraporta para o quintal, que não era nada além da ponta do dedo rochoso. Estendia-se à nossa frente com seus cem metros de largura e formato semicircular. Estava escuro e as luzes da casa revelavam o cinza do granito. O vento soprava e eu conseguia ver luminescências das cristas espumosas das ondas no oceano. Elas arrebentavam e redemoinhavam. A noite sustentava a lua e baixas nuvens rasgadas moviam-se em velocidade. O horizonte era imenso e negro. O ar estava frio. Eu virei para trás, levantei os olhos e vi a janela do meu quarto bem acima de mim.

— Bala — pediu Duke.

Virei de novo e a entreguei.

— Olha — disse ele.

Ele carregou a Colt com ela. Deu um arranco com a mão para fechar o cilindro. Apertou os olhos ao luar acinzentado e foi girando o cilindro até que o tambor carregado estivesse na posição de dez horas.

— Olha — repetiu ele.

Ele apontou a arma com o braço esticado, um pouco abaixo da posição horizontal, para as partes onde o granito era liso e se encontrava com o mar. Puxou o gatilho. O cilindro girou, o cão desprendeu, a arma deu um coice, brilhou e urrou. Simultaneamente uma das pedras centelhou e o inconfundível *whang* metálico do ricochete ressoou. Ela voou para longe até transformar-se em silêncio. A bala provavelmente saltou uns cem metros para dentro do Atlântico. Talvez tivesse matado um peixe.

— Não era falsa — disse ele. — Eu sou rápido o bastante.

— Certo — falei.

Duke abriu o cilindro e balançou a arma para que estojo do projétil caísse. Retiniu nas pedras aos pés dele.

— Você é um cuzão. Um cuzão matador de policial.

— Você era policial?

Ele fez que sim e completou:

— Há muito tempo.

— Duke é o seu primeiro nome ou sobrenome?

— Sobrenome.

— Por que um importador de tapete precisa de segurança armada?

— Ele te falou. É um negócio barra pesada. Rola muito dinheiro.

— Você quer mesmo que eu fique aqui?

Ele deu de ombros e respondeu:

— Pode ser que sim. Se tem alguém anda metendo o nariz por aqui, podemos precisar de carne de canhão. Antes você do que eu.

— Salvei o garoto.

— E daí? Entra na fila. Todos nós já salvamos o garoto uma vez ou outra. Ou a sra. Beck, até o próprio sr. Beck.

— Quantos caras você tem?

— Não o suficiente — respondeu ele. — Não se estivermos sendo atacados.

— O que é isto? Uma guerra?

Ele não respondeu. Simplesmente saiu andando para dentro da casa. Dei as costas para o oceano desassossegado e o segui.

Não havia nada acontecendo na cozinha. O mecânico tinha desaparecido, e a cozinheira e a empregada faziam a limpeza. Estavam empilhando pratos dentro de uma máquina grande o bastante para o serviço de um restaurante. A empregada era toda estabanada. Não sabia onde cada coisa devia ser colocada. Dei uma olhada por ali à procura de café. Ainda não tinha. Duke sentou novamente à vazia mesa de pinho. Não havia atividade. Nenhuma urgência. Eu estava ciente do tempo que me escapulia. Não confiava na estimativa de cinco dias de Susan Duffy. Era um período longo para quando se está mantendo dois indivíduos saudáveis debaixo dos panos. Eu estaria mais satisfeito se ela tivesse me dito três. Teria ficado mais impressionado com o senso de realismo dela.

— Vai dormir — disse Duke. — Você vai pegar serviço às seis e meia da manhã.

— Vou fazer o quê?

— Vai fazer o que eu falar pra você fazer.

— A minha porta vai ficar trancada?

— Pode contar com isso — respondeu ele. — Vou destrancá-la às seis e quinze. Esteja aqui embaixo às seis e meia.

Aguardei na cama até ele subir e trancar a porta. Esperei mais um pouco até ter certeza de que não voltaria. Tirei meu sapato e verifiquei se havia mensagens. O pequeno dispositivo ligou e a pequena tela verde foi preenchida com uma frase animada: *Você tem mensagem!* Havia uma mensagem apenas. Era de Susan Duffy. Uma pergunta de uma palavra só: *Localização?* Apertei *responder* e digitei *Abbot, Maine, costa, 30km S de Portland, casa sozinha num longo dedo de pedra.* Aquilo devia ser o suficiente. Não tinha o endereço completo nem as coordenadas exatas de GPS. Mas ela deveria ser capaz de localizar o lugar se dedicasse algum tempo a examinar um mapa em grande escala da área. Apertei *Enviar.*

Fiquei olhando para tela. Não tinha muita certeza de como os e-mails funcionavam. Era comunicação instantânea como uma ligação telefônica? Ou a minha resposta iria aguardar num limbo em algum lugar antes de chegar a ela? Eu supunha que ela o estaria vigiando. Vinha supondo que ela e Eliot estariam se revezando nisso 24 horas por dia.

Noventa segundos depois a tela anunciou *Você tem mensagem!* De novo. Sorri. Aquilo devia funcionar. Desta vez a mensagem dela era mais longa. Apenas 23 palavras, mas eu tive que rolar a tela para ler tudo. Era o seguinte: *Vamos trabalhar nos mapas, obrigada. Digitais mostram que 2 guarda-costas em custódia já foram do Exército. Tudo sob controle aqui. Você? Progresso?*

Apertei *responder* e digitei *contratado, provavelmente.* Depois pensei por um segundo, visualizei Quinn e Teresa Daniel na cabeça e adicionei: *Fora isso, nenhum progresso ainda.* Pensei mais um pouco e digitei: *sobre 2 guarda-costas mande seguintes códigos pro PE Powell: 10-29, 10-30, 10-24, 10-36. Informe que eu perguntei.* Depois apertei *enviar.* Observei a maquininha anunciar *Sua mensagem foi enviada,* desviei o olhar na direção da escuridão do lado de fora da janela e desejei que a geração de Powell ainda falasse a mesma língua que a da minha. 10-29, 10-30, 10-24 e 10-36 eram quatro códigos de rádio padrão da Polícia do Exército que não tinham muito significado em si. 10-29 era *sinal fraco.* Uma reclamação procedural sobre falha no equipamento. 10-30 significava *estou requisitando auxílio não emergencial.* 10-24 era *pessoa suspeita.* 10-36 significava *por favor, encaminhe minhas mensagens.* O código 10-30 não emergencial significava que a sequência inteira não atrairia atenção de ninguém. Ela seria gravada e arquivada em algum lugar, depois ignorada pelo resto da história. Mas lida em conjunto, a sequência era uma espécie de jargão underground. Pelo menos costumava ser, há muito tempo, quando eu usava farda. O *sinal fraco* em parte significava *mantenha isto na surdina.* O pedido por auxílio não emergencial camuflava: não use sistemas que possam estar sendo monitorados. *Pessoa suspeita* era autoexplicativo. *Por favor, encaminhe minhas mensagens* significava *me mantenha informado.* Ou seja, se o Powell fosse safo, ele compreenderia que a coisa toda significava *Dá uma sacada nesses dois caras na calada e me passa o que conseguir.* E eu esperava que ele fosse safo, porque estava em dívida comigo. E era uma dívida alta. Ele tinha me entregado. O meu palpite era de que ele iria procurar um jeito de compensar.

Olhei de novo para telinha: *Você tem mensagem!* Era de Duffy, dizendo: *Ok, seja rápido.* Respondi "*tentando*", então desliguei e prendi o dispositivo no salto do sapato. Analisei a janela. Era uma peça padrão de deslizar de duas partes. A folha inferior da janela deslizava para cima na frente da folha superior. Não havia tela contra inseto. A pintura na parte de dentro era fina e impecável. A pintura do lado de fora era grosseira e desleixada, pois era continuamente refeita para combater o clima. Tinha um ferrolho de cobre. Era uma coisa antiga. Não havia segurança moderna. Deslizei o ferrolho e levantei a janela. Ela agarrava na pintura grossa. Mas cedeu. Abri aproximadamente quinze centímetros e o ar frio do mar soprou em mim. Abaixei e procurei algo que disparasse um alarme. Nada. Ergui-a até em cima e examinei toda a armação. Não havia um sinal sequer de sistema de segurança. Era compreensível. A janela ficava quinze metros acima das rochas e do oceano. E a casa era inalcançável devido ao muro alto e à água.

Inclinei-me para o lado de fora da janela e olhei para baixo. Enxerguei o lugar onde estava quando Duke disparou a bala. Fiquei metade para dentro e metade para fora da janela durante aproximadamente cinco minutos, apoiado nos cotovelos, olhando para o oceano negro, respirando o ar salgado e pensando na bala. Eu tinha puxado o gatilho seis vezes. Aquilo teria feito uma bagunça do cacete. Minha cabeça teria explodido. Os tapetes teriam sido arruinados, e o revestimento de carvalho, estilhaçado. Bocejei. As reflexões e o ar frio estavam me deixando com sono. Abaixei a cabeça, entrei novamente, fechei a janela com força e fui para cama.

Eu já estava acordado, de banho tomado e vestido quando ouvi Duke destrancar a porta às seis e quinze na manhã seguinte, dia doze. Quarta--feira, aniversário de Elizabeth Beck. Já tinha conferido meus e-mails. Não havia mensagem. Nenhuma. O que não me preocupou. Passei dez minutos em silêncio à janela. A alvorada estava bem ali diante de mim e o mar tinha se acalmado. Estava cinza, oleoso e brando. A maré estava baixa. As rochas estavam expostas. Havia poças aqui e ali. Vi pássaros na costa. Eram airos-de-asa-branca. Estavam trocando de penas para a primavera. O cinza se tornava preto. Tinham patas vermelho-claras. Vi cormorões. E alcatrazes-comuns dando voltas ao longe. Gaivotas--prateadas mergulhavam em busca do café da manhã.

Aguardei até que os passos de Duke tivessem se retirado e desci as escadas, entrei na cozinha e me encontrei cara a cara com o gigante do portão. Estava de pé à pia, bebendo água em um copo. Provavelmente tinha acabado de engolir suas pílulas de esteroide. Era um cara muito grande. Eu tinha quase dois metros e precisava me centralizar muito cuidadosamente para passar por uma porta padrão de oitenta centíme-tros. O cara era pelo menos quinze centímetros mais alto do que eu. E provavelmente 25 centímetros mais largo de ombro a ombro. Devia ter noventa quilos a mais do que eu. Talvez mais. Estremeci por dentro, algo que acontecia quando estava ao lado de um cara grande o bastante para fazer com que eu me sentisse pequeno. Parecia que o mundo tinha se inclinado um pouco.

— O Duke está na academia — informou o cara.

— Tem academia aqui? — perguntei.

— Lá embaixo — respondeu ele. Sua voz era débil e aguda. Devia ter engolido esteroides igual bala durante anos. Os olhos eram opacos e a pele ruim. Estava na faixa dos 35 anos, tinha cabelo loiro oleoso, usava camiseta e calça de moletom. Seus braços eram maiores do que as minhas pernas. Parecia um desenho animado.

— A gente malha antes do café da manhã — comentou ele.

— Beleza — falei. — Manda ver.

— Você também.

— Eu não malho.

— O Duke está te esperando. Você trabalha aqui, você malha.

Olhei para o meu relógio. Seis e vinte e cinco da manhã. O tique-taque consumia o tempo.

— Qual é o seu nome? — perguntei.

Ele não respondeu. Apenas me olhou como se eu estivesse tramando alguma armadilha para ele. Outro problema dos esteroides. Se a pessoa toma muito, eles podem reprogramar o cérebro dela. E a cabeça daquele cara parecia não ser das boas desde o nascimento. Parecia ser cruel e estúpido. Não tinha uma maneira melhor de descrevê-lo. Uma combinação nada boa. Havia algo no rosto dele. Não gostei do cara. Não estava me dando muito bem no que diz respeito a fazer amizade com meus novos colegas.

— Não é uma pergunta difícil — insisti.

— Paulie — revelou ele.

— Prazer em conhecer você, Paulie. Sou Reacher.

— Eu sei. Você era do Exército.

— Você tem algum problema com relação a isso?

— Não gosto de oficiais.

Eles investigaram. Sabiam qual tinha sido a minha patente. Tinham algum tipo de acesso.

— Por que não? — perguntei. — Você não conseguiu passar na prova para entrar para a academia de oficiais?

Ele não respondeu.

— Vamos encontrar o Duke — falei.

Ele largou o copo de água e me conduziu por um corredor, passamos por uma porta e chegamos a uma escadaria de madeira. Havia um porão grande debaixo da casa. Ele devia ter sido aberto nas rochas sólidas à base de dinamite. As paredes eram de pedra bruta remendadas com concreto. O ar estava um pouco úmido e bolorento. Havia lâmpadas nuas dependuradas em gaiolas próximas ao teto. O lugar tinha vários cômodos. Um deles era uma local espaçoso todo pintado de branco. O chão era coberto de linóleo branco. Fedia a suor velho. Havia uma bicicleta ergométrica, uma esteira, um aparelho de musculação e um saco de pancadas pendurado na viga de madeira no teto, com uma bola de pancada perto dele. Luvas de boxe em uma prateleira. Halteres ficavam guardados em racks de parede e pesos largados no chão ao lado de um banco. Duke estava de pé bem ao lado dela, de terno preto e com uma aparência muito cansada, como se tivesse ficado acordado a noite inteira. Ele não tinha tomado banho. O cabelo estava bagunçado, a roupa, amarrotada e enrugada, especialmente a parte de baixo do blazer.

Paulie começou logo a fazer uma complicada sequência de alongamento. Era tão musculoso que seus braços e pernas tinham articulação limitada. Não conseguia encostar os dedos nos ombros. Os bíceps eram grandes demais. Olhei para o aparelho de musculação. Ele tinha todo tipo de alças e barras e punhos, além de cabos pretos fortes que passavam por polias e se acoplavam a uma pilha alta de placas de chumbo. A pessoa teria que ser capaz de levantar uns 230 quilos para suspender todas elas.

— Tá malhando? — perguntei a Duke.

— Não é da sua conta — retrucou ele.

— Eu também — falei.

Paulie virou o pescoço gigante e olhou para mim. Em seguida apoiou as costas no banco e se arrastou até que os ombros estivessem posicionados debaixo de uma barra apoiada num suporte. Ela tinha um punhado de pesos nas duas pontas. Ele grunhiu um pouco, envolveu a barra com as mãos, botou a língua para fora e para dentro como se estivesse se preparando para um esforço enorme. Fez pressão para cima e suspendeu a barra do suporte. Ela encurvou e balançou. O peso era tamanho que as pontas ficavam curvadas para baixo, como em vídeos antigos de levantadores de peso russos nas Olimpíadas. Ele grunhiu novamente e a suspendeu até os braços ficarem totalmente esticados. Ele segurou nessa posição por um segundo, depois a recolocou ruidosamente no suporte. Suspendeu a cabeça e olhou direto para mim, como se fosse para eu estar impressionado. Eu estava e não estava. Era muito peso, e ele tinha muito músculo. Mas músculo de esteroide é músculo burro. Ele é muito bonito e, se você quer colocá-lo em prática contra peso morto, funciona bem. Mas é lento, pesado, e só de carregá-los por aí a pessoa fica cansada.

— Você consegue levantar 180 quilos no supino? — intimou ele, um pouco sem fôlego.

— Nunca tentei — respondi.

— Quer tentar agora?

— Não.

— Um fracote mirrado que nem você podia pegar uma massa com isso.

— Sou da classe dos oficiais — falei. — Não preciso pegar massa. Se eu precisar levantar 180 quilos no supino, simplesmente acho um gorilão burro e peço a ele para fazer isso para mim.

Ele me fuzilou com o olhar. Eu o ignorei e olhei para o saco de pancadas. Era um equipamento de academia padrão. Não dos novos. Eu o empurrei com a palma da mão e deixei balançando de leve na corrente. Duke me observava. Depois ficou olhando para Paulie. Ele tinha sacado alguma coisa, eu não. Empurrei o saco de novo. Usávamos esse equipamento extensivamente no treinamento de combate corpo a corpo. Ficávamos de uniforme de gala para simular roupa normal e o saco de pancadas para aprender a chutar. Certa vez eu estourei um saco de pancadas com a ponta do calcanhar, anos atrás. A areia ficou esparramada no chão. Imaginei que isso impressionaria Paulie. Mas não tentaria fazer aquilo de novo. O negócio de trocar e-mails estava escondido no salto do meu sapato e eu não queria danificá-lo. Memorizei uma informação absurda para comentar com Duffy depois: ela deveria ter colocado o dispositivo no pé esquerdo. Por outro lado, ela era canhota. Talvez tivesse pensado que estava fazendo tudo da maneira correta.

— Não gosto de você — afirmou Paulie em voz alta.

Olhava diretamente para mim, então presumi que estava falando comigo. Seus olhos eram pequenos. A pele, resplandecente. Ele era um desequilíbrio químico ambulante. Compostos exóticos pingavam de seus poros.

— A gente devia disputar uma queda de braço — desafiou ele.

— O quê?

— A gente devia disputar uma queda de braço — repetiu. Aproximou-se e ficou parado com cara de bobo e em silêncio ao meu lado. Era muito mais alto do que eu. Ele praticamente bloqueava a luz. Seu suor tinha um fedor acre.

— Não quero disputar queda de braço — falei. Vi Duke me observando. Depois olhei para as mãos de Paulie. Estavam fechadas, mas não eram punhos enormes. Os esteroides não fazem nada pelas mãos, a não ser que a pessoa as exercite, e a maioria não pensa em fazer isso.

— Covarde — disse ele.

Fiquei calado.

— Covarde — repetiu.

— O que o vencedor ganha? — perguntei.

— Satisfação — respondeu ele.

— Tá.

— Tá o quê?

— Tá bom, vamos disputar a queda de braço — falei.

Ele pareceu surpreso, mas se moveu bem rápido na direção do banco do supino. Tirei a jaqueta e a dobrei sobre a bicicleta ergométrica.

Desabotoei o punho direito e dobrei a manga até ao cotovelo. O meu braço era muito fino perto do dele. Porém minha mão era um pouco maior. Tinha dedos mais compridos. Mas todos os meus músculos pequenos, em comparação aos dele, tinham vindo de pura genética, não da garrafa de um farmacêutico.

A gente se agachou ao lado do banco um de frente para o outro e cravou os cotovelos. O antebraço dele era mais comprido do que o meu, o que faria com que o pulso dele ficasse um pouco dobrado e me ajudaria. Batemos as palmas das mãos e seguramos. Senti a mão úmida e fria dele. Duke se posicionou na ponta superior do banco e, como um juiz, falou:

— Já.

Trapaceei desde o primeiro momento. O objetivo da queda de braço é usar a força do ombro e do braço para abaixar a mão, carregando com ela a mão do seu oponente, até a lona. Eu não tinha a menor chance de conseguir isso. Não contra aquele cara. Nenhuma chance mesmo. Eu ia fazer tudo o que conseguisse para manter a mão no lugar. Então sequer tentei ganhar. Só espremi. Um milhão de anos de evolução deram-nos o polegar opositor, o que significa que ele pode trabalhar contra os outros quatro dedos como uma pinça. Eu espremia implacavelmente os nós alinhados dos dedos de Paulie. E eu tinha mãos muito fortes. Concentrei-me em manter o meu braço na vertical. Encarei os olhos dele e espremi até sentir os nós começarem a ser esmagados. Depois apertei com mais força. E mais força. Ele não desistiu. Tinha uma força imensa. Continuou a fazer pressão. Eu estava suando muito e respirava com força, só para tentar não perder. Ele segurou desse jeito durante um minuto inteiro. Esforçava-se e estremecia no silêncio. Espremi com mais força. Deixei a dor aumentar. Vi ela surgindo no rosto dele. Depois espremi com mais força ainda. É isso que os derruba. Eles acham que não tem como ficar pior, mas aí é que piora mesmo. E depois piora ainda mais, como o dente de uma engrenagem. Pior e pior, como se houvesse um universo de agonia infinito à frente deles. Aumentando *mais* e *mais* e *mais*, impiedosamente, como uma máquina. Eles começam a se concentrar na própria aflição. Então a decisão começa a cintilar em seus olhos. Eles têm consciência de que estou trapaceando, mas sabem que não podem fazer nada em relação àquilo. Não podem levantar os olhos e falar *Ele está me machucando! Não é justo!* Isso os transformaria em covardes, não eu. Eles não suportam isso. Então engolem a situação. Engolem e começam a se preocupar se aquilo vai ficar ainda pior. E vai. Com certeza. Há muito mais por vir. Encarei os olhos de Paulie e espremi mais ainda. O suor fazia a pele dele ficar escorregadia. Por isso minha mão movia-se facilmente sobre a dele, apertando cada vez mais. Não havia nenhuma queimação por atrito para distraí-lo. A dor estava bem ali nos nós de seus dedos.

— Chega — disse Duke em voz alta. — Empatou.

Não soltei. Paulie não parou de fazer força. O braço dele estava sólido como uma árvore.

— Falei que chega — gritou Duke. — Vocês têm trabalho a fazer, seus cuzões.

Suspendi bem alto o meu cotovelo para que ele não tivesse como me surpreender com um esforço de última hora. Ele desviou o olhar e arrastou o braço para fora do banco. A gente se soltou. As mãos dele estavam com vívidas marcas vermelhas e brancas. Parecia que a parte de baixo da minha mão estava pegando fogo. Ele levantou, aprumou o corpo e saiu da sala na mesma hora. Escutei seus passos pesados na escada de madeira.

— Isso foi uma estupidez — afirmou Duke. — Você acabou de fazer mais um inimigo.

— O quê? Era pra eu ter perdido? — questionei sem fôlego.

— Teria sido melhor.

— Não sou assim.

— Então você é burro — afirmou ele.

— Você é o chefe da segurança — falei. — Devia falar pra ele agir de acordo com a idade que tem.

— Não é fácil assim.

— Então dispensa o cara.

— Isso também não é fácil assim.

Levantei lentamente. Desdobrei a manga da camisa e abotoei o punho. Olhei meu relógio. Quase sete da manhã. O tique-taque consumia o tempo.

— O que eu vou fazer hoje? — perguntei.

— Vai dirigir uma van — respondeu Duke. — Você dirige van, né?

Fiz que fim, porque não podia negar. Estava dirigindo uma van quando resgatei Richard Beck.

— Preciso tomar outro banho — falei. — E também preciso de roupa limpa.

— Fala com a empregada — disse ele, nitidamente cansado. — Está achando que eu sou seu criado?

Ele ficou me olhando por um segundo depois saiu na direção da escada e me deixou totalmente sozinho no porão. Fiquei parado, arquejando, então alonguei e balancei a mão para aliviar a tensão. Em seguida peguei minha jaqueta e fui procurar Teresa Daniel. Teoricamente, ela podia estar trancada em algum lugar ali embaixo. Mas não a encontrei. O porão era um emaranhado de lugares entalhados e abertos nas rochas à base de dinamite. A maioria se autoexplicava. Em um dos cômodos, ficava uma ruidosa caldeira de calefação e um monte de canos. Havia uma lavanderia, com uma grande máquina de lavar em cima de uma mesa de madeira, de modo que ela esvaziasse seu conteúdo pela força da gravidade por um cano que atravessava a parede na altura do joelho. Alguns cômodos eram despensas. Duas salas estavam trancadas. A porta delas era maciça. Escutei muito atentamente, mas não ouvi nada lá dentro. Bati de leve, porém não obtive resposta.

Voltei lá para cima e encontrei Richard Beck e a mãe no saguão do térreo. Richard tinha lavado o cabelo e o partido bem baixo à direita e jogado de lado para que pendesse na esquerda e escondesse a falta da orelha. Parecia com aquele negócio que os caras velhos fazem para esconder que estão ficando carecas. A ambivalência continuava ali em seu rosto. Ele parecia confortável na escura segurança de casa, mas eu conseguia ver que também se sentia um pouco aprisionado. Aparentava estar satisfeito por me ver. Não apenas por eu ter salvado a pele dele, mas talvez porque eu também fosse uma representação do mundo externo.

— Feliz aniversário, sra. Beck — falei.

Ela sorriu para mim, como se estivesse lisonjeada por eu ter me lembrado. Sua aparência era melhor do que a do dia anterior. Sem dúvida, era dez anos mais velha do que eu, só que provavelmente eu prestaria atenção nela se nos encontrássemos em algum lugar por acaso, como num bar, numa boate ou numa longa viagem de trem.

— Você vai ficar com a gente durante um tempo — comentou ela. Em seguida, parecia que o porquê de eu ficar com eles durante um tempo recaiu sobre ela. Eu estava escondido ali porque tinha matado um policial. Deu a impressão de ter ficado confusa, desviou o olhar e seguiu seu caminho pelo saguão. Richard foi com ela, virou para trás e me olhou, uma vez, por sobre o ombro. Fui à cozinha de novo. Paulie não estava lá. Em vez dele, era Zachary Beck quem esperava por mim.

— Que armas eles tinham? — perguntou ele. — Os caras na Toyota?

— Tinham Uzis — respondi. *Se agarre à verdade, como todo bom farsante.* — E uma granada.

— Que Uzi?

— A Micro — respondi. — As pequenas.

— Pente?

— Dos curtos. Vinte cartuchos.

— Tem certeza absoluta?

Fiz que sim com um gesto de cabeça.

— Você é especialista?

— Elas foram desenvolvidas por um tenente do exército israelense — comecei. — O nome dele era Uziel Gal, um jovem inventor. Ele fez todo tipo de aperfeiçoamento nos antigos modelos 23 e 25 tchecos até conseguir um negócio totalmente novo. Isso foi lá em 1949. A Uzi original começou a ser produzida em 1953. Foi franqueada pra Bélgica e Alemanha. Já vi algumas por aí.

— E você tem certeza absoluta que aquelas eram versões Micro com pentes curtos?

— Tenho certeza.

— Ok — disse Beck, como se aquilo significasse alguma coisa pra ele. Depois saiu da cozinha e desapareceu. Fiquei ali e pensei na ansiedade nas perguntas dele e no blazer amarrotado de Duke. Essa combinação me preocupou.

Encontrei a empregada e falei que precisava de roupas. Ela me mostrou uma lista de compras comprida e disse que estava a caminho do mercado. Falei que não estava lhe pedindo para comprar roupas, mas que queria apenas que ela as pegasse emprestado com alguém. Ela ficou vermelha, deu uma balançada na cabeça e não falou nada. Em seguida, a cozinheira voltou de algum lugar, ficou com dó de mim, fritou ovo com bacon e me serviu. E fez café, o que deu ao dia uma iluminação totalmente diferente. Comi, bebi e depois subi os dois lances de escada até o meu quarto. A empregada deixara algumas roupas no corredor, muito bem dobradas no chão. Tinha uma calça jeans preta e uma camisa também de jeans preto. Meias pretas e cueca branca. Todas as peças estavam lavadas e muito bem passadas. Achei que eram de Duke. As de Beck ou Richard seriam muito pequenas e com as de Paulie pareceria que eu estava vestido com uma barraca. Recolhi-as e levei para dentro. Tranquei-me no banheiro, tirei o sapato e chequei meus e-mails. Havia uma mensagem. Era de Susan Duffy. Ela dizia: *Sua localização identificada com mapa. Vamos nos posicionar 25 m a S e O de onde está, motel próximo à I-95. Resposta de Powell abre aspas pro seu conhecimento, ambos DD depois dos 5, 10-2, 10-28 fecha aspas. Progresso?*

Sorri. Powell ainda usava a nossa linguagem. *Ambos DD depois dos 5* significava que os dois caras tinha servido e depois foram dispensados desonrosamente. Cinco anos é um período longo demais para que as dispensas tenham sido relacionadas a inaptidão inerente ou merdas feitas durante o treinamento. Essas coisas teriam ficado evidentes em muito pouco tempo. A única maneira de ser demitido depois de cinco anos era sendo uma pessoa ruim. E os códigos *10-2* e *10-28* não deixavam dúvida em relação a isso. 10-28 era uma mensagem de rádio padrão que significava *em alto e bom som*. 10-2 era mensagem de rádio padrão para *ambulância necessária com urgência*. Mas lidas juntas na gíria secreta da PE *ambulância necessária com urgência, em alto e bom som* significava *esses caras têm que morrer, não se iluda.* Powell tinha verificado as fichas e não gostou do que viu.

Encontrei o ícone para *responder* e digitei *nenhum progresso ainda, mantenha contato.* Depois pressionei *enviar* e coloquei a unidade de volta no sapato. Não demorei no banho. Só tirei o suor de academia e vesti as roupas emprestadas. Usei a minha jaqueta, meu sapato e o sobretudo que Susan Duffy tinha me dado. Desci a escada e encontrei Zachary Beck e Duke de pé juntos no saguão. Os dois de casaco. Duke estava com a chave de um carro na mão. Ele ainda não tinha tomado banho. Continuava com a aparência cansada e fechou a cara. Talvez não tivesse gostado de me ver com as roupas dele. A porta da frente estava aberta e vi a empregada passando em um Saab velho e empoeirado, indo fazer as compras da casa. Talvez comprasse um bolo de aniversário.

— Vamos nessa — disse Beck, como se houvesse trabalho a ser feito e pouco tempo para fazê-lo. Eles me conduziram pela porta da frente. O detector de metal bipou duas vezes, uma vez para cada um deles, mas não para mim. Do lado de fora, o ar era frio e revigorante. O céu estava claro. O Cadillac preto de Beck aguardava na rotatória. Duke abriu a porta de trás e Beck se acomodou. Ele entrou no banco do motorista. Fiquei no do carona na frente. Parecia apropriado. Não havia conversa.

Duke deu a partida no carro, engatou a marcha e acelerou pela estrada pavimentada. Eu conseguia ver Paulie bem ao longe, abrindo o portão para a empregada no Saab. Estava novamente de terno. Ficou parado aguardando por nós, que passamos em velocidade e seguimos na direção oeste, nos distanciando do mar. Eu me virei e o vi fechar o portão de novo.

Percorremos 25 quilômetros terra adentro e viramos para o norte na rodovia, no sentido de Portland. Olhei para a frente através do para--brisa e me perguntei aonde exatamente eles estavam me levando. E o que fariam comigo quando chegassem lá.

Eles me levaram direto para a instalação portuária fora da cidade propriamente dita. Vi as partes de cima das superestruturas dos barcos na água e guindastes por todo lado. Havia contêineres abandonados em lotes cheios de mato, prédios comerciais compridos e baixos e caminhões entrando e saindo. As gaivotas estavam presentes em todo o lugar. Duke passou pelo portão e entrou num pequeno lote de concreto rachado e asfalto remendado. Não havia nada ali com exceção de uma van parada sozinha no centro dele. Era um negócio de tamanho mediano, feito com o chassi de uma caminhonete e sobre ele havia uma carroceria retangular. Ela era maior do que a cabine e se estendia por cima dela. O tipo de coisa que se encontra em locadoras de veículos. Não era o menor que tinham a oferecer nem o maior. Não havia nada escrito nela. Era totalmente básica, azul e tinha pequenos vestígios de ferrugem aqui e ali. Era velha e tinha passado a vida na maresia.

— As chaves estão no suporte da parte de dentro da porta — disse Duke.

Beck se inclinou para a frente no banco de trás e me entregou um pedaço de papel. Nele estava o caminho a ser percorrido até um lugar em New London, Connecticut.

— Leve a van exatamente até esse endereço — informou ele. — É um lote muito parecido com este aqui. Você vai encontrar uma van idêntica a esta lá. A chave vai estar na parte de dentro da porta. Você deixa esta lá e traz a outra.

— E não olha dentro de nenhuma delas — completou Duke.

— E dirija devagar — disse Beck. — Mantenha-se dentro da lei. Não chame atenção.

— Por quê? — questionei. — O que tem dentro delas?

— Tapetes — respondeu Beck, atrás de mim. — Estou pensando em você, só isso. É um cara procurado. Melhor permanecer discreto. Ou seja, vá sem pressa. Pare pra tomar café. Aja naturalmente.

Não disseram mais nada. Saí do Cadillac. O ar fedia a mar, óleo, descarga de diesel e peixe. O vento soprava. Havia um indistinto barulho industrial ao redor e o grasnado berrado de gaivotas. Aproximei-me da van azul. Passei por trás dela e vi que a maçaneta da porta rolante estava trancada com um lacre de chumbo. Continuei andando e abri a porta do motorista. Achei a chave. Entrei e liguei o carro. Coloquei o cinto e me aconcheguei. Engatei a marcha e saí do lote. Vi Beck e Duke no Cadillac, observando-me ir embora, nada no rosto. Parei na primeira curva, virei para a esquerda e parti em direção ao sul.

4

EMPO SE ESGOTANDO. ERA DISSO QUE EU TINHA CONSciência. O que estava acontecendo era uma espécie de estágio probatório, e eu levaria pelo menos dez preciosas horas para cumpri-lo. Dez horas que eu não tinha sobrando. E a van era um lixo. Velha, teimosa e, além disso, o motor rugia e a transmissão chiava constantemente. A suspensão estava mole e desgastada, de um jeito que deixava o veículo flutuando e sacolejando. Mas os retrovisores eram retângulos grandes e firmes parafusados às portas e me davam uma visão muito boa de qualquer coisa a mais de dez metros de mim. Eu percorria a I-95 no sentido sul, e ela estava tranquila. Tinha quase certeza de que ninguém me seguia. Quase certeza, mas não cem por cento.

Diminui a velocidade o máximo que me atrevi, me contorci, coloquei o pé esquerdo no acelerador, abaixei e tirei meu sapato esquerdo. Joguei-o para cima no meu colo e tirei o dispositivo de e-mail com uma mão. Segurei-o com firmeza contra a beirada do volante, dirigi e digitei, tudo ao mesmo tempo: *Urgente me encontre na primeira parada da I-95 na direção sul saída S de Kennebunk agora imediatamente traga ferro de solda e chumbo loja Radio Shack ou loja de ferragens*. Depois apertei *enviar* e larguei o negócio no assento ao meu lado. Enfiei o pé com força no sapato, o coloquei de volta no acelerador e me endireitei no banco. Verifiquei os retrovisores novamente. Nada. Então fiz alguns cálculos. A distância entre Kennebunk e New London era de aproximadamente 320 quilômetros, talvez um pouco mais. Quatro horas a oitenta quilômetros por hora. Duas horas e cinquenta minutos a 110 por hora, e 110 era provavelmente o máximo que eu conseguiria fazer naquela van. Ou seja, eu tinha uma margem máxima de uma hora para fazer qualquer coisa que decidisse que precisava fazer.

Segui em frente. Mantive constantes oitenta quilômetros por hora na pista correta. Todo mundo me ultrapassava. Ninguém ficava atrás de mim. Não estavam me seguindo. Não tinha certeza se isso era bom ou ruim. A alternativa poderia ser pior. Passei pela saída de Kennebunk depois de 29 minutos. Pouco menos de dois quilômetros depois, vi uma placa indicando a existência de uma parada dez quilômetros adiante. Levei oito minutos para percorrer os dez quilômetros. Cheguei a uma rampa baixa que descia à direita e depois se transformava numa ladeira em meio a um emaranhado de árvores. A visibilidade não era boa. As folhas estavam pequenas e novas, mas eram tantas que eu não conseguia ver muita coisa. A parada era invisível para mim. Deixei a van velejar ladeira acima, cheguei ao cume e entrei numa perfeita instalação padrão de estrada interestadual. Era apenas uma rua larga com estacionamento em diagonal de ambos os lados e um pequeno amontoado de pequenas construções à direita. Depois delas, ficava um posto de gasolina. Havia uns doze carros estacionados perto dos banheiros. Um deles era o Taurus de Susan Duffy. Era o último na fila à esquerda. Ela estava parada perto dele com Eliot ao seu lado.

Passei bem devagar, fiz um gesto de *espera* para ela com a mão e parei quatro vagas depois. Desliguei o carro e fiquei me sentindo agradecido pelo repentino silêncio momentâneo. Pus o dispositivo de e-mail de volta no salto do sapato. Tentei ficar com a aparência de uma pessoa normal. Alonguei os braços e abri a porta, desci, dei passos pesados para lá e para cá por um momento, como um cara aliviando suas pernas endurecidas e saboreando o ar fresco da floresta. Completei dois círculos, vasculhei a área toda, depois fiquei parado e mantive os olhos na ladeira. Ninguém subiu por ela. Eu conseguia ouvir o trânsito leve lá na rodovia. Estava próximo e relativamente alto, porém, como ficava inteiramente atrás das árvores, eu me senti isolado e com privacidade. Contei 72 segundos, o que representa um quilômetro e seiscentos metros a oitenta quilômetros por hora. Ninguém subiu a ladeira. E ninguém seguia um veículo a uma distância de mais de um quilômetro e meio. Corri direto para o local onde Duffy e Eliot me esperavam. Ele estava de roupa casual e parecia pouco à vontade nelas. Ela usava calça jeans e a mesma jaqueta de couro surrada que eu já tinha visto. Estava espetacular. Nenhum deles perdeu tempo com cumprimentos, o que me deixou satisfeito.

— Pra onde você vai? — perguntou Eliot.

— New London, Connecticut — respondi.

— O que tem na van?

— Não sei.

— Não estão te seguindo — disse Duffy, como uma afirmação, não uma pergunta.

— Deve ser eletrônico — falei. — Onde ficaria?

— Na parte de trás, se eles tiverem o mínimo de sensatez. Conseguiu o ferro de solda?

— Ainda não — disse ela. — Está a caminho. A gente precisa dele pra quê?

— Tem um lacre de chumbo — expliquei. — Temos que recolocá-lo depois.

Ela olhou para o mapa, ansiosa.

— Negócio difícil de se conseguir sem ter sido avisada com antecedência.

— Vamos conferir as partes que conseguirmos — sugeriu Eliot —, enquanto estamos esperando.

Demos uma corridinha até a van azul. Abaixei até o chão e dei uma olhada na parte de baixo. Havia uma crosta de barro cinza e estava raiada de óleo e fluido que vazavam dela.

— Não vai estar aqui — falei. — Eles iam precisar de um cinzel para chegar perto do metal.

Eliot o encontrou dentro da cabine uns quinze segundos depois de ter começado a procurar. Estava enfiado na espuma na parte de baixo do banco do passageiro com um pedaço de velcro. Era uma latinha desencapada de metal um pouco maior do que uma moeda de 25 centavos e com pouco mais de um centímetro de espessura. Tinha um fio de oito polegadas que provavelmente era a antena transmissora. Eliot fechou a mão com o aparelho nela, saiu da cabine rápido e olhou para a boca da ladeira.

— O quê? — perguntou Duffy.

— Isso é esquisito — comentou ele. — Um negócio deste tipo tem bateria de aparelho auditivo, só isso. Potência pequena, alcance curto. Não dá pra captar nada a mais de três quilômetros. Então cadê o cara que está fazendo o rastreamento?

A boca da ladeira estava vazia. Eu tinha sido o último cara a subi-la. Ficamos parados ali com os olhos lacrimejando ao vento frio, olhando para o nada. O trânsito assobiava atrás das árvores, mas nada subia a ladeira.

— Há quanto tempo você está aqui? — perguntou Eliot.

— Uns quatro minutos — respondi. — Talvez cinco.

— Não faz sentido — questionou ele. — Isso põe o cara uns sete ou oito quilômetros atrás de você. E ele não consegue escutar este negócio a sete ou oito quilômetros.

— Talvez esse cara não exista — falei. — Talvez eles confiem em mim.

— Então por que colocar este negócio lá?

— Talvez não tenham colocado. Talvez isso esteja ali há anos. Talvez tenham se esquecido completamente dele.

— É muito "talvez" — disse ele.

Duffy virou para a direita, olhou as árvores e palpitou:

— Eles podem ter parado no acostamento da rodovia. Exatamente no mesmo nível em que a gente está agora.

Eliot e eu viramos para a direita e também ficamos olhando. Fazia sentido. Não era uma técnica de vigilância muito inteligente estacionar em um acostamento bem ao lado do seu alvo.

— Vamos dar uma olhada — falei.

Havia uma estreita faixa de grama bem-cuidada e depois uma área igualmente estreita onde o pessoal que trabalhava na rodovia havia domado a beirada do bosque plantando arbustos e usando lascas de casca de árvore. O restante era só árvores. A rodovia as tinha ceifado a leste e o restante da área as tinha derrubado a oeste, mas entre esses dois pontos havia um matagal de doze metros que poderia estar crescendo ali desde o início dos tempos. Era um trabalho pesado atravessá-lo. Tinha trepadeiras, arbustos espinhentos e galhos baixos. Mas estávamos em abril. Atravessá-lo em julho ou agosto teria sido impossível.

Paramos logo antes de as árvores extinguirem-se em vegetação mais baixa. Depois dela ficava o acostamento plano e ervoso da rodovia. Movemo-nos vagarosamente para a frente o máximo que podíamos ousar e esticamos o pescoço para a esquerda e para a direita. Não havia ninguém estacionado ali. O acostamento estava vazio até onde conseguíamos ver nas duas direções. O trânsito era muito leve. Passavam-se períodos de cinco segundos sem que nenhum carro sequer fosse visto. Eliot deu de ombros como se não conseguisse entender, nós demos meia-volta e voltamos atravessando o matagal com dificuldade.

— Não faz sentido — repetiu ele.

— Estão com falta de mão de obra — opinei.

— Não, eles estão na Rota 1 — disse Duffy. — Devem estar. Ela é paralela à I-99 ao longo de toda a costa. O percurso todo de Portland até o sul. Ficam a provavelmente menos de três quilômetros a maior parte de tempo.

Viramo-nos para o leste novamente, como se pudéssemos ver através das árvores e enxergar um carro em ponto morto no acostamento de uma distante estrada paralela.

— Eu faria desse jeito — disse Duffy.

Concordei que era um cenário muito plausível. Haveria desvantagens técnicas. Com até três quilômetros de deslocamento lateral, qualquer pequena discrepância longitudinal devido ao trânsito faria o sinal oscilar. Por outro lado, a única coisa que eles queriam saber era o caminho que eu estava fazendo.

— É possível — falei.

— Não, é provável — disse Eliot. — A Duffy está certa. Isso faz todo sentido. Eles querem ficar fora dos seus retrovisores o máximo que conseguirem.

Concordei com ele também e completei:

— De um jeito ou de outro, temos que pressupor que eles estão lá. Até onde a Rota 1 segue perto da I-95?

— Pra sempre — respondeu Duffy. — Até bem depois de New London, Connecticut. Elas se separam perto de Boston, mas depois se juntam de novo.

— Ok — falei antes de olhar meu relógio. — Já estou aqui há aproximadamente nove minutos. O suficiente pra ir ao banheiro e tomar um café. Hora de colocar o aparelhinho eletrônico de volta na estrada.

Falei para Eliot colocar o transmissor no bolso, pegar o Taurus de Duffy e seguir para o sul a constantes oitenta quilômetros por hora. Disse a ele que o alcançaria com a van em algum lugar antes de New London. Fiquei preocupado em como colocaria o transmissor de volta no lugar certo mais tarde. Eliot arrancou e fiquei sozinho com Duffy. Observamos o carro dela desaparecer no sentido sul, demos um giro para o norte e observamos a ladeira por onde se entrava ali. Eu tinha uma hora e um minuto e precisava do ferro de solda. *Tempo se esgotando.*

— Como está lá? — perguntou Duffy.

— Um pesadelo — respondi. Falei para ela sobre o muro de granito de dois metros e meio, o arame farpado, o portão, os detectores de metal nas portas e o quarto sem buraco de fechadura por dentro. Contei sobre Paulie.

— Algum sinal da minha agente? — perguntou ela.

— Acabei de chegar lá — falei.

— Ela está na casa — afirmou Duffy. — Tenho que acreditar nisso. Fiquei calado.

— Você precisa fazer algum progresso — disse ela. — Cada hora que passa lá aprofunda ainda mais a sua enrascada. E a dela.

— Sei disso — concordei.

— Como é o Beck? — interrogou ela.

— Determinado — respondi. Contei a ela sobre as digitais no copo e como o Maxima tinha desaparecido. Depois falei da roleta-russa.

— Você jogou?

— Seis vezes — respondi e olhei para a ladeira.

Ela olhou para mim e me xingou:

— Você é louco. Seis por um, você podia estar morto.

Sorri.

— Você já jogou?

— Não faria isso. Não gosto dessas probabilidades.

— Você é igual à maioria das pessoas. O Beck era a mesma coisa. Ele achou que a probabilidade era de seis por um. Mas ela é de aproximadamente seiscentos por um. Ou seis mil. Você coloca uma única bala em uma arma bem-feita e bem-conservada como aquela Anaconda e vai ser um milagre se o cilindro parar com a bala perto do topo. O impulso do giro sempre a carrega pro fundo. Mecanismo preciso, um pouco de óleo e a gravidade também ajudam. Não sou idiota. Roleta-russa é muito mais seguro do que as pessoas imaginam. E para ser contratado o risco valia a pena.

Ela ficou em silêncio por um momento.

— Seu instinto já te disse alguma coisa? — perguntou Duffy.

— Ele parece um importador de tapete — falei. — O lugar tem tapete pra tudo quanto é lado.

— Mas...

— Mas ele não é — completei. — Apostaria minha aposentadoria nisso. Eu perguntei sobre os tapetes, e ele não falou muita coisa. Como se não tivesse muito interesse por eles. A maioria das pessoas gosta de falar dos próprios negócios. Você não consegue fazer com que a maioria delas cale a boca.

— Você tem aposentadoria?

— Não — respondi.

Neste exato momento um Taurus cinza idêntico ao de Duffy, com exceção da cor, irrompeu pela ladeira. Ele diminuiu momentaneamente a velocidade enquanto o motorista vasculhava o lugar, depois acelerou com força na nossa direção. Era o cara mais velho ao volante, o que eu tinha deixado na sarjeta perto do portão da faculdade. Ele parou de uma vez perto da van azul, abriu a porta e usou os braços para erguer o corpo e sair do carro ao mesmo tempo, exatamente como tinha feito no Caprice que tinha sido usado como carro de polícia. Ele estava com um sacola preta e vermelha da Radio Shack na mão. As caixas dentro dela deixavam-na volumosa. Ele a segurou no alto e se aproximou para me dar um aperto de mão. Tinha trocado de camisa, mas o terno era o mesmo. Vi manchas onde ele tinha tentado esfregar o sangue falso. Imaginei-o de pé diante da pia no quarto do motel trabalhando arduamente com a toalha de rosto. Não fora muito bem-sucedido. Parecia que ele tinha sido descuidado com o ketchup no jantar.

— Ele já está te dando missões? — perguntou ele.

— Não sei o que estão me pedindo pra fazer — respondi. — Temos um problema de lacre de chumbo.

— Imaginei — disse ele. — Com uma lista de compras dessas, o que mais poderia ser?

— Você já fez isso antes?

— Sou da velha guarda — brincou ele. — Fazíamos dez por dia, antigamente, muito antigamente. Quando uma van parava num lugar, a gente entrava nela antes do cara ter feito o pedido da sopa.

Ele agachou e esvaziou a sacola da Radio Shack no asfalto. Tinha um ferro de solda e um carretel de solda. E um adaptador para ligar o ferro de solda no isqueiro do carro. Isso significava que ele tinha que manter o motor ligado, de modo que deu a partida e andou um pouco de ré para que o cabo fosse suficiente.

O lacre era basicamente um fio de chumbo esticado com grandes placas moldadas em cada ponta. As placas tinham sido pressionadas uma contra a outra com alguma espécie de dispositivo de aquecimento, de modo que tinham se fundido em um pelota repuxada. O cara mais velho nem encostou nas pontas fundidas. Era nítido que já tinha feito aquilo antes. Ele plugou o ferro de solda e o deixou esquentar. Testou-o cuspindo na ponta. Quando ficou satisfeito, deu uma batidinha com a ponta na manga do blazer, depois a encostou no fio onde ele era fino. O ferro derreteu e partiu. Ele expandiu mais a lacuna como se estivesse abrindo uma pequenina algema e deslizou o lacre para fora de seu canal. Ele se inclinou para dentro do carro e o colocou no painel. Segurei a maçaneta da porta e a virei.

— Ok — disse Duffy. — O que que a gente tem?

Nós tínhamos tapetes. A porta subiu sacolejando, a luz do dia inundou o interior da carroceria e vimos uns duzentos tapetes, todos perfeitamente enrolados, amarrados com uma cordinha e organizados na vertical. Tinham tamanhos diferentes, os rolos mais altos ficavam mais perto da cabine e os menores, da porta. Formavam degraus na nossa direção como uma espécie de formação rochosa de basalto. Estavam enrolados com a frente para dentro, então a única coisa que enxergávamos eram as costas deles, ásperas e opacas. As cordinhas ao redor deles eram de sisal, velhas e amareladas. Tinham um cheiro forte de algodão cru e outro mais fraco de tintura vegetal.

— A gente devia dar uma conferida neles — falou Duffy. Havia desapontamento em sua voz.

— Quanto tempo a gente tem? — perguntou o cara mais velho. Conferi meu relógio.

— Quarenta minutos — respondi.

— É melhor pegar por amostra, então — sugeriu ele.

— Puxamos alguns da fileira da frente. Estavam muito bem enrolados. Sem tubos de papelão. Enrodilhavam-se em si mesmos e as cordinhas estavam bem presas. Um deles tinha uma franja. Fedia a velho e mofado. Os nós nas cordas eram antigos e estavam achatados. Nós os puxávamos com as unhas, mas não conseguimos desatá-los.

— Eles vão ter que cortar as cordas — afirmou Duffy. — Não podemos fazer isso.

— Não — concordou o homem mais velho. — Não podemos.

A corda era grosseira e parecia estrangeira. Não via cordas como aquelas há muito tempo. Era feita com um tipo de fibra natural. Juta, talvez, ou cânhamo.

— Então o que é que a gente faz? — perguntou o cara mais velho.

Puxei outro tapete para fora. Avaliei o peso dele com a mão. Tinha mais ou menos o peso que um tapete deveria ter. Apertei. Ele cedeu levemente. Eu o apoiei com a ponta para baixo e dei um soco. Ele cedeu um pouquinho, exatamente como aconteceria com um tapete muito bem enrolado.

— São só tapetes — afirmei.

— Alguma coisa debaixo deles? — perguntou Duffy. — Talvez aqueles altos lá no fundo não tenham nada de altos. Talvez estejam apoiados em cima de alguma outra coisa.

Nós os puxamos para fora e pusemos na rua, na ordem em que teríamos que colocá-los de volta. Fizemos um canal em zigue-zague pela carroceria. Os altos eram exatamente o que pareciam ser. Tapetes altos, bem enrolados, amarrados com cordinhas e apoiados sobre suas pontas na vertical. Não havia nada escondido. Descemos da van e ficamos lá no frio rodeados por uma bagunça maluca de tapetes, olhando uns para os outros.

— É um carregamento de fachada — disse Duffy. — O Beck sabia que você ia achar um jeito de abrir.

— Talvez — falei.

— Ou então ele simplesmente queria você fora do caminho.

— Enquanto ele fazia o quê?

— Te investigava — respondeu ela. — Se certificava.

Olhei para o meu relógio e falei:

— Hora de recarregar. Já vou ter que dirigir feito um louco.

— Vou com você — avisou ela. — Até a gente se encontrar com o Eliot.

Concordei com um gesto de cabeça e falei:

— Quero mesmo que você faça isso. Precisamos conversar.

Colocamos os tapetes de volta lá dentro, chutando-os e empurrando-os até ficarem impecavelmente arrumados. Nas posições originais. Depois abaixei a porta rolante, e o cara mais velho começou a trabalhar com a solda. Passamos o lacre quebrado de volta pelo canal e aproximamos as pontas separadas. Ele esquentou o ferro de solda e fez uma ponte na lacuna com a ponta dele, em seguida encostou a ponta livre do rolo de solda nele. A lacuna foi preenchida por uma pelota prateada. A cor era diferente e ficou grande demais. Fazia o fio parecer o desenho de uma cobra que tinha acabado de engolir em coelho.

— Não se preocupa — disse ele.

Usou a ponta do ferro como um pequeno pincel e alisou a gota, que foi ficando cada vez mais fina. Ele ocasionalmente dava um cutucadinha com a ponta do fero para se livrar do excesso. Era um sujeito muito delicado. Precisou de três longos minutos, contudo ao final o negócio estava com a aparência muito similar à que tinha antes de ele chegar. Ele deixou esfriar um pouco depois soprou com força. A cor prata instantaneamente ficou cinza. Era a coisa mais parecida com um reparo invisível que eu já tinha visto. Com certeza era melhor do que o que eu teria feito.

— Certo — falei. — Muito bom. Mas você vai ter que fazer outro. Tenho que trazer outra van. Melhor darmos uma olhada nela também. A gente se encontra na primeira parada no sentido norte depois de Portsmouth, New Hampshire.

— Quando?

— Cinco horas contadas a partir de agora.

Duffy e eu o deixamos ali e seguimos para o sul o mais rápido que conseguia fazer a van velha andar, o que não era mais do que uns 110. Ela tinha o formato de um tijolo e a resistência do vento derrotava qualquer tentativa de ir mais rápido. Mas 110 estava bom. Ainda tinha alguns minutos na mão.

— Você viu o escritório dele? — perguntou ela.

— Ainda não — respondi. — precisamos dar uma olhada nele. Na verdade, precisamos dar uma olhada na operação portuária inteira dele.

— Estamos trabalhando nisso — revelou Duffy. Ela teve que falar alto. O barulho do motor e o chiado da caixa de marcha estavam duas vezes pior a 110 do que quando andava a 80.

— Felizmente Portland não é uma loucura. É só o 44º porto mais movimentado dos EUA. Aproximadamente quatorze milhões de toneladas de importações por ano. Isso significa mais ou menos 250 mil toneladas por semana. Parece que o Beck fica com dez delas, dois ou três contêineres.

— A alfândega fiscaliza as coisas dele?

— Do mesmo jeito que as de todo mundo. O índice de fiscalização deles é de uns dois por cento. Se ele recebe 150 contêineres por ano, talvez uns três deles sejam verificados.

— Então como ele está fazendo?

— Ele pode estar jogando com as probabilidades e limitando a parada ruim a um contêiner em cada dez. Isso levaria a taxa de verificação pra menos de 0,2 por cento. Ele pode durar anos assim.

— Ele já durou anos. Deve estar pagando alguém por fora.

Ela concordou com um gesto de cabeça. Ficou calada.

— Você consegue fazer um verificação adicional? — perguntei.

— Não sem causa provável — disse ela. — Não se esqueça, nós estamos trabalhando por debaixo dos panos. Precisamos de provas concretas. E a possibilidade de suborno transforma a coisa toda num campo minado, no final das contas. Podemos abordar o oficial errado.

Continuei acelerando. O motor urrava e a suspensão flutuava. Estávamos ultrapassando tudo que víamos. Eu passei a olhar nos retrovisores por causa de policiais, não de alguém nos seguindo. Estava pressupondo que a identidade da DEA que Duffy tinha daria conta de qualquer problema legal específico, mas eu não queria perder o tempo que ela precisaria para conversar.

— Como o Beck reagiu? — perguntou ela. — Primeira impressão.

— Ele ficou intrigado — falei. — E um pouco ressentido. Essa foi a minha primeira impressão. Você notou que Richard Beck não tinha segurança na faculdade?

— Ambiente seguro.

— Na verdade, não. Você consegue tirar um garoto da faculdade fácil, fácil. A falta de segurança significa falta de perigo. Acho que o esquema de guarda-costas pra viagem até em casa foi só um calmante pelo fato do garoto ser paranoico. Acho que foi pura indulgência. Não creio que o velho Beck achava que fosse realmente necessário, senão ele teria providenciado seguranças pra faculdade também. Ou nem teria deixado que ele frequentasse a faculdade.

— E?

— E eu acho que já houve algum acordo no passado. Como resultado do sequestro original, talvez. Algo que garantiu algum tipo de estabilidade. Por isso ele estava sem guarda-costas no alojamento da faculdade. E por isso a indignação de Beck, como se alguém tivesse de repente quebrado um acordo.

— Você acha?

Fiz que sim ao volante e respondi:

— Ele estava surpreso, intrigado e irritado. A grande questão dele era: quem?

— Questão óbvia.

— Mas era uma questão do tipo "como eles se atrevem"? Havia um ar desafiador nela. Como se alguém tivesse saído da linha. Não era só uma monte de perguntas. Elas expressavam a irritação dele com alguém.

— O que você falou pra ele?

— Descrevi a van. Descrevi os seus caras.

Ela sorriu:

— Sem perigo.

Abanei a cabeça.

— Ele tem um cara chamado Duke. Primeiro nome desconhecido. Ex-policial. É o chefe da segurança. Eu o vi hoje de manhã. Ele ficou acordado a noite inteira. Estava com a aparência cansada e não tinha tomado banho. O blazer do terno dele estava todo amarrotado, na parte de baixo das costas.

— E?

— Isso quer dizer que ele ficou dirigindo a noite toda. Acho que ele foi lá dar uma olhada na Toyota. Dar uma verificada na placa. Onde você a escondeu?

— A gente deixou o pessoal da polícia estadual recolher o carro. Pra manter a plausibilidade. Não podíamos levá-la de volta pra garagem da DEA. Ela vai ficar num depósito em algum lugar.

— A placa leva aonde?

— Hartford, Connecticut — respondeu ela. — Nós acabamos com um círculo mequetrefe de ecstasy.

— Quando?

— Semana passada.

Segui em frente. A rodovia estava ficando mais movimentada.

— Nosso primeiro erro — afirmei. — O Beck vai conferir. Aí vai ficar se perguntando por que uns traficantezinhos de ecstasy de Connecticut estão tentando pegar o filho dele. Depois vai ficar se perguntando *como* uns traficantezinhos de ecstasy de Connecticut sequer *conseguem* estar tentando pegar o filho dele uma semana depois que foram arrastados pra cadeia.

— Merda — xingou Duffy.

— Piora — continuei. — Acho que o Duke deu uma conferida no Lincoln também. Ele está com a frente destruída e não sobrou nenhum vidro das janelas, mas não tem nenhum buraco de bala nele. E não parece que uma granada de verdade explodiu dentro dele. Aquele Lincoln é prova viva de que esse negócio todo é um conversa fiada.

— Não — disse ela. — O Lincoln está escondido. Ele não foi com o Toyota.

— Tem certeza? Porque a primeira coisa que o Beck me pediu hoje de manhã foi informações detalhadas sobre as Uzis. Era como se estivesse pedindo para que eu me fodesse pela minha própria boca. Duas Uzi Micros, pentes de vinte balas, quarenta tiros disparados e nenhuma marca no carro?

— Não — repetiu ela. — De jeito nenhum. O Lincoln está escondido.

— Onde?

— Em Boston. Está na nossa garagem, mas toda e qualquer documentação sobre ele informa que o carro está no prédio do necrotério do condado. Ele supostamente faz parte da cena de crime. Supostamente o interior do carro deveria estar todo lambuzado com os guarda-costas. Nós buscamos plausibilidade. Nós planejamos isso muito bem.

— Com exceção da placa da Toyota.

Ela pareceu desanimar.

— Mas o Lincoln está ok. Está a 150 quilômetros do Toyota. Esse tal de Duke ia ter dirigido a noite inteira.

— Eu acho que ele dirigiu a noite inteira. E por que o Beck estava tão nervoso por causa das Uzis?

Ela ficou quieta, depois decidiu:

— Temos que abortar. Por causa do Toyota. Não por causa do Lincoln. O Lincoln está ok.

Olhei para o meu relógio. Olhei para a estrada à frente. A van continuou rugindo adiante. Nós nos encontraríamos com Eliot em breve. Calculei tempo e distância.

— Temos que abortar — repetiu ela.

— E a sua agente?

— Deixar você morrer não vai ajudá-la.

Pensei em Quinn.

— Vamos discutir isso depois — falei. — Neste momento, estamos no esquema.

Ultrapassamos Eliot oito minutos depois. O Taurus dele estava firme como uma rocha na pista de dentro, mantendo modestos oitenta quilômetros por hora. Eu me posicionei na frente dele, fiquei na mesma velocidade e ele colou atrás. Margeamos Boston inteira e paramos na primeira parada que vimos ao sul da cidade. O mundo era muito mais movimentado ali. Permaneci sentado com Duffy ao meu lado, observei a entrada por 72 segundos e vi quatro carros entrarem depois de mim. Nenhum dos motoristas prestou atenção alguma em mim. Dois deles tinham passageiros. Todos eles fizeram coisas normais de paradas como ficar de pé e bocejar ao lado das portas abertas, dar uma olhada em volta e depois seguiram para o banheiro ou as lanchonetes.

— Onde está a outra van? — perguntou Duffy.

— Num lote em New London — respondi.

— Chave?

— Nela.

— Então vai ter gente lá também. Ninguém deixa uma van com chave sozinha. Eles vão estar te esperando. Não sabemos o que falaram pra eles. Devíamos considerar abortar.

— Não vou entrar numa armadilha — falei. — Não é o meu estilo.

— E a outra van deve ter alguma coisa melhor dentro dela.

— Está bem — decidiu Duffy. — A gente dá uma conferida nela em New Hampshire. Se você chegar até lá.

— Você podia me emprestar a sua Glock.

Eu a vi movimentar o braço e encostar nela debaixo do braço antes de perguntar:

— Por quanto tempo?

— Por quanto tempo eu precisar.

— O que aconteceu com as Colts?

— Eles pegaram.

— Não posso — negou ela. — Não posso emprestar a minha arma de serviço.

— Você já está bem irregular, de qualquer forma.

Ela fez uma pausa e xingou:

— Merda.

Tirou a Glock do coldre e a passou para mim. Estava aquecida pelo calor do corpo de Duffy. Deixei-a na palma da minha mão e saboreei a sensação. Ela enfiou a mão na bolsa e pegou dois pentes sobressalentes. Coloquei-os num bolso e a arma em outro.

— Obrigado — agradeci.

— Te vejo em New Hampshire — despediu-se ela. — A gente dá uma conferida na van. Aí decidimos.

Eliot se aproximou e tirou o transmissor do bolso. Duffy se afastou, e ele o enfiou novamente debaixo do banco. Os dois voltaram juntos para o Taurus do governo. Aguardei um período plausível e voltei para a estrada.

Encontrei New London sem problema. Era um lugar velho e sujo. Nunca tinha ido lá. Nunca tive motivo. Era uma cidade com muita atividade relacionada à Marinha. Acho que fabricavam submarinos lá. Ou em algum lugar ali perto. Groton, talvez. As coordenadas que Beck tinha me dado me levaram a sair da rodovia rapidamente e me enfiar em áreas industriais falidas. Havia muito tijolo velho, úmido, manchado de fumaça e apodrecido. Parei na beirada da rua a aproximadamente dois quilômetros do lugar onde achava que era o lote. Depois virei à esquerda, à direita e tentei dar a volta pelo lugar. Estacionei ao lado de um parquímetro detonado e conferi a arma de Duffy. Era uma Glock 19, fabricada aproximadamente um ano antes. Totalmente carregada. Os pentes sobressalentes estavam cheios também. Saí da van. Ouvi buzinas de neblina berrarem ao longe em Sound. Uma balsa estava se aproximando. O vento arrastava lixo pela rua. Uma prostituta apareceu numa porta e sorriu para mim. Sim, era uma cidade com muita atividade da Marinha. Ela não conseguia distinguir um policial do Exército como as suas colegas de outros lugares.

Virei uma esquina e consegui uma bela visão parcial do lote para o qual estava indo. O terreno declinava na direção do mar; eu estava em uma elevação. Conseguia ver a van aguardando por mim. Era idêntica àquela em que eu estava. Mesmo ano, mesmo tipo. Mesma cor. Estava parada ali, totalmente sozinha no centro do lote, que não passava de um quadrado vazio feito de tijolo esmagado e mato. Algum prédio velho tinha sido derrubado duas décadas antes e nada fora construído no lugar.

Não vi ninguém esperando por mim, embora houvesse mil janelas sujas ao alcance e teoricamente todas elas podiam estar cheias de sentinelas. Mas não senti nada. Sentir é muito pior do que saber, só que às vezes é a única coisa que se tem. Fiquei parado ali até sentir frio, então voltei para a van. Dei a volta no quarteirão e entrei no lote. Estacionei de maneira que ela ficasse frente a frente com sua gêmea. Tirei a chave e joguei-a no compartimento da porta. Olhei ao redor uma vez mais e desci. Enfiei a mão no bolso e a fechei ao redor da arma de Duffy. Concentrei-me na audição. Nada além de pedrinhas pisoteadas e dos sons distantes da cidade decadente pelejando ao longo do dia. Estava tudo bem, a não ser que alguém estivesse planejando me derrubar com um fuzil de longo alcance. Ficar segurando uma Glock 19 no bolso não me protegeria disso.

A van nova estava fria e silenciosa. Estava com a porta destrancada e a chave bem ali no compartimento. Ajustei o banco e os retrovisores. Deixei a chave cair no chão como se fosse desajeitado para conferir debaixo dos bancos. Nenhum transmissor. Só algumas embalagens de chicletes e bolinhas de poeira. Dei a partida. Afastei-me de ré da van de que tinha acabado de sair, acelerei a nova pelo lote e comecei a voltar para a rodovia. Não vi ninguém. Ninguém veio atrás de mim.

A van nova estava em condições um tanto melhores. Era um pouco mais silenciosa e um pouco mais veloz. Talvez tivesse zerado o velocímetro só duas vezes. Ela ia atravessando os quilômetros, levando-me de volta para o norte. Eu olhava para a frente através do para-brisa, e era como se conseguisse enxergar a casa solitária no dedo de pedra ficando cada vez maior, minuto a minuto. Ela estava me puxando e me repelindo simultaneamente com a mesma força. Permaneci sentado ali, imóvel com uma mão no volante e me esforçando para manter as pálpebras abertas. Rhode Island foi tranquilo. Ninguém me seguiu por lá. Massachusetts era em grande parte dar uma longa volta ao redor de Boston e depois acelerar pela ponta nordeste por lugares imundos como Lowell à esquerda e lugares simpáticos como Newburyport, Cape Ann e Glaucester distantes à direita. Ninguém me seguiu. Depois vinha New Hampshire. A I-95 percorria aproximadamente trinta quilômetros do estado, e Portsmouth era a última cidade. Passei ao lado dela e fiquei observando as placas de paradas. Achei uma logo depois de atravessar a fronteira do estado do Maine. O que me dizia que Duffy, Eliot e o cara mais velho de terno manchado estariam esperando por mim doze quilômetros adiante.

Não eram somente Duffy, Eliot e o cara mais velho. Eles tinham um membro da unidade canina da DEA com eles. Acho que, quando se dá ao pessoal do governo tempo suficiente para pensarem, eles aparecem com algo inesperado. Parei numa área praticamente idêntica à de Kennebunk e vi os dois Taurus estacionados no final da fileira ao lado de uma van básica com um exaustor eólico no teto. Estacionei a quatro vagas de distância e comecei a executar a rotina de precauções que envolvia aguardar e observar, mas ninguém apareceu depois de mim. Não estava preocupado com o acostamento da rodovia. As árvores me escondiam. Havia árvores por todo lado. Nossa, o Maine tinha árvore para cacete.

Saí da van, e o cara mais velho parou o carro perto e já começou a mexer com o esquema do ferro de solda. Duffy me tirou do caminho, puxando-me pelo cotovelo.

— Fiz algumas ligações — informou ela, segurando no alto seu Nokia como se ele servisse de prova. — Notícia boa e notícia ruim.

— Notícia boa primeiro — falei. — Me dá uma animada.

— Pode estar tudo bem com o negócio da Toyota.

— Pode estar?

— É complicado. Nós temos o cronograma de remessas do Beck emitido pela Alfândega dos EUA. Esse negócio todo vem de Odessa. É na Ucrânia, no Mar Negro.

— Sei onde é.

— Ponto de origem plausível pra tapetes. Eles vêm do norte, pela Turquia, de tudo quanto é lugar. Mas Odessa é um porto de heroína, do nosso ponto de vista. Tudo que não vem da Colômbia chega pelo Afeganistão e Turcomenistão e através do Cáspio e do Cáucaso. Ou seja, se o Beck está usando Odessa, isso significa que o esquema dele é heroína, e se ele é uma cara que mexe com heroína, isso significa que ele não conhece nenhum traficante de ecstasy de Adam. Nem de Connecticut, nem de lugar nenhum. Não tem como haver uma relação. De jeito nenhum. Como poderia haver? É uma parte completamente diferente do negócio. Ou seja, ele está futucando tudo até achar alguma coisa que lhe chame a atenção. A placa da Toyota vai dar a ele um nome e um endereço, é claro, mas essa informação não vai significar nada para ele. Vai demorar alguns dias antes de o Beck descobrir quem eles são e rastreá-los.

— Essa é a notícia boa?

— Até que é boa, sim. Confia em mim, eles estão em mundos separados. E você só tem alguns dias mesmo. Não podemos segurar aqueles guarda-costas para sempre.

— Qual é a notícia ruim?

Ela ficou um tempinho em silêncio.

— Na verdade, não é impossível que alguém possa ter dado uma espiada no Lincoln.

— O que aconteceu?

— Nada específico. Só que a segurança na garagem pode não ter sido tão boa como deveria.

— O que isso significa?

— Significa que nós não temos como ter certeza de que alguma coisa ruim não aconteceu.

Escutamos a porta subir sacolejando. Ela bateu no final, e um segundo depois escutamos Eliot nos chamar com impaciência. Aproximamo-nos esperando ver algo bom. Contudo, o que encontramos foi outro transmissor. Era a mesma latinha de metal, com o mesmo fio de oito polegadas servindo de antena. Estava colado no interior do chapa metálica, perto da porta da carroceria, mais ou menos na altura da cabeça.

— Ótimo — disse Duffy.

A carroceria estava lotada de tapetes, iguaizinhos aos que tínhamos visto antes. Podia muito bem ser a mesmíssima van. Eles estavam bem enrolados e amarrados com a cordinha e organizados de pé em ordem decrescente de altura.

— Vamos conferir? — perguntou o cara mais velho.

— Não temos tempo — falei. — Se tem alguém na outra ponta desse transmissor, eles acham que tenho uns dez minutos aqui, mais nada.

— Põe o cachorro aí dentro — disse Duffy.

Um cara que eu não tinha conhecido abriu a porta de trás da van da DEA e saiu com um beagle em uma coleira. Era uma coisa pequena, gorda e rebaixada, com um peitoral canino. Tinha orelhas compridas e uma expressão ansiosa. Gosto de cachorros. Às vezes cogito arranjar um. Podia me fazer companhia. Aquele ali me ignorou completamente. Ele deixou o adestrador conduzi-lo até a van azul e ficou esperando instruções sobre o que fazer. O cara o suspendeu e colocou dentro da carroceria, na escada de tapetes. Ele estalou o dedo, deu algum tipo de comando e soltou a coleira. O cachorro ficou subindo, descendo e andando de um lado para o outro. Tinha pernas curtas e dificuldade para subir e descer os vários níveis. Mas ele cobriu cada centímetro e depois voltou para onde tinha começado e ficou parado ali com os olhos brilhantes, balançando o rabo com a boca aberta num absurdo sorriso molhado, como se estivesse perguntando *e aí, cadê a ação?*

— Nada — disse o adestrador.

— Carga legítima — falou Eliot.

— Mas por que ela está voltando pro norte? — questionou Duffy. — Ninguém exporta tapete de volta pra Odessa. Por que eles fariam isso?

— Era um teste — falei. — Pra mim. Eles acharam que talvez eu olhasse, talvez não.

— Conserta o lacre — disse Duffy.

O cara novo levou o beagle embora, Eliot se esticou e puxou a porta para baixo. O cara mais velho pegou o ferro de solda e Duffy me afastou dali de novo.

— Decisão? — perguntou ela.

— O que você faria?

— Abortaria — afirmou ela. — O Lincoln é o curinga. Ele pode custar sua vida.

Olhei por cima do ombro dela e vi o cara mais velho trabalhando. Ele já estava afinando o remendo de solda.

— Eles compraram a história — argumentei. — Impossível não comprar. Era uma história excelente.

— Eles podem ter visto o Lincoln.

— Não vejo por que eles iriam querer fazer isso.

O cara mais velho estava terminando. Agachava-se pronto para soprar o remendo, pronto para fazer com que o arame ficasse cinza fosco. Duffy pôs a mão no meu braço.

— Por que o Beck estava falando de Uzi? — perguntou ela.

— Não sei.

— Tudo pronto — gritou o cara mais velho.

— Decisão? — perguntou Duffy.

Pensei em Quinn. Pensei no jeito como o olhar dele tinha se movimentado diante do meu rosto, nem rápido, nem devagar. Pensei nas cicatrizes de .22. Como dois olhos extras ali na lateral esquerda de sua testa.

— Vou voltar — decidi. — Acho que é seguro o bastante. Eles teriam acabado comigo hoje de manhã se tivessem alguma dúvida.

Duffy ficou calada. Não argumentou. Apenas tirou a mão do meu braço e me deixou ir.

5

ELA ME DEIXOU IR, PORÉM NÃO ME PEDIU A ARMA DE VOLTA. Talvez tivesse sido subconsciente. Talvez quisesse que eu ficasse com ela. Coloquei-a na parte de trás da cintura da calça. Encaixava-se melhor do que a Colt grandona. Escondi os pentes sobressalentes nas meias. Em seguida, caí na estrada e cheguei ao lote perto das docas de Portland exatamente dez horas depois de ter saído dali. Não havia ninguém esperando para encontrar comigo. Nenhum Cadillac preto. Entrei de uma vez e estacionei. Larguei a chave no compartimento da porta e desci. Estava cansado e um pouco surdo depois de oitocentos quilômetros de rodovia.

Eram cinco horas da tarde e o sol estava se pondo atrás da cidade à minha esquerda. O ar era frio, e umidade chegava do mar. Abotoei meu casaco e fiquei parado por um minuto para o caso de estar sendo vigiado. Depois comecei a caminhar. Tentei dar a impressão de que andava a esmo. Mas estava caminhando para o norte e dava uma boa olhada nos prédios à minha frente. O lote era rodeado por escritórios baixos. Pareciam trailers sem rodas. Tinham sido construídos com o mínimo de custo e foram mal conservados. Em frente a eles havia pequenos estacionamentos bagunçados. Estavam cheios de carros medianos. O lugar todo parecia movimentado e prático. O comércio real acontecia ali. Isso era nítido. Nada de sedes elegantes, nada de mármore, nada de escultura, só um bando de gente comum trabalhando duro por dinheiro atrás de janelas sem lavar tampadas com venezianas quebradas.

Alguns dos escritórios eram puxadinhos construídos nas laterais de pequenos depósitos. Esses depósitos eram estruturas de metal pré--fabricadas. Tinham plataformas de carga de concreto na altura da cintura. Havia estacionamentos estreitos delimitados por grossos postes de concreto, que tinham arranhões com toda matiz de tinta automotiva conhecida pelo homem.

Encontrei o Cadillac preto de Beck depois de uns cinco minutos. Estava estacionado em um retângulo de asfalto rachado na diagonal, do lado de um depósito, perto da porta do escritório. A porta parecia pertencer a uma casa de bairro residencial. Tinha um estilo colonial feito com madeira de lei. Nunca tinha sido pintada e estava cinza e granulosa por causa da maresia. Havia uma placa desbotada parafusada nela: *Bizarre Bazaar.* As letras tinham sido pintadas à mão e pareciam uma coisa de hippies dos anos 1960. Como se fosse a propaganda de um show no Fillmore West, como se Bizarre Bazaar fosse uma banda de um hit só que iria abrir para o Jefferson Airplane ou para o Grateful Dead.

Ouvi um carro se aproximando, recuei para trás de um prédio adjacente e aguardei. Era um veículo grande que se movimentava lentamente. Eu conseguia escutar pneus largos e macios caindo em buracos molhados. Era um Lincoln, preto brilhante, idêntico ao que tínhamos destruído do lado de fora do portão da faculdade. Os dois tinham provavelmente saído da linha de montagem juntos, um atrás do outro. Ele passou lentamente pelo Cadillac de Beck, deu a volta no canto e estacionou atrás do depósito. Um sujeito que eu não tinha visto ainda saiu do lado do motorista. Ele se esticou e bocejou como se também tivesse acabado de dirigir oitocentos quilômetros de rodovia. De altura mediana, era gordo e tinha cabelo preto muito curto. Rosto fino, pele ruim. Estava de cara fechada, parecendo frustrado. Tinha cara de perigoso. Mas, de alguma maneira, subordinado. Como se estivesse na parte bem baixa de um totem. E como se fosse muito mais perigoso por causa disso. Ele se inclinou para dentro do carro e saiu novamente com um rádio scanner portátil. Tinha uma antena cromada comprida, uma caixa de som com tela metálica que iria chiar e resmungar sempre que um transmissor apropriado estivesse a dois ou três quilômetros.

Ele deu a volta no canto e deu um empurrão na porta sem pintura para entrar. Fiquei onde estava. Repassei todas as dez horas na cabeça. De acordo com a vigilância a rádio, eu tinha parado três vezes. Todas as paradas curtas o suficientes para serem plausíveis. Vigilância visual teria sido um problema inteiramente diferente. Porém eu estava certo de que nenhum Lincoln preto tinha aparecido na minha linha de visão em momento algum. Fiquei propenso a concordar com Duffy. O cara e o scanner estavam na Rota 1.

Fiquei parado por um minuto. Depois voltei a ficar à vista e segui na direção da porta. Abri-a com um empurrão. Logo atrás dela, havia uma curva de noventa graus para a esquerda. Ela levava a uma pequena área aberta cheia de mesas e arquivos. Não havia pessoa alguma ali. Nenhuma das mesas estava ocupada. Mas tinham sido até bem recentemente. Isso era óbvio. Elas faziam parte de um escritório. Eram três e estavam cobertas com o tipo de coisas que as pessoas deixam para trás no final do dia. Documentação inacabada, canecas de café limpas, lembretes, canecas de brinde cheias de lápis, pacotes de lenço. Havia aquecedores elétricos nas paredes; o ar estava bem quente, com um leve cheiro de perfume.

No fundo da pequena área aberta, por trás de uma porta fechada, vozes baixas. Reconheci as de Beck e Duke. Conversavam com um terceiro homem, que supus ser o cara com o equipamento rastreador. Eu não conseguia distinguir o que estavam falando. Não conseguia decifrar o tom. Havia certa urgência ali. Um pouco de discussão. Ninguém levantava a voz, mas não estavam discutindo o piquenique da empresa.

Examinei as coisas sobre as mesas e nas paredes. Havia dois mapas pregados em quadros. Um era do mundo inteiro. O Mar Negro estava mais ou menos no centro. Odessa estava aconchegada ali à esquerda da península da Crimeia. Não havia nada marcado no papel, mas eu consegui traçar a rota que um navio mercante faria, através do Bósforo, do mar Egeu, do Mediterrâneo, passando pelo Gibraltar e depois atravessando a todo vapor o Atlântico até Portland, no Maine. Uma viagem de duas semanas, provavelmente. Talvez três. A maioria dos navios eram bem lentos.

O outro mapa era dos Estados Unidos. Portland estava obliterada por uma mancha gasta e oleosa. Acho que as pessoas colocavam a ponta dos dedos nela e calculavam tempo e distância por palmos, a mão estendida de uma pessoa pequena devendo representar um dia de carro. Nesse caso, Portland não era a melhor localização para um centro de distribuição. Era longe de qualquer outro lugar.

Os papéis nas mesas eram incompreensíveis para mim. Na melhor das hipóteses, eu conseguia mal e porcamente interpretar detalhes sobre datas e cargas. Vi alguns preços listados. Alguns eram altos, outros, baixos. Em frente aos preços, havia códigos de alguma coisa. Podiam ser de tapetes. Podiam ser de outra coisa. Mas, superficialmente, o lugar parecia exatamente um inocente escritório de distribuição. Questionei-me se Teresa Daniel tinha trabalhado nele.

Escutei as vozes um pouco mais. Agora eu ouvia raiva e preocupação. Voltei para o corredor. Tirei a Glock da cintura e coloquei-a no bolso com o dedo dentro do guarda-mato. A Glock não tinha trava de segurança. Ela tinha uma espécie de gatilho no gatilho. Era uma barrinha que ficava travada para trás quando apertada. Pus um pouco de pressão nela. Senti que cedeu. Queria ficar pronto. Decidi que atiraria em Duke primeiro. Depois no cara do rádio. Depois em Beck. Beck provavelmente era o mais lento, e o mais lento você sempre deixa por último. Enfiei minha outra mão no bolso também. Um cara com uma mão no bolso parece armado e perigoso. Um cara com as duas mãos no bolso parece relaxado e com preguiça. Não uma ameaça. Respirei fundo e entrei de novo na sala, ruidosamente.

— Olá? — chamei.

A porta do escritório dos fundos foi aberta rapidamente. Os três se aglomeraram para olhar para fora. Beck, Duke, o cara novo. Nenhuma arma.

— Como você entrou aqui? — perguntou Duke. Parecia cansado.

— A porta estava aberta — respondi.

— Como você sabia qual porta? — perguntou Beck.

Mantive as mãos no bolso. Não podia falar que tinha visto a placa pintada, porque tinha sido Duffy quem me contara o nome da operação, não ele.

— Seu carro está estacionado do lado de fora — falei.

— Certo — disse ele.

Beck não perguntou sobre o meu dia. O cara novo do scanner já devia tê-lo descrito. Ele ficou parado ali, olhando direto para mim. Era mais jovem do que Duke. Mais jovem do que eu. Devia ter uns 35 anos. Ainda assim parecia ser perigoso. Tinha o rosto seco e olhos inexpressivos. Parecia com uma centena de bandidos que eu tinha prendido no Exército.

— Gostou do passeio de carro? — perguntei a ele.

Ele não respondeu.

— Eu te vi entrar com o scanner — revelei. — Achei a primeira escuta. Debaixo do banco.

— Por que você procurou? — perguntou ele.

— Hábito — respondi. — Onde estava a segunda?

— Atrás — respondeu ele. — Você não parou pra almoçar.

— Estou sem dinheiro — falei.

O cara não sorriu.

— Bem-vindo ao Maine — falou ele. — Ninguém te dá dinheiro aqui. Você tem que ganhar.

— Tá — falei.

— Sou Angel Doll — apresentou-se, como se achasse que seu nome fosse me impressionar. O que não aconteceu.

— Sou Jack Reacher — falei.

— O matador de policiais — disse ele, com algo na voz.

Ele olhou para mim por um longo momento depois desviou o olhar. Eu não consegui descobrir onde ele se encaixava. Beck era o chefe, e Duke, o cabeça da segurança, mas esse cara subalterno parecia muito à vontade para atropelar o discurso dos outros dois.

— Estamos numa reunião — informou Beck. — Você pode esperar lá fora perto do carro.

Ele conduziu os outros dois de volta para dentro da sala e fechou a porta. Isso por si só já me dizia que não valia a pena procurar nada naquela sala de operações. Então eu saí sem pressa e, no caminho, dei uma boa conferida no sistema de segurança, que era bem rudimentar, mas eficiente. Havia sensores na porta e em todas as janelas. Eram objetos retangulares. Tinham fios do tamanho e da cor de espaguete que se estendiam ao longo dos rodapés. Os fios se juntavam em uma caixa de metal montada na parede ao lado de um quadro de notícias lotado de

113

papéis amarelados. Havia todo tipo de documentação sobre seguro de funcionários e extintores de incêndio e pontos de evacuação. O controle do alarme tinha um teclado e duas luzinhas. Uma vermelha em que estava escrito *armado* e uma verde, em que estava escrito *desarmado*. Não havia zonas separadas. Nenhum sensor de movimento. Não passava de uma defesa de perímetro rudimentar.

Não esperei perto do carro. Andei um pouco por ali até que tivesse uma ideia de como era o local. A área toda era um emaranhado de estabelecimentos similares. Havia uma estrada de acesso convoluta para veículos de carga. Supus que ela operava como um sistema de mão única. Os contêineres eram retirados dos píeres, chegavam pela frente e eram descarregados dentro dos depósitos. Depois, veículos de distribuição, um após o outro, eram carregados e saíam por trás. O depósito de Beck não era muito reservado. Ficava bem no meio de uma fileira com outros cinco. Não possuía doca de carregamento, porém. Nenhuma plataforma na altura da cintura. O que tinha era uma porta de correr. Estava temporariamente bloqueada pelo Lincoln de Doll, mas era grande o suficiente para que uma van passasse por ela. Ela proporcionava discrição.

Não havia uma segurança externa que protegesse o local como um todo. Não era como um estaleiro naval. Não havia cercas de arame. Nenhum portão, nenhuma barreira, nenhuma guarita de segurança. Era somente uma área grande e suja de cem acres cheia de construções aleatórias, poças e cantos escuros. Supus que houvesse algum tipo de atividade 24 horas por dia. A quantidade, eu não sabia. Mas provavelmente o suficiente para mascarar entradas e saídas de algo clandestino.

Eu estava novamente perto do Cadillac, apoiado no para-lama, quando os três saíram. Beck e Duke foram os primeiros e Doll hesitou à porta. Eu continuava com as mãos nos bolsos. Continuava preparado para atacar Duke primeiro. Contudo não havia agressão evidente no jeito como estavam se movendo. Nenhuma cautela. Beck e Duke apenas caminhavam na direção do carro. Estavam com uma aparência cansada e preocupada. Doll ficou parado à porta, como se fosse dono do lugar.

— Vamos — disse Beck.

— Não, espera — gritou Doll. — Preciso falar com o Reacher primeiro.

Beck parou de andar. Não se virou.

— Cinco minutos — completou Doll. — Só isso. Depois eu tranco tudo pra você.

Beck ficou calado. Duke também. Deram a impressão de terem ficado irritados. Mas não recusaram. Mantive as mãos nos bolsos e caminhei de volta. Doll se virou e me conduziu pelo secretariado até a sala nos fundos. Depois passamos por outra porta que dava em um cubículo com paredes de vidro dentro do próprio depósito. Dava para ver uma empilhadeira no pátio do depósito e racks de aço cheios de tapetes. Os racks tinham facilmente seis metros de altura e os tapetes estavam bem enrolados e amarrados com cordinhas. O cubículo tinha uma porta de serviço que dava no lado de fora e uma mesa de metal com computador. A cadeira à mesa estava desgastada. Espuma amarela vazava por todas as costuras. Doll se sentou nela, olhou para mim e mexeu a boca, que ficou com o formato aproximado de um sorriso. Fiquei de lado à ponta da mesa e o olhei de cima para baixo.

— Que foi? — perguntei.

— Está vendo este computador? — começou ele. — Ele tem acesso clandestino a todos os Departamentos de Veículos Motorizados do país.

— E?

— E eu consigo investigar placas.

Fiquei calado. Ele tirou uma arma do bolso. Um movimento perfeito, rápido e fluido. Era uma arma pequena, porém boa. Uma PSM da era soviética, uma pistola automática fabricada da forma mais plana e fina possível, de modo que não ficasse saliente na roupa. Funcionava com uma munição russa esquisita, difícil de conseguir. Ela tinha uma trava de segurança na parte de trás do ferrolho. O da arma de Doll estava posicionado para a frente. Eu não consegui me lembrar se isso representava *travada* ou *destravada*.

— O que você quer? — perguntei a ele.

— Só confirmar uma coisa com você — respondeu ele. — Antes de tornar isso público e ascender um degrau ou dois na hierarquia por aqui

Houve silêncio.

— Como você vai fazer isso? — questionei.

— Contando a eles uma coisinha extra que ainda não sabem. Posso até, quem sabe, ganhar uma gratificação. Tipo, quem sabe eu não recebo as cinco pratas que eles separaram para você.

Pressionei o gatilho da Glock que funcionava como trava. Olhei para a esquerda. Eu conseguia enxergar o lugar todo pela janela de trás do escritório dos fundos. Beck e Duke estavam de pé ao lado do Cadillac. De costas para mim. Doze metros de distância. *Perto demais.*

— Eu que desovei o Maxima pra você — disse Doll.

— Onde?

— Não interessa. — Ele sorriu novamente.

— E daí? — repeti.

— Você o roubou, certo? Um carro qualquer no estacionamento de um shopping.

— E?

— Tinha placa de Massachusetts — disse ele. — Era falsa. Aquele não tem registro.

Erros, voltando para me assombrar. Fiquei calado.

— Aí eu conferi o número de identificação do veículo. Todos os carros têm. Em um plaquinha de metal, na parte de cima do painel.

— Eu sei — falei.

— A verificação que eu fiz confirmou que era um Maxima — disse ele. — Até aí, tudo bem. Mas o registro era de Nova York. Estava no nome de um bad boy preso cinco semanas atrás. Pelo governo.

Fiquei calado.

— Você quer explicar tudo isso? — perguntou ele.

Não respondi.

— Talvez eles deixem que eu mesmo apague você — disse ele. — Vou gostar disso.

— Você acha?

— Já apaguei gente antes — disse ele, como se tivesse que provar algo.

— Quantos? — perguntei.

— O bastante.

Olhei pela janela de trás do escritório. Soltei a Glock, tirei as mãos dos bolsos, vazias.

— A lista do Departamento de Veículos Motorizados de Nova York deve estar desatualizada — falei. — Era um carro velho. Pode ter sido vendido fora do estado um ano atrás. Você verificou o código de autenticação?

— Onde?

— No alto da tela, à direita. Precisa ter os números certos ali pra estar atualizado. Eu era policial do Exército. Já acessei o sistema do Departamento de Veículos Motorizados de Nova York mais vezes do que você.

— Odeio PEs — afirmou ele.

Eu olhei para a arma dele.

— Não estou nem aí pra quem você odeia — falei. — Só estou te falando que sei como esse sistema funciona. E que eu já cometi o mesmo erro. Mais de uma vez.

Ele ficou em silêncio por um breve momento.

— Você está de sacanagem.

Foi a minha vez de sorrir.

— Então vai em frente — incentivei. — Passa vergonha. Estou pouco me lixando pra você.

Ele ficou sentado e imóvel por um longo momento. Depois passou a arma da mão direita para a esquerda e se ocupou com o mouse. Ele tentava manter um olho em mim enquanto clicava e movimentava a barra de rolagem. Me mexi um pouco, como se estivesse interessado na tela. Ele abriu a página do Departamento de Veículos Motorizados de Nova York. Avancei um pouco mais e dei a volta por trás dos ombros dele. Doll digitou o que devia ser a placa original do Maxima, aparentemente de cor. Clicou em *buscar*. A tela mudou. Avancei novamente como se estivesse pronto para provar que ele estava errado.

— Onde? — perguntou Doll.

— Bem ali — respondi, começando a apontar para o monitor. Mas eu estava fazendo o gesto com as duas mãos e todos os dez dedos, e eles não chegaram à tela. Minha mão direita parou no pescoço de Doll. A esquerda tirou a arma da mão dele. Ela caiu no chão e soou exatamente como meio quilo de aço acertando uma tábua de compensado coberta com linóleo. Mantive os olhos na janela do escritório. Beck e Duke continuavam de costas para mim. Passei as mãos ao redor do pescoço de Doll e apertei. Ele se debateu descontroladamente. Resistiu. Apertei com mais força. A cadeira caiu. Apertei mais forte. Olhei pela janela. Beck e Duke estavam parados lá. De costas para mim. A respiração dos dois enevoava diante deles. Doll começou a arranhar meus pulsos. Apertei com mais força ainda. A língua dele saiu da boca. Depois ele fez a coisa inteligente a se fazer, desistiu dos meus pulsos e estendeu os braços em busca dos olhos. Afastei a cabeça para trás, enganchei uma mão debaixo do maxilar dele e pus a outra aberta contra a lateral da cabeça. Puxei violentamente a mandíbula para a direita, esmaguei sua cabeça para baixo e para a esquerda e quebrei o pescoço dele.

Levantei a cadeira e a coloquei impecavelmente debaixo da mesa. Peguei a arma no chão e tirei o pente. Estava cheio. Oito cartuchos de pistola soviética tipo *bottleneck* de 5,45 milímetros. Elas tinham aproximadamente o mesmo tamanho de uma .22 e eram lentas, mas faziam muito estrago. Supostamente as forças de segurança soviéticas estavam bem satisfeitas com elas. Conferi a câmara. Havia uma bala nela. Conferi a trava. Destravada. Montei tudo de novo e a deixei engatilhada e travada. Coloquei tudo no meu bolso esquerdo.

Depois examinei a roupa dele. Tinha todas as coisas usuais. Uma carteira, um celular, um prendedor de dinheiro com poucas notas, um molho grande de chaves. Deixei tudo ali. Abri a porta de serviço que dava no lado de fora e dei uma conferida. Duke e Beck estavam escondidos de mim por eu estar na lateral do depósito. Eu não conseguia vê-los, eles não conseguiam me ver. Não havia mais ninguém por ali. Eu me aproximei do Lincoln de Doll e abri a porta do motorista. Achei a trava do porta-malas. A tranca abriu silenciosamente e a tampa subiu alguns centímetros. Voltei lá para dentro e arrastei o corpo para fora pelo colarinho. Abri o porta-malas até em cima, ergui o corpo e o joguei lá dentro. Abaixei a tampa delicadamente e fechei a porta do motorista. Olhei para o meu relógio. Os cinco minutos tinham terminado. Eu teria que acabar de jogar o lixo fora mais tarde. Atravessei de novo o cubículo de vidro, o escritório dos fundos, o secretariado, a porta e saí. Beck e Duke me escutaram e se viraram. Beck parecia estar com frio e irritado por causa da demora. Pensei: *então por que deixar isso tudo acontecer?* Duke estava tremendo um pouco, seus olhos lacrimejavam e ele bocejava. A aparência era exatamente de um cara que não dormia há 36 horas. Pensei: *Vejo um benefício triplo nisso.*

— Eu dirijo — falei. — Se você quiser.

Ele hesitou. Ficou calado.

— Você sabe que sei dirigir — continuei. — Você sabe que fiquei dirigindo o dia inteiro. Fiz o que você queria. O Doll contou tudo para vocês.

Ele ficou calado.

— Era outro teste? — perguntei.

— Você achou a escuta — retrucou ele.

— Você achou que eu não ia encontrar?

— Você podia ter feito alguma coisa se não tivesse achado a escuta.

— E por que eu faria isso? Só queria voltar pra cá, rápido e em segurança. Eu estava exposto, dez horas direto. Não foi divertido pra mim. Eu tinha mais a perder do que você, seja qual for a coisa em que está metido.

Ele não falou mais nada.

— Você que sabe — falei, como se não estivesse nem aí.

Ele hesitou um segundo mais antes de soltar o ar e me passar as chaves. Esse era o primeiro benefício. Havia algo simbólico em entregar um molho de chaves. Tem a ver com confiança e inclusão. Isso me aproximou um pouco mais do centro do círculo deles. Tornou-me um pouco menos forasteiro. E era um molho grande, com chaves da casa, do escritório, bem como do carro. Umas doze no total. Muito metal. Um símbolo dos grandes. Beck observou toda a transação e não fez comentário. Simplesmente se virou e se acomodou na parte de trás do carro. Duke se jogou no banco do passageiro. Fui para o lado do motorista e liguei o carro. Ajeitei o meu casaco de modo a deixar as duas armas nos meus bolsos no colo. Estava pronto para sacá-las e usá-las caso um celular tocasse. A probabilidade de que a próxima ligação que aqueles caras recebessem fosse para informar que o corpo de Doll tinha sido encontrado era de cinquenta por cento. Sendo assim, a próxima ligação que aqueles caras recebessem também seria a última. Eu estava satisfeito com probabilidades de seiscentos ou seis mil por um, mas meio a meio era um pouco demais para mim.

Nenhum telefone tocou durante todo o caminho até a casa. Eu dirigi fluida e naturalmente e encontrei todas as estradas certas. Virei para o leste na direção do Atlântico. Já estava totalmente escuro lá. Cheguei ao promontório em forma de palma, segui na direção do dedo rochoso e fui direto para a casa. As luzes resplandeciam ao longo de todo o topo do muro. O arame farpado cintilava. Paulie estava aguardando para abrir o portão. Ele me encarou com ódio quando passei dirigindo. Ignorei e acelerei e parei na rotatória bem ao lado da porta. Beck saiu na mesma hora. Duke afastou o sono com uma sacudida e o seguiu.

— Onde coloco o carro? — perguntei.

— Na garagem, cuzão — respondeu ele. — Dá a volta pela lateral.

Esse era o segundo benefício. Eu ia ficar cinco minutos sozinho.

Dei a volta completa na rotatória novamente e segui para a lateral da casa. As garagens eram separadas da casa dentro de um pequeno pátio murado. O lugar provavelmente tinha sido um estábulo no passado quando a casa fora construída. Tinha paralelepípedos de granito diante de si e uma cúpula vazada no telhado para deixar o cheiro sair. As baias dos cavalos tinham sido unidas para fazer quatro garagens. O palheiro fora convertido em apartamento. Imaginei que o mecânico quieto morasse lá.

A garagem na ponta esquerda estava com a porta aberta e vazia. Entrei com o Cadillac e desliguei o carro. Estava escuro lá dentro. Havia prateleiras cheias de porcarias que amontoam garagens. Latas de óleo, baldes e frascos velhos de cera para lustrar. Um compressor de pneu e uma pilha de trapos velhos. Enfiei as chaves no bolso e desci. Prestei atenção para tentar escutar som de telefone dentro da casa. Nada. Dei a volta e verifiquei os trapos. Peguei um do tamanho de uma toalha de rosto. Estava escuro, cheio de graxa, terra e óleo. Eu o usei para limpar uma mancha imaginária no para-lama da frente. Olhei ao redor. Ninguém. Enrolei a PSM de Doll, a Glock de Duffy e os dois pentes sobressalentes no trapo. Coloquei o pacote todo debaixo do meu casaco. Talvez fosse possível entrar com as armas dentro da casa. Talvez. Eu podia entrar pela porta de trás, deixar o detector de metal bipar, fazer cara de quem não está entendendo por um segundo, depois pegar o grande molho de chaves. Poderia levantá-las como se elas explicassem tudo. Uma estratégia clássica de desorientação. Poderia funcionar. Talvez. Dependeria do nível de desconfiança deles. Mas, de qualquer jeito, tirar as armas da casa de novo teria sido muito difícil. Levando em consideração a hipótese de que não haveria nenhum telefonema desesperado tão cedo, provavelmente eu sairia de lá com Beck, com Duke ou com ambos normalmente, e não havia garantia de que eu estaria de novo com a chave. Então eu tinha que escolher. Arriscar ou evitar o risco? Minha decisão foi evitar o risco e manter meu poder de fogo do lado de fora.

Eu saí do pátio da garagem e perambulei por ali na direção da parte de trás da casa. Parei no canto do muro do pátio. Fiquei parado ali por um segundo depois virei noventa graus e segui o muro na direção das pedras como se eu quisesse dar uma olhada no oceano, que ainda estava calmo. Uma onda comprida e abundante aproximava-se do sudeste. A água estava negra e parecia infinitamente profunda. Contemplei-a durante um momento, depois me abaixei e coloquei as armas enroladas em uma pequena fenda bem colada do muro. Ervas daninhas raquíticas cresciam ali. Alguém teria que tropeçar nela para encontrar o embrulho.

Voltei andando calmamente, encurvei-me dentro do casaco, tentando dar a impressão de ser um cara pensativo desfrutando de alguns minutos de paz. O lugar estava tranquilo. As aves costeiras tinham ido embora. Estava escuro demais para elas. Tinham buscado a segurança de seus abrigos. Dei meia-volta e caminhei na direção da porta de trás. Passei pela varanda e entrei na cozinha. O detector de metal apitou. Duke, o mecânico e a cozinheira se viraram e olharam para mim. Fiquei pensando um momentinho e peguei as chaves. Levantei-as. Eles desviaram o olhar. Terminei de entrar e joguei as chaves na mesa em frente a Duke. Ele as deixou ali.

O terceiro benefício em função da exaustão de Duke foi gradualmente desdobrando-se durante todo o jantar. Ele mal conseguia se manter acordado. Não falou uma palavra. A cozinha estava quente e cheia de vapor, e comemos o tipo de coisa que colocaria qualquer um para dormir. Sopa grossa, bife e batata. Em grande quantidade. Havia pilhas altas nos pratos. A cozinheira estava trabalhando como em uma linha de produção. Um prato extra com uma porção inteira de tudo aguardava intocado em uma bancada. Talvez alguém tivesse o hábito de jantar duas vezes.

Comi rápido e mantive os ouvidos abertos para o telefone. Cheguei à conclusão de que eu conseguiria pegar as chaves do carro e chegar do lado de fora antes de o primeiro toque terminar. Dentro do Cadillac antes do segundo. Na metade da estradinha que levava ao portão antes do terceiro. Eu podia destruir o portão com o carro. Podia atropelar Paulie. Mas o telefone não tocou. Não havia nenhum som sequer na casa, com exceção de pessoas mastigando. Nada de café. Eu estava a ponto de falar isso pessoalmente. Eu gosto de café. Bebi água. Era da torneira da pia e tinha gosto de cloro. A empregada veio da sala de jantar da família antes de eu terminar o meu segundo copo. Ela caminhou para onde eu estava sentado, desengonçada em seu sapato fora de moda. Era tímida. Parecia irlandesa, como se tivesse acabado de vir lá de Connemara para Boston e não tivesse conseguido emprego lá.

— O sr. Beck quer falar com você.

Era a segunda vez que eu a ouvia falar. Soava um pouco irlandesa também. Estava bem envolvida por seu cardigã.

— Agora? — perguntei.

— Acho que sim.

Ele estava aguardando por mim na sala quadrada à mesa de carvalho onde eu tinha jogado roleta-russa para ele.

— A Toyota era de Hartford, Connecticut — disse ele. — Angel Doll rastreou a placa hoje de manhã.

— Não usam placa na frente em Connecticut — falei, porque eu tinha que falar alguma coisa.

— Nós conhecemos os donos — disse ele.

Houve silêncio. Eu o encarei. Levei uma fração de segundo só para entendê-lo.

— Como assim você conhece os donos? — perguntei.

— Tenho um relacionamento comercial com eles.

— No ramo de tapetes?

— Não é da sua conta.

— Quem são eles?

— Isso também não é da sua conta — respondeu ele.

Fiquei calado.

— Mas há um problema — continuou. — As pessoas que você descreveu não são as donas da caminhonete.

— Tem certeza?

— Tenho. Você os descreveu como altos e loiros. Os donos eram espanhóis. Baixos e morenos.

— Então quem eram os caras que eu vi? — perguntei, porque eu tinha que perguntar alguma coisa.

— Duas possibilidades. Um: talvez alguém tenha roubado a caminhonete deles.

— Ou?

— Dois: talvez eles tenham aumentado o pessoal.

— As duas são possíveis — falei.

Ele negou com a cabeça e disse:

— A primeira, não. Liguei para eles. Não atenderam. Então fiz umas perguntas por aí. Eles desapareceram. Não existe motivo para desaparecerem só porque tiveram a caminhonete roubada.

— Então eles expandiram o plantel.

— É. Decidiram morder a mão que os alimenta.

Fiquei calado.

— Você tem certeza de que eles usam Uzis? — perguntou ele.

— Foi o que eu vi — respondi.

— Não MP5Ks?

— Não — respondi. Desviei o olhar. Sem comparação. Não chega nem perto. A MP5K é uma submetralhadora curta da Heckler & Koch desenvolvida no início dos anos 1970. Ela tem dois fat handlers moldados com plástico de qualidade. Tem uma aparência muito futurista. Como um objeto cênico de cinema. Ao lado dela uma Uzi parece um troço feito às marteladas por um cego num porão. — Sem dúvida.

— Nenhuma possibilidade de o sequestro ter sido ao acaso? — indagou ele.

— Não — respondi. — Aposto o que quiser.

Ele assentiu.

— Então eles declararam guerra — afirmou ele. — E se entocaram. Estão escondidos em algum lugar.

— Por que eles fariam isso?

— Não tenho ideia.

Houve silêncio. Nenhum som do mar. As ondas vinham e iam inaudíveis.

— Você vai tentar encontrar esse pessoal?

— Pode apostar — respondeu Beck.

Duke esperava por mim na cozinha. Estava irritado e impaciente. Ele queria me levar lá para cima e me trancar no quarto para a noite. Não protestei. Uma porta trancada sem buraco de fechadura na parte de dentro é um álibi muito bom.

— Amanhã, seis e meia — disse ele. — De volta ao serviço.

Concentrei-me na audição, ouvi o clique da fechadura e aguardei os passos retirarem-se. Então me ocupei como o meu sapato. Havia uma mensagem. Era de Duffy: *Voltou bem?* Apertei responder e digitei: *traga um carro e pare a um quilômetro e meio da casa. Deixe-o ali com a chave no banco. Aproximação discreta, sem farol.*

Apertei *enviar.* Demorou um pouco. Imaginei que ela estava usando um laptop. Devia estar aguardando no quarto do motel com ele ligado e conectado. Chegou: *Bing! Você tem um E-mail!*

Ela respondeu: *Por quê? Quando?*

Enviei: *Não pergunte. Meia-noite.*

Ela demorou bastante para responder. Depois enviou: *OK.*

Enviei: *Beck conhece os donos da Toyota.*

Dolorosos noventa segundos depois ela devolveu: *Como?*

Enviei: *Abre aspas relacionamento comercial fecha aspas.*

Ela perguntou: *Detalhes?*

Enviei: *Não deu.*

Ela respondeu com uma única palavra: *Merda.*

Aguardei. Ela não enviou nada. Ela provavelmente estava deliberando com Eliot. Eu conseguia visualizá-los conversando rápido, sem olharem um para o outro, tentando decidir. Enviei uma pergunta: *Quantos vocês prenderam em Hartford?* Ela devolveu: *Todos, três.* Perguntei: *Eles estão falando?* Ela respondeu: *Nada.* Perguntei *Advogados?* Ela devolveu: *Sem nenhum.*

Era uma maneira muito enfadonha de ter uma conversa. Mas me dava muito tempo para pensar. Advogados teriam sido fatais. Beck chegaria aos advogados facilmente. Mais cedo ou mais tarde, ele teria a ideia de conferir se seus companheiros tinham sido presos.

Enviei: *Consegue mantê-los incomunicáveis?*

Ela enviou: *Sim, dois ou três dias.*

Enviei: *Faça isso.*

Houve uma longa pausa. Depois ela mandou: *O que o Beck está achando?*

Enviei: *Que eles declararam guerra e se entocaram.*

Ela perguntou: *O que você vai fazer?*

Enviei: *Não tenho certeza.*

Ela enviou: *Vou deixar o carro, recomendo usar para fugir.*
Respondi: *Talvez.*
Houve outra longa pausa. Depois ela enviou: *Desliga o aparelho, economiza bateria.* Sorri. Duffy era uma mulher prática.

Deitei totalmente vestido na cama por mais três horas, atento ao toque de telefones. Não ouvi nada. Levantei logo antes da meia-noite, enrolei o tapete, deitei no chão com a cabeça encostada nas tábuas de carvalho e escutei. Era a melhor maneira de captar os sons baixos dentro de uma construção. Eu conseguia escutar o sistema de aquecimento funcionando. Conseguia ouvir o vento ao redor da casa. Ele gemia suavemente. O oceano estava silencioso, a casa, tranquila. Era uma estrutura de pedra sólida. Nenhum rangido, nenhum estalo. Nenhuma atividade humana. Nenhuma conversa, nenhum movimento. Duke devia estar dormindo o sono dos mortos. Esse era o terceiro benefício daquela exaustão. Ele era o único com quem eu estava preocupado. O único profissional.

Amarrei bem os sapatos e tirei a jaqueta. Eu ainda vestia a calça jeans preta que a empregada tinha providenciado. Levantei a janela até o final e me sentei no peitoril, de frente para o quarto, olhando fixamente para a porta. Então me virei e olhei para fora. Pairava um tênue luar prateado. Algumas estrelas cintilavam. Havia um pouco de vento. Nuvens cinza esfarrapadas. O ar estava frio e com maresia. O oceano se movia lenta e constantemente. Pendurei as pernas na noite do lado de fora e fiquei de lado. Depois rolei e me apoiei de barriga, raspando os dedos do pé até encontrar uma cavidade onde um traço mais fundo havia sido entalhado na fachada. Apoiei o pé, segurei no peitoril com as duas mãos e dependurei meu corpo do lado de fora. Usei uma mão para puxar a janela para baixo até que ficasse com uma abertura de cinco centímetros. Movimentei-me cuidadosamente de lado e tateei em busca de algum cano que descesse da calha no teto. Encontrei um a aproximadamente um metro. Era um cano grosso de ferro fundido de uns quinze centímetros de diâmetro. Dei uma forçada com a palma da mão. Parecia firme. Mas estava distante. Não sou uma pessoa ágil. Se fosse para as Olimpíadas, eu seria um lutador, boxeador, levantador de pesos. Não ginasta.

Recolhi a mão direita e me movimentei de lado com os dedos dos pés até ficar o mais à direita possível. Passei a mão esquerda por cima da direita e continuei segurando no peitoril com ela colada na armação da janela. Estiquei a direita, enganchei-a no lado do cano oposto a mim. O ferro era pintado e estava gelado, além de um pouco escorregadio por causa do orvalho da noite. Coloquei o polegar na frente e os outros dedos atrás. Testei a aderência. Suspendi-me um pouco mais. Eu estava com os braços e as pernas estirados na parede. Igualei a pressão entre as mãos e fiquei pendurado. Dei impulso com os pés na saliência, pulei de lado e coloquei um em cada lado do cano. Continuei pendurado, soltei o peitoril e juntei a mão esquerda à direita. Fiquei com as duas mãos no cano. A aderência era boa. Os pés estavam apoiados na parede. A bunda empinada para fora, quinze metros acima das pedras. O vento pegou o meu cabelo. Estava frio.

Boxeador, não ginasta. Eu poderia ficar pendurado ali a noite inteira. Nenhum problema quanto a isso. Mas não tinha certeza de como descer. Tensionei os braços e me puxei na direção da parede. Deslizei as mãos para baixo enquanto fazia isso, quinze centímetros. Abaixei os pés em uma distância similar. Deixei meu peso recuar. Aquilo parecia funcionar. Descia aos pulos, quinze centímetros de cada vez. Secava uma palma da mão de cada vez para me livrar do orvalho. Eu estava suando, mesmo naquele frio. Minha mão direita doía por causa da parada com Paulie. Eu ainda estava a treze metros acima do chão. Descia aos poucos. Fiquei alinhado com o segundo andar. O progresso era lento, porém seguro. Com exceção de que eu estava pendurando 113 quilos num cano de ferro velho a cada poucos segundos. A estrutura devia ter uns cem anos. E ferro enferruja e apodrece.

Ele cedeu um pouco. Senti-o tremer, tinir e tiritar. Estava escorregadio. Eu tinha que travar os dedos atrás dele para me certificar de que permaneceria firme. Os nós dos dedos raspavam na pedra. Descia aos pulos, quinze centímetros de cada vez. Desenvolvi um ritmo. Eu puxava, depois recuava, deslizava as mãos para baixo e tentava aliviar o peso esticando os braços. Deixava os ombros absorverem o impacto. Depois eu arqueava a cintura de modo que ficasse num ângulo mais fechado que o anterior, movia os pés quinze centímetros para baixo e começava novamente. Cheguei às janelas do primeiro andar. O cano parecia mais forte ali. Talvez estivesse ancorado em uma base de concreto. Desci aos pulos, mais rápido. Fui até o chão. Senti a rocha sólida sob os pés, soltei o ar com alívio e me afastei um passo da parede. Sequei as mãos na calça, permaneci quieto, escutando. A sensação de estar fora da casa era boa.

O ar parecia suave feito veludo. Frio. Revigorante. Não escutei nada. Não havia luzes nas janelas. Senti a ferroada do frio nos dentes e me dei conta de que estava sorrindo. Levantei o olhar para a lua cheia. Dei uma sacudida no corpo e fui caminhando silenciosamente para pegar as armas.

Elas ainda estavam ali no trapo, dentro da fenda atrás das ervas daninhas. Deixei a PSM de Doll onde estava. Preferia a Glock. Desembrulhei-a e conferi cuidadosamente, por hábito. Dezessete balas na arma. Dezessete em cada pente sobressalente. Cinquenta e um cartuchos Parabellum de nove milímetros. Se eu disparasse uma, provavelmente teria que disparar todas elas. A essa altura alguém teria ganhado, e alguém, perdido. Enfiei os pentes nos bolsos, a arma na cintura da calça e dei a volta inteira pela lateral mais distante das garagens para dar uma olhada preliminar no muro de longe. Ele ainda estava aceso. As luzes brilhavam implacáveis, azuis e furiosas, como num estádio. O chalé estava banhado pela claridade. O arame farpado cintilava. A luz era uma faixa densa, estendendo-se por uns trinta metros, clara como o dia. Além dela, só havia escuridão absoluta. O portão estava fechado e trancado com uma corrente. Aquilo tudo parecia o perímetro exterior de uma prisão do século XIX. Ou de um manicômio.

Encarei o portão até descobrir uma maneira de passar por ele, depois dei a volta no pátio com calçamento. O apartamento em cima das garagens estava escuro e silencioso. As portas estavam fechadas, mas nenhuma tinha tranca. Eram coisas antigas e grandonas de madeira. Tinham sido instaladas muito antes de alguma pessoa pensar em roubar carros. Quatro portas, quatro garagens. A da esquerda guardava um Cadillac. Eu já tinha ido lá. Então conferi as outras, devagar e em silêncio. A segunda tinha mais um Lincoln Town Car, preto, igual ao de Angel Doll, igual ao que os guarda-costas tinham usado. Estava encerado, brilhando e devidamente trancado.

A terceira garagem estava completamente vazia. Não havia realmente nada nela. Estava limpa e varrida. Dava para ver marcas de vassoura nas empoeiradas manchas de óleo no chão. Havia algumas poucas fibras de tapete aqui e ali. Quem quer que tivesse varrido o lugar as tinha deixado para trás. Não conseguia decifrar a cor no escuro. Elas pareciam cinza. Pareciam ter sido arrancadas da aniagem na parte de trás de um tapete. Não significavam nada para mim. Então segui adiante.

Encontrei o que queria na quarta garagem. Abri bem as portas e deixei entrar luar suficiente para conseguir enxergar. O velho e empoeirado Saab que a empregada tinha usado para ir ao mercado estava ali, estacionado com a frente para dentro, perto de uma bancada. Havia uma janela encardida logo atrás. Luar cinza reluzindo no oceano lá fora. A bancada tinha um torno aparafusado nela e estava coberta de ferramentas velhas. Os cabos de madeira tinham escurecido por causa de envelhecimento e óleo. Achei uma sovela. Não passava de um finco de aço sem corte acoplado em um cabo, que era bulboso e feito de carvalho. O finco devia ter uns cinco centímetros de comprimento. Eu coloquei mais ou menos meio centímetro dele no torno. Apertei bastante. Puxei o cabo e entortei o finco até que ficasse em um ângulo reto. Desapertei o torno, conferi meu trabalho e coloquei-o no bolso da camisa.

Depois encontrei um cinzel. Era feito para carpintaria. Tinha uma lâmina de pouco mais de um centímetro e um belo cabo de freixo. Devia ter uns setenta anos. Procurei e encontrei uma pedra de amolar de carbo-abrasivo e uma lata com fluido para amolar. Joguei um pouco na pedra e o espalhei com a ponta do cinzel. Esfreguei o aço para frente e para trás até ele ficar brilhante. Uma das muitas escolas de ensino médio que frequentei era um lugar antiquado em Guam onde uma das notas que o aluno recebia estava vinculada com o quanto o aluno era bom em trabalhos domésticos, como amolar ferramentas. Nós todos tirávamos notas altas. Era o tipo de tarefa em que estávamos interessados. Aquela turma tinha as melhores facas que eu já tinha visto. Virei o cinzel do outro lado e amolei. O corte ficou afiado e perfeito. Parecia aço de alta qualidade de Pittsburg. Eu o limpei na calça. Não testei o corte com o polegar. Não estava interessado em sangrar. Sabia que estava afiadíssima só de olhar para ela.

Fui para o pátio, me agachei junto à parede e carreguei meus bolsos. Eu tinha o cinzel, caso as coisas precisassem permanecer silenciosas, e tinha a Glock se barulho não fosse problema. Então examinei minhas prioridades. *A casa primeiro*, decidi. Era muito provável que eu jamais conseguiria outra oportunidade de dar uma boa olhada nela.

A porta exterior da cozinha que levava à varanda estava trancada, mas o mecanismo era tosco. Era um modelo de três peças. Inseri o finco entortado da sovela como uma chave e senti os pinos. Eles eram grandes e facilmente perceptíveis. Levei menos de um minuto para entrar. Parei novamente e fiquei escutando com atenção. Eu não queria me encontrar com a cozinheira. Ela podia ter ficado acordada até mais tarde para fazer uma torta especial. Ou a garota irlandesa podia estar ali fazendo alguma coisa. Mas só havia silêncio. Atravessei a varanda e me ajoelhei em frente à porta interior. Mesma fechadura tosca. Mesmo trabalho rápido. Dei um passo atrás e abri a porta. Senti os cheiros da cozinha. Escutei novamente. O cômodo estava frio e deserto. Coloquei a sovela no chão em frente a mim. Deixei o cinzel ao lado. Pus também a Glock e os pentes sobressalentes. Não queria fazer o detector de metal disparar. Na calada da noite ele pareceria uma sirene. Deslizei a sovela pelo chão, bem junto das tábuas, e ele foi parar lá dentro da cozinha. Fiz o mesmo com o cinzel. Mantive-o bem perto do chão e o rolei lá para dentro. Quase todos os detectores de metal comerciais tinham uma zona morta na parte de baixo. Isso por que os sapatos sociais masculinos são feitos com uma haste de metal na sola. Ela dá ao sapato flexibilidade e força. Os detectores de metal são projetados para ignorar sapatos. Faz sentido; caso contrário, apitariam toda vez que um cara com sapato decente passasse.

Deslizei a Glock pela zona morta e fiz o mesmo com um pente de cada vez. Empurrei tudo para dentro a uma distância que eu conseguia alcançar esticando a mão. Em seguida levantei e passei pela porta. Fechei-a silenciosamente. Recolhi todo o meu equipamento e recarreguei os bolsos. Ponderei tirar o sapato. É mais fácil andar silenciosamente de meia. Mas se o bicho pegasse, os sapatos eram armas ótimas. Chute alguém de sapato, e você incapacita a pessoa. Sem sapato, você quebra um dedo. E o oponente tem tempo para se recuperar. Se eu tivesse que sair rápido, não ia querer correr descalço nas pedras. Nem subir um muro. Decidi ficar calçado e caminhar com cuidado. Era uma casa muito bem construída. Valia o risco. Coloquei a mão na massa.

Primeiro procurei uma lanterna na cozinha. Não encontrei. A maioria das casas na ponta de um comprido ramal de linha de transmissão de energia fica sem luz de vez em quando, então boa parte das pessoas que moram em locais assim mantém algo à mão. Mas não parecia que era algo que os Beck faziam. O melhor que consegui encontrar foi uma caixa de fósforos. Coloquei três no bolso e risquei um na caixa. Usei a luz bruxuleante para procurar o molho grande de chaves que eu tinha deixado na mesa. Elas teriam me ajudado muito, mas não estavam ali. Não na mesa, não em algum gancho perto da porta, em lugar nenhum. Não fiquei muito surpreso. Encontrá-las teria sido bom demais para ser verdade.

Soprei o fósforo e fui pelo escuro até a escada do porão. Desci lenta e silenciosamente e risquei outro fósforo com a unha do dedão quando já estava lá embaixo. Segui o emaranhado de fios no teto até a caixa de força. Havia uma lanterna em uma prateleira bem ao lado. É um clássico lugar idiota para se guardar uma lanterna. Se um disjuntor estoura, a caixa é o destino, não o ponto de partida.

A lanterna era uma Megalite grande e preta do tamanho de um cassetete. Seis pilhas grandes no interior. Costumávamos usá-las no Exército. Elas garantiam ser inquebráveis, mas nós descobrimos que isso dependia do que você batia com ela e com que força. Acendi a lanterna, soprei o fósforo. Cuspi no palito em brasa e o coloquei no bolso. Usei a lanterna para iluminar a caixa de força. Ele tinha uma porta de metal cinza com vinte disjuntores lá dentro. Nenhum deles tinha uma etiqueta que dizia *portão da casa*. Ele devia ter sido montado separadamente, o que fazia sentido. Não tinha por que puxar a energia até a casa principal e depois levar de volta até o chalé. Melhor dar ao chalé o seu próprio acesso à linha de transmissão de energia. Eu não estava surpreso, mas fiquei vagamente desapontado. Teria sido uma beleza apagar as luzes do muro. Dei de ombros, fechei a caixa, virei e fui olhar as duas portas trancadas que tinha encontrado na outra manhã.

Elas não estavam mais trancadas. A primeira coisa a se fazer antes de arrombar uma tranca é conferir se ela já não está aberta. Nada faz uma pessoa se sentir mais estúpida do que arrombar uma tranca que não está trancada. Aquelas não estavam. Ambas as portas abriram facilmente com um giro da maçaneta.

O primeiro cômodo estava completamente vazio. Era mais ou menos um cubo perfeito, com uns dois metros e meio nos lados. Joguei o feixe de luz nele todo. Tinha paredes de pedra e chão de cimento. Nenhuma janela. Parecia um depósito. Estava limpíssimo e não havia nada nele. Nada mesmo. Nenhuma fibra de tapete. Nem mesmo lixo nem poeira. Tinham-no varrido e aspirado, provavelmente mais cedo naquele dia. Estava um pouco abafado e úmido. Exatamente como se esperaria que fosse uma cela de pedra. Eu conseguia sentir o característico cheiro de poeira do saco do aspirador de pó. E havia um traço de algo mais no ar. Um odor fraco e provocador bem na fronteira da imperceptibilidade. Era vagamente familiar. Um cheiro rico e denso. Algo que eu devia conhecer. Dei um passo para dentro do cômodo e desliguei a lanterna. Fechei os olhos, fiquei na escuridão absoluta e me concentrei. O cheiro desapareceu. Era como se os meus movimentos tivessem perturbado as moléculas de ar e a única parte em um bilhão que me interessava tinha se dispersado na viscosa formação do granito subterrâneo. Esforcei-me muito, mas não consegui sentir. Então desisti. Era como memória. Para persegui-la era necessário esquecê-la. E eu não tinha tempo a perder.

Liguei a lanterna novamente, fui para o corredor do porão e fechei a porta silenciosamente. Fiquei quieto escutando. Dava para ouvir a calefação. Nada mais. Fui ao cômodo seguinte. Estava vazio também, mas apenas porque naquele momento encontrava-se desocupado. Havia coisas nele. Um quarto.

Era um pouco maior do que o depósito. Tinha uns seis por três. O feixe de luz deixava visíveis as paredes de pedra, o chão de cimento e nenhuma janela. Um colchão fino estendia-se pelo chão. Atravessado sobre ele, havia um lençol amarrotado e um cobertor velho. Nenhum travesseiro. O cômodo estava frio. Senti cheiro de comida passada, perfume velho, sono, suor e medo.

Fiz uma busca cuidadosa no quarto inteiro. Estava sujo. Mas não tinha achado nada de significativo até puxar o colchão de lado. Debaixo dele riscado no chão de cimento havia uma única palavra: JUSTICE. Estava rabiscada em letras maiúsculas. Eram desiguais e granulosas. Mas eram nítidas. E enfáticas. Abaixo das letras havia números. Seis, em três grupos de dois. Dia, mês e ano. A data do dia anterior. As letras e os números tinham uma profundidade que indicava que não haviam sido feitas com um alfinete, um preguinho ou a ponta de uma tesoura. Supus que usaram o dente de um garfo. Voltei o colchão para a posição e dei uma olhada na porta. Era carvalho maciço. Grossa e pesada. Não tinha buraco de chave do lado de dentro. Não era um quarto. Uma cela.

Saí, fechei a porta e fiquei quieto novamente escutando com atenção. Nada. Passei mais quinze minutos no restante do porão e não encontrei absolutamente nada — não que eu estivesse com essa esperança. Eles não teriam deixado que eu ficasse andando por ali naquela manhã se houvesse algo a ser encontrado. Desliguei a lanterna e subi lentamente as escadas no escuro. Voltei para a cozinha e fiz uma busca nela até encontrar um saco de lixo preto e grande. Queria também uma toalha. O melhor que consegui achar foi um quadrado de linho para enxugar prato. Dobrei muito bem os dois itens e os enfiei nos bolsos. Em seguida voltei ao saguão e fui dar uma olhada nas partes da casa que ainda não tinha visto.

Havia muitas opções. O lugar era um emaranhado. Comecei pela frente, por onde eu tinha entrado primeiro no dia anterior. A porta grande de carvalho estava bem fechada. Mantive distância dela, por que não sabia o quanto o detector de metais era sensível. Alguns apitam quando você está a um metro de distância. O chão era de tábuas de carvalho maciças, cobertas com tapetes. Pisava com cuidado, mas não estava muito preocupado com o barulho. Os tapetes, as cortinas e o revestimento nas paredes absorveriam o som.

Explorei todo o primeiro andar. Apenas um lugar capturou minha atenção. Na parte da frente, ao lado da sala onde eu passara um tempo com Beck havia outra porta trancada. Era oposta à sala de jantar da família, do outro lado de um largo corredor. Era a única porta trancada no térreo. Portanto, o único cômodo que me interessava. A fechadura era algo grande feito com cobre de uma época em que as coisas eram fabricadas com orgulho e aprumo. Era cheia de filigrana nas extremidades que ficavam aparafusadas na madeira. As cabeças dos parafusos estavam alisadas devido aos 150 anos de polimento. Era provavelmente original da casa. Algum velho artesão na Portland do século XIX provavelmente o modelara à mão em meio à sua produção de equipamentos para barcos. Levei aproximadamente um segundo e meio para abri-la.

O cômodo era um retiro. Não era um escritório, nem um gabinete, nem um cômodo de estar da família. Cobri cada centímetro com o feixe de luz. Não havia televisão ali dentro. Nenhuma mesa nem computador. Era só uma sala, mobiliada de maneira simples com um estilo fora de moda. As cortinas eram pesadas e de veludo. Havia uma grande poltrona estofada em couro vermelho e com encosto em capitonê. Havia um armário com frente de vidro. E tapetes. Eles eram grossíssimos. Olhei meu relógio. Era quase uma da madrugada. Eu estava solto fazia aproximadamente uma hora. Entrei no cômodo e fechei a porta silenciosamente.

O armário tinha quase dois metros de altura. Duas gavetas que iam de um lado ao outro do móvel na parte de baixo e portas de vidro trancadas acima delas. Atrás do vidro ficavam cinco submetralhadoras Thompson. Eram as clássicas armas de pente redondo usadas pelos gângsteres da década de 1920, aquelas que se vê em fotos antigas, granuladas e em preto e branco dos soldados de Al Capone. Elas estavam expostas alternadamente de frente para a direita e para a esquerda, apoiadas em pinos de madeira de lei customizados que as mantinham perfeitamente alinhadas. Eram todas idênticas. E aparentavam ser novinhas. Parecia nunca terem sido disparadas. Ou sequer tocadas. A poltrona estava posicionada de frente para o armário. Não havia mais nada significativo no cômodo. Sentei-me na poltrona e comecei a me perguntar por que alguém iria querer passar tempo olhando para cinco armas antigas e lustrosas.

Então escutei passos. Um passo leve, no andar de cima, exatamente sobre a minha cabeça. Três passos, quatro, cinco. Passos rápidos e silenciosos. Não era apenas deferência por ser tarde da noite. E sim uma verdadeira tentativa de passar despercebido. Levantei-me da poltrona. Fiquei parado. Desliguei a lanterna e coloquei-a na mão esquerda. Pus o cinzel na direita. Escutei uma porta se fechar suavemente. Depois houve silêncio. Me concentrei na audição. O ruído do sistema de aquecimento transformou-se em um rugido nos meus ouvidos. Minha respiração era ensurdecedora. Nada do andar de cima. Depois os passos começaram novamente.

Estavam indo a caminho da escada. Tranquei-me dentro do cômodo. Agachei-me atrás da porta, soltei os pinos da fechadura, *um, dois* e escutei o rangido da escada. Não era Richard descendo. Não era alguém de 23 anos. Havia um cuidado calculado no passo. Uma tensão. Alguém ficando mais lento e silencioso ao chegar à parte de baixo. O som desapareceu completamente no saguão. Imaginei alguém de pé sobre os tapetes grossos, rodeado pelas cortinas e pelo forro de madeira nas paredes revestidas, olhando ao redor, concentrando-se na audição. Talvez vindo na minha direção. Peguei a lanterna e o cinzel de novo. A Glock estava na minha cintura. Não tinha dúvida de que eu conseguia lutar e sair da casa. Nenhuma dúvida mesmo. Mas me aproximar de Paulie por centenas de metros de campo aberto através das luzes de estádio seria difícil. E um tiroteio agora colocaria um fim definitivo na missão. Quinn desapareceria novamente.

Não havia som vindo do saguão. Apenas um silêncio esmagador. Em seguida escutei a porta da frente se abrir. Escutei o chacoalhar de uma corrente e uma fechadura sendo destrancada, o clique de um trinco e o som de sucção de uma fita isolante de cobre se descolando da beirada da porta. Um segundo depois, a porta fechou novamente. Senti um minúsculo tremor na estrutura da casa quando o carvalho pesado bateu na armação. *O detector de metal não apitou.* Quem quer que tivesse passado por ela não estava carregando uma arma. Nem um chaveiro com chaves de carro.

Esperei. Duke certamente ainda estava adormecido, e ele não era o tipo de cara que se descuidava. Não achava que ele andaria à noite sem uma arma. Nem Beck. Mas ambos eram espertos o suficiente para ficarem parados ali no saguão, abrirem e fecharem a porta e me fazer achar que tinham ido lá para fora. Quando, na verdade, não tinham. Quando, na verdade, continuavam de pé bem ali, com a arma na mão, olhando para o escuro, esperando eu me mostrar.

Sentei-me de lado na cadeira de couro vermelha. Tirei a Glock da calça e a apontei com a mão esquerda para a porta. Assim que tivessem aberto mais do que nove milímetros da porta, eu atiraria. Até então, esperaria. Eu era bom em esperar. Se eles achavam que iam me ganhar de mim em um jogo de espera, tinham se metido com o cara errado.

Contudo, uma hora inteira depois, o saguão continuava absolutamente silencioso. Nenhum som, de nenhum tipo. Nenhuma vibração. Não havia ninguém ali. Certamente, não Duke. Ele teria pegado no sono a essa altura e batido no chão. Nem Beck. Era amador. Ficar absolutamente parado e em silêncio durante uma hora inteira requeria uma habilidade tremenda. Então o negócio da porta não tinha sido uma armadilha. Alguém tinha saído desarmado à noite.

Eu me agachei e usei a sovela nos pinos da fechadura de novo. Deitei o corpo inteiro no chão, estiquei o braço e empurrei a porta. Uma precaução. Qualquer pessoa que estivesse esperando a porta ser aberta estaria com os olhos cravados na altura da cabeça. Eu os veria antes de eles me enxergarem. Mas não havia ninguém esperando. O saguão estava vazio. Levantei e fechei a porta atrás de mim. Desci silenciosamente a escada do porão e devolvi a lanterna ao lugar onde a encontrei. Tateando, subi a escada. Fui lentamente até a cozinha, deslizei todas as minhas ferramentas pelo chão, até que tivesse tudo passado pela porta e chegado à varanda. Tranquei a fechadura, agachei, peguei todas as minhas coisas e conferi se havia algo no terreno ali atrás. Não vi nada além de um mundo cinza de rochas e oceano iluminados pela lua.

Tranquei a porta da varanda e me mantive bem perto da lateral da casa. Atravessei as sombras negras abaixado até chegar ao muro do pátio. Encontrei a fenda na rocha e enrolei o cinzel e a sovela no trapo e os deixei ali. Não podia levá-los comigo. Rasgariam o saco de lixo. Avancei seguindo o muro do pátio na direção do oceano. Meu objetivo era descer até as pedras logo atrás das garagens, completamente fora da vista da casa.

Tinha percorrido metade do caminho quando estaquei no lugar.

Elizabeth Beck estava sentada nas pedras. Vestia um roupão branco por cima de uma camisola branca. Parecia um fantasma, ou um anjo. Estava com os cotovelos apoiados nos joelhos e observava a escuridão ao leste como uma estátua.

Permaneci completamente imóvel. Estava a dez metros dela, todo de preto, mas, se Elizabeth olhasse para a esquerda, eu estaria visível contra o horizonte. E qualquer movimento repentino revelaria a minha presença. Então fiquei ali. O swell do oceano ia e vinha, tranquilo e preguiçoso. Era um som sereno. Um movimento hipnótico. Ela observava a água. Devia estar com frio. Soprava uma brisa leve, que eu conseguia ver no cabelo de Elizabeth.

Fui me abaixando centímetro a centímetro, como se tentasse me transformar em rocha. Dobrei os joelhos, estiquei os dedos e fiquei abaixado. Ela se moveu. Apenas um giro de cabeça sem jeito, como se de repente tivesse se dado conta de algo. Ela olhou direto para mim. Não demonstrou nenhum sinal de surpresa. Ficou com o olhar fixo em mim minuto após minuto. Seus longos dedos estavam entrelaçados. Seu rosto pálido estava iluminado pelo luar refletido na água ondeante. Seus olhos estavam abertos, mas era óbvio que ela não enxergava nada. Ou então eu estava abaixado demais contra o céu para ela achar que eu era uma pedra ou uma sombra.

Ficou sentada daquele jeito por mais dez minutos aproximadamente, olhando na minha direção. Ela começou a tremer de frio. Depois mexeu a cabeça de novo, decisivamente, desviou o olhar de mim e o lançou para o mar à sua direita. Ela desentrelaçou os dedos, moveu as mãos e as passou no cabelo, penteando-os para trás. Virou o rosto para o céu. Levantou-

-se lentamente. Estava descalça. Estremeceu, como se estivesse com frio ou triste. Então abriu os braços como um equilibrista na corda bamba e caminhou na minha direção. O chão estava machucando seus pés. Isso era nítido. Ela se equilibrava com os braços e testava todos os passos. Ela se aproximou um metro mais. Passou bem ao meu lado e seguiu na direção da casa. Eu a observei se afastar. O vento pegou seu roupão. A camisola grudou em seu o corpo. Ela desapareceu atrás do muro do pátio. Um longo momento depois, escutei a porta da frente ser aberta. Houve um pequenino silêncio, em seguida, um suave *clump* quando ela foi fechada. Caí de bruços no chão e rolei para ficar de costas. Observei as estrelas.

Fiquei deitado daquele jeito o máximo que ousei, depois levantei e caminhei com cuidado os últimos quinze metros até a beirada do mar. Sacudi o saco de lixo, tirei a roupa a organizei impecavelmente dentro dele. Enrolei a Glock na camisa com os pentes sobressalentes. Enfiei as meias nos sapatos, coloquei-os por cima e em seguida pus a toalha de linho. Amarrei o saco com força e o segurei pela ponta. Entrei vagarosamente na água, arrastando-o atrás de mim.

O oceano estava frio. Eu sabia que estaria. Era a costa do Maine em abril. Mas aquilo estava *frio*. Gelado. Estridente e entorpecente. Me fez perder o fôlego. Em um segundo, até meus ossos estavam gelados. A cinco metros da costa, eu estava batendo os dentes, não conseguia ir a lugar nenhum e o sal fisgava meus olhos.

Continuei batendo os pés até chegar a dez metros e conseguir ver o muro. Ele resplandecia com a luz. Não tinha como pulá-lo. Então teria que dar a volta. Não havia escolha. Refleti comigo mesmo. Tinha que nadar quatrocentos metros. Eu era forte, mas não era rápido e estava rebocando uma sacola, portanto eu levaria uns dez minutos. Quinze, estourando. Era isso. E ninguém morre por uma exposição de quinze minutos. Ninguém. Não eu, pelo menos. Não nessa noite.

Lutando contra frio e ondas, adotei um estilo lateral ritmado de nadar. Eu rebocava o saco com a mão esquerda durante dez pernadas. Depois mudava para a direita e continuava com as pernadas. Havia uma leve corrente. A maré estava subindo. Ela me ajudava. Porém também me congelava. Vinha desde lá de Grand Banks. Era ártico. Minha pele estava dormente e escorregadia, e minha respiração, estridente. Meu coração batia aos solavancos.

Comecei a ficar preocupado com choque térmico. Pensei nos livros que tinha lido sobre o *Titanic*. Todas as pessoas que não haviam conseguido chegar aos botes salva-vidas morreram dentro de uma hora.

Mas eu não ficaria na água por uma hora. Além disso, não havia icebergs ao meu lado, e meu ritmo estava funcionando. Eu nadava praticamente alinhado com o muro. A luz dele terminava bem ao meu lado. Estava pelado e pálido por causa do inverno, mas sentia-me invisível. Passei do muro. Tinha chegado à metade do caminho. Segui dando pernadas. Movimentava com muito esforço. Suspendi o pulso para fora da água e olhei as horas. Estava nadando há seis minutos.

Nadei por mais seis. Dava pernadas na água, arfava em busca de ar, carregava a sacola à minha frente e olhava para trás. Tinha ultrapassado o muro. Mudei de direção e fui para a margem. Subi cinco rochas escorregadias por causa do musgo e cheguei a uma praia de areia grossa. Joguei o saco bem à minha frente e me arrastei para fora da água de joelhos. Fiquei de quatro durante um minuto inteiro, arquejando e tremendo. Meus dentes batiam desenfreadamente. Desamarrei o saco. Peguei a toalha. Esfreguei-me furiosamente. Meus braços estavam azuis. As roupas se agarravam na minha pele enquanto as vestia. Calcei o sapato e guardei a Glock. Dobrei o saco e a toalha e os coloquei molhados no bolso. Depois corri, porque precisava me esquentar.

Corri dez minutos antes de encontrar o carro. Era o Taurus do cara mais velho, cinza ao luar. Estava estacionado com a frente virada para o lado contrário da casa, pronto para sair, sem atraso. Duffy era sem dúvida uma garota prática. Sorri novamente. A chave estava no banco. Liguei o carro e arranquei lentamente. Mantive o farol apagado e não pisei no freio até estar fora do promontório em forma de palma e fazer a primeira curva na estrada que levava terra adentro. Acendi o farol, liguei o ar quente e acelerei com força.

Estava em frente às docas de Portland quinze minutos depois. Deixei o Taurus estacionado em uma rua tranquila a pouco menos de dois quilômetros do depósito de Beck. Caminhei o restante do caminho. Era o momento da verdade. Se o corpo de Doll tivesse sido encontrado, o lugar estaria um alvoroço, eu daria no pé e eles nunca mais me veriam. Se não, eu viveria para lutar mais um dia.

A caminhada levou quase vinte minutos. Não vi ninguém. Nenhum policial, nenhuma ambulância, nenhuma fita da polícia, nenhum médico legista. Ninguém num Lincoln. Contornei o depósito de Beck percorrendo um raio grande. Vislumbrava-o por frestas e becos. Todas as luzes estavam acesas nas janelas do escritório. Mas foi assim que eu as tinha deixado. O carro de Doll continuava lá ao lado da porta de correr. Exatamente onde eu o tinha deixado.

Afastei-me do depósito de Beck e me reaproximei por um novo ângulo, pelo ponto cego onde não havia janela. Saquei a Glock. Segurei-a para baixo ao lado da perna. O carro de Doll estava à minha frente. Depois dele ficava a porta de serviço que dava acesso ao cubículo do depósito. Atrás dele, o escritório dos fundos. Passei pelo carro, pela porta, me joguei no chão e fiquei debaixo da janela. Levantei a cabeça e olhei lá dentro. Ninguém. A sala de operações também estava vazia. Tudo silencioso. Soltei a respiração e guardei a arma. Refiz meus passos até o carro de Doll. Abri a porta do motorista e destranquei o porta-malas. Ele ainda estava lá dentro. Não tinha ido a lugar nenhum. Peguei as chaves dentro do bolso do corpo. Fechei o porta-malas novamente e entrei pela porta de serviço. Achei a chave certa e tranquei depois de entrar.

Eu estava disposto a arriscar quinze minutos. Passei cinco no cubículo do depósito, cinco no escritório dos fundos e cinco na área de operações. Limpei tudo aquilo em que encostei com a toalha de linho, sem querer deixar digital nenhuma para trás. Não encontrei pista alguma de Teresa Daniel. Nem de Quinn. Não mencionavam nomes em lugar nenhum. Tudo era codificado, tanto pessoas quanto mercadorias. Saí com apenas um fato sólido: a Bizarre Bazaar vendia milhares de itens para várias centenas de clientes, em transações que somavam várias dezenas de milhões de dólares. Nada deixava claro que itens eram esses nem quem eram os clientes. Os preços eram agrupados em três categorias: Alguns por volta das cinquenta pratas, alguns por volta dos cem e outros muito mais. Não havia nenhum registro de distribuição sequer. Nenhum recibo de entrega da FedEx, nem da UPS, nem de outro serviço postal. Ficou nítido que a distribuição era feita internamente. Uma pasta de seguros que achei, porém, informava-me que a corporação possuía apenas dois veículos de entrega.

Caminhei de volta até o cubículo do depósito e desliguei o computador. Refiz meus passos até o corredor de entrada, apaguei todas as luzes enquanto o percorria e deixei tudo limpo e organizado. Testei as chaves do Doll na porta da frente e encontrei a que encaixava e a mantive na palma da mão. Virei-me na direção do controle do alarme.

Obviamente uma das tarefas confiadas a Doll era que trancasse tudo, o que significava que ele sabia como acionar o alarme. Eu tinha certeza de que o próprio Duke fazia isso de vez em quando. E Beck, obviamente. Provavelmente um ou dois funcionários também. Um monte de gente. Um deles devia ter uma memória horrorosa. Olhei para o quadro de avisos ao lado do controle e folheei os memorandos, que estavam pregados uns sobre os outros. Achei um código de quatro números escrito na parte inferior de uma mensagem da prefeitura, de dois anos atrás, sobre novos procedimentos relacionados a estacionamento. Digitei. A luz vermelha começou a piscar e a caixinha, a apitar. Sorri. Nunca falha. Senhas de computadores, números que não estão na lista, códigos de alarmes, o que for — alguém sempre os anota.

Saí pela porta da frente e a fechei. O apito parou. Tranquei-a, dei a volta e entrei no Lincoln de Doll. Liguei-o e saí. Deixei-o num estacionamento no centro da cidade. Podia ser o mesmo que Susan Duffy tinha fotografado. Limpei tudo no que tinha encostado, tranquei o carro e pus as chaves no bolso. Pensei em incendiá-lo. Havia gasolina no tanque e eu ainda tinha dois dos fósforos da cozinha. Queimar carros é divertido. E aumentaria a pressão em Beck. Mas acabei indo embora. Era provavelmente o melhor a se fazer. Levaria boa parte de um dia para alguém se dar conta de que ele estava estacionado ali. Boa parte de outro dia para decidirem fazer algo a respeito. Depois mais um dia para os policiais reagirem. Eles rastreariam a placa e se depariam com uma das empresas-fantasma de Beck. Então eles o rebocariam e aguardariam o desenrolar das investigações. Arrombariam o porta-malas com certeza, preocupados com bombas terroristas ou por causa do cheiro, contudo, a essa altura, um monte de outros prazos já teriam sido cumpridos e eu já teria ido embora há muito tempo.

Caminhei de volta até o Taurus e o levei para um local a pouco menos de dois quilômetros da casa. Retribui a gentileza de Duffy, dei meia-volta e estacionei o carro com a frente virada para o lugar certo. Depois fiz a sequência anterior ao contrário. Tirei a roupa na praia de areia grossa e coloquei tudo no saco de lixo. Nadei com dificuldade pelo mar. Não era algo que eu fazia com muito entusiasmo. Estava frio do mesmo jeito. Mas a maré tinha mudado. Ela vinha na minha direção. Até o oceano estava cooperando. Nadei durante os mesmos doze minutos. Virei para a direita ao redor da ponta do muro e segui na direção da terra firme atrás das garagens. Tremia de frio; meus dentes estavam batendo novamente. Mas eu me sentia bem. Sequei-me o melhor que consegui com o trapo de linho úmido e me vesti rapidamente antes de me congelar. Deixei a Glock, os pentes sobressalentes e as chaves de Doll escondidos com a PSM, o cinzel e a sovela. Dobrei o saco e a toalha e as soquei debaixo de uma pedra a um metro de distância. Depois fui para o meu cano. Continuava a tremer.

Subir era mais fácil do que descer. Ia levantando as mãos agarradas no cano e os pés apoiados na parede. Cheguei à altura da minha janela e agarrei o peitoril com a mão esquerda. Joguei os pés por cima da plataforma de pedra. Estendi o braço direito e suspendi a janela. Icei-me e entrei o mais silenciosamente que consegui.

O quarto estava frio. A janela tinha ficado aberta durante horas. Eu a fechei bem e me despi novamente. As roupas estavam úmidas. Coloquei-as sobre o aquecedor e fui para o banheiro. Tomei um longo banho quente. Depois me tranquei lá com meu sapato. Eram exatamente seis horas da manhã. Eles estariam recolhendo o Taurus. Provavelmente Eliot e o outro cara eram os responsáveis por isso. Provavelmente Duffy tinha ficado na base. Peguei o dispositivo de e-mail e enviei: *Duffy?* Noventa segundos depois ela respondeu: *Aqui. Tudo bem?* Mandei: *Bem. Investigue estes nomes em todos os lugares que puder, inc. PE Powell — Angel Doll, poss. ligado a Paulie, ambos poss. ex-militares.*

Ela enviou: *Farei isso.*

Depois mandei a pergunta que estava na minha cabeça havia cinco horas e meia: *Qual é o nome verdadeiro de Teresa Daniel?*

Houve o característico atraso de noventa segundos, e ela devolveu: *Teresa Justice.*

6

ÃO FAZIA SENTIDO IR DORMIR, ENTÃO FIQUEI À JANELA e observei a aurora. Em pouco tempo ela estava no auge. O sol se ergueu sobre o mar. O ar estava fresco e limpo. A visibilidade era de oitenta quilômetros. Eu observava uma andorinha-do-mar vir do norte. Ela voava baixo, o mais próximo da costa que conseguia. Planava sobre as rochas ao passar por elas. Imaginei que buscava um lugar para fazer um ninho. O sol baixo atrás dela arremessava sombras grandes como abutres. Depois desistiu da busca por abrigo, girou, rodopiou, desceu com velocidade na direção da água e mergulhou verticalmente no oceano. Saiu um longo momento depois e gotículas prateadas de água gelada a seguiram de volta para o céu. Não tinha nada no bico. Porém seguiu voando como se estivesse feliz da vida. Era mais bem adaptada do que eu.

Não houve muito a se ver depois disso. Algumas poucas gaivotas-prateadas ao longe. Apertei os olhos contra a claridade e procurei pistas de baleias ou golfinhos, mas não vi nada. Fiquei observando um emaranhado de algas ser carregado por correntes circulares. Às seis e quinze, ouvi os passos de Duke no corredor e o clique na fechadura. Ele não entrou. Afastou-se com passos pesados. Virei-me, fiquei de frente para a porta e respirei fundo. Dia treze. Quinta-feira. Talvez fosse melhor do que se o dia treze tivesse caído numa sexta-feira. Eu não tinha certeza. *Que se dane, deixa rolar.* Respirei fundo novamente saí pela porta e segui na direção da escada.

Nada estava como na manhã anterior. Duke estava renovado, e eu, cansado. Não vi Paulie. Desci até a academia no porão e não encontrei ninguém. Duke não ficou para o café da manhã, mas saiu para algum lugar e desapareceu. Richard Beck veio comer na cozinha. Éramos apenas eu e ele à mesa. O mecânico não estava lá, e a cozinheira se ocupava com o fogão. Da sala de jantar, a irlandesa ia e vinha. Movimentava-se rápido. Havia um zum-zum no ar. Havia algo acontecendo.

— Um carregamento grande está chegando — disse Richard Beck.

— É sempre assim. Todo mundo fica entusiasmado por causa do dinheiro que vão ganhar.

— Você vai voltar pra faculdade? — perguntei.

— Domingo — respondeu, sem parecer preocupado com isso. Mas eu estava. Domingo era dali a três dias. Meu quinto dia ali. O prazo final. Qualquer coisa que fosse acontecer já teria acontecido. O garoto estaria no fogo cruzado o tempo inteiro.

— Isso é tranquilo pra você? — perguntei.

— Voltar?

Eu fiz que sim com um gesto de cabeça e disse:

— Depois do que aconteceu.

— Nós já sabemos quem fez aquilo — revelou ele. — Uns cuzões de Connecticut. Não vai acontecer de novo.

— Dá pra ter certeza?

Ele olhou pra mim como se eu fosse maluco.

— O meu pai lida com esse tipo de coisa o tempo todo. E, se não estiver resolvido até domingo, eu fico aqui até resolverem.

— O seu pai cuida desse negócio sozinho? Ou tem sócios?

— Ele cuida de tudo sozinho — respondeu ele. A ambivalência tinha desaparecido. Parecia feliz por estar em casa, em segurança e confortável, orgulhoso do pai. Seu mundo tinha sido contraído a um estéril meio acre de granito isolado, cercado pelo mar desassossegado e por um muro alto de pedra com a parte de cima coberta por arame farpado.

— Eu não acho que você tenha realmente matado aquele policial — disse ele.

A cozinha ficou em silêncio. Eu o encarei.

— Acho que você só o feriu — explicou ele. — É o que espero, pelo menos. Você sabe, talvez ele agora esteja se recuperando. Num hospital em algum lugar. É nisso que estou pensando. Você devia tentar fazer a mesma coisa. Pense positivamente. É melhor desse jeito. Assim você pode ver o raio da esperança sem o céu precisar ficar nublado.

— Não sei — comentei.

— Então só finge — disse ele. — Use o poder do pensamento positivo. Diga pra você mesmo; eu fiz uma coisa boa e não houve nenhum ponto negativo.

— O seu pai ligou pra delegacia — argumentei. — Não acho que haja espaço pra dúvida.

— Então finge — repetiu ele. — É isso que faço. Coisas ruins não aconteceram a não ser que você escolha ficar se lembrando delas

Ele tinha parado de comer, levantado a mão e a colocado do lado esquerdo da cabeça. Sorria alegremente, mas seu subconsciente estava se lembrando de algumas coisas ruins naquele exato momento. Isso estava evidente. E era uma lembrança da pesada.

— Certo — falei. — Foi só um ferimento superficial.

— Assim como entrou, saiu — comentou ele. — Na boa.

Fiquei calado.

— Ele escapuliu por um triz — insistiu o garoto. — Um milagre.

Assenti. Teria sido um tipo de milagre. Com certeza absoluta. Atirar no peito de alguém com uma .44 Magnum de ponta macia abre um buraco na pessoa do tamanho de Rhode Island. A morte é geralmente instantânea. O coração para imediatamente, principalmente porque ele não está mais no lugar. Cheguei à conclusão de que o garoto nunca tinha visto alguém levar um tiro. Depois pensei, talvez tenha visto. E talvez não tenha gostado muito.

— Pensamento positivo — continuou. — Essa é a chave. Simplesmente acredite que ele está aquecido e confortável em algum lugar, se recuperando muito bem.

— O que tem no carregamento? — perguntei.

— Mercadoria falsificada, provavelmente — respondeu ele. — Do Paquistão. A gente consegue persas de duzentos anos feitos lá. As pessoas são muito otárias.

— São?

Ele olhou pra mim, confirmou com um aceno de cabeça e disse:

— Elas enxergam o que querem enxergar.

— É?

— O tempo todo.

Olhei ao redor. Não havia café. Depois de um tempo você percebe que a cafeína vicia. Eu estava irritado e cansado.

— O que você vai fazer hoje? — perguntou ele.

— Não sei — respondi.

— Eu vou ler — disse ele. — Talvez passear um pouco. Caminhar pela praia, ver o que a maré trouxe durante a noite.

— A maré traz coisas?

— Às vezes. Coisas que caem dos barcos, sabe?

Olhei para o garoto. *Ele estava me dizendo alguma coisa?* Ouvi falar de fardos de marijuana de traficantes que chegavam à terra firme flutuando em lugares isolados. Acho que o mesmo podia acontecer com heroína. Ele estava me contando alguma coisa? Ou estava me alertando? Ele sabia do meu embrulho de ferramentas? E o que significava aquele negócio todo sobre o policial baleado? Psicologia barata? Ou ele estava de brincadeira comigo?

— Mas acontece quase sempre no verão — disse ele. — Está muito frio pros barcos agora. Então acho que vou ficar por aqui mesmo. Talvez eu pinte.

— Você pinta?

— Sou estudante de arte. Te contei isso.

Assenti. Olhei para a parte de trás da cabeça da cozinheira, como se pudesse induzi-la a fazer café por telepatia. Duke entrou. Ele caminhou até onde eu estava. Colocou uma mão nas costas da minha cadeira e a outra aberta sobre a mesa. Inclinou-se bastante, como se precisasse ter uma conversa confidencial.

— Seu dia de sorte, cuzão — disse ele.

Fiquei calado.

— Você vai dirigir pra sra. Beck — informou Duke. — Ela quer ir fazer compras.

— Onde?

— Onde ela quiser

— O dia inteiro?

— Melhor que seja.

Demonstrei que tinha entendido com um gesto de cabeça. *Não confie em um estranho no dia do carregamento.*

— Pega o Cadillac — ordenou ele, antes de jogar as chaves na mesa. — Certifique-se de que ela não tenha pressa em voltar pra casa.

Ou: não confie na sra. Beck no dia do carregamento.

— Certo — falei.

— Você vai achar tudo muito interessante — disse ele. — Especialmente a primeira parte. Toda vez que vejo, acho do caralho.

Não tinha a menor ideia do que ele estava falando e não queria perder tempo fazendo especulações a respeito. Olhei para a cafeteira vazia, Duke foi embora, e um momento depois escutei a porta da frente abrir e fechar. O detector de metal apitou, duas vezes. Duke e Beck, armas e chaves. Richard se levantou, saiu caminhando tranquilamente e fiquei sozinho com a cozinheira.

— Tem café? — perguntei.

— Não.

Fiquei sentado ali até me dar conta de que um chofer dedicado deveria estar pronto e esperando, então saí pela porta de trás. O detector de metais apitou delicadamente por causa das chaves. A maré estava baixa e o ar, frio e revigorante. Senti o cheiro do sal e das algas. O swell tinha se desfeito e eu conseguia escutar as ondas quebrando. Dei a volta nas garagens, liguei o Cadillac e saí de ré. Levei-o para a rotatória e fiquei aguardando com o motor ligado para manter o aquecedor funcionando. Estava de frente para o noroeste e conseguia ver minúsculos navios no horizonte — alguns indo para Portland, outros saindo de lá. Eles se arrastavam pela linha exatamente onde o céu encontrava-se com a água, meio escondidos, infinitamente devagar. Fiquei imaginando se um deles era de Beck ou se o dele já tinha chegado e estava ancorado, pronto para descarregar. Perguntei-me se um agente da alfândega já estava afastando-se dele, sem olhar para trás, seguindo na direção do próximo navio na fila, com um maço de notas novinhas no bolso.

Elizabeth Beck saiu da casa dez minutos mais tarde. Vestia uma saia xadrez na altura do joelho e um suéter branco fino com um casado de lã sobre ele. As pernas nuas. Sem meia-calça. O cabelo estava preso para trás com um elástico. Ela parecia estar com frio. E desafiadora, resignada e apreensiva. Como uma nobre caminhando para a guilhotina. Imaginei que estava acostumada a ser levada por Duke. Acho que se sentia um pouco confusa por andar com o matador de policiais. Eu saí e me prepararei para abrir a porta de trás. Elizabeth passou por ela e disse:

— Vou me sentar na frente.

Ela acomodou-se no banco do passageiro e eu entrei ao lado dela.

— Pra onde vamos? — perguntei educadamente.

Ela olhou pela janela.

— Vamos falar sobre isso quando tivermos passado pelo portão — respondeu.

O portão estava fechado, Paulie exatamente no centro dele. Parecia maior do que nunca. Seus ombros e braços davam a impressão de que tinha bolas de basquete enfiadas dento do terno. A pele do rosto estava rosada de frio. Tinha ficado esperando por nós ali. Parei o carro dois metros em frente a ele. Paulie não fez movimento algum na direção do portão. Encarei-o. Ele me ignorou e deu a volta até a janela de Elizabeth Beck. Sorriu para ela, bateu no vidro com os nós dos dedos e fez um movimento com a mão para que o abaixasse. Ela ficou olhando para a frente pelo para-brisa. Tentava ignorá-lo. Ele bateu novamente. Ela se virou para olhá-lo. Ele suspendeu as sobrancelhas. Repetiu o movimento para que abaixasse o vidro. Ela estremeceu. Foi um espasmo físico claro capaz de fazer o carro balançar sobre a suspensão. Ela fixou o olhar em uma de suas unhas, depois apertou o botão da janela. O vidro desceu zumbindo. Paulie apoiou o antebraço direito na porta.

— Bom dia — cumprimentou o segurança.

Ele inclinou-se para dentro e encostou a parte de trás do dedo indicador na bochecha dela. Elizabeth não se mexeu. Permaneceu olhando direto para a frente. Ele colocou uma mecha solta do cabelo dela atrás da orelha.

— Gostei da sua visita ontem à noite — disse ele.

Ela estremeceu novamente. Como se estivesse morrendo de frio. Ele moveu a mão. Colocou-a no peito dela. Apalpou-o. Apertou-o. Elizabeth ficou sentada, imóvel ao que acontecia. Usei o botão do meu lado. O vidro dela levantou. Ele travou contra o braço gigante de Paulie, e o dispositivo de segurança entrou em funcionamento e ele baixou novamente. Abri a porta e desci. Dei a volta no capô. Paulie ainda estava abaixado. Com a mão dentro do carro. Ela tinha se movimentado um pouco mais para baixo.

— Cai fora — disse ele, olhando para ela, falando comigo.

146

Eu me senti como um lenhador enfrentando uma sequoia sem machado nem serra-elétrica. *Por onde eu começo?* Dei um chute no rim dele. Era o tipo de chute que faria uma bola de futebol americano atravessar o estádio e cair lá no estacionamento. Teria rachado um poste. Só esse chute teria mandado a maioria das pessoas para o hospital. Teria matado algumas dessas pessoas. Mas teve o mesmo efeito em Paulie do que um tapinha educado no ombro. Ele sequer fez barulho. Colocou as duas mãos na porta e levantou. Virou-se para ficar de frente para mim.

— Relaxa, major — disse ele. — É só o meu jeito de dar bom-dia pra senhora.

Em seguida ele se afastou do carro, deu a volta bem ao meu redor e destrancou o portão. Eu o observava. Ele estava muito calmo. Nem sinal de reação. Era como se eu nem tivesse encostado nele. Fiquei parado de pé e deixei a adrenalina esmaecer. Depois olhei para o carro. Para o porta-malas e o capô. Dar a volta pelo porta-malas diria *eu estou com medo de você*. Então dei a volta pelo capô. Mas me certifiquei de ficar bem longe dele. Não tinha a menor vontade de dar a um cirurgião seis meses de trabalho recuperando os ossos do meu rosto. O mais perto que fiquei dele foi um metro e meio. Ele não fez nenhum movimento na minha direção. Somente abriu o portão até o fim e aguardou parado pacientemente para fechá-lo novamente.

— A gente conversa sobre esse chute mais tarde, tá? — disse ele em voz alta.

Não respondi.

— E não fique com a impressão errada, major — disse ele. — Ela gosta.

Voltei ao carro. Elizabeth Beck tinha fechado a janela. Ela olhava direto para a frente, pálida, em silêncio e humilhada. Passei com o carro pelo portão. Segui na direção oeste. Observava Paulie pelo retrovisor. Ele fechou o portão e voltou para dentro do chalé. Desapareceu de vista.

— Peço desculpas por você ter que ver aquilo — disse Elizabeth, em voz baixa.

Fiquei calado.

— E obrigada pela sua intervenção — disse ela. — Mas ela se mostrará inútil. E infelizmente ela vai lhe trazer muitos problemas. Ele já te odeia, você sabe. E ele não é muito racional.

Fiquei calado.

— É uma coisa de controle, é claro — continuou ela. Era como se ela estivesse explicando para si mesma, não falando comigo. — É uma demonstração de poder. É só isso. Não tem sexo de verdade. Ele não pode fazer. Esteroides demais, suponho. Ele só passa as patas em mim.

Fiquei calado.

— Ele me faz tirar a roupa — contou ela. — Faz com que desfile pra ele. Passa as patas em mim. Não tem sexo. Ele é impotente.

Fiquei calado. Apenas dirigia devagar, mantendo o carro firme e estabilizado nas curvas costeiras.

— Geralmente dura mais ou menos uma hora — disse ela.

— Você já contou pro seu marido? — perguntei.

— O que *ele* poderia fazer?

— Demitir o cara.

— Não é possível — disse ela.

— Por que não?

— Porque o Paulie não trabalha pro meu marido.

Olhei para ela. Lembrei-me de ter falado para Duke: *Dispensa o cara.* Duke tinha respondido: *Não é simples assim.*

— Então pra quem ele trabalha? — perguntei.

— Pra outra pessoa.

— Quem?

Ela abanou a cabeça. Era como se não conseguisse falar o nome.

— É uma coisa de controle — repetiu ela. — Não posso me opor ao que eles fazem comigo, assim como o meu marido não pode se opor ao que fazem com ele. Ninguém pode se opor. A *nada*, compreende? Essa é a questão. Você não vai ser capaz de se opor a nada também. O Duke não pensa em se opor, é claro. Ele é um animal.

Fiquei calado.

— Eu agradeço a Deus por ter filho — disse ela. — Não filha.

Fiquei calado.

— Ontem à noite eu estava muito mal — revelou ela. — Eu queria que ele começasse a me deixar em paz. Agora que eu estou ficando velha.

Olhei para ela novamente. Não consegui pensar em nada para falar.

— Foi meu aniversário ontem — disse ela. — Aquele foi o presente de aniversário do Paulie pra mim.

Fiquei calado.

— Fiz 50 anos — disse ela. — Imagino que você não quer pensar em uma mulher de 50 anos desfilando pelada.

Eu não sabia o que dizer.

— Mas eu mantenho a forma — disse ela. — Uso a academia quando o pessoal não está lá.

Fiquei calado.

— Ele me bipa — disse ela. — Tenho que ficar com um pager o tempo todo. Ele bipa no meio da noite. Ontem à noite. Eu tive que ir, na mesma hora. É muito pior se eu o deixar esperando.

Fiquei calado.

— Estava voltando de lá quando você me viu — disse ela. — Lá nas pedras.

Arredei para a beira da estrada. Freei com suavidade e parei o carro. Coloquei a marcha no ponto morto.

— Acho que você trabalha no governo — disse ela.

Neguei com a cabeça e falei:

— Você está enganada. Sou só um cara.

— Então estou desapontada.

— Sou só um cara — repeti.

Ela ficou calada.

— Você não deveria falar esse tipo de coisa — adverti. — Já estou com problemas demais.

— É — concordou ela. — Eles vão te matar.

— Bom, eles iam ter que tentar — falei. Depois fiquei um momento em silêncio. — Você contou pra eles o que você acha?

— Não — respondeu ela.

— Não faça isso. De qualquer maneira, você está errada.

Ela ficou calada.

— Haveria uma batalha — falei. — Eles teriam que tentar me pegar e eu não ia pegar leve. As pessoas se machucariam. O Richard, talvez.

Ela olhou para mim e perguntou:

— Você está *barganhando* comigo?

Abanei a cabeça novamente e disse:

— Estou te avisando. Sou um sobrevivente.

Ela deu um sorriso amargo.

— Você não tem a menor ideia — comentou ela. — Seja você quem for, está muito mais enrolado do que imagina. É melhor fugir agora.

— Sou só um cara — afirmei. — Não tenho nada pra esconder deles.

O vento balançou o carro. Não dava para ver nada além de granito e árvores. Estávamos a quilômetros do ser humano mais próximo.

— O meu marido é um criminoso — afirmou ela.

— Já percebi isso — falei.

— Ele é um homem cruel — afirmou Elizabeth. — Ele pode ser violento e ele é sempre implacável.

— Mas ele não é o próprio chefe — instiguei.

— Não — respondeu ela. — Não é. Ele é um homem cruel que literalmente treme na frente da pessoa que *é* o chefe dele.

Fiquei calado.

— As pessoas usam uma expressão — disse ela. — Perguntam: por que coisas ruins acontecem com pessoas boas? Mas no caso do meu marido, coisas ruins estão acontecendo com uma pessoa ruim. Irônico, não é? Mas são coisas ruins, *sim*.

— A quem o Duke pertence?

— Ao meu marido — respondeu ela. — Mas o Duke é tão ruim quanto o Paulie, do jeito dele. Eu não saberia dizer quem é pior. Ele foi um policial corrupto, um agente federal corrupto e assassino. Já foi preso.

— Ele é o único?

— Na folha de pagamento do meu marido? Bom, ele tinha dois guarda-costas. Eram dele. Ou estavam designados pra ele, de qualquer maneira. Mas eles foram mortos, é claro. Em frente à faculdade. Pelos homens de Connecticut. Então sim, o Duke é o único agora. Com exceção do mecânico, é claro. Mas ele é só um técnico.

— Quantos o outro cara tem?

— Não tenho certeza. Eles vêm e vão.

— O que exatamente eles estão importando?

Ela desviou o olhar e disse:

— Se você não é do governo, então eu acho que você não está interessado nisso.

Segui o olhar dela na direção das árvores distantes. *Pensa, Reacher.* Aquilo podia ser um elaborado jogo de confissão planejado para me fazer descer ralo abaixo. Podiam estar todos juntos naquilo. A mão do cara do portão no peito da esposa seria um preço pequeno para que Beck conseguisse uma informação crucial. E eu acredito em jogos de confissão elaborados. Tinha que acreditar. Eu mesmo estava levando um a cabo.

— Não sou do governo — afirmei.

— Então estou desapontada — repetiu ela.

Engatei a marcha. Fiquei com o pé no freio.

— Pra onde? — perguntei.

— Você acha que eu estou preocupada pra onde a gente vai, porra?

— Você quer tomar um café?

— Café? — perguntou ela. — Claro. Vai pro sul. Vamos ficar bem longe de Portland hoje.

Fiz uma curva para o sul na Rota 1, a pouco menos de dois quilômetros da I-95. Era uma estrada antiga e agradável, como as estradas costumavam ser. Passamos por um lugar chamado Old Orchard Beach. Ele tinha calçadas de tijolos impecáveis e postes vitorianos. Placas apontavam para a praia à esquerda. Havia desbotadas bandeiras da França. Imaginei que canadenses do Quebec tinham passado férias ali antes de as passagens aéreas baratas para a Flórida e o Caribe mudarem suas preferências.

— Por que você estava do lado de fora ontem à noite? — Elizabeth Beck me perguntou.

Fiquei calado.

— Você não tem como negar — insistiu ela. — Você acha que eu não te vi?

— Você não reagiu — falei.

— Eu estava em modo Paulie — argumentou ela. — Me treino para não reagir.

Fiquei calado.

— O seu quarto estava trancado — afirmou ela.

— Saí pela janela — revelei. — Não gosto de ficar trancado.

— O que você fez depois?

— Dei um passeio. Como eu pensei que você estivesse fazendo.

— Depois você voltou escalando lá pra dentro?

Respondi que sim com um gesto de cabeça. Fiquei calado.

— O muro é o seu grande problema — afirmou ela. — Tem as luzes e o arame farpado, obviamente, mas tem sensores também, no chão. O Paulie ia te escutar a trinta metros de distância.

— Eu só estava tomando um ar — me defendi.

— Não tem sensores debaixo do caminho que vai do portão até a casa — afirmou ela. — Não conseguiram fazer com que funcionassem debaixo do asfalto. Mas tem uma câmera no chalé. E tem um detector de movimento no portão. Você sabe o que é NSV?

— É uma metralhadora de tanque soviética — respondi.

— O Paulie tem uma — entregou ela. — Ele a deixa do lado da porta. Disseram pra ele usar essa arma se ouvir o alarme do detector de movimento.

Inspirei e expirei. A NSV tem mais de um metro e meio de comprimento e pesa mais de 25 quilos. Os cartuchos dela têm quatro polegadas e meia de comprimento e meia polegada de espessura. Ela pode disparar doze por segundo. Não possui trava de segurança. A combinação de Paulie e NSV não era uma ideia divertida para ninguém,

— Mas eu acho que você nadou — disse ela. — Dá pra sentir o cheio do mar na sua camisa. Muito vagamente. Você não se enxugou direito depois que voltou.

Passamos por uma placa que indicava a entrada para uma cidade chamada Saco. Encostei e parei novamente. Carros e caminhões passavam lamuriando por nós.

— Você deu uma sorte incrível — afirmou ela. — Aquele lugar ali tem umas águas muito turbulentas. Contracorrentes fortes. Mas acredito que você entrou por trás das garagens. Nesse caso você as evitou por uns três metros.

— Eu não trabalho no governo — reafirmei.

— Não?

— Você não acha que está arriscando pra cacete, não? — falei. — Digamos que eu não seja exatamente o que aparento ser. Só como suposição. Digamos que sou de uma organização rival, por exemplo. Você não vê o risco? Você acha que volta viva pra casa? Falando essas coisas que está falando?

Ela desviou o olhar.

— Então eu acho que esse vai ser o teste — disse ela. — Se você é do governo, não vai me matar. Se não for, vai.

— Sou só um cara — repeti. — Você pode arrumar confusão pra mim.

— Vamos achar um café — disse ela. — Saco é uma cidadezinha legal. Todos os donos de moinho moravam lá, muito tempo atrás.

Acabamos em uma ilha no meio do rio Saco. Havia uma enorme construção de tijolos nela que tinha sido um moinho gigante, muito antes. Agora estava sendo gentrificado e se transformando em centenas de escritórios e lojas. Achamos uma cafeteria com fachada de vidro e cromada chamado *Café Café*. Não era um nome muito bom. Um trocadilho em francês, imaginei. Mas só o cheiro valia a viagem. Ignorei os lattes e as coisas aromatizadas e espumantes e pedi café normal, quente, sem açúcar, grande. Depois me virei para Elizabeth Beck. Ela abanou a cabeça.

— Você fica — disse ela. — Decidi ir fazer compras. Sozinha. Encontro você aqui de novo em quatro horas.

Fiquei calado.

— Não preciso da sua permissão — disse ela. — Você é só o meu motorista.

— Não tenho dinheiro — falei.

Ela tirou vinte dólares da bolsa e me deu. Paguei o café e o levei para uma mesa. Ela veio comigo e me viu sentar.

— Quatro horas — repetiu ela. — Talvez um pouquinho mais, mas não menos. Caso você tenha que fazer alguma coisa.

— Não tenho nada pra fazer — afirmei. — Sou só o seu motorista.

Ela me olhou. Fechou o zíper da bolsa. O espaço ao redor da minha mesa era apertado. Ela se contorceu um pouco para pôr a alça da bolsa corretamente no ombro, dobrou-se levemente ao meio como um canivete para evitar encostar na mesa e derramar o café. De repente, um *clunck*, como plástico batendo no chão. Olhei para baixo. Algo tinha caído de baixo de sua saia. Ela olhou para ele e lentamente seu rosto virou uma profunda sombra vermelha. Ela se abaixou, pegou o negócio e o ficou segurando com força na mão. Foi se apoiando até a cadeira em frente a mim como se toda sua força tivesse desaparecido. Como se estivesse absolutamente humilhada. Estava segurando um pager. Era um retângulo de plástico preto um pouco menor do que o meu dispositivo de e-mail. Ela olhou para o equipamento. O vermelho-claro em seu pescoço espalhava-se até entrar pelo suéter. Ela falou num sussurro baixo e lastimável:

— Ele me obriga a carregar ali — disse ela. — Dentro da minha calcinha. Ele gosta, como diz, que o equipamento exerça o efeito correto quando vibra. Confere se está ali toda vez que passo pelo portão. Normalmente tiro e coloco na bolsa depois. Mas eu não queria fazer isso, você entende, desta vez, com você olhando.

Fiquei calado. Ela se levantou. Piscou duas vezes, respirou fundo e engoliu em seco.

— Quatro horas — disse ela mais uma vez. — Caso você tenha que fazer alguma coisa.

Depois foi embora. Eu a observei se afastar. Ela virou para a esquerda na porta e desapareceu. *Um elaborado jogo de confissão?* Era possível que eles pudessem tentar armar para mim com a história dela. Que ela carregasse um pager na calcinha para respaldar a história. Que ela balançasse para que ele caísse no momento certo. Tudo possível. Mas o impossível era ela fabricar um rubor intenso bem no momento correto. Ninguém consegue fazer isso. Nem mesmo a melhor atriz no auge de suas habilidades conseguia fazer aquilo. Ou seja, a história de Elizabeth Beck era verdadeira.

De qualquer maneira, não deixei inteiramente de me precaver. Minha guarda estava muito arraigada para que eu fizesse isso. Terminei meu café como uma pessoa inocente com todo o tempo do mundo. Depois perambulei pelo shopping e fiz curvas aleatórias para a esquerda e para a direita até ter certeza de que estava sozinho. Em seguida voltei à cafeteria e comprei outro café. Peguei emprestada a chave do banheiro e me tranquei lá dentro. Sentei na beira da privada e tirei o sapato. Havia uma mensagem de Duffy: *Por que o interesse no verdadeiro nome de Teresa Daniel?* Ignorei-a e mandei: *Onde você está ficando?* Noventa segundos depois ela respondeu: *O que você comeu no café da manhã no primeiro dia em Boston?* Sorri. Duffy era uma mulher prática. Estava preocupada com a possibilidade de o meu dispositivo de e-mail estar comprometido. Estava fazendo uma pergunta de segurança. Enviei: *porção pequena de panquecas com ovo, café, três dólares de gorjeta, comi tudo.* Qualquer resposta diferente dessa e ela correria para o carro. Noventa segundos depois ela respondeu: *Lado oeste da Rota 1, cem metros ao sul do rio Kennebunk.* Calculei que ficava a uns quinze quilômetros. Enviei: *Te vejo em dez minutos.*

Levei uns quinze minutos, pois tive que voltar para o carro e pelejar pelo trânsito, onde a Rota 1 afunilava para atravessar Saco. Mantive um olho no retrovisor por todo o caminho e não vi nada com que me preocupar. Atravessei o rio e avistei um motel à minha direita. Era um lugar cinza-claro agradável que imitava uma fileira de *saltboxes* típicas da Nova Inglaterra. Era abril e não estava muito movimentado. Vi o Taurus em que eu tinha sido passageiro quando saímos de Boston estacionado perto do quarto da ponta. Era o único sedan básico. Parei o Cadillac a trinta metros, atrás de uma cabana de madeira que escondia um grande tanque de propano. Não fazia sentido deixá-lo visível para todo mudo que passava pela Rota 1.

Voltei caminhando, bati na porta uma vez, Susan Duffy a abriu e nos abraçamos. Aconteceu automaticamente. Aquilo me pegou completamente de surpresa. Acho que a ela também. Provavelmente não teríamos feito aquilo se pensássemos primeiro. Mas acho que ela estava ansiosa, eu, estressado e aquilo simplesmente aconteceu. E a sensação foi muito boa. Ela era alta, mas magra. Minha mão se estendeu quase inteiramente sobre as costas de Duffy e senti suas costelas cederem um pouco. Estava com um cheiro bom e puro. Sem perfume. Somente pele recentemente saída do banho.

— O que você sabe sobre a Teresa? — perguntou nela.

— Tá sozinha? — perguntei.

Ela fez que sim e completou:

— Os outros estão em Portland. A alfândega informou que um barco do Beck chega hoje.

Nós nos afastamos. Entramos no quarto.

— O que eles vão fazer? — perguntei.

— Só observação — disse ela. — Não se preocupe, eles são bons nisso. Ninguém vai vê-los.

Era um quarto bem genérico. Uma cama queen, uma cadeira, uma mesa, uma TV, uma janela, um ar-condicionado de parede. A única coisa que o distinguia de outros cem mil quartos de hotel de beira de estrada era a sua cor azul e cinza e cópias de fotos náuticas na parede. O que lhe dava um inconfundível sabor da costa da Nova Inglaterra.

— O que você sabe sobre a Teresa? — perguntou ela novamente.

Contei sobre o nome entalhado no chão do quarto do porão. E a data. Duffy me encarou. Depois fechou os olhos.

— Ela está viva — afirmou Susan. — Obrigada.

— Ela estava viva ontem — falei.

Duffy abriu os olhos e comentou:

— Você acha que ela está viva hoje?

Fiz que sim com um gesto de cabeça e opinei:

— Acho que as chances são muito boas. Eles a querem pra alguma coisa. Por que mantê-la viva durante nove semanas e matá-la agora?

Duffy ficou calada.

— Acho que só a mudaram de lugar — continuei. — Só isso. É a minha melhor suposição. A porta estava trancada de manhã, ela foi embora à noite.

— Você acha que a estão tratando bem?

Não contei a ela o que Paulie gostava de fazer com Elizabeth Beck. Ela já tinha muita coisa com que se preocupar.

— Acho que ela riscou o nome com um garfo — informei. — E havia um prato com bife e batatas largado lá ontem à noite, como se a tivessem tirado de lá com tanta pressa que esqueceram de falar com a cozinheira. Então eu acho que provavelmente a estão alimentando. Acho que ela é uma prisioneira, só isso.

— Para onde devem ter levado a Teresa?

— Acho que o Quinn está com ela — respondi.

— Por quê?

— Porque me parece que o que estamos vendo aqui é uma organização sobreposta sobre outra. O Beck é um bandido com certeza, mas alguém pior está usurpando o poder dele.

— Tipo um esquema corporativo?

— Exatamente — concordei. — Uma usurpação hostil. O Quinn colocou o pessoal dele na operação do Beck. Ele está sugando o sujeito feito um parasita.

— Mas por que tirariam a Teresa de lá?

— Precaução — respondi.

— Por sua causa? Como anda a preocupação deles?

— Estão um pouco preocupados — falei. — Acho que estão tirando coisas de lá e as escondendo.

— Mas não te confrontaram ainda?

— Eles ainda não têm muita certeza sobre mim.

— Então por que estão assumindo o risco com você?

— Porque eu salvei o garoto.

Ela assentiu. Ficou em silêncio. Parecia um pouco cansada. Supus que não tinha dormido nada desde meu pedido por um carro à meia-noite. Estava de calça jeans e camisa social masculina. A camisa era de um branco puro e estava impecavelmente ensacada dentro da calça. Os dois botões de cima estavam desabotoados. Mocassins envolviam seus pés nus. O termostato do quarto estava no máximo aquecimento. Havia um laptop na mesa, ao lado do telefone, que era tipo um console todo coberto com botões para discagem rápida. Vi o número e o memorizei. O laptop estava plugado com um adaptador complexo a um transmissor de dados embutido na base do telefone. Havia um protetor de tela nele. Era o escudo do Departamento de Justiça, vagando pela tela. Toda vez que atingia a beirada ele quicava e seguia em outra direção, como nos jogos de tênis de videogames antigos. Não tinha som.

— Você já viu o Quinn? — perguntou ela.

Neguei com a cabeça.

— Sabe onde ele opera?

Neguei de novo e expliquei:

— Na verdade, eu não vi nada. Com exceção de que os registros deles são codificados e de que têm uma frota de distribuição bem pequena pra transportar o que aparentam transportar. Talvez os clientes é que façam a coleta.

— Isso seria insanidade — disse ela. — Eles não mostrariam aos clientes a base de operações. Na verdade, já sabemos que eles não fazem isso. O Beck se encontrou com o traficante de Los Angeles em um estacionamento, lembra?

— Talvez eles marquem encontros em lugares neutros. Para efetivarem as vendas. Algum lugar ali perto, no nordeste.

Ela assentiu e perguntou:

— Como você viu os registros deles?

— Fui ao escritório ontem à noite. Por isso eu queria o carro.

Ela foi até a mesa, sentou-se e tocou no touchpad do laptop. O protetor de tela desapareceu. Meu último e-mail apareceu por baixo dele:

Te vejo em dez minutos. Ela acessou a pasta Excluídos e clicou em uma mensagem de Powell, o PE que havia me traído.

— Nós rastreamos aqueles nomes pra você — disse ela. — O Angel Doll cumpriu oito anos em Leavenworth por estupro. Era pra ter sido prisão perpétua por estupro e assassinato, mas a promotoria fez merda. Ele era técnico em telecomunicações. Estuprou uma tenente-coronel e a deixou morrer com uma hemorragia interna. Não é um cara muito bacana.

— É um cara muito morto.

Ela apenas olhou para mim.

— Ele conferiu a placa do Maxima — contei. — Me confrontou. Grande erro. Ele foi a primeira baixa.

— Você o matou?

Fiz que sim com um gesto de cabeça e expliquei:

— Quebrei o pescoço dele.

Ela ficou calada.

— Opção dele — falei. — Estava prestes a comprometer a missão.

Ela estava pálida.

— Você está bem? — perguntei.

Ela desviou o olhar e falou:

— Na verdade, não estava esperando baixas.

— Provavelmente vamos ter mais. Pode se acostumar.

Ela olhou para mim de novo. Respirou fundo. E concordou.

— Certo — disse ela. Depois ficou em silêncio por um momento. — Desculpa pelas placas. Foi um erro.

— Alguma coisa sobre o Paulie?

Ela rolou a tela e falou:

— O Doll tinha um chegado em Leavenworth chamado Paul Masserella, um fisiculturista que tinha pegado oito anos por agredir um oficial. O advogado dele alegou que foi raiva causada por esteroides. Tentou culpar o Exército por não monitorar o que ele ingeria.

— O que ele ingeria está espalhado por tudo quanto é lugar agora.

— Você acha que é o mesmo Paulie?

— Deve ser. Ele me disse que não gosta de oficiais. Acabei de dar uma bicuda no rim dele. Um que teria matado você ou o Eliot. Ele nem se abalou.

— O que ele vai fazer sobre isso?

— Não gosto nem de pensar.

— Tudo bem pra você voltar?

— A mulher do Beck sabe que sou um impostor.

Ela me encarou e perguntou:

— Como?

Dei de ombros e falei:

— Talvez ela não *saiba*. Talvez ela só queira que eu seja. Talvez esteja tentando se convencer.

— Ela está espalhando isso?

— Ainda não. Ela me viu fora da casa ontem à noite.

— Você não pode voltar.

— Eu não desisto.

— Você também não é idiota. A situação agora está fora de controle.

Concordei com um gesto de cabeça, mas retruquei:

— Só que a decisão é minha.

Ela abanou a cabeça e corrigiu:

— A decisão é nossa, em conjunto. Você depende do nosso suporte.

— A gente precisa tirar a Teresa de lá. Precisamos mesmo, Duffy. Ficar lá é uma situação muito escrota pra ela.

— Posso mandar equipes da SWAT pra buscá-la. Agora que você confirmou que ela está viva.

— Não sabemos onde ela está agora.

— Ela é minha responsabilidade.

— E o Quinn é minha.

Ela ficou calada.

— Você não pode mandar equipes da SWAT — disse. — Você está agindo por debaixo dos panos. Pedir uma equipe da SWAT é a mesma coisa que pedir pra ser demitida.

— Estou preparada pra ser demitida, se tiver que chegar a esse ponto.

— Você não está sozinha — continuei. — Seis outros caras seriam demitidos junto com você.

Ela ficou calada.

— E eu vou voltar de qualquer jeito — afirmei. — Porque eu quero o Quinn. Com ou sem você. Então me use.

— O que o Quinn *fez* com você?

Fiquei calado. Ela permaneceu em silêncio por um longo momento.

— A sra. Beck falaria com a gente? — indagou ela.

— Não quero perguntar a ela — respondi. — Fazer essa pergunta é a mesma coisa que confirmar a suspeita. Não tenho como ter certeza aonde isso pode levar.

— O que você faria se voltasse?

— Seria promovido — respondi. — Essa é a chave. Preciso pegar o serviço do Duke. Aí vou ser o cara ao lado do Beck. Assim consigo algum tipo de contato com o lado do Quinn. É disso que eu preciso. Estou trabalhando no escuro sem isso.

— Precisamos progredir — falou ela. — Precisamos de provas.

— Eu sei.

— Como você vai ser promovido?

— Do mesmo jeito que qualquer pessoa é promovida — respondi.

Ela não fez comentário sobre o que eu disse. Voltou à *Caixa de Entrada*, levantou e se afastou até a janela para observar a paisagem. A luz atrás dela atravessava a camisa. O cabelo estava penteado para trás, e alguns centímetros dele esbarravam no colarinho. Parecia um penteado de quinhentos dólares para mim, mas imagino que com o salário da DEA ela mesma o tinha cortado. Ou pedido a uma amiga para cortar para ela. Eu conseguia visualizá-la em uma cadeira posicionada no meio da cozinha de alguém, com uma toalha velha ao redor do pescoço, interessada em seu visual, mas não o suficiente para gastar muita grana num salão da cidade.

A bunda dela estava espetacular na calça jeans. Dava para ver a etiqueta atrás. *Cintura 60. Perna 80.* Isso fazia com que o comprimento da perna dela fosse doze centímetros menor do que a minha, o que eu estava disposto a aceitar. Mas uma cintura trinta centímetros menor do que a minha era ridículo. Eu praticamente não tinha gordura no corpo. Tudo o que eu tinha ali eram os órgãos essenciais, firmes e compactos. Ela devia ter versões miniatura. Quando vejo uma cintura daquelas, só o que quero fazer é rodeá-la com as mãos e me maravilhar com ela. Talvez enterrar minha cabeça em algum lugar um pouco mais acima. Não podia dizer qual seria a sensação disso com ela a não ser que se virasse. Mas a minha suspeita era de que seria uma sensação deliciosa.

— Qual é o perigo que corremos agora? — perguntou ela. — Avaliação realista.

— Não tenho como dizer — respondi. — Muitas variáveis. A sra. Beck está se baseando em intuição, só isso. Talvez em um pouco de desejo de que o que imagina seja verdade. Ela não tem nenhuma prova concreta. Em termos de prova concreta, acho que estou tranquilo. Ou seja, mesmo que a sra. Beck fale com alguém, tudo vai depender se eles levam a intuição de uma mulher à serio ou não.

— Ela te viu do lado de fora da casa; isso é prova concreta.

— Mas de quê? De que sou agitado?

— Esse cara, o Doll, foi morto enquanto você não estava trancado.

— Eles vão partir do princípio de que eu não atravessei o muro. E não vão achar o Doll. De jeito nenhum. Não a tempo.

— Por que eles tiraram a Teresa de lá?

— Precaução.

— A situação agora está fora de controle — repetiu ela.

Dei de ombros, ainda que ela não pudesse ver o gesto.

— Esse tipo de coisa está sempre fora do controle. É o que se deve esperar. Nada funciona do jeito que você prevê. Todo plano desmorona no momento em que o primeiro tiro é disparado.

Ela ficou em silêncio. Virou-se.

— O que você vai fazer agora — perguntou.

Fiquei em silêncio por um breve momento. A luz ainda estava atrás dela. *Sensação deliciosa.*

— Vou tirar uma soneca — falei.

— Quanto tempo você tem?

Olhei meu relógio e respondi:

— Umas três horas.

— Está cansado?

Fiz que sim com um gesto de cabeça e completei:

— Fiquei acordado a noite inteira, nadando, a maior parte do tempo.

— Você atravessou o muro nadando? — espantou-se ela. — Talvez você seja *mesmo* um idiota.

— Você também está cansada? — perguntei.

— Muito. Estou trabalhando muito há semanas.

— Então tira uma soneca comigo — falei.

— Não me parece certo. A Teresa está em perigo em algum lugar.

— De qualquer maneira, eu não posso ir ainda — expliquei. — Não até a sra. Beck estar pronta.

Ela ficou em silêncio por um tempinho e alegou:

— Mas só tem uma cama.

— Isso não é um problemão — contestei. — Você é magra. Não vai ocupar muito espaço.

— Isso não seria correto — disse ela.

— A gente não precisa se *enfiar* na cama — argumentei. — Podemos ficar deitados por cima.

— Um do lado do outro?

— Totalmente vestidos — falei. — Não vou tirar nem o sapato. Ela ficou calada.

— Não é contra a lei — argumentei.

— Talvez seja — disse ela. — Alguns estados têm estatutos antigos bem esquisitos. O Maine pode ser um deles.

— Tenho outros estatutos do Maine com que me preocupar.

— Não neste exato minuto.

Sorri. Depois bocejei. Sentei na cama e deitei de costas. Rolei para o meu lado, saí do meio e enfiei os braços debaixo da cabeça. Fechei os olhos. Senti Susan de pé ali, minuto após minuto. Depois a senti deitando ao meu lado. Ela se mexeu um pouco. Depois se aquietou. Mas estava tensa. Eu conseguia sentir. Estava vindo das molas do colchão, minúsculas vibrações de preocupação em alta-frequência.

— Não entra em pânico — falei. — Estou cansado demais pra isso.

★ ★ ★

Só que eu não estava. O problema começou quando ela se mexeu suavemente e encostou a bunda na minha. Foi um contato muito fraco, mas ela também deve ter me plugado em uma tomada de energia. Abri os olhos e fiquei olhando para a parede, tentando descobrir se ela estava dormindo e tinha se mexido involuntariamente ou se tinha feito aquilo de propósito. Passei alguns minutos pensando nisso. Mas acho que perigo mortal é afrodisíaco porque me peguei errando para o lado do otimismo. Só que eu não tinha certeza sobre que reação aquilo requeria. Qual era a etiqueta correta? Decidi me movimentar uns centímetros e firmar a conexão. Achei que isso colocaria a bola de volta na quadra. Agora era ela que ia pelejar com a interpretação.

Nada aconteceu durante um minuto inteiro. Eu estava a ponto de ficar desapontado, quando ela mexeu de novo. Agora a conexão estava sólida para cacete. Se eu não pesasse 113 quilos, ela teria me empurrado para fora da colcha brilhante. Eu tinha certeza de que conseguia sentir os rebites nos bolsos de trás dela. *Minha vez.* Disfarcei com um som parecido com o de quem está sonolento e rolei de maneira que nos encaixássemos como conchinhas e o meu braço encostasse acidentalmente no ombro dela. Seu cabelo estava no meu rosto. Era macio e tinha cheiro de verão. O algodão da camisa era áspero. Ela mergulhava para dentro da cintura de Duffy, depois o jeans da calça descia pelos quadris. Olhei para baixo com os olhos semicerrados. Ela tinha tirado o sapato. Dava para ver a sola dos pés dela. Depois os dedinhos, todos alinhados.

Foi a vez de ela fazer um som de sonolência. Eu tive certeza absoluta de que era falso. Ela foi se aninhando para trás até estar pressionada contra mim de cima para baixo. Pus a mão na parte de cima do braço dela, depois fui baixando até sentir o cotovelo e pousei no pulso. A ponta do meu dedinho estava debaixo da cintura de sua calça. Ela fez outro som. Muito provavelmente falso. Segurei minha respiração. A bunda dela estava pressionada na minha virilha. Meu coração dava solavancos. Minha cabeça rodopiava. De jeito nenhum eu conseguiria resistir. De jeito nenhum mesmo. Era um daqueles momentos insanos conduzidos pelos hormônios e pelo qual eu teria arriscado oito anos em Leavenworth. Deslizei minha mão para cima e segurei o seio. Depois disso, as coisas saíram completamente do controle.

★ ★ ★

Ela era daquelas mulheres muito mais bonitas nuas do que vestidas. Nem todas são, mas ela era. Tinha um corpo de matar. Ela não era bronzeada, mas a pele não era pálida. Era macia como seda, mas não era translúcida. Era muito magra, mas não dava para ver os ossos. Era alta, e era esbelta. Era feita para aqueles maiôs que têm cavas laterais bem altas. Tinha seios pequenos e firmes, perfeitamente moldados. Seu pescoço era comprido e delgado. Tinha belas orelhas, tornozelos, joelhos e ombros. Tinha uma pequena cavidade na parte debaixo da garganta. Estava muito ligeiramente úmida.

Também era forte. Eu devia ter uns sessenta quilos a mais, mas ela acabou comigo. A juventude, eu acho. Devia ter uns dez anos a menos. Me deixou exausto, o que a fez sorrir. Ela tinha um sorriso lindo.

— Lembra do meu quarto no hotel em Boston? — perguntei. — O jeito que você sentou na cadeira. Eu te desejei naquele exato momento.

— Eu só estava sentada numa cadeira. Não existe um *jeito* de fazer aquilo.

— Não se iluda.

— Lembra do Freedom Trail? — perguntou ela. — Quando você me contou do penetrador? Eu quis *você* naquele exato momento.

Sorri.

— Era parte de um contrato de defesa de um bilhão de dólares — comentei. — Então eu fico feliz que este cidadão aqui em particular tenha ganhado algo com aquilo.

— Se o Eliot não estivesse comigo, eu teria feito ali mesmo no parque.

— Tinha uma mulher alimentando os pássaros.

— A gente podia ter ido pra trás de um arbusto.

— O Paul Revere podia ter visto a gente — falei.

— Ele cavalgava a noite inteira — disse ela.

— Eu não sou Paul Revere.

Ela sorriu de novo. Senti seu rosto no meu ombro.

— Satisfeito, velhote? — perguntou ela.

— Não falei isso, exatamente.

— O perigo é afrodisíaco, não é? — instigou ela.

— Acho que é.

— Então você admite que está em perigo?

— Estou em perigo de ter um ataque cardíaco.

— Você não devia voltar mesmo.

— Estou em perigo de não ser capaz de voltar.

Ela sentou na cama. A gravidade não tinha efeito algum na perfeição dela.

— Estou falando sério, Reacher — insistiu.

Eu sorri para ela e comentei:

— Vai ficar tudo bem comigo. Dois ou três dias mais. Vou achar a Teresa, aí vou achar o Quinn, depois vou embora.

— Só se eu deixar.

Assenti e falei:

— Os dois guarda-costas.

Ela fez o mesmo gesto de cabeça que eu e explicou:

— Por isso que você precisa que eu te avise quando terá que finalizar a operação. Pode esquecer qualquer possibilidade de fazer algo heroico. Com ou sem você, é o caralho. Se soltarmos aqueles caras, você fica a um telefonema de ser um homem morto.

— Onde eles estão agora?

— No primeiro hotelzinho, lá em Massachusetts. Onde a gente planejou tudo. Os caras do Toyota e do carro da faculdade estão tomando conta deles.

— Estão pegando pesado, eu espero.

— Muito.

— São horas de distância — falei.

Ela abanou a cabeça e argumentou:

— Pela estrada. Não pelo telefone.

— Você quer a Teresa de volta.

— Quero — disse ela. — Mas eu estou no comando.

— Você é tarada por controle.

— Não quero que nada de ruim aconteça com você, só isso.

— Nunca acontece nada de ruim comigo.

Ela se abaixou e passou a ponta dos dedos nas cicatrizes do meu corpo. Peito, barriga, braços, ombros, testa.

— Você tem muitos estragos pra uma pessoa com quem nunca acontece nada de ruim.

— Sou estabanado — brinquei. — Eu caio muito.

Ela se levantou e caminhou até o banheiro, nua, graciosa, completamente desinibida.

— Volta logo — intimei.

Mas ela não voltou logo. Ficou no banheiro um tempão e quando saiu estava de roupão. Seu rosto tinha mudado. Parecia um pouco constrangido. Um pouco pesaroso.

— A gente não podia ter feito isso — disse ela.

— Por que não?

— Não foi profissional.

Ela olhou direto para mim. Eu concordei com um aceno de cabeça. Achei mesmo que não tinha sido profissional.

— Mas foi divertido — falei.

— A gente não devia ter feito isso.

— Somos adultos. Vivemos em um país livre.

165

— Foi só um consolo. Porque nós dois estamos estressados e tensos.

— Não tem nada tão errado assim nisso.

— Vai complicar as coisas — alegou ela.

Eu neguei com a cabeça.

— Não se nós não deixarmos. Isso não significa que a gente vai ter que casar ou coisa do tipo. Não devemos nada um pro outro por causa disso.

— Gostaria mesmo que não devêssemos.

— Estou feliz por termos feito isso. Acho que se a gente sente que uma coisa é certa, temos que fazer.

— Essa é a sua filosofia?

Desviei o olhar.

— É a voz da experiência — corrigi. — Uma vez eu falei não quando queria ter dito sim e sobrevivi para me arrepender.

Ela abraçou com força o roupão ao redor do corpo.

— Eu me senti bem — confessou ela.

— Eu também — falei.

— Mas temos que esquecer isso agora. Aconteceu o que aconteceu e pronto, tá?

— Tá — concordei.

— E você devia pensar muito bem nessa história de voltar.

— Tá — repeti.

Deitei na cama e pensei em como era o sentimento de falar não quando se queria dizer sim. No geral, falar sim vinha sendo melhor, e eu não tinha arrependimentos. Duffy estava quieta. Era como se estivéssemos esperando algo acontecer. Tomei um longo banho e me vesti no banheiro. Tínhamos falado tudo o que queríamos a essa altura. Não havia nada mais a se dizer. Ambos sabíamos que eu voltaria. Gostei do fato de que ela não tinha realmente tentado me impedir. Gostava do fato de que éramos ambos pessoas focadas e práticas. Estava amarrando o sapato quando um e-mail chegou para ela. O laptop fez *ping*, como um sino agudo abafado. Como um micro-ondas quando a comida está pronta. Nenhuma voz artificial falando *Você tem mensagem!*. Eu saí do banheiro, ela sentou em frente ao computador e clicou num botão.

— Mensagem do meu escritório — disse ela. — Os registros apresentam onze ex-policiais suspeitos chamados Duke. Fiz a solicitação ontem. Quantos anos ele tem?

— Uns 40 — respondi.

Ela movimentou a barra de rolagem para percorrer a lista.

— O sujeito é do sul? — perguntou ela. — Do norte?

— Do sul ele não é — respondi.

— O que mais? — perguntou ela.

— A sra. Beck falou que ele também foi agente federal.

Ela baixou mais um pouco a barra de rolagem.

— John Chapman Duke — escolheu ela. — Ele foi o único que virou agente federal depois. Começou em Minneapolis como patrulheiro depois foi detetive. Objeto de três investigações pelo departamento de Assuntos Internos. Inconclusivo. Depois ele se juntou a nós.

— DEA? — perguntei. — Sério?

— Não, me referi ao governo federal — consertou ela. — Ele foi para o Departamento do Tesouro.

— Pra fazer o quê?

— Não fala. Mas foi acusado depois de três anos. Por algum tipo de corrupção. Mais suspeita de múltiplos homicídios, nenhuma prova concreta de verdade. De qualquer maneira, ele ficou preso por quatro anos.

— Descrição?

— Branco, mais ou menos do seu tamanho — informou ela. — Mas na foto ele estava um pouco mais feio.

— É ele — afirmei.

Ela rolou a tela um pouco mais. Leu o restante do relatório.

— Toma cuidado — alertou ela. — Parece que esse cara não é flor que se cheire.

— Não se preocupa — falei. Pensei em dar um beijo de despedida nela à porta. Mas não dei. Imaginei que ela não ia querer. Corri para o Cadillac.

Eu estava de volta à cafeteria e quase no final do meu segundo café quando Elizabeth Beck apareceu. Ela não tinha nada que demonstrasse ter feito compras. Nenhum pacote, nenhuma sacola espalhafatosa. Supus que ela sequer tinha entrado em alguma loja. Andara à toa durante quatro horas para deixar o cara do governo fazer o que ele tinha que fazer. Levantei a mão. Ela me ignorou e foi direto ao balcão. Comprou um café longo com leite e o levou até a minha mesa. Eu tinha decidido o que ia contar a ela.

— Eu não trabalho no governo — afirmei.

— Então estou desapontada — disse ela pela terceira vez.

— Como poderia? — questionei. — Eu matei um policial, lembra?

— Lembro — respondeu ela.

— Gente do governo não faz esse tipo de coisa.

— Podem fazer — discordou ela. — Por acidente.

— Mas eles não fugiriam depois — retruquei. — Eles iriam ficar e encarar as consequências.

Ela ficou quieta e permaneceu assim por um longo tempo. Bebericava seu café lentamente.

— Estive lá umas oito, dez vezes — disse ela. — Lá onde é a faculdade. Eles fazem eventos para as famílias dos alunos de vez em quando. E eu tentava estar lá no início e final de todos os semestres. Em um verão, eu até aluguei um caminhãozinho de mudança e o ajudei a trazer as coisas para casa.

— E?

— É uma faculdade pequena — respondeu ela. — Mesmo assim, no primeiro dia do semestre ela fica muito movimentada. Muitos pais, muitos alunos, SUVs, carros, vans, trânsito para todo lado. Nos dias das famílias é pior ainda. E você quer saber de uma coisa?

— O quê?

— Nunca vi um policial da cidade lá. Nenhuma vez. Com certeza não um detetive à paisana.

Olhei pela janela para o movimento do shopping.

— Suponho que deve ter sido só uma coincidência — disse ela. — Uma manhã qualquer numa terça-feira de abril, início do dia, quase nada acontecendo, e tem um detetive esperando bem no portão sem nenhum motivo óbvio.

— O que você está querendo dizer? — perguntei.

— Que você deu um azar terrível — disse ela. — Qual é a probabilidade?

— Eu não trabalho no governo — reafirmei.

— Você tomou banho — disse ela. — Lavou o cabelo.

— Tomei?

— Dá pra ver e eu consigo sentir o cheiro. Sabonete barato, xampu barato.

— Fui a uma sauna.

— Você não tem dinheiro. Eu te dei vinte dólares. Você comprou pelo menos dois cafés. Isso ia te deixar com uns quatorze dólares.

— Era uma sauna barata.

— Deve ter sido.

— Sou só um cara — falei.

— E estou desapontada por isso.

— Parece que você quer que o seu marido seja capturado.

— Eu quero.

— Ele iria pra prisão.

— Ele já vive numa prisão. E ele merece. Mas estaria mais livre em uma prisão real do que onde está agora. E não ia ficar lá pra sempre.

— Você pode ligar pra alguém. Não precisa esperar que venham até você.

Ela abanou a cabeça e justificou:

— Isso seria suicídio. Pra mim e pro Richard.

— Do mesmo jeito que seria suicídio se você falasse sobre mim assim em frente de qualquer outra pessoa. Lembre-se: eu arrasto um monte de gente comigo. As pessoas se machucariam. Você e o Richard, talvez.

Ela sorriu e cutucou:

— Barganhando comigo de novo?

— Alertando você de novo — falei. — Jogo aberto.

— Eu sei como manter minha boca fechada — disse ela e depois provou sua afirmação, pois não disse mais nenhuma palavra. Terminamos o café em silêncio e voltamos ao carro. Não conversamos. Eu a levei pra casa, para o nordeste, completamente incerto sobre estar carregando uma bomba-relógio ou dando as costas para a única ajuda interna que poderia conseguir.

Paulie esperava atrás do portão. Ele devia estar observando da janela, e depois tomou posição assim que avistou o carro ao longe. Diminuí a velocidade, parei e ele me encarou. Em seguida encarou Elizabeth.

— Me dá o pager — falei.

— Não posso — negou ela.

— Me dá, anda — ordenei.

Paulie tirou a corrente e puxou o portão. Elizabeth abriu a bolsa e me entregou o pager. Deixei o carro descer e abaixei o vidro da minha janela. Parei emparelhado com o lugar em que Paulie estava esperando para fechar o portão novamente.

— Dá uma olhada nisto — gritei.

Com o braço levantado, arremessei o pager em frente ao carro. Joguei com a mão esquerda. Foi fraco e sem muita técnica. Mas deu para o gasto. O retângulo preto de plástico girou no ar e aterrissou bem no centro do caminho, a uns cinco metros na frente do carro. Paulie observou a trajetória dele e ficou paralisado quando viu o que era.

— Ei — reclamou ele.

Ele foi atrás do pager. Eu fui atrás de Paulie. Meti o pé no acelerador, os pneus cantaram e o carro deu um salto para a frente. Mirei a ponta direita do para-choque na lateral do joelho esquerdo dele. Cheguei bem perto. Mas era incrível o quanto ele era rápido. Catou o pager no asfalto, deu um pulo para trás e eu errei por trinta centímetros. O carro passou direto por ele. Não diminuí. Continuei acelerando e o observando pelo retrovisor, de pé por onde eu tinha passado, me encarando em meio à fumaça azul do pneu que se elevava ao seu redor. Eu estava desapontadíssimo. Se tivesse que lutar com um cara que tinha noventa quilos a mais do que eu, ficaria muito mais feliz se ele tivesse sido aleijado antes. Ou, pelo menos, se ele não fosse tão *rápido*.

Parei na rotatória e deixei Elizabeth Beck à porta da frente. Depois guardei o carro e estava a caminho da cozinha quando Zachary Beck e John Chapman Duke saíram me procurando. Estavam agitados e andavam rápido. Tensos e irritados. Pensei que fossem me abordar pelo lance com Paulie. Mas não era isso.

— O Angel Doll está desaparecido — disse Beck.

Fiquei quieto. O vento soprava do oceano na nossa direção. O swell preguiçoso tinha ido embora, e as ondas estavam tão altas e barulhentas quanto na primeira noite. Gotículas borrifavam no ar.

— A última coisa que ele fez foi falar com você — disse Beck. — Depois ele trancou tudo, foi embora e não foi visto desde então.

— O que ele queria com você? — perguntou Duke.

— Não sei — respondi.

— Não sabe? Você ficou lá dentro cinco minutos.

— Ele me levou de volta pro escritório do depósito.

— E?

— E nada. Ele já ia me falar alguma coisa, mas o celular dele tocou.

— Quem era?

Dei de ombros e falei:

— Como é que eu vou saber? Alguma coisa urgente. Ele ficou falando no telefone os cinco minutos. Estava fazendo com que eu e vocês perdêssemos tempo, então eu simplesmente desisti e sai de lá.

— O que ele estava conversando ao telefone?

— Não escutei — respondi. — Não parecia educado.

— Ouviu algum nome? — perguntou Beck.

Virei-me para ele. Abanei a cabeça e completei:

— Nome nenhum. Mas eles se conheciam. Isso era óbvio. O Doll ficou escutando um tempão. Acho que estava recebendo instruções sobre alguma coisa.

— Sobre o quê?

— Não faço ideia — falei.

— Algo urgente?

— Acho que sim. Pareceu que ele tinha me esquecido. Nem tentou me impedir quando fui embora.

— Isso é tudo o que você sabe?

— Imagino que devia ter sido algum tipo de plano — inventei. — Instruções pro dia seguinte, talvez.

— Hoje?

— Só estou supondo — falei dando de ombros novamente. — Foi uma conversa em que a outra pessoa falou muito mais.

— Maravilha — disse Duke. — Grande ajuda a sua.

Beck lançou o olhar para o oceano e disse:

— Então ele atendeu uma ligação urgente no celular, trancou tudo e foi embora. Isso é tudo que você tem a contar pra gente?

— Eu não vi o Doll trancar o lugar — falei. — E não o vi indo embora. Ele ainda estava no telefone quando saí.

— É óbvio que ele trancou — disse Beck. — E é obvio que ele foi embora. Estava tudo perfeitamente normal hoje de manhã.

Fiquei calado. Beck virou noventa graus e ficou de frente para o leste. O vento vinha do oceano e colava as roupas dele ao corpo. As pernas da calça se agitavam como bandeiras. Ele moveu os pés, arrastando a sola do sapato no cascalho, como se tentando aquecê-los.

— Não precisamos disso agora — disse ele. — Não precisamos *mesmo*. Temos um fim de semana importante pela frente.

Fiquei calado. Eles se viraram juntos, voltaram para casa e me deixaram ali, sozinho.

Eu estava cansado, mas não descansaria. Isso estava claro. Havia um alvoroço no ar, e a rotina que eu tinha visto nas duas noites anteriores tinha ido para o inferno. Não havia comida na cozinha. Nada de jantar. A cozinheira não estava lá. Escutei pessoas movendo-se no saguão. Duke entrou na cozinha, passou por mim e saiu pela porta dos fundos. Carregava uma bolsa esportiva azul da Nike. Eu o segui até lá fora, parei, fiquei observando do canto da casa e o vi ir para a segunda garagem. Cinco minutos depois ele deu ré no Lincoln e saiu. Trocara as placas. No meu passeio da noite anterior, ele tinha placas de seis dígitos do Maine. Agora ele estava com uma de sete dígitos, de Nova York. Voltei lá para dentro e procurei café. Encontrei a cafeteira, mas não consegui achar filtro de papel. Conformei-me com um copo de água. Eu estava quase bebendo quando Beck entrou. Ele também carregava uma bolsa esportiva. A maneira como forçava as alças e o barulho que fazia quando ela batia na perna dele me disseram que estava cheia de metal pesado. Armas, provavelmente, talvez duas.

— Pega o Cadillac — disse ele. — Agora. Me pega lá na frente.

Ele tirou as chaves do bolso e as jogou na mesa à minha frente.

Depois ele se agachou, abriu o zíper da bolsa e pegou duas placas de Nova York e uma chave de fenda. Entregou-as a mim.

— Coloca isso nele primeiro.

Vi armas na bolsa. Duas Heckler & Koch MP5Ks, curtas, encorpadas e pretas, com grandes punhos bulbosos. Futurísticas, como acessórios de filmes.

— Aonde a gente vai? — perguntei.

— Vamos seguir o Duke até Hartford, Connecticut — informou ele. — Temos negócios lá, lembra?

Ele fechou o zíper da bolsa, levantou-a e levou de volta para o saguão. Fiquei parado por um segundo. Depois levantei meu copo de água e brindei com a parede vazia à minha frente.

— Às guerras sangrentas e doenças incapacitantes — falei comigo mesmo.

7

EIXEI O RESTO DA ÁGUA NA COZINHA E SAÍ EM DIREÇÃO às garagens. O crepúsculo se insinuava no horizonte oceânico, 150 quilômetros a leste. O vento soprava forte, e as ondas batiam com força na encosta. Parei de andar e me virei de maneira espontânea. Não vi mais ninguém ali. Então abaixei ao lado do muro do pátio para ficar fora de vista, encontrei meu embrulho, deixei as placas falsas e a chave de fenda nas pedras e desembrulhei as duas armas. A Glock de Duffy foi para o bolso direito do meu casaco. A PSM de Doll foi para o esquerdo. Enfiei os pentes sobressalentes da Glock nas meias. Arrumei o trapo, peguei as placas e a chave de fenda e regressei para a entrada do pátio.

O mecânico estava ocupado na terceira garagem. Na vazia. As portas estavam escancaradas, e ele colocava óleo nas dobradiças. O lugar atrás estava ainda mais limpo do que quando eu o tinha visto de noite. Estava imaculado. O chão tinha sido lavado com mangueira. Dava para ver as poças que se formavam à medida que secava. Cumprimentei o cara com um gesto de cabeça, e ele fez o mesmo. Abri a garagem da esquerda. Agachei, desparafusei a placa do Maine, a tirei da traseira do

Cadillac e substituí pela de Nova York. Mesma coisa na frente. Deixei as placas antigas e a chave de fenda no chão, entrei e dei a partida. Saí de ré, depois dei a volta até a rotatória. O mecânico me observou sair.

Beck me aguardava lá. Ele mesmo abriu a porta de trás e jogou a bolsa esportiva no banco. Escutei as armas se mexendo lá dentro. Ele fechou a porta de trás novamente e entrou na frente ao meu lado.

— Vai — disse ele. — Pega a I-95 no sentido sul até Boston.

— Precisamos abastecer — falei.

Paulie aguardava ao portão. Seu rosto estava todo contorcido de raiva. Era um problema que não duraria muito mais. Ele cravou os olhos em mim. Virou a cabeça para a esquerda e para a direita e manteve os olhos em mim o tempo todo que passou abrindo o portão. Ignorei o cara e atravessei com o carro. Não olhei para trás. *Longe dos olhos, longe da mente* era a maneira como eu queria conduzir aquilo, no que se referia a ele.

O oeste da estrada costeira estava completamente vazio. Estávamos na rodovia em vinte minutos. Eu estava me acostumando a dirigir o Cadillac. Era um carro bacana. Macio e silencioso, só que consumia combustível até dizer chega. Com certeza. Era preocupante o quanto o marcador despencava. Quase dava para vê-lo se mexer. Pelo que eu me lembrava, o primeiro posto era o que ficava ao sul de Kennebunk. O lugar onde eu tinha me encontrado com Duffy e Eliot a caminho de New London. Chegamos a ele em quinze minutos. Tive a sensação de que me era muito familiar. Passei pelo estacionamento onde tínhamos arrombado a van e segui na direção das bombas. Beck ficou calado. Saí e enchi o tanque. Demorou bastante. Sessenta e oito litros. Coloquei a tampa no lugar, Beck abaixou o vidro e me entregou um maço de grana.

— Sempre compre combustível com dinheiro — orientou ele. — É mais seguro.

Fiquei com o troco, que era um pouco mais de quinze pratas. Concluí que tinha esse direito. Não tinham me pagado ainda. Voltei à estrada e me preparei para a viagem. Estava cansado. Nada pior do que quilômetro atrás de quilômetro numa estrada isolada quando se está cansado. Beck seguia quieto ao meu lado. Primeiro, pensei que só estivesse mal-humorado. Ou tímido, talvez inibido. Depois percebi que era nervosismo. Imaginei que ele não estivesse totalmente confortável a caminho da batalha. Eu estava. Principalmente porque tinha certeza de que não encontraríamos ninguém contra quem lutar.

— Como está o Richard? — perguntei a ele.

— Está ótimo — respondeu Beck. — Ele tem força interior. É um bom filho.

— É? — falei, porque eu precisava falar alguma coisa. Precisava que ele falasse pra me manter acordado.

— Ele é muito leal. Um pai não pode pedir mais do que isso.

Beck ficou em silêncio novamente, e eu lutei para continuar acordado, dez quilômetros, quinze.

— Você já lidou com traficantes pequenos? — perguntou ele.

— Não — respondi.

— Eles têm algo singular — comentou ele.

E não falou mais nada durante dezenove quilômetros. Depois retomou a conversa como se tivesse passado o tempo todo caçando um pensamento elusivo.

— Eles são completamente dominados pela moda — disse ele.

— São? — perguntei, como se estivesse interessado. Não estava, mas ainda precisava que ele falasse.

— É claro que as drogas de laboratório são coisas da moda — continuou ele. — Na verdade, os clientes deles são tão ruins quanto eles. Não consigo nem me manter atualizado sobre as coisas que vendem. Toda semana é um nome esquisito novo.

— O que é droga de laboratório?

— Droga feita em laboratório — respondeu ele. — Um negócio manufaturado, químico. Diferente do que cresce naturalmente no chão.

— Tipo maconha?

— Ou heroína — disse ele. — Ou cocaína. Esses produtos são naturais. Orgânicos. São refinados, obviamente, mas não são criados num béquer.

Fiquei calado. Só lutava para manter os olhos abertos. O carro estava quente demais. É necessário ar frio quando se está cansado. Mordi o lábio superior para me manter acordado.

— O esquema da moda infecta tudo que eles fazem — disse ele. — Tudo mesmo. Calçado, por exemplo. Esses caras que estamos procurando hoje à noite, toda vez que eu os vi eles estavam com um calçado diferente.

— O quê? Tipo tênis?

— Claro, como se eles jogassem basquete pra sobreviver. Uma vez eles estavam com Reeboks de duzentos dólares, novinhos, tinham acabado de tirar da caixa. Quando encontrei os sujeitos outra vez, Reeboks eram totalmente inaceitáveis, tinha que ser Nike ou alguma coisa assim. *Air*-isso, *air*-aquilo. Aí de repente tem que ser bota Caterpillar ou Timberland. Couro, depois gore-tex, depois couro de novo. Preto, depois aquele amarelo tipo bota de obra. Sempre com o cadarço desamarrado. Depois voltam pro tênis de corrida, só que tem que ser Adidas, com as listrinhas. Duzentos, trezentos dólares cada. Sem motivo. É insano.

Fiquei calado. Continuei dirigindo, com as pálpebras escancaradas e os olhos ardendo.

— Você sabe o porquê disso? — indagou ele. — Por causa de dinheiro. Eles têm tanto dinheiro que não sabem o que fazer com ele. Jaquetas, por exemplo. Você já viu as jaquetas que eles usam? Numa semana tem que ser North Face, toda brilhante e fofa, estufada, cheia de pena de ganso, não interessa se é inverno ou verão, porque esses caras só saem à noite. Na semana seguinte, o brilhante já era. Talvez ainda esteja tudo bem se for North Face, mas agora tem que ser microfibra. Depois são as jaquetas de couro, lã com manga de couro. Cada estilo dura mais ou menos uma semana.

— Doideira — falei, porque tinha que falar alguma coisa.

— É o dinheiro — reafirmou ele. — Não sabem o que fazer com ele, então trocam só por trocar. Isso infecta tudo. Armas também, é claro. Como esses caras em particular. Eles gostavam de Heckler & Koch MP5Ks. Agora eles têm Uzis, de acordo com o que você falou. Está entendendo o que estou querendo dizer? Com esses caras, até as armas são coisas da moda, a mesma coisa que os tênis ou as jaquetas. Ou o produto do momento; é tudo cíclico. As demandas deles mudam o tempo todo, em todas as áreas. Até os carros. Eles gostam mais dos japoneses, que são a moda vinda da Costa Oeste, eu acho. Mas numa semana é Toyota, na semana seguinte, Honda. Depois vem o Nissan. O Nissan Maxima era o grande favorito uns dois ou três anos atrás. Tipo o que você roubou. Depois é o Lexus. É uma mania. Relógio também. Eles estão usando Swatch, depois são Rolex. Não veem a diferença. Loucura total. É claro, estando no mercado, falando como fornecedor, não estou reclamando. Obsolescência de mercado é o que nós almejamos, mas às vezes é um pouco rápido demais. Fica difícil acompanhar.

— Então você está no mercado?

— Qual é o seu palpite? — perguntou ele. — Você pensou que eu era contador?

— Achei que você fosse importador de tapetes.

— Eu sou — afirmou ele. — Importo um monte de tapetes.

— Hum.

— Mas isso é basicamente uma fachada — disse ele. Depois riu. — Você acha que não tem que tomar precauções hoje em dia vendendo calçados esportivos pra pessoas como aquelas?

Ele continuou rindo. Havia muita tensão nervosa ali. Segui dirigindo. Ele se acalmou. Olhou pela janela lateral, olhou pelo para-brisa. Começou a falar de novo, como se isso servisse ao propósito dele tanto quanto ao meu.

— Você usa tênis? — perguntou ele.

— Não — respondi.

— Porque eu estou procurando alguém pra explicar isso pra mim. Não tem diferença racional entre Reebok e Nike, tem?

— Eu não sei dizer.

— Eles provavelmente são feitos na mesma fábrica. Em algum lugar lá no Vietnã. Provavelmente são o mesmo calçado até colocarem a logo neles.

— Talvez — falei. — Eu realmente não sei dizer. Nunca fui atleta. Nunca usei esse tipo de calçado.

— Tem diferença entre um Toyota e um Honda?

— Eu não sei dizer.

— Por que não?

— Por que eu nunca tive POV.

— O que é POV?

— Um *privately owned vehicle*, ou seja, um carro particular — falei. — No Exército era o nome que davam pra um Toyota ou um Honda. Ou Nissan ou Lexus.

— Então o que é que você *sabe*?

— Sei a diferença entre um Swatch e um Rolex.

— Tá. Qual é a diferença?

— Não existe — respondi. — Os dois dizem a hora.

— Isso não é resposta.

— Sei a diferença entre uma Uzi e uma Heckler & Koch.

Ele ficou de lado no banco e disse:

— Bom. Ótimo. Explica pra mim. Por que esses caras iriam dispensar as Heckler & Kochs em favor das Uzis?

O Cadillac seguia zumbindo. Dei de ombros ao volante. Lutei para conter um bocejo. Era uma pergunta sem sentido. Os caras de Hartford não tinham dispensado as MP5Ks em favor das Uzis. Não de verdade. Eliot e Duffy não tinham consciência da arma da moda em Hartford assim como não tinham consciência de que Beck sabia tudo de Hartford, era só isso, então eles deram Uzis para a equipe deles, provavelmente porque foram as mais fáceis de arranjar.

Mas teoricamente era uma pergunta muito boa. A Uzi é uma arma muito, muito boa. Um pouco pesada, talvez. Não tinha a cadência de tiro mais rápida do mundo, o que podia ter importância para algumas pessoas. O cano não era muito raiado, o que comprometia um pouquinho a precisão. Por outro lado, era muito confiável, muito simples, totalmente segura, e é possível usar um pente de quarenta balas nela. Uma arma muito boa. Mas qualquer segunda linha da Heckler & Koch MP5 é uma arma melhor. Disparam a mesma munição mais rápido e com mais força. Elas são muito, muito precisas. Tão precisas quanto alguns fuzis, em algumas mãos. Muito confiáveis. Melhor em todos os sentidos. Um design excelente de 1970 em comparação a um design excelente de 1950. Não é válido em todos os campos, mas, em relação à artilharia militar, moderno é melhor, sempre.

— Não tem por quê — respondi. — Não faz sentido pra mim.

— Exatamente — disse Beck. — É um esquema de moda. É um capricho arbitrário. É uma compulsão. Mantém o negócio de todo mundo, mas deixa todo mundo doido também.

O celular dele tocou. Ele o puxou do bolso, pegou no ar e atendeu falando o nome, curto e grosso. E com um pouco de nervosismo. *Beck.* Pareceu uma tosse. Ele escutou durante muito tempo. Fez a pessoa que estava ligando repetir um endereço e como chegar a ele, depois desligou e pôs o telefone de volta no bolso.

— Era o Duke — informou ele. — Ele fez algumas ligações. O pessoal que estamos querendo não está em lugar nenhum em Hartford. Mas parece que eles têm um sítio mais pro sudeste. Ele acha que é lá que se entocaram. Então é pra lá que a gente vai.

— O que a gente vai fazer quando chegar lá?

— Nada espetacular — disse Beck. — Não precisamos fazer um estardalhaço. Nada pomposo, nada extravagante. Numa situação dessas, sou a favor de simplesmente matar todo mundo. Pra dar a impressão de inevitabilidade, sabe? Mas casual. Só pra mostrar que, se você mexe comigo, a punição com certeza é rápida e certeira, mas sem deixar a impressão de que eu estava arrancando os cabelos pela situação toda.

— Você perde clientes desse jeito.

— Eu posso substituí-los. Tenho filas enormes de gente. Essa é a parte boa nesse negócio. A lei da oferta e procura é totalmente inclinada na direção da procura.

— Você mesmo é que vai executar o serviço?

Ele negou com a cabeça e disse:

— É pra isso que servem você e o Duke.

— Eu? Achei que eu ia só dirigir.

— Você já eliminou dois deles. Alguns a mais não vão te incomodar.

Abaixei o ar quente um nível e me ocupei em manter os olhos abertos. *Guerras sangrentas*, falei comigo mesmo.

Demos a volta em metade de Boston e depois ele me falou para acelerar na direção sudoeste pela Mass Pike e depois pegar a I-84. Percorremos mais quase cem quilômetros, o que levou mais ou menos uma hora. Ele não queria que eu dirigisse muito rápido. Não queria chamar a atenção. Com placas falsas e uma bolsa cheia de armas automáticas no banco de trás, ele não queria envolver a polícia rodoviária. Fazia sentido. Dirigia como um robô. Não dormia havia quarenta horas. Mas não me arrependia por ter dispensado a soneca no quarto de motel de Duffy. Estava muito satisfeito pelo tempo que tinha passado lá, mesmo que ela não estivesse.

— Próxima saída — disse ele.

Naquele lugar, a I-84 atravessava a cidade de Hartford inteirinha. Havia nuvens baixas e as luzes da cidade deixavam-nas laranja. A saída levava a uma estrada larga que estreitava após pouco menos de dois quilômetros, seguia para o sudeste e enfiava-se pelo campo. Estava um breu na nossa frente. Depois de algumas lojinhas de material de pesca, de cerveja, de peças de moto, todas fechadas, não havia absolutamente nada com exceção das silhuetas escuras das árvores.

— Pega a próxima à direita — disse ele, oito minutos depois.

Virei numa estrada menor. O asfalto era ruim e cheio de curvas. Escuridão em toda parte. Eu tinha que me concentrar. Não queria voltar dirigindo.

— Continua — disse ele.

Percorremos uns treze ou quatorze quilômetros mais. Não tinha a menor ideia de onde estávamos.

— Ok — falou ele. — Daqui a pouco a gente deve ver o Duke esperando aí na frente.

Dois quilômetros depois, o farol atingiu a placa de trás de Duke. Ele estava estacionado no acostamento, inclinado onde a estrada transformava-se numa vala.

— É só parar atrás dele.

Estacionei com a frente colada na traseira dele e coloquei no ponto morto. Eu queria dormir. Cinco minutos teriam feito muita diferença para mim. Mas Duke abriu a porta, desceu do carro assim que nos identificou e foi apressado até a janela de Beck, que baixou o vidro. Duke se inclinou e colocou a cabeça para dentro.

— O sítio deles fica daqui a três quilômetros — informou ele. — Depois de uma estradinha comprida em curva à esquerda. Não passa de um caminho de terra. A gente pode ir até a metade de carro, se formos com calma, devagar e sem luz. Vamos ter que andar o resto do caminho.

Beck ficou calado. Apenas levantou a janela de novo. Duke voltou para o carro. Ele saiu sacolejando do acostamento e endireitou o Lincoln na estrada. Eu o segui pelos três quilômetros. Apagamos os faróis a uns cem metros da estradinha e fizemos a curva, entrando devagar. Havia um pouco de luar. O Lincoln sacolejava e gingava à medida que se arrastava sobre os sulcos. O Cadillac fazia o mesmo, sem sincronismo, subindo quando o Lincoln estava para baixo, se contorcendo para a direita quando o Lincoln serpenteava para a esquerda. Diminuímos a velocidade até ficarmos a passo de lesma. Usei a aceleração do motor para ficarmos a centímetros de distância. As luzes de freio de Duke brilharam com força, e ele parou abruptamente. Parei atrás. Beck retorceu no banco, puxou a bolsa esportiva pelo vão entre nós e abriu o zíper com ela no colo. Passou-me uma das MP5Ks com dois pentes sobressalentes de trinta balas.

— Execute o serviço — ordenou.

— Você vai ficar esperando aqui?

Ele assentiu. Desmontei a arma e a conferi. Remontei-a, meti uma bala na câmara e acionei a trava de segurança. Coloquei os pentes sobressalentes nos bolsos com muito cuidado para que não fizessem barulho ao encostarem na Glock e na PSM. Saí devagar do carro. Levantei-me e respirei o ar frio da noite. Era um alívio. Ele me acordou. Senti cheiro de um lago ali perto, de árvores, bolor de folhas no chão. Conseguia escutar uma pequena cachoeira ao longe, e os silenciosos canos de descarga do carro estalando enquanto esfriavam. Uma brisa gentil passava pelas árvores. Além disso, não havia nada para escutar. Apenas silêncio absoluto.

Duke esperava por mim. Enxerguei tensão e impaciência na postura. Ele já tinha feito aquilo. Isso era nítido. Estava igualzinho a um policial veterano antes de uma batida importante. Um nível de familiaridade com a rotina misturado com uma percepção aguçada de que duas situações nunca são iguais. Estava com uma Steyr na mão, com o comprido pente de trinta balas nela. Ele se projetava muito além do cabo, tornava a arma maior e mais feia do que nunca.

— Vamos nessa, cuzão — sussurrou ele.

Fiquei um metro e meio atrás dele, andando do outro lado da estradinha, como um soldado de infantaria. Eu tinha que ser convincente, como se estivesse preocupado em abordar um alvo composto por um grupo de pessoas. Eu sabia que o lugar estaria vazio, mas ele, não.

Continuamos andando, fizemos uma curva e vimos a casa diante de nós. Havia uma luz acesa em uma janela. Ligada a um timer de segurança, provavelmente. Duke diminuiu a velocidade e parou.

— Está vendo a porta? — sussurrou ele.

Olhei para a penumbra. Vi uma pequena varanda. Apontei para ela.

— Você espera na entrada — sussurrei de volta para ele. — Vou checar a janela iluminada.

Ele ficou satisfeito com a sugestão e a aceitou. Fomos até a varanda. Ele parou lá, aguardou, eu me separei dele e dei a volta na direção da janela. Joguei-me no chão e me arrastei os últimos três metros pela terra. Levantei a cabeça até o peitoril e espiei lá dentro. Havia uma lâmpada de baixa voltagem em um abajur de mesa com cúpula de plástico amarela. Os sofás e poltronas eram surrados. Cinza fria de um fogo antigo se espalhava pela lareira. Painéis de pinho nas paredes. Nenhuma pessoa.

Eu me arrastei de volta até o feixe de luz deixar Duke me ver e apontei dois dedos em V debaixo dos olhos. Código visual padrão usado por identificadores de franco-atiradores que significa *eu vi*. Depois mostrei a mão aberta, com todos os dedos estendidos. *Vi cinco pessoas*. Depois fiz uma série de gestos complicados que deviam ter indicado a disposição deles e o armamento. Eu sabia que Duke não os entenderia. Eu também não os entendia. Isso porque eu sabia que não tinham absolutamente nenhum significado. Eu nunca tinha sido identificador de franco-atirador. Mas o esquema todo parecia muito bom, profissional, clandestino e determinado.

Arrastei-me de volta três metros mais, depois levantei e andei silenciosamente até me juntar a ele à porta.

— Eles estão apagados — sussurrei. — Bêbados ou chapados. Se a gente entra de supetão, voltamos pra casa numa boa.

— Armas?

— Um monte, mas nenhuma ao alcance — respondi e apontei para a varanda. — Parece que vai ter um corredor de entrada curto do outro lado. Porta exterior, porta interior, depois o corredor de entrada. Você vai pela esquerda eu, pela direita. A gente espera lá no corredor de entrada. Derrubamos os caras quando eles saírem da sala pra ver o que é que está fazendo barulho.

— Você está me dando ordens agora?

— Eu fiz o reconhecimento.

— Só não fode tudo, cuzão.

— Nem você.

— Eu nunca fodo tudo — afirmou ele.

— Tá — falei.

— Estou falando sério. Se você entrar no meu caminho, vou ficar mais do que satisfeito em te derrubar com o resto desses caras sem pestanejar.

— Estamos no mesmo lado aqui.

— Ah, é? Acho que estamos prestes a descobrir.

— Relaxa — falei.

Ele ficou parado. Tenso. Gesticulou a cabeça no escuro.

— Eu chuto a porta de fora, você chuta a de dentro. Tipo pular carniça — coordenou ele.

— Certo — repeti. Desviei o olhar e sorri. Igualzinho a um policial veterano. Se eu chuto a porta de dentro, ele pularia lá dentro primeiro e eu seria o segundo, e o segundo cara é aquele que geralmente é baleado, dado o tempo normal de reação do inimigo.

— Tirando as travas de segurança — sussurrei.

Coloquei a Heckler & Koch no sistema de tiro único e ele virou a trava da Steyr para a direita. Fiz um gesto positivo de cabeça, ele fez o mesmo e chutou a porta de fora. Eu estava ombro a ombro com ele, adiantei-me e chutei a porta de dentro sem perdermos o ritmo. Ele passou por mim, pulou para a esquerda, eu o segui e fui para a direita. Ele era bom. Fazíamos um bom time. Estávamos agachados numa posição perfeita antes mesmo de as portas terem parado de balançar em suas dobradiças. Ele olhava para a entrada da sala diante de nós. Segurava firme a Steyr com as duas mãos, os braços esticados, olhos bem abertos. Respirava fundo. Quase ofegante. Enfrentava um momento de muito perigo da melhor maneira que conseguia. Saquei a PSM de Doll do bolso. Segurei-a com a mão esquerda e destravei-a, arrastei-me pelo chão e pressionei-a contra a orelha dele.

— Fica quietinho — mandei. — E faça uma escolha. Vou te fazer uma pergunta. Só uma. Se você mentir ou se recusar a responder, te dou um tiro na cabeça. Entendeu?

Ele ficou numa imobilidade perfeita durante cinco segundos, seis, oito, dez. Olhava desesperadamente para a porta à frente.

— Não se preocupa, *cuzão* — falei. — Não tem ninguém aqui. Eles foram todos presos na semana passada. Pelo governo.

Ele estava imóvel.

— Você entendeu o que eu falei antes? Sobre a pergunta?

Ele fez que sim, de modo hesitante, sem jeito, com a arma ainda pressionada com força na orelha.

— Você responde, senão te dou um tiro na cabeça. Entendido?

Ele fez que sim novamente.

— Ok, aí vai — falei. — Está pronto?

Ele fez que sim, desta vez com um único movimento de cabeça.

— Onde está a Teresa Daniel? — perguntei.

Houve um longo silêncio. Ele virou um pouco na minha direção. Acompanhei com a mão para manter o cano da PSM no lugar. A compreensão surgiu lentamente nos olhos dele.

— Nos seus sonhos — respondeu ele.

Atirei na cabeça dele. Só desencostei o cano da orelha e disparei uma vez, com a mão esquerda, na têmpora direita. O som foi ensurdecedor no escuro. Sangue e cérebro e lascas de osso atingiram a parede do outro lado. O fogo do cano queimou o cabelo dele. Depois dei um *double-tap*, com a Heckler & Koch na mão direita, no teto, e outro com a PSM, na mão esquerda, no chão. Coloquei a HK no disparo automático, levantei e a esvaziei no corpo dele. Peguei a Steyr no lugar em que ela tinha caído e detonei o teto uma vez atrás da outra, quinze tiros rápidos, *bam, bam, bam, bam,* metade do pente. O corredor de entrada ficou instantaneamente cheio de fumaça amarga, lascas de madeira e reboco voando para todo lado. Troquei o pente da HK e atirei nas paredes, de todos os lados. O barulho era ensurdecedor. Estojos cuspidos pela arma voavam, quicavam e choviam por todo o lugar. A HK começou a dar pequenos estalos depois que o pente esvaziou e eu disparei o restante da munição da PSM na parede do corredor de entrada, abri a porta para a sala iluminada com uma bicuda e explodi o abajur com a Steyr. Vi uma mesinha de canto, a joguei pela janela e gastei o segundo pente sobressalente da HK acertando as árvores ao longe enquanto atirava no chão com a Steyr na mão esquerda até ela também começar a dar pequenos estalos por estar vazia. Em seguida empilhei em meus braços a Steyr, a HK, a PSM e disparei a correr com a minha cabeça zumbindo como um sino. Eu tinha disparado 128 tiros em mais ou menos quinze segundos. Eles tinham me ensurdecido. Deviam ter soado como a Terceira Guerra Mundial para Beck.

Saí correndo pela estradinha. Estava tossindo e deixando um rastro de fumaça que parecia uma nuvem. Beck já tinha pulado para o banco do motorista do Cadillac. Ele me viu chegando e abriu a porta alguns centímetros. Mais rápido do que usar a janela.

— Emboscada — falei. Eu estava sem fôlego e conseguia escutar minha própria voz alta dentro da cabeça. — Eram pelo menos uns oito.

— Cadê o Duke?

— Morto. A gente tem que ir. *Agora*, Beck.

Ele ficou paralisado por um segundo. Depois se mexeu.

— Pega o carro dele — ordenou Beck.

Ele já estava com o Cadillac andando. Meteu o pé, fechou a porta com força, deu ré pela estradinha e saiu de vista. Pulei no Lincoln.

Liguei-o. Engatei a marcha a ré, coloquei um cotovelo no encosto do banco, olhei pela janela de vidro de trás e acelerei. Nós disparamos de ré na estrada um depois do outro, viramos os carros e aceleramos de novo para o norte lado a lado como se estivéssemos em um racha. Cantávamos pneu pelas curvas, lutávamos com as curvas e permanecíamos na faixa dos 110 quilômetros por hora. Não diminuímos a velocidade até chegarmos à estrada que nos levaria de volta a Hartford. Beck avançava à minha frente, e eu colei nele e o segui. Ele percorreu oito quilômetros em alta velocidade, entrou numa loja de bebidas e parou atrás do estacionamento. Parei a dez metros dele, encostei no banco e deixei que ele viesse até mim. Estava cansado demais para sair. Ele deu a volta no capô do Cadillac e abriu minha porta com um puxão.

— Era uma emboscada? — perguntou ele.

Fiz que sim com um gesto de cabeça e expliquei:

— Estavam esperando a gente. Oito pessoas. Talvez mais. Foi um massacre.

Ele ficou calado. Não havia nada a ser dito. Peguei a Steyr de Duke no banco ao meu lado e a entreguei a ele.

— Recuperei isso — falei.

— Por quê?

— Achei que você fosse querer que eu fizesse isso. Achei que ela pudesse ser rastreável.

— Não é. Mas foi bem pensado — disse ele, aprovando com um gesto de cabeça.

Entreguei a ele a HK também. Ele caminhou de volta até o Cadillac e eu o observei colocar as duas armas na sacola. Depois ele voltou. Fechou as duas mãos e as apertou na direção do céu negro. Depois na minha.

— Viu algum rosto? — interrogou ele.

— Escuro demais — respondi abanando a cabeça. — Mas a gente acertou um dos caras. Ele deixou isso cair.

Entreguei-lhe a PSM. Era como lhe dar um soco na boca do estômago. Ele ficou pálido, esticou uma mão e apoiou no teto do Lincoln.

— O que foi? — perguntei.

Ele desviou o olhar e disse:

— Não acredito.

— O quê?

— Você acertou alguém e a pessoa deixou isto cair?

— Acho que foi o Duke que acertou.

— Você viu acontecer?

— Só sombras — falei. — Estava escuro. Um monte de clarões por causa dos disparos. O Duke estava atirando, acertou uma sombra e isso estava no chão quando saí.

— Essa aí é a arma do Angel Doll.

— Você tem certeza?

— Aposto um milhão que é. Sabe o que é isso?

— Nunca vi uma.

— É uma pistola especial da KGB — informou ele. — Da antiga União Soviética. Muito rara aqui neste país.

Em seguida, Beck foi se afastando e adentrando lentamente na escuridão do lote. Fechei os olhos. Queria dormir. Cinco segundos teriam feito diferença.

— Reacher — chamou ele. — Que provas você deixou?

Abri os olhos.

— O corpo do Duke — respondi.

— Isso não vai levar ninguém a lugar nenhum. Balística?

Sorri no escuro. Imaginei os cientistas forenses do departamento de polícia de Hartford tentando entender as trajetórias. Paredes, pisos, telhados. Chegariam à conclusão de que o corredor de entrada estava cheio de dançarinos de discoteca armados.

— Um monte de balas e estojos.

— Irrastreáveis — disse ele.

Ele imergiu ainda mais na escuridão. Fechei meus olhos de novo. Não tinha deixado nenhuma digital. Nenhuma parte de mim tinha encostando em parte alguma da casa, com exceção das solas dos meus sapatos. E eu não tinha dado nenhum tiro com a Glock de Duffy. Tinha ouvido falar algo sobre um registro central em algum lugar que arquivava dados sobre marcas das raias no cano da arma. Talvez a Glock dela fizesse parte dele. Mas eu não a havia usado.

— Reacher — chamou ele. — Me leva pra casa.

Abri os olhos.

— E este carro? — questionei em voz alta.

— Abandona aqui.

Bocejei, forcei meu corpo a se mover e usei a ponta do meu casaco para limpar o volante e tudo em que havia encostado. A Glock que eu não tinha usado quase caiu do meu bolso. Beck não notou. Ele estava tão preocupado que eu podia tê-la pegado e rodado na ponta do dedo igual ao Sundance Kid que ele não teria percebido. Limpei a maçaneta da porta, depois me abaixei, peguei as chaves as limpei e arremessei no matagal na beirada do lote.

— Vamos embora — falou Beck.

Ele ficou em silêncio até estarmos a cinquenta quilômetros a nordeste de Hartford. Então ele começou a falar. Passou o tempo organizando tudo aquilo na cabeça.

— O telefonema ontem — começou. — Eles estavam elaborando o plano. O Doll estava trabalhando com eles o tempo todo.

— Desde quando?

— Desde o início?

— Não faz sentido — discordei. — O Duke foi pro sul e pegou o número da placa da Toyota. Depois você o entregou pro Doll e pediu pra ele rastreá-la. Mas por que o Doll ia te falar a verdade sobre o que descobriu? Se eles fossem parceiros dele, o Doll ia ter dado um fim naquilo, com certeza. Te desviado deles. Te deixado no escuro.

Beck deu um sorriso de superioridade.

— Não — discordou ele. — Eles estavam armando uma emboscada. Era esse o motivo da ligação. Foi uma boa improvisação da parte deles. O esquema do sequestro falhou, então eles mudaram de tática. Deixaram o Doll nos mostrar a direção certa. Para que a ação de hoje à noite pudesse acontecer.

Assenti lentamente, como se estivesse cedendo ao ponto de vista dele. A melhor maneira de arrematar uma promoção iminente é deixar que pensem que você é um pouco mais burro do que eles. Já tinha funcionado comigo antes, três vezes seguidas, no Exército.

— O Doll sabia mesmo o que é que você estava planejando pra hoje à noite? — perguntei.

— Sabia — respondeu ele. — Estávamos todos discutindo isso, ontem. Detalhadamente. Quando você nos viu conversando, no escritório.

— Então ele armou pra você.

— Isso mesmo — concordou ele. — Ele trancou tudo ontem, depois saiu de Portland e foi de carro até lá pra esperar com eles. Contou pra eles quem estava indo, quando e por quê.

Fiquei calado. Apenas pensei no carro do Doll. Estava a pouco menos de dois quilômetros do escritório de Beck. Comecei a achar que devia tê-lo escondido melhor.

— Mas há uma grande questão — disse Beck. — Foi *só* o Doll?

— Ou?

Ele ficou em silêncio. Depois deu de ombros.

— Ou mais alguém do pessoal que trabalha com ele — disse Beck.

Aqueles que você não controla, pensei. *O pessoal do Quinn.*

— Ou todos eles juntos — refletiu ele em voz alta.

Beck começou a pensar de novo, durante mais cinquenta, sessenta quilômetros. Não falou mais nenhuma palavra até chegarmos à I-95, onde começamos a seguir para o norte, dando a volta em Boston.

— O Duke está morto — afirmou ele.

— Sinto muito — falei.

É agora, pensei.

— Eu o conhecia há muito tempo — disse ele.

Fiquei calado.

— Você vai ter que assumir. Preciso de alguém agora. Alguém em quem eu possa confiar. E você trabalhou bem pra mim até agora.

— Promoção? — perguntei.

— Você é qualificado.

— Chefe da segurança?

— Pelo menos temporariamente — contemporizou. — Permanentemente, se você quiser.

— Não sei — falei.

— Não se esqueça do que *eu* sei — retrucou ele, em tom de ameaça. — Eu sou o seu dono.

Fiquei quieto durante dois quilômetros, depois falei.

— Você vai demorar pra me pagar?

— Você vai receber os seus cinco mil mais a parte do Duke.

— Vou precisar de informação — falei. — Não posso te ajudar sem isso.

Ele assentiu e completou:

— Amanhã. A gente conversa amanhã.

Voltou a ficar quieto. Quando olhei para ele de novo, estava dormindo profundamente ao meu lado. Algum tipo de reação de choque. Devia achar que seu mundo estava desmoronando. Eu me esforçava para continuar acordado e manter o carro na estrada. Comecei a pensar em textos do Exército britânico escritos na Índia, durante o Raj, no ápice do Império. Jovens subalternos encalhados em patentes inferiores tinham seu próprio rancho. Eles faziam as refeições juntos, com seus esplêndidos uniformes de gala, e conversavam sobre as oportunidades de promoção. Mas elas não existiam, a não ser que um oficial superior morresse. Só se era promovido calçando os sapatos de um defunto. Então eles levantavam suas taças de cristal com vinho francês fino e brindavam *Às guerras sangrentas e doenças incapacitantes*, porque uma baixa lá no alto da cadeia de comando era o único jeito de eles subirem. Brutal, mas sempre foi assim nas forças armadas.

Consegui chegar de volta à costa do Maine no puro piloto automático. Eu não me lembrava de um quilômetro da volta. Estava entorpecido pelo cansaço. Todas as partes do meu corpo doíam. Paulie demorou para abrir o portão. Acho que nós o acordamos. Ele fez questão de ficar me encarando. Deixei Beck na porta da frente e pus o carro na garagem. Escondi a Glock e os pentes sobressalentes só por segurança e entrei pela porta de trás. O detector de metal apitou por causa das chaves do carro. Eu as larguei na mesa da cozinha. Estava com fome, mas cansado demais para comer. Subi a escada, caí na cama e fui dormir, totalmente vestido, de casaco, sapato e tudo mais.

★ ★ ★

O clima me acordou seis horas depois. Uma chuva horizontal açoitava a janela. Parecia cascalho no vidro. Rolei para fora da cama e dei uma olhada na paisagem. O céu era de um cinza férreo e estava tampado de nuvens. O mar, por sua vez, parecia enfurecido. A espuma tormentosa avançava sobre ele por um quilômetro. As ondas inundavam as rochas. Nenhum pássaro. Eram nove da manhã. Dia quatorze, sexta-feira. Deitei na cama de novo, fiquei olhando para o teto e retornei 72 horas no tempo, à manhã do dia onze, quando Duffy me apresentou os sete objetivos do plano. Um, dois e três, tomar muito cuidado. Eu estava me dando bem nesse quesito. Continuava vivo, pelo menos. Quatro, encontrar Teresa Daniel. Nenhum progresso verdadeiro em relação a isso. Cinco, conseguir alguma prova contra Beck. Não tinha nenhuma. Não tinha nem visto o sujeito fazer nada de errado, com exceção, talvez, de vê-lo dirigir um veículo com placa falsa e carregar uma bolsa cheia de submetralhadoras que eram provavelmente ilegais em todos os quatro estados em que esteve. Seis, encontrar Quinn. Nenhum progresso em relação a isso também. Sete, sair daquela porra daquele lugar. Esse item ia ter que esperar. Depois Duffy tinha me dado um beijo na bochecha. Deixado açúcar de rosquinha no meu rosto.

Eu levantei novamente e me tranquei no banheiro para checar os e--mails. A porta do quarto não estava mais trancada. Supus que Richard Beck não se atreveria a entrar no quarto sem avisar. Tampouco a mãe dele. Mas o pai, sim. Ele era meu dono. Tinha sido promovido, mas ainda estava andando na corda bamba. Eu me sentei no chão e tirei o sapato. Abri o salto e liguei o aparelho. *Você tem mensagem!* Era de Duffy: *Contêineres de Beck descarregados e levados para o depósito. Não foram inspecionados pela alfândega. Total de cinco. Maior carregamento em bastante tempo.*

Apertei responder e digitei: *Você está mantendo a vigilância?*

Noventa segundos depois: *Sim.*

Enviei: *Fui promovido.*

Ela enviou: *Explore isso.*

Enviei: *Gostei de ontem.*

Ela enviou: *Economize bateria.*

Sorri, desliguei o aparelho e o coloquei de volta no salto. Precisava de um banho, mas antes, de café da manhã, depois, de roupas novas. Destranquei o banheiro, atravessei o quarto e desci até a cozinha. A cozinheira tinha voltado ao trabalho. Ela servia torrada com chá para a garota irlandesa e ditava uma comprida lista de compras. As chaves do Saab estavam na mesa. As do Cadillac, não. Vasculhei o lugar, comi tudo que consegui encontrar depois fui procurar Beck. Ele não estava por ali. Nem Elizabeth, nem Richard. Voltei para a cozinha.

— Onde está a família? — perguntei.

A empregada levantou o olhar e não falou nada. Tinha vestido uma capa de chuva e estava pronta para ir fazer compras.

— Onde está o sr. Duke? — perguntou a cozinheira.

— Indisposto — respondi. — Estou substituindo o Duke. Onde estão os Beck?

— Eles saíram.

— Pra onde?

— Não sei.

— Quem dirigiu? — perguntei, olhando para o clima lá fora.

A cozinheira olhou para o chão e respondeu:

— Paulie.

— Quando?

— Faz uma hora.

— Certo — falei. Ainda estava com o casaco. Eu o tinha vestido quando saí do hotel de Duffy e não o havia tirado desde então. Saí pela porta de trás e fui envolvido pela ventania. A chuva me açoitou; tinha gosto de sal. Estava misturada com spray do mar. As ondas atingiam as rochas como bombas. Espuma branca eclodia a uma altura de dez metros. Enfiei minha cabeça no colarinho e dei a volta correndo até as garagens. Cheguei ao pátio murado. Estava abrigado ali. A primeira garagem estava vazia e com as portas abertas. O Cadillac não estava lá. O mecânico se encontrava dentro da terceira garagem, fazendo alguma coisa sozinho. A empregada correu até o pátio. Observei-a abrir a porta da quarta garagem com um puxão. Estava ficando ensopada. Ela entrou e um momento depois saiu de ré com o Saab. Ele sacolejava por causa do vento. A chuva transformou a poeira nele em uma fina película de lama cinza que escorria pelas laterais como rios. Ela saiu com o carro, para o mercado. Eu escutava as ondas. Começava a me preocupar com a altura que elas podiam atingir. Abracei o muro do pátio e dei a volta nele até o lado que ficava de frente para o mar, encontrei a minha pequena fenda nas pedras. Os talos de ervas daninhas ao redor dela estavam molhados, desgrenhados e sujos. A fenda tinha se enchido de água. Era água da chuva. Não do mar. Estava em segurança acima da maré. As ondas não tinham chegado até ela. Mas era somente a água da chuva que a enchia. Com exceção da água, ela estava completamente vazia. Nenhum embrulho. Nenhum trapo, nenhuma Glock. Os pentes sobressalentes tinham desaparecido. As chaves do Doll tinham desaparecido, e o cinzel tinha desaparecido.

8

EU DEI A VOLTA ATÉ A FRENTE DA CASA, FIQUEI VIRADO PARA o oeste, de pé na chuva fustigante, e olhei para o muro de pedra alto. Naquele exato momento cheguei o mais próximo que já tinha chegado de fugir. Teria sido fácil. O portão estava escancarado. Imaginei que a empregada o havia deixado daquele jeito. Ela tinha saído na chuva para abri-lo e não quis sair de novo para fechá-lo. Paulie não estava lá para fazer isso por ela. Ele tinha saído, dirigindo o Cadillac. Por isso o portão estava aberto. E desguarnecido. A primeira vez que o via desse jeito. Podia ter escapulido tranquilamente. Mas não fiz isso. Eu fiquei.

O tempo era um dos motivos. Além do portão, havia pelo menos vinte quilômetros de estrada vazia antes da primeira curva significativa. Vinte quilômetros. E não havia nenhum carro que pudesse ser usado. Os Beck tinham saído no Cadillac e a empregada, no Saab. Tínhamos abandonado o Lincoln em Connecticut. Então eu estava a pé. Três horas andando rápido. Eu não tinha três horas. Era quase certo que o Cadillac voltaria dentro de três horas. E não havia lugar algum onde me esconder na estrada. Os acostamentos eram nus e rochosos. Eu ficaria exposto nessa situação. Beck daria de frente comigo. Eu estaria andando. Ele estaria no carro. E ele tinha uma arma. E Paulie. Eu não tinha nada.

Consequentemente, estratégia era um dos motivos também. Ser pego no ato da fuga confirmaria qualquer coisa em que Beck pudesse estar pensando que sabia, na hipótese de que tivesse sido Beck quem achou o meu pacote escondido. Mas, se eu ficasse, poderia ter alguma chance. Ficar indicaria inocência. Eu poderia desviar a suspeita para Duke. Podia alegar que o pacote devia ser dele. Beck acharia isso plausível. Talvez. Duke tinha usufruído da liberdade de ir aonde quisesse, a qualquer hora do dia e da noite. Eu tinha ficado trancado e supervisionado o tempo todo. Além disso, Duke não estava mais presente para negar qualquer coisa. Mas eu estaria bem ali diante de Beck falando sem titubear, na cara dele, sendo persuasivo. Ele podia cair nessa.

Esperança era um dos motivos também. Talvez não tivesse sido Beck a encontrar o pacote escondido. Talvez Richard, caminhado pela orla. A reação dele era imprevisível. Calculei que a chance de ele procurar primeiro a mim ou ao pai era de meio a meio. Ou talvez tivesse sido Elizabeth quem o encontrara. Estava familiarizada com aquelas pedras lá fora. Ela as conhecia bem. Conhecia os segredos delas. Eu supunha que ela tinha passado muito tempo nelas, por uma razão ou outra. E a reação dela favoreceria a mim. Provavelmente.

A chuva também era um dos motivos para eu ficar. Estava fria, forte e impiedosa. Estava cansado demais para marchar três horas na chuva. Sabia que era apenas fraqueza. Mas não conseguia mover os pés. Queria voltar para dentro da casa. Queria me esquentar, comer de novo e descansar.

Medo de falhar era um dos motivos também. Se eu fugisse nesse momento, nunca mais voltaria. Eu sabia disso. Tinha investido duas semanas e feito um bom progresso. Pessoas dependiam de mim. Eu já tinha sido derrotado muitas vezes. Mas nunca tinha simplesmente desistido. Nunca. Se desistisse agora, eu iria me remoer pelo resto dos meus dias. *Jack Reacher, o arregão. Fugiu quando o bicho começou a pegar.*

Fiquei ali com a chuva cravando minhas costas. Tempo, estratégia, esperança, clima, medo do fracasso. Todas razões para que eu ficasse. Todas faziam parte da lista.

Mas no topo dessa lista estava uma mulher.

Não Susan Duffy, nem Teresa Daniel. Uma mulher de muito tempo atrás, de outra vida. Chamava-se Dominique Kohl. Eu era capitão do Exército quando a conheci. Estava a um ano da minha última promoção, a major. Cheguei à minha sala cedo numa manhã e encontrei a pilha de documentos habitual na mesa. A maior parte era lixo. Mas no meio daquilo havia uma cópia da transferência da terceiro-sargento Kohl, D.E., para a minha unidade. Naquela época estávamos numa fase em que todas as referências escritas sobre o pessoal tinham que ser neutras em relação ao gênero. O nome *Kohl* soou alemão para mim, e imaginei um cara grande e feio de do Texas ou de Minnesota. Mãos grandes vermelhas, cara grande vermelha, mais velho do que eu, talvez uns 35, cabelo raspado ao estilo militar. Mais tarde, naquela manhã, o soldado ligou para informar que a pessoa estava se apresentando para o serviço. Eu a deixei esperando por dez minutos só de sacanagem, depois pedi que entrasse. Mas a pessoa era uma mulher e não era grande nem feia. Estava de saia. Tinha aproximadamente 29 anos. Ela não era alta, mas era atlética demais para ser chamada de delicada. E era bonita demais para ser chamada de atlética. Era como se tivesse sido primorosamente moldada com a substância que usam para fazer o interior de bolas de tênis. Ela tinha uma elasticidade. Uma firmeza e maciez, tudo ao mesmo tempo. Parecia esculpida, mas não tinha nenhuma parte pontuda. Permaneceu numa rígida posição de sentido em frente à minha mesa e prestou uma ligeira continência. Não respondi, o que foi grosseiro da minha parte. Fiquei apenas olhando para ela durante cinco segundos inteiros.

— À vontade, sargento — falei.

Ela me entregou a cópia de sua designação e ficha. Continham tudo aquilo que qualquer pessoa precisava saber. Eu a deixei de pé diante de mim enquanto lia, o que também foi grosseiro, mas não havia outra opção. Eu não tinha cadeira para visitantes. Naquela época o Exército não as fornecia a patentes inferiores à de coronel. Ela ficou completamente imóvel, com as mãos entrelaçadas às costas, encarando um ponto no ar exatamente trinta centímetros acima da minha cabeça.

A ficha dela era impressionante. Tinha feito um pouco de cada coisa e sido bem-sucedida em tudo de um modo espetacular. Perita em tiro, especialista em diversas habilidades, uma lista de prisões formidável, percentual excelente de solução de casos. Ela era uma boa líder e fora promovida rápido. Tinha matado duas pessoas, uma com arma de fogo, uma desarmada, ambos os incidentes classificados como justos pelas comissões de investigação. Era uma estrela em ascensão. Isso estava claro. Eu me dei conta de que a transferência dela para a minha unidade representava uma lisonja considerável a mim por parte de algum oficial superior.

— É um prazer tê-la a bordo.

— Senhor, muito obrigada, senhor — respondeu ela com os olhos fixos no ar.

— Eu não me dou bem com essa merda aí — falei. — Não tenho medo de vaporizar se você olhar pra mim e não gosto de um senhor na frase, muito menos de dois, certo?

— Certo — disse ela. Adaptou-se rápido. Nunca mais me chamou de *senhor* pelo resto da vida dela.

— Quer começar pulando de cabeça? — perguntei.

Ela assentiu.

— Claro.

Abri uma gaveta ruidosamente e arrastei pela mesa uma pasta fina para ela. A sargento não olhou para a pasta. Simplesmente a segurou com uma mão ao lado do corpo e olhou para mim.

— Aberdeen, Maryland — falei. — No campo de provas. Um projetista de armas está agindo de maneira esquisita. Dica confidencial de um amigo que se preocupa com espionagem. Mas eu acho que tem mais a ver com chantagem. Pode ser uma investigação longa e delicada.

— Sem problema — disse Kohl.

Foi ela o motivo pelo qual não saí pelo portão aberto.

Em vez disso, entrei e tomei um longo banho quente. Ninguém gosta de se expor ao risco de um confronto quando se está molhado e pelado, mas eu estava longe de me preocupar. Acho que me sentia pessimista. *Que se dane, deixa rolar.* Depois me enrolei em uma toalha e encontrei o quarto de Duke. Roubei outro conjunto de roupas dele. Eu as vesti e pus os mesmos sapatos, jaqueta e casaco. Voltei à cozinha para esperar. Estava quente lá dentro. A maneira como o mar batia na costa e a chuva batia nas janelas deixava a impressão de que fazia ainda mais calor ali dentro. Era como um santuário. A cozinheira estava lá, preparando algo com uma galinha.

— Tem café? — perguntei.

Ela negou com a cabeça.

— Por que não?

— Cafeína — respondeu ela.

Olhei para a parte de trás da cabeça dela.

— É por causa da cafeína que a gente bebe café — afirmei. — De qualquer maneira, chá tem cafeína, e eu já te vi fazer chá.

— Chá tem tanino — alegou ela.

— E cafeína.

— Então beba chá.

Dei uma olhada ao redor do cômodo. Havia um bloco de madeira colocado verticalmente sobre um balcão, com cabos pretos de facas despontando, além de garrafas e copos. Imaginei que debaixo da pia devia haver sprays de amônia, talvez água sanitária. Armas improvisadas suficientes para uma luta corpo a corpo. Se Beck ficasse pelo menos um pouquinho inibido de atirar em um cômodo fechado, eu me daria bem. Eu conseguiria acertá-lo primeiro. Só precisaria de um segundo.

— Você quer café? — perguntou a cozinheira. — É isso que você está querendo dizer?

— É — respondi —, é, sim.

— É só você pedir.

— Eu pedi.

— Não, você perguntou se tinha — contestou ela. — Não é a mesma coisa.

— Então você poderia fazer um pouco pra mim? Por favor?

— O que aconteceu com o sr. Duke?

Fiquei em silêncio por um minuto. Talvez ela estivesse planejando se casar com ele, como em filmes antigos em que a cozinheira se casa com o mordomo, os dois se aposentam e vivem felizes para sempre.

— Mataram ele — falei.

— Ontem à noite?

Fiz que sim. Completei:

— Em uma emboscada.

— Onde?

— Em Connecticut.

— Tá — disse ela. — Vou fazer um café pra você.

Ela ligou a cafeteira. Observei onde ela pegou todas as coisas. Os filtros de papel ficavam guardados no armário ao lado dos guardanapos de papel. O café estava no freezer. A cafeteira era velha e lenta. Fazia um som pesado e borbulhante. A combinação dele com o ruído da chuva açoitando as janelas e das ondas esmurrando as rochas fez com que eu não escutasse o Cadillac voltando. Quando me dei conta, a porta de trás foi aberta com tudo e Elizabeth Beck irrompeu com Richard atrás dela e o marido no final da fila. Estavam se movendo com a impaciência eufórica e apressada de quem acabou de fazer uma corrida curta e rápida por baixo de chuva pesada.

— Oi — cumprimentou-me Elizabeth.

Acenei com a cabeça. Fiquei calado.

— Café — disse Richard. — Ótimo.

— Saímos pra tomar café da manhã — disse Elizabeth. — Lá na Old Orchard Beach. A gente gosta de uma lanchonete de lá.

— O Paulie achou que a gente não devia te acordar — justificou Beck. — Ele achou que você estava com uma cara muito cansada ontem à noite. Então se ofereceu pra dirigir pra gente.

— Entendi — falei. Pensei: *foi o Paulie que achou meu pacote escondido? Ele já me denunciou?*

— Quer café? — perguntou-me Richard, aproximando-se da cafeteira com canecas tilintando na mão.

— Puro e sem açúcar. Obrigado.

Ele levou uma caneca para mim. Beck estava tirando o casaco e o sacolejou, espalhando água pelo chão.

— Traz o café com você — falou ele em voz alta. — Precisamos conversar.

Ele se dirigiu para o saguão, olhando para trás como se esperasse que eu o seguisse. Fui levando o café. Estava quente e fumegante. Podia jogá-lo na cara dele, caso fosse necessário. Ele me levou para a pequena sala revestida com madeira que tínhamos usado antes. Eu estava carregando a minha caneca, o que fazia com que eu ficasse um pouco lento. Ele chegou lá bem antes de mim. Quando entrei, Beck já estava do outro lado da sala em frente a uma janela, de costas para mim, fitando a chuva do lado de fora. Quando se virou, tinha uma arma na mão. Fiquei parado. Estava longe demais para usar o café. A uns quatro metros. Ele rodopiaria, espiralaria, se dispersaria no ar e provavelmente não o acertaria.

A arma era uma Beretta M9 Special Edition, ou seja, uma Beretta 92FS civil toda enfeitada para ficar exatamente igual à M9 padrão militar. Usava munição Parabellum de nove milímetros. Tinha um pente de quinze balas e mira militar. Eu me lembrei com uma nitidez absurda que o preço de varejo dela era 861 dólares. Eu havia usado uma M9 durante treze anos, disparado muitas milhares de balas em treinamento e uma quantidade razoável para valer. A maioria atingiu o alvo, porque ela é uma arma precisa. A maioria dos alvos tinha sido destruído, porque é uma arma poderosa. Ela me servira bem. Eu me lembrava até mesmo do argumento de vendas do pessoal do material bélico: *ela tem um coice razoável e a manutenção em campo é fácil.* Repetiam isso como um mantra, sem parar. Acho que contratos estavam em jogo. Havia alguma controvérsia. Os SEALs da Marinha a odiavam, alegando que dezenas delas explodiram na cara deles. Chegaram ao ponto de fazer uma música para ela: *um SEAL você não vai ser, enquanto um aço italiano não comer.* Mas a M9 sempre me serviu bem. Era uma arma ótima, na minha opinião. O exemplar de Beck parecia novíssimo. A manutenção era impecável. Bem lubrificada. Havia tinta luminescente nos detalhes. Ela brilhava suavemente na penumbra.

Esperei.

Beck ficou parado ali, segurando a arma. Depois se moveu. Ele bateu o cano na mão esquerda e soltou a direita. Inclinou-se sobre a mesa e esticou o braço, segurando a coronha na minha direção educadamente com a mão esquerda, como se fosse um atendente de loja.

— Espero que goste — disse Zachary. — Achei que se sentiria em casa com ela. O Duke gostava das exóticas, como aquela Steyr que ele tinha. Mas imaginei que você ia se sentir mais à vontade com uma Beretta, você sabe, considerando o seu histórico.

Eu me aproximei. Coloquei o café na mesa. Peguei a arma. Tirei o pente, chequei a câmara, acionei o dispositivo, analisei o cano. Era raiado. Não era armação de Beck. A arma funcionava. As balas Parabellum eram de verdade. Novinha. Nunca antes disparada. Eu a remontei e fiquei segurando por um momento. Era como trocar um aperto de mãos com um velho amigo. Depois a abaixei, travei e coloquei no bolso.

— Obrigado — falei.

Ele enfiou a mão no bolso e tirou dois pentes.

— Fique com estes — ofereceu ele, estendendo o braço sobre a mesa. Eu os peguei. — Vou providenciar mais depois.

— Beleza — falei.

— Já experimentou mira laser?

Neguei com a cabeça.

— Existe uma empresa chamada Laser Devices — disse Beck. — Eles fazem uma mira laser universal pra armas que fica encaixada debaixo do cano. Um equipamento bacana.

— Dá aquele ponto vermelho?

Ele fez que sim com um gesto de cabeça. Sorriu e comentou:

— Ninguém gosta de ser iluminado por aquele pontinho vermelho, pode apostar.

— É cara?

— Não muito — respondeu ele. — Umas duzentas pratas.

— Quanto peso ela acrescenta à arma?

— Cerca de 130 gramas — respondeu ele.

— Tudo na frente?

— Ajuda, na verdade. Faz com que a ponta não suba a cada disparo. Ela adiciona mais ou menos treze por cento do peso da arma. Mais com a lanterna, é claro. Talvez um quilo e duzentos, um e trezentos no total. Mesmo assim bem menos do que aquelas Anacondas que você estava usando. Quanto elas pesavam? Um quilo e setecentos mais ou menos?

— Descarregadas — falei. — Pesam mais com os seis cartuchos nelas. Você pretende me dar aquelas armas de volta algum dia?

— Eu as guardei em um lugar — disse ele. — Pego pra você depois.

— Obrigado — repeti.

— Quer experimentar o laser?

— Estou satisfeito sem ele — respondi.

Assentiu de novo e completou:

— Você é quem sabe. Mas eu quero a melhor proteção possível.

— Não precisa se preocupar — falei.

— Tenho que sair agora — informou ele. — Sozinho. Tenho um compromisso.

— Não quer que eu dirija?

— A esse tipo de compromisso eu tenho que ir sozinho. Você fica aqui. A gente conversa mais tarde. Se muda pro quarto do Duke, ok? Gosto da segurança perto de onde eu durmo.

Ele passou por mim no saguão, a caminho da cozinha.

Era o tipo de cambalhota mental que podia te deixar mais lento. Tensão extrema, depois perplexidade extrema. Caminhei até a frente da casa e olhei por uma das janelas do saguão. Vi o Cadillac contornar a rotatória na chuva e seguir na direção do portão. Ele parou e Paulie saiu da casinha do portão. Deviam tê-lo deixado ali quando chegaram do café da manhã. O próprio Beck devia ter dirigido dali até a porta de casa. Ou Richard, talvez Elizabeth. Paulie abriu o portão. O Cadillac o atravessou e se afastou pela chuva e pelo nevoeiro. Paulie fechou o portão. Estava usando uma capa de chuva do tamanho de uma barraca.

Dei uma estremecida, me virei e fui procurar Richard. Ele tinha o tipo de olhos inocentes que não conseguia esconder nada. Ainda estava na cozinha, tomando café.

— Caminhou na praia hoje? — perguntei a ele.

Foi um pergunta feita de maneira cordial, como se só estivesse puxando conversa. Se ele tivesse qualquer coisa a esconder, eu saberia. Ele ficaria vermelho, desviaria o olhar, gaguejaria, arrastaria os pés. Mas não fez nenhuma dessas coisas. Estava completamente relaxando. Olhou direto para mim.

— Tá brincando? Já viu o tempo?

Fiz que sim e disse:

— Bem ruim.

— Vou sair da faculdade — disse ele.

— Por quê?

— Por causa de ontem à noite — respondeu ele. — Da emboscada. Aqueles caras de Connecticut ainda estão soltos por aí. Não é seguro voltar. Vou ficar quieto aqui por um tempo.

— Você está tranquilo com isso?

Ele assentiu e explicou:

200

— A maior parte era perda de tempo.

Desviei o olhar. *A lei das consequências imprevistas.* Eu tinha acabado de dar um curto-circuito na vida acadêmica de um garoto. Talvez arruinado a vida dele no geral. Mas, pensando bem, eu estava prestes a mandar o pai dele para a cadeira. Ou destruí-lo completamente. Acabei decidindo que um diploma de graduação em Artes não importava muito em comparação a isso.

Fui procurar Elizabeth Beck. Ela seria mais difícil de interpretar. Ponderei qual seria a minha abordagem e não consegui chegar a nada que funcionaria com certeza. Encontrei-a em uma saleta enfiada num canto da casa. Estava numa poltrona. Tinha um livro aberto no colo. Era *Doutor Jivago*, de Boris Pasternak. Brochura. Eu tinha visto o filme. Lembrava-me de Julie Christie e da música. *Lara's Theme.* Viagens de trem. E muita neve. Alguma garota me tinha feito ir com ela.

— Não é você — disse ela.

— Não sou eu o quê?

— Você não é o espião do governo.

Soltei a respiração. Ela não diria aquilo se tivesse achado o meu pacote escondido.

— Exatamente — concordei. — O seu marido acabou de me dar uma arma.

— Você não é inteligente o suficiente pra ser espião do governo.

— Não sou?

Ela negou com a cabeça.

— O Richard estava desesperado por uma xícara de café agora há pouco. Quando a gente chegou.

— E daí?

— Você acha mesmo que ele estaria com essa vontade toda se tivéssemos ido tomar café? Ele poderia ter tomado todo o café que quisesse.

— Então aonde vocês foram?

— Chamaram a gente pra uma reunião.

— Com quem?

Ela negou com a cabeça, como se não pudesse dizer o nome.

— Paulie não se *ofereceu* pra dirigir pra nós — disse ela. — Ele intimou a gente. O Richard teve que esperar no carro.

— Mas você entrou?

Ela fez que sim com um gesto de cabeça e completou:

— Eles têm um cara chamado Troy.

— Nome idiota — comentei.

— Mas o cara é muito esperto — retrucou ela. — Ele é jovem e muito bom em informática. Acho que é o que chamam por aí de hacker.

— E?

— Ele conseguiu acesso parcial a um dos sistemas do governo em Washington. Descobriu que colocaram um agente federal aqui dentro. Disfarçado. Primeiro eles acharam que era você. Depois investigaram um pouco mais e descobriram que tinha sido uma mulher e que ela na verdade está aqui há semanas.

Eu a encarei, sem entender nada. *Teresa Daniel estava trabalhando por debaixo dos panos. Não havia nada sobre ela nos computadores do governo.* Depois me lembrei do laptop de Duffy, com a logo do Departamento de Justiça de protetor de tela. Lembrei-me do cabo do modem arrastando-se pela mesa, entrando no adaptador complexo, seguindo para a parede e se conectando com todos os outros computadores do mundo. Será que Duffy vinha compilando relatórios não oficiais? Para uso próprio? Para usar de justificativa depois do fim da operação?

— Odeio imaginar o que eles vão fazer — disse Elizabeth. — Com uma mulher.

Ela estremeceu perceptivelmente e olhou para o outro lado. Fui até o saguão. Parei de repente. Não havia carros. E só depois de vinte quilômetros eu começaria a chegar a algum lugar. Três horas caminhando rápido. Duas horas correndo.

— Esquece — disse Elizabeth em voz alta. — Não tem nada a ver com você.

Eu me virei e a encarei.

— Esquece — repetiu ela. — Eles estão agindo agora mesmo. Logo tudo terá terminado.

A segunda vez em que vi a terceiro-sargento Dominique Kohl foi no terceiro dia em que ela estava trabalhando para mim. Ela usava calça cargo verde e uma camiseta cáqui. Fazia muito calor. Eu me lembro disso: estávamos passando por uma forte onda de calor. Seus braços estavam bronzeados. Ela tinha o tipo de pele que fica dourada no calor. Não suava. A camiseta estava ótima, com as insígnias. *Kohl* na direita *Exército do EUA* na esquerda, ambos presos logo acima da curva dos seios. Segurava a pasta que eu lhe dera. Tinha ficado um pouco mais grossa e recheada com as anotações que ela havia feito.

— Vou precisar de um parceiro — pediu a sargento. Eu me senti um pouco culpado. Ela estava no terceiro dia e eu sequer lhe tinha designado um parceiro. Eu me perguntei se teriam providenciado uma mesa para ela. E um escaninho, além de um quarto pra ela dormir.

— Já conheceu um cara chamado Frasconi? — perguntei.

— O Tony? Conheci ontem. Mas ele é tenente.

Dei de ombros.

— Pra mim oficiais e não oficiais trabalharem juntos não tem importância. Não existe regulamentação contra isso. Se existisse, eu a ignoraria de qualquer maneira. Você tem problema com isso?

Ela negou a cabeça e disse:

— Mas talvez ele tenha.

— O Frasconi? Ele não vai.

— Então você conta a ele?

— É claro — respondi. Fiz uma anotação numa folha de papel em branco, *Frasconi, Kohl, parceiros*. Sublinhei duas vezes para eu me lembrar. Em seguida apontei para o arquivo que ela estava carregando.

— O que você conseguiu?

— Notícia boa e notícia ruim — respondeu ela. — A ruim é que o sistema de registro de saída de documentos deles está um lixo. Pode ser ineficiência rotineira, só que é mais provável que esteja comprometido pra ocultar coisas que não deveriam estar acontecendo.

— Quem é o cara em questão?

— Um intelectualoide chamado Gorowski. O Tio Sam o contratou direto do MIT Um cara legal, pelo que dizem. Parece que é muito inteligente.

— Ele é russo?

Ela negou e completou:

— Polonês de um milhão de anos atrás Nenhum indício de ideologia.

— Ele torcia para o Red Sox, no MIT?

— Por quê?

— Eles são todos esquisitos — falei. — É só conferir.

— Provavelmente é chantagem — disse ela.

— E qual é a boa notícia?

— Esse negócio em que eles estão trabalhando é uma espécie de míssil pequeno, basicamente — respondeu ela depois de abrir a pasta.

— Com quem eles estão trabalhando?

— Com a Honeywell a General Defense Corporation.

— E?

— Esse míssil precisa ser fino. Então ele vai ter calibre reduzido. Os tanques usam canhões de 120 milímetros, mas o negócio vai ser menor do que isso.

— Quão menor?

— Ninguém sabe ainda. Mas neste momento eles estão trabalhando no *sabot*. O *sabot* é uma espécie de revestimento que envolve o negócio pra ele ficar no diâmetro certo.

— Eu sei o que é *sabot*.

Ela me ignorou e continuou:

— Vai ser um *sabot* descartável, o que significa que ele desmonta e cai imediatamente depois de o negócio sair do cano da arma. Estão tentando definir se vai ser um *sabot* de metal ou se pode ser de plástico. *Sabot* significa bota. Do francês. É como se o míssil usasse uma botinha no começo.

— Eu sei disso. Falo francês. Minha mãe era francesa.

— Tipo sabotagem — disse ela. — Das antigas disputas trabalhistas francesas. Originalmente, significava despedaçar equipamento industrial novo com uns chutes.

— De bota — completei.

Ela assentiu e disse:

— Isso aí.

— Então qual é a boa notícia, mesmo?

— O design do *sabot* não vai contar nada pra ninguém — disse ela. — Nada importante, pelo menos. É só um *sabot*. Então a gente tem bastante tempo.

— Entendi — falei. — Mas priorize isso. Com o Frasconi. Você vai gostar dele.

— Quer tomar uma cerveja mais tarde?

— Eu?

Ela olhou diretamente para mim e alegou:

— Se todas as patentes podem trabalhar juntas, também devem poder tomar uma cerveja juntas, não é?

— Ok — concordei.

Dominique Kohl não era nada parecida com as fotos que eu tinha visto de Teresa Daniel, mas era uma mistura do rosto de ambas que eu visualizava na cabeça. Deixei Elizabeth Beck com o livro dela e fui ao quarto que eu costumava usar. Sentia-me mais isolado lá em cima. Mais seguro. Tranquei-me no banheiro e tirei o sapato. Abri o salto e liguei o dispositivo de e-mail. Havia uma mensagem de Duffy: *Nenhuma atividade no depósito. O que eles estão fazendo?*

Ignorei-a, apertei *mensagem nova* e digitei: *Perdemos Teresa Daniel.*

Três palavras, vinte letras, dois espaços. Olhei fixamente para elas por um longo tempo. Coloquei o dedo no botão de *enviar.* Mas não o apertei. Preferi o *backspace* e apaguei a mensagem. Ela desapareceu da direita para a esquerda. O pequeno cursor a devorou. Decidi que só a enviaria quando não tivesse mais escolha. Quando tivesse certeza.

Mandei: *Possibilidade de seu computador estar invadido.*

A demora foi grande. Muito maior do que os habituais noventa segundos. Achei que ela não iria responder. Achei que devia estar arrancando os fios da parede. Mas talvez estivesse apenas saindo do banho ou algo assim, porque mais ou menos quatro minutos depois ela respondeu com um simples: *Por quê?*

Mandei: *Conversa sobre um hacker com acesso parcial ao sistema do governo.*

Ela mandou: *Mainframes ou LANs?*

Eu não tinha a menor ideia do que ela estava falando. Mandei: *Não sei.*

Ela perguntou: *Detalhes?*

Mandei: *Só conversa. Está deixando registros no seu laptop?*

Ela mandou: *De jeito nenhum!*

Mandei: *Em algum lugar?*

Ela mandou: *De jeito nenhum!!*

Mandei: *Eliot?*

Outra demora de quatro minutos. Ela respondeu: *Acho que não.*

Perguntei: *Acha ou sabe?*

Ela mandou: *Acho.*

Encarei a parede azulejada em frente a mim. Soltei o ar. *Eliot tinha matado Teresa Daniel.* Era a única explicação. Inspirei. Talvez não fosse. Talvez ele não tivesse matado. Mandei: *Estes e-mails são vulneráveis?*

Vínhamos trocando e-mails furiosamente havia mais de sessenta horas. Ela tinha pedido notícias sobre a agente dela. Eu tinha perguntado o nome verdadeiro dessa agente. E tinha perguntado de uma maneira que definitivamente não neutra em relação ao gênero. Talvez eu tivesse matado Teresa Daniel.

Prendi a respiração até Duffy responder: *O nosso e-mail é criptografado. Tecnicamente pode ser visível como código, mas não tem como ser legível.*

Soltei o ar e mandei: *Certeza?*

Ela mandou: *Absoluta.*

Mandei: *Codificado como?*

Ela mandou: *Projeto de bilhões de dólares da Agência de Segurança Nacional.*

Aquilo me animou, mas só um pouquinho. Alguns dos projetos de bilhões de dólares da Agência de Segurança Nacional aparecem no *Washington Post* antes mesmo de ficarem prontos. E confusão de comunicação era o maior causador de problemas no mundo.

Mandei: *Confira imediatamente com Eliot a questão do registro.*

Ela mandou: *Certo. Progresso?*

Digitei: *Nenhum.*

Depois deletei a mensagem e mandei: *Em breve.* Achei que isso a faria se sentir melhor.

Desci até o saguão no andar de embaixo. A porta para a saleta de Elizabeth estava aberta. Ela continuava na poltrona. O *Doutor Jivago* estava virado para baixo em seu colo, e ela observava a chuva pela janela. Abri a porta da frente e saí. O detector de metal guinchou por conta da Beretta no meu bolso. Fechei a porta, atravessei a rotatória e desci o caminho pavimentado. A chuva batia com força nas minhas costas, escorria pelo meu pescoço, mas o vento me ajudava. Soprava para o oeste, bem na direção da casa do portão. Senti-me leve sobre. Voltar seria mais difícil. Andaria direto contra o vento. Isso se ainda estivesse andando.

Paulie me viu chegando. Ele devia ter passado o turno todo encurvado dentro da casinha minúscula, rondando da janela da frente para a de trás, observando, como um animal inquieto na toca. Ele saiu, com a capa de chuva nos ombros. Tinha que abaixar a cabeça e ficar de lado para passar pela porta. Permaneceu com as costas encostadas na parede da casa, onde o beiral era baixo, mas ele não o ajudava. A chuva passava horizontalmente pelo beiral, e eu conseguia escutá-la açoitando a capa de chuva, com força, ruidosa e irritadiça. Ela acertava o rosto dele e escorria como torrentes de suor. Estava sem chapéu, com o cabelo grudado na testa, a água o deixando escuro.

Eu estava com as duas mãos nos bolsos, os ombros encurvados para a frente e o rosto enfiado no colarinho. Minha mão direita segurava com firmeza a Beretta. Estava destravada. Mas não queria usá-la. Isso demandaria explicações complicadas. Além disso, iriam repor o sujeito e só. Eu não queria que o repusessem até eu estar pronto para isso. Ou seja, eu não queria usar a Beretta. Mas estava preparado, caso fosse necessário.

Parei a dois metros dele. Fora de alcance.

— Precisamos conversar — falei.

— Não quero conversar — negou ele.

— Prefere uma queda de braço?

Os olhos dele eram de um azul-claro, e suas pupilas estavam minúsculas. Supus que o café da manhã tinha sido inteiramente de comprimidos e suplementos.

— Conversar sobre o quê? — perguntou ele.

— A situação nova — respondi.

Ele ficou calado.

— Qual é a sua EM? — perguntei.

EM é uma sigla do Exército. O Exército adora siglas. Significa *Especialidade Militar*. E eu usei o verbo no presente. *Qual é*, e não *Qual era*. Eu queria levá-lo de volta àquela época. Ser ex-militar é como ser um católico não praticante. Ainda que eles estejam bem no fundo da memória, os antigos rituais ainda exercem uma influência poderosa. Antigos rituais como obedecer a um oficial.

— *Onze bang bang* — disse ele, então sorriu.

Uma resposta nada boa. *Onze bang bang* era gíria de milico para *11B*, que significava *11-Bravo, Infantaria*, que significava *Armas de Combate*. Da próxima vez que eu encarar um gigante de 180 quilos com as veias cheias de anfetamina e esteroides, gostaria que a EM dele fosse manutenção mecânica ou digitação. Não armas de combate. Principalmente quando se trata de um gigante de 180 quilos que não gosta de oficiais e cumpriu oito anos em Fort Leavenworth por espancar um.

— Vamos entrar — falei. — Está molhado aqui fora.

Disse aquilo com o tom que a pessoa desenvolve quando é promovida além de capitão. Não é o tipo de tom que se usa quando se é tenente. É uma sugestão, mas uma ordem também. Tem uma forte mensagem de inclusão. Ela diz: *ei, somos só dois caras. Não precisamos deixar formalidades como patente atrapalharem a gente, não é?*

Ele olhou para mim por um longo tempo. Depois virou e passou de lado pela porta. Encostou o queixo no peito para conseguir entrar. Lá dentro, o teto tinha uns dois metros e dez de altura. Era baixo para mim. A cabeça de Paulie quase batia nele. Mantive as mãos nos bolsos. A água da capa de chuva empoçava no chão.

A casa tinha um intenso fedor acre de animal. Como de marta. E estava imunda. Havia uma salinha conjugada com uma pequena cozinha. Depois da cozinha havia um pequeno corredor com um banheiro e um quarto no final. E pronto. Era menor do que um apartamento na cidade, mas era todo projetado para parecer uma pequena casa. Havia bagunça em todo lugar. Vasilhas sem lavar na pia. Pratos, canecas e roupas de academia sujos espalhados pela sala. Havia um sofá velho em frente a uma televisão nova. O sofá já havia cedido com a massa de Paulie. Frascos de comprimidos estavam espalhados por prateleiras, mesas, em toda parte. Alguns eram de vitaminas. Mas não muitos.

Havia uma metralhadora no quarto. A velha NSV soviética. Era usada na torre blindada de tanques. Paulie a tinha suspendido em uma corrente no meio do quarto. Ficava pendurada ali como uma escultura macabra. Como essas obras de Alexander Calder que colocam em todos os aeroportos novos. Ele podia ficar de pé atrás dela e fazer um giro completo. Conseguia disparar pela janela da frente ou pela de trás, como se fossem canhoneiras. Campo de fogo limitado, mas ele conseguia cobrir 35 metros de estrada a oeste e 35 da estradinha que dava acesso à casa a leste. Ela era alimentada por uma fita que saía de uma caixa de munição no chão. Havia mais umas vinte caixas estocadas ao longo da parede. Eram verde-oliva, todos cobertas com letras cirílicas e estrelas vermelhas.

A arma era tão grande que tive que pôr as costas na parede para dar a volta por ela. Vi dois telefones. Um era provavelmente uma linha externa, e o outro devia ser a linha interna para se comunicar com a casa. Havia caixinhas de controle de alarme na parede. Uma devia ser para os sensores lá fora na terra de ninguém. A outra, para o detector de movimento no próprio portão. Um monitor de vídeo exibia uma imagem monocrômica opaca da câmera na coluna do portão.

— Você me deu um chute — disse ele.

Fiquei calado.

— Depois você tentou me atropelar — continuou Paulie.

— Tiros de advertência — expliquei.

— Sobre o quê?

— O Duke já era — comentei.

— Ouvi falar.

— Agora eu assumi — falei. — Você fica com o portão. Eu fico com a casa.

Ele ficou calado.

— Eu tomo conta dos Beck agora — continuei. — Sou responsável pela segurança deles. O sr. Beck confia em mim. Ele confia tanto em mim que me deu uma arma.

O tempo todo em que falava, fiquei encarando-o. Com o tipo de olhar que parece fazer pressão entre os olhos. Aquele era o momento em que a anfetamina e os esteroides deviam entrar em operação e fazê-lo sorrir feito um idiota e dizer: *bom ele não vai confiar mais em você quando eu contar a ele o que foi que achei nas rochas, vai? Quando eu contar a ele que você já tinha uma arma.* Ele iria fazer uma dancinha, rir e cantarolar. Mas não. Não falou nada. Não fez nada. Não teve reação alguma, além de desfocar levemente o olhar, como se estivesse tendo dificuldade para computar todas as implicações.

— Entendeu? — perguntei.

— Era o Duke, agora é você — disse ele, com um tom neutro.

Não tinha sido ele quem achara o meu pacote escondido.

— Sou o responsável pelo bem-estar deles agora — afirmei. — Inclusive pelo da sra. Beck. Aquele joguinho acabou, entendeu?

Ele ficou calado. O meu pescoço começava a ficar dolorido de encarar os olhos dele lá no alto. Minha vértebra estava bem mais acostumada a olhar as pessoas de cima para baixo.

— Entendeu? — insisti.

— Ou?

— Ou você e eu vamos ter que chegar às vias de fato.

— Eu ia gostar disso.

Abanei a cabeça e retruquei:

— Não ia gostar, não. Nem um pouquinho. Eu ia acabar com você, golpe a golpe.

— Você acha?

— Você já bateu num policial do Exército? — perguntei. — Quando ainda servia?

Ele não respondeu. Apenas desviou o olhar e ficou quieto. Devia estar se lembrando de quando fora preso. Ele provavelmente tinha resistido um pouquinho e precisado ser subjugado. Consequentemente, devia ter despencado de uma escada qualquer em algum lugar e sofrido uma quantidade razoável de ferimentos. Em algum lugar entre a cena do crime e a cela, provavelmente. Por puro acidente. Esse tipo de coisa acontece, em certas circunstâncias. Aí o oficial responsável pela prisão devia ter mandado seis caras pegá-lo. Eu teria mandado oito.

— E depois eu ia te despedir — falei.

Os olhos dele voltaram para mim, lentos e preguiçosos.

— Você não pode me despedir. Não trabalho pra você. Nem pro Beck.

— Então pra quem você trabalha?

— Pra alguém.

— Esse alguém tem nome?

Ele abanou a cabeça e disse:

— Sem chance.

Mantive as mãos nos bolsos e dei a volta lentamente pela metralhadora. Caminhei na direção da porta.

— Estamos entendidos? — perguntei.

Ele olhou para mim. Não disse nada. Mas estava calmo. As doses matutinas deviam ter sido bem equilibradas.

— Você não vai tocar na sra. Beck, entendido? — falei.

— Enquanto você estiver aqui — disse ele. — Não vai ficar aqui pra sempre.

Espero que não, pensei. O telefone tocou. A linha externa, supus. Duvidei que Richard ou Elizabeth ligariam para ele da casa. O toque soou alto no silêncio. Ele atendeu e falou o próprio nome. Depois ficou escutando. Ouvi um rastro de voz vindo do outro lado da linha, distante e indistinto, com chiados e ressonâncias que obscureciam o que estava sendo dito. A voz falou por menos de um minuto Então a ligação foi finalizada. Ele desligou o telefone, moveu a mão bem delicadamente e usou a palma para fazer com que a metralhadora ficasse balançando suavemente na corrente. Eu me dei conta de que era uma imitação consciente do que eu tinha feito com o saco de pancadas lá na academia na nossa primeira manhã juntos. Ele sorriu para mim.

— Estou de olho em você — alertou ele. — Vou estar sempre de olho em você.

Ignorei-o, abri a porta e saí. A chuva me golpeou como o jato de uma mangueira de incêndio. Inclinei-me para a frente e caminhei bem na direção dela. Prendi a respiração e tive uma sensação muito ruim na parte de baixo das costas durante todo o percurso de 35 metros que a metralhadora tinha de alcance pela janela de trás. Só depois disso eu soltei a respiração.

Não tinha sido Beck, nem Elizabeth, nem Richard. Nem Paulie.

Sem chance.

Dominique Kohl disse *sem chance* para mim na noite em que saímos para tomar uma cerveja. Surgiu um imprevisto, e tive que cancelar a nossa primeira saída juntos, depois foi ela que precisou cancelar, então acabamos demorando uma semana para conseguirmos nos encontrar Uns oito dias. Sargentos bebendo com capitães na área militar não era nada comum na época, porque os bares eram rigorosamente separados, então fomos a um na cidade. Era um lugar normal, comprido e baixo, com oito mesas de sinuca, um monte de gente, um monte de neon, um monte de barulho de jukebox, um monte de fumaça. Ainda fazia muito calor. Os aparelhos de ar-condicionado estavam no máximo e mesmo assim não davam conta do recado. Eu estava de calça militar e uma camiseta velha, porque não tinha nenhuma roupa civil. Kohl chegou de vestido. Era um evasê simples, sem manga, na altura do joelho, preto, com bolinhas brancas. Bolinhas muito pequenas. Não era um vestido com círculos enormes ou algo assim. Era uma estampa bem sutil.

— Como estão andando as coisas com o Frasconi? — perguntei.

— O Tony? — disse ela. — Ele é um cara legal.

Ela não falou mais nada sobre ele. Pedimos Rolling Rocks, o que me convinha, porque era a minha bebida predileta naquele verão. Ela tinha que se inclinar para bem perto de mim quando falava por causa do barulho. Eu gostava da proximidade, mas não me iludia. Era o nível de decibéis que a fazia chegar assim tão perto, nada mais. E eu não ia tentar nada com ela. Não que houvesse uma razão formal que me impedisse. Havia regras naquela época, eu acho, mas não regulamentações. A noção de assédio sexual estava chegando lentamente ao Exército. Mas eu já estava ciente da potencial injustiça. Não que de alguma maneira eu pudesse beneficiar ou prejudicar a carreira dela. O histórico de Kohl deixava claro que seria promovida a segundo ou primeiro sargento assim como depois do dia vem a noite. Era somente uma questão de tempo. Depois tinha a ascensão à graduação E-9, de sargento-mor. Bastava ela querer. Depois disso, haveria problemas. Depois de sargento-mor vinha sargento-mor de comando, e só havia um em cada regimento. Depois disso vinha Sargento-mor do Exército, e só havia um, ponto. Ou seja, ela iria ascender e depois parar, independentemente de mim.

— Temos um problema tático — disse ela. — Ou estratégico, talvez.

— Por quê?

— O intelectualoide, Gorowski? Não acredito que seja chantagem no sentido de ele ter um segredo terrível ou coisa assim. Parece que são ameaças diretas contra a família dele. Está mais pra coerção.

— Por que você acha isso?

— A ficha dele é impecavelmente limpa. O histórico do sujeito já foi investigado de cabo a rabo. É por isso que fazem isso: para evitar a possibilidade de chantagem.

— Ele torcia pro Red Sox?

Ela negou com a cabeça e disse:

— Yankees. Ele é do Bronx. Frequentou a High School of Science lá.

— Tá — falei. — Já gosto dele.

— Mas, de acordo com o regulamento, a gente devia prendê-lo agora.

— O que ele está fazendo?

— A gente o viu tirando documentos do laboratório.

— Ainda estão fazendo o *sabot*?

Ela fez que sim com um gesto de cabeça e disse:

— Mas podem muito bem publicar o design do *sabot* no jornal que não revelaria nada a ninguém. Então a situação ainda não é crítica.

— O que ele faz com os documentos?

— Ele os desova em Baltimore.

— E vocês viram quem pega?

Ela abanou a cabeça e respondeu:

— Sem chance.

— O que você está achando do intelectualoide?

— Não quero prender o cara. Acho que a gente tem que tirar quem quer que seja das costas dele e deixar o cara em paz. Ele tem duas filhinhas ainda bebês.

— O que o Frasconi acha?

— Ele concorda.

— Concorda mesmo?

Ela sorriu e respondeu:

— Bom, vai concordar. Mas o regulamento, não.

— Esquece o regulamento — falei.

— Sério?

— Ordem direta minha. Ponho isso no papel se você quiser. Segue o seu instinto. Rastreie a cadeia inteira até a outra ponta. Se pudermos, vamos livrar a cara desse tal de Gorowski. Essa é a minha abordagem habitual, quando são torcedores do Yankees. Mas não deixa a situação fugir do controle.

— Não vou deixar — garantiu ela.

— Acaba com isso antes que finalizem o *sabot* — instrui. — Senão a gente vai ter que pensar em outra abordagem.

— Combinado — disse ela.

Conversamos sobre outras coisas e bebemos mais algumas cervejas. Depois de uma hora, a jukebox estava tocando algo bom e eu a chamei para dançar. Pela segunda vez naquela noite, ela me disse *sem chance.*

Pensei sobre essa frase mais tarde. Eu sabia que ela era um jargão de jogadores de dados. Devia originalmente significar que a jogada seria furada, que as chances estavam contra o jogador. Sem chance! Como num jogo de basquete quando uma bola arremessada nem bate no aro e as pessoas reclamam: *bola fora!* Tempos depois, ela se transforma numa outra frase negativa, como *de jeito nenhum, se deu mal, passou longe.* Mas de que etimologia ela estava se apropriando? Ela estava falando um não definitivo ou era apenas uma bola fora e eu teria outras chances de arremessar? Eu não tinha certeza.

Eu estava completamente ensopado quando cheguei à casa, então subi, me apossei do quarto de Duke, me sequei com uma toalha e vesti roupas limpas. O quarto ficava na frente da casa, mais ou menos no centro. A janela me dava uma vista oeste que se estendia por todo o caminho de entrada. Por causa da elevação, eu conseguia ver acima do muro. Vi um Lincoln Town Car ao longe. Estava vindo exatamente na nossa direção. Era preto. Estava com o farol aceso por causa do tempo. Paulie saiu com sua capa de chuva com bastante antecedência para que o veículo não precisasse diminuir a velocidade. Ele entrou direto, movendo-se com velocidade. O para-brisa estava molhado e manchado, e os limpadores batiam de um lado para o outro. Paulie o aguardava. Tinha sido alertado pelo telefonema. Observei-o se aproximar até sumir de vista debaixo de mim. Depois me virei.

O quarto de Duke era quadrado e simples, como a maioria dos cômodos na casa. As paredes tinham revestimento de madeira escuro. Havia um tapete oriental grande, uma televisão e dois telefones. Externo e interno, supus. A roupa de cama estava limpa e não havia itens pessoais em lugar algum, com exceção das roupas no armário. Imaginei que de manhã cedo Beck comentara com a empregada sobre a mudança. Imaginei que ele tinha pedido a ela que deixasse as roupas para mim.

Voltei à janela e, mais ou menos cinco minutos depois, vi Beck voltando no Cadillac. Paulie estava pronto para ele também. O carro grande mal teve que reduzir a velocidade. Paulie fechou o portão. Passou a corrente e o trancou. O portão estava a cem metros, mas eu conseguia enxergar o que ele estava fazendo. O Cadillac desapareceu de vista debaixo de mim e deu a volta até as garagens. Desci. Imaginei

214

que, com a volta de Beck, deveria ser hora do almoço. Talvez Paulie tivesse passado a corrente no portão porque estava vindo se juntar a nós.

Mas eu estava enganado.

Cheguei ao saguão e me deparei com Beck saindo da cozinha. Estava com o casaco molhado de chuva. Parecia procurar por mim. Tinha uma bolsa esportiva na mão. A mesma em que carregara as armas para Connecticut.

— Trabalho a fazer — disse ele. — Agora. Tem que aproveitar a maré.

— Onde?

Ele se afastou. Virou a cabeça e falou em voz alta por cima do ombro:

— O cara no Lincoln vai te falar.

Passei pela cozinha e saí. O detector de metal apitou. Caminhei na chuva novamente até as garagens. Mas o Lincoln estava estacionado bem ali no canto da casa. Ele tinha virado, dado ré e parado com o porta-malas na direção do mar. Havia um cara no banco do motorista. Protegia-se da chuva e parecia impaciente. Tamborilava no volante com os polegares. Ele me viu pelo retrovisor, abriu o porta-malas e desceu depressa do carro.

Parecia um sujeito que tinha sido arrastado para fora de um trailer e enfiado em um terno. Tinha um cavanhaque agrisalhado comprido que escondia sua falta de queixo e um rabo de cavalo oleoso preso com um elástico de cabelo cor-de-rosa pontilhado de glitter. Era do tipo que se vê em prateleiras giratórias de farmácias, posicionadas na parte de baixo para as menininhas escolherem. Tinha cicatrizes de espinhas antigas e tatuagens de cadeia no pescoço. Era alto e muito magro, como uma pessoa normal dividida ao meio longitudinalmente.

— Você é o novo Duke? — perguntou.

— Sim — respondi. — Sou o novo Duke.

— Sou o Harley.

Não falei o meu nome.

— Então vamos agilizar — disse ele.

— Agilizar o quê?

Ele deu a volta, levantou a tampa do porta-malas até em cima e informou:

— Botar o lixo pra fora.

Havia um saco militar para transporte de cadáveres no porta-malas. De borracha preta grossa, com um zíper de ponta a ponta. Eu conseguia perceber, pela maneira como estava dobrado naquele espaço, que continha uma pessoa pequena. Uma mulher, provavelmente.

— Quem é? — perguntei, embora já soubesse a resposta.

— A piranha do governo — respondeu ele. — A gente levou muito tempo, mas pegamos a vadia no final.

Ele se inclinou e pegou a ponta do saco. Segurou com força as duas laterais. Esperou por mim. Fiquei parado, sentindo a chuva no pescoço, escutando-a estalar e golpear a borracha.

— A gente tem que aproveitar a maré — disse ele. — Ela vai virar.

Eu me inclinei e peguei nas pontas do meu lado. Olhamos um para o outro para coordenar os esforços, suspender o saco e tirá-lo de lá. Não era pesado, mas ruim de manejar, e o tal Harley não era forte. Nós o carregamos alguns passos na direção da praia.

— Põe no chão — falei.

— Por quê?

— Quero ver — respondi.

Harley ficou parado.

— Acho que não quer, não — disse ele.

— Põe no chão — repeti.

Ele hesitou mais um segundo, depois agachamos juntos e colocamos o saco nas rochas. O corpo ficou com as costas arqueadas. Permaneci agachado e dei a volta até o lado da cabeça. Achei a ponta do zíper e puxei.

— Olha pro rosto — disse Harley. — Essa parte não está tão estragada.

Olhei. Estava muito estragada. Ela tinha morrido numa agonia extrema. Isso ficava claro. Seu rosto passava por uma explosão de dor. Ainda estava contorcido com o formato de seu medonho berro final.

Mas não era Teresa Daniel.

Era a empregada de Beck.

9

BAIXEI O ZÍPER ALGUNS CENTÍMETROS MAIS ATÉ VER a mesma mutilação que tinha visto dez anos antes. Então parei. Virei o rosto na direção da chuva e fechei os olhos. A água escorrendo pelo meu rosto me parecia lágrimas.

— Vamos continuar — disse Harley.

Abri os olhos. Encarei as ondas. Fechei o zíper sem olhar mais. Levantei-me devagar e dei a volta até a parte de baixo da bolsa. Harley esperou. Em seguida, cada um segurou sua ponta e levantamos. Carregamos o fardo pelas rochas. Ele me conduziu até um lugar bem afastado da praia no sentido sudeste, onde duas saliências de granito se encontravam. Havia uma fenda em forma de V profunda entre elas. Estava com água em movimento até a metade.

— Espera até depois da próxima onda — orientou Harley.

Ela chegou estrondeando, e nós dois abaixamos a cabeça devido aos respingos. A fenda encheu até o alto, a maré subiu pelas rochas e quase chegou aos nossos sapatos. Depois retrocedeu, a fenda esvaziou e o cascalho rolou ruidosamente. A superfície do mar foi tomada pelo cinza opaco da espuma, que era esburacado pela chuva.

— Tá, vai abaixando — disse Harley. Ele estava sem fôlego. — Segura a sua ponta.

Abaixamos a bolsa e a colocamos de maneira que a ponta da cabeça ficasse dependurada para fora da saliência de granito e dentro da fenda. O zíper estava virado para cima, e o corpo, apoiado nas costas. Eu segurava os dois lados da ponta em que estavam pés. Chuva grudava meu cabelo na cabeça e escorria para dentro dos olhos. Ardia. Harley se agachou, abriu o saco e arredou a ponta da cabeça um pouco mais na direção do espaço vazio. Eu ia junto com ele, centímetro a centímetro, pequenos passos nas rochas escorregadias. A próxima onda chegou e redemoinhou debaixo do saco. Fez com que ele flutuasse um pouco. Harley usou a flutuação para deslizá-lo um pouco mais na direção do mar. Movimentei-me com ele. A onda retrocedeu. A fenda esvaziou novamente. O saco foi levado para baixo. A chuva esmurrava a borracha. Surrava nossas costas. Era de um gelo mortal.

Harley usou as cinco ondas seguintes para mover o saco cada vez mais para fora, até ele estar pendurado exatamente dentro da fenda. Fiquei segurando borracha vazia. A gravidade tinha feito com que o corpo ficasse comprimido no topo. Harley aguardava e olhava para o mar, depois se abaixou bastante e abriu o zíper até o fim. Arrastou-se de volta e pegou uma das pontas no lado que eu estava segurando. Agarrou com firmeza. A sétima onda chegou estrondeando. Os respingos nos ensoparam. A fenda encheu, bem como o saco, em seguida a grande onda retrocedeu e puxou o corpo. Ele flutuou imóvel por uma fração de segundo e depois a contracorrente o pegou e levou embora. Ele afundou imediatamente, para as profundezas. Vi o comprido cabelo loiro ondeando na água, a pele clara lampejar verde e cinza, e depois ela desapareceu. A fenda espumou em vermelho ao esvaziar.

— Maré nervosa dos infernos aqui — comentou Harley.

Fiquei calado.

— A contracorrente leva os corpos daqui na hora — disse ele. — Nunca voltou nenhum, tá ligado? Ela puxa os presuntos por uns dois ou três quilômetros, sempre pro fundo. Lá tem tubarão, eu acho. Eles cruzam a costa aqui. Mais um monte de outros tipos de criaturas. Você sabe, caranguejo, rêmora, esse tipo de coisa.

Fiquei calado.

— Nunca voltou nenhum — repetiu Harley.

Olhei para ele, que sorriu para mim. Sua boca parecia um buraco cavado acima do cavanhaque. Os dentes eram tocos amarelos e podres. Desviei o olhar. A onda seguinte chegou. Era pequena, mas, ao retroceder, lavou a fenda e a deixou limpa. Era como se nada tivesse acontecido. Como se algo jamais tivesse ocorrido ali. Harley se levantou um tanto sem jeito e fechou o zíper do saco vazio. Água rosa escorreu e escoou rapidamente pelas rochas. Ele começou a enrolá-lo. Olhei de volta para a casa. Beck estava de pé à porta da cozinha, sozinho, nos observando.

Voltamos para a casa, ensopados de chuva e água salgada. Beck entrou na cozinha. Nós o seguimos. Harley ficou nos cantos do cômodo, como se sentisse que não devesse estar ali.

— Ela era agente federal? — perguntei.

— Sem dúvida — respondeu Beck.

A bolsa esportiva estava sobre a mesa, no centro, proeminente, como uma prova numa sala de tribunal. Ele a abriu e remexeu lá dentro.

— Dá uma olhada nisto — disse ele, colocando um embrulho em cima da mesa. Algo enrolado em um trapo úmido manchado de óleo do tamanho de uma toalha de rosto. Ele o desdobrou e pegou a Glock 19 de Duffy.

— Isso tudo estava escondido no carro que a gente deixava a garota usar — revelou ele.

— O Saab? — perguntei, porque eu tinha que falar alguma coisa.

Ele fez que sim com um gesto de cabeça e completou:

— No vão em que fica o estepe. No assoalho do porta-malas.

Ele colocou a Glock na mesa. Tirou os dois pentes sobressalentes do trapo e os colocou ao lado da arma. Em seguida, a sovela entortada ao lado deles e o cinzel afiado. E o chaveiro de Angel Doll.

Eu não conseguia respirar.

— A sovela é pra arrombar fechaduras, eu acho — palpitou Beck.

— Como isso prova que ela era federal? — perguntei.

Ele pegou a Glock novamente, a virou, apontou para o lado direito do ferrolho e respondeu:

— Número de série. Nós checamos com a Glock, na Áustria. Por computador. Temos acesso a esse tipo de coisa. Essa arma em particular foi vendida ao governo dos Estados Unidos há mais ou menos um ano. Parte de um pedido grande das agências de segurança, modelo 17 pros agentes do sexo masculino e 19 para as do feminino. É assim que a gente sabe que ela é federal.

Olhei fixamente para o número de série.

— Ela negou?

— É claro que negou. Falou que tinha encontrado as coisas. Ficou lá inventando besteira pra gente. Até jogou a culpa em você, para falar a verdade. Disse que essas coisas eram suas. Só que sempre negam, não negam? São treinados pra isso, eu acho.

Desviei o olhar. Mirei o mar pela janela.

Por que ela pegou aquilo tudo? Por que simplesmente não deixou o negócio lá? Seria algum tipo de instinto de empregada doméstica? Ela não queria que ficasse molhado? Ou o quê?

— Você parece chateado — disse Beck.

E como foi que ela achou aquilo? Por que ela estava procurando?

— Você parece chateado — repetiu ele.

Era mais do que chateado. Ela tinha morrido dolorosamente. E eu a tinha feito passar por isso. Provavelmente achou que estava me fazendo um favor. Mantendo as minhas coisas secas. Ela era só uma menina inocente e calada da Irlanda tentando me ajudar. E eu a havia matado, como se eu tivesse estado lá e cravado a faca nela eu mesmo.

— Sou o responsável pela segurança — respondi. — Eu deveria ter suspeitado dela.

— Você virou o responsável só ontem à noite — disse Beck. — Não fica se flagelando por isso. Você nem esquentou a cadeira ainda. O Duke é que devia ter sacado qual era a dela.

— Mas eu nunca teria suspeitado — falei. — Achava que fosse só a empregada.

— Ei, eu também — disse ele. — Até o Duke.

Desviei o olhar novamente. Mirei o mar. Estava cinza e ondeante. Eu não conseguia entender mesmo. *Ela encontrou tudo. Mas por que esconderia tão bem?*

— E esta é a prova conclusiva — informou Beck.

Voltei o olhar para ele a tempo de vê-lo erguer um par de sapatos de dentro da bolsa. Era o sapato preto deselegante que ela tinha usado todas as vezes que a vi.

— Olha só — disse ele, virando o pé direito de cabeça para baixo. Tirou um pino do salto com as unhas. Em seguida, girou a borracha do salto como se fosse uma portinha e desvirou o sapato. Balançou-o. Um pequeno retângulo plástico retiniu na mesa. Caiu com a frente para baixo. Ele o virou.

Era um dispositivo de e-mail sem fio, exatamente idêntico ao meu.

Ele me passou o sapato. Eu o peguei. Olhei-o sem esboçar reação. Era tamanho 34. Feito para pé pequeno. Mas a parte da frente era larga, portanto, o salto era grosso e largo para equilibrá-lo visualmente. Alguma espécie tosca de coisas da moda. O salto tinha uma cavidade retangular entalhada nele. Idêntica à minha. Tinha sido feita com perfeição. Com paciência. Porém não por uma máquina. Possuía as mesmas marcas de ferramenta cega que a minha. Visualizei um cara num laboratório em algum lugar, uma fileira de sapatos numa bancada em frente a ele, o cheiro de couro novo, um pequeno arco de ferramentas de entalhar organizadas à sua frente. Espirais e tiras de borracha se acumulando no chão ao redor à medida que o trabalho é feito. A maior parte do trabalho no governo é feito com tecnologia muito simples. Nem tudo são canetas esferográficas explosivas e câmeras embutidas em relógios. Às vezes uma ida ao shopping para comprar um dispositivo de e-mail comercial e um par de sapatos comum é o mais avançado a que se chega.

— No que você está pensando? — perguntou Beck.

Eu estava pensando em como eu me sentia. Estava em uma montanha-russa. Ela continuava morta, mas eu não a tinha matado mais. Novamente era culpa dos computadores do governo. Então eu me sentia aliviado, pessoalmente. Porém estava mais do que um pouco irritado, também. *Afinal, que merda a Duffy estava fazendo?* Que joguinho ela estava jogando? Era uma regra de conduta das mais absolutas nunca infiltrar dois ou mais agentes no mesmo local a não ser que eles soubessem um do outro. Isso era totalmente *básico*. Ela tinha me contado sobre Teresa Daniel. *Então por que diabos ela não tinha me contado sobre essa outra mulher?*

— Inacreditável — falei.

— Está sem bateria — disse ele, segurando o dispositivo com as duas mãos e usando os dois polegares nele, como num videogame. — De qualquer maneira, não está funcionando.

Ele o passou para mim. Eu soltei o sapato e o peguei. Pressionei o familiar botão de *power*. Mas a tela não acendeu.

— Há quanto tempo ela estava aqui? — perguntei.

— Oito semanas — respondeu Beck. — É difícil pra gente manter funcionários domésticos. É solitário aqui. E tem o Paulie, você sabe. E o Duke também não era muito hospitaleiro.

— Acho que oito semanas é muito tempo pra uma bateria durar.

— Qual é o procedimento deles agora? — perguntou ele.

— Não sei — respondi. — Nunca fui federal.

— No geral — disse ele. — Você deve ter visto coisa desse tipo.

Dei de ombros.

— Acho que eles já podiam estar esperando por isso — falei. — A comunicação é sempre a primeira coisa que fode. Se ela sai de cena, eles não vão se preocupar imediatamente. Não têm escolha a não ser deixá-la no campo. Afinal, eles não têm como entrar em contato pra pedir pra ela ir embora, não é? Então acho que confiariam na capacidade dela de carregar a bateria, assim que fosse possível.

Virei o aparelho, apontei para pequena entrada na parte de baixo e falei:

— Parece que precisa de um carregador de celular, algo do tipo.

— Eles mandariam alguém atrás dela?

— Mais pra frente — respondi. — Eu acho.

— Quando?

— Não sei. Mas não agora.

— Estamos planejando negar que ela esteve aqui. Negar que a vimos. Não existe prova de que ela já esteve aqui.

— É melhor você limpar muito bem o quarto dela — falei. — Vai estar cheio de impressão digital, cabelo e DNA.

— Recomendaram a garota pra nós — disse ele. — Não colocamos anúncio em jornal nem nada do tipo. Alguns caras que conhecemos em Boston a colocaram em contato.

Ele olhou para mim. Pensei: *alguns caras em Boston implorando por uma redução de pena, ajudando o governo de todas as maneiras que podem.*

— Complicado — falei. — Porque, afinal, o que isso diz sobre eles?

Ele assentiu, amargo. Sabia o que eu estava querendo dizer. Ele pegou o molho grande de chaves do lado do cinzel.

— Acho que isto era do Doll — disse ele.

Fiquei calado.

— Então temos um pesadelo de três vias. Podemos ligar o Doll ao pessoal de Hartford, e podemos ligar os nossos amigos de Boston aos federais. Agora a gente pode ligar o Doll aos federais também. Porque ele deu as chaves dele pra piranha disfarçada. O que significa que o pessoal de Hartford deve estar de conluio com os federais também. O Doll está morto, graças ao Duke, mas eu ainda tenho Hartford, Boston *e* o governo nas minhas costas. Vou precisar de você, Reacher.

Olhei para Harley. Ele estava olhando a chuva pela janela.

— Foi só o Doll? — perguntei.

Beck fez que sim com a cabeça e disse:

— Já revirei esse negócio todo. Estou satisfeito. O resto está bem. Eles ainda estão comigo. Pediram muitas desculpas pelo lance do Doll.

— Ok — falei.

Houve silêncio por um longo momento. Depois Beck reembrulhou o meu pacote no trapo e o jogou na bolsa. Ele jogou o dispositivo de e-mail descarregado lá dentro em seguida e colocou os sapatos da empregada por cima. Tinham um aspecto triste, vazio e desamparado.

— Aprendi uma coisa — disse ele. — Pode apostar que vou começar a revistar os sapatos das pessoas. Pode apostar sua vida que vou.

Naquele exato momento, eu apostei a minha vida. Continuei com o meu sapato. Voltei ao quarto de Duke lá em cima e dei uma olhada no guarda-roupa dele. Havia quatro pares. Nada que eu teria escolhido numa loja, mas que pareciam razoáveis e tinham quase o tamanho certo. Mas os deixei ali. Aparecer tão rapidamente com outro sapato me delataria. E se eu ia jogar o meu sapato fora, tinha que fazer isso da maneira apropriada. Não fazia sentido deixá-lo no meu quarto para que pudessem ser inspecionados. Eu teria que levá-lo para fora da casa. E não havia uma maneira fácil de fazer isso naquele momento. Não depois da cena na cozinha. Não podia simplesmente descer a escada com ele na mão. O que eu falaria? *O quê? Isto? Ah, é só o sapato que eu estava usando quando cheguei. Vou só dar uma ida ali fora pra jogá-los no oceano.* Como se de repente eu tivesse me cansado deles? Então fiquei com eles.

E, de qualquer maneira, ainda precisava deles. Eu estava tentado, mas não me sentia preparado para furar com Duffy. Ainda não. Tranquei-me no banheiro de Duke e peguei o dispositivo de e-mail. Era um sentimento sinistro. Apertei *power* e a tele acendeu com uma mensagem: *Precisamos nos encontrar*. Apertei *Responder* e mandei: *E como precisamos*. Desliguei o aparelho, o prendi de novo dentro do salto e desci para a cozinha.

— Vai com o Harley — disse Beck. — Você tem que trazer o Saab de volta.

A cozinheira não estava lá. As bancadas estavam limpas e arrumadas. Tinham-nas esfregado. O forno estava frio. Tive a sensação de que deveria ter uma plaquinha de *Fechado* pendurada na porta.

— E o almoço? — perguntei.

— Está com fome?

Pensei de novo na maneira como o mar tinha engolido o conteúdo da bolsa e reivindicado o corpo. Vi o cabelo debaixo da água, fluido e infinitamente fino. Vi o sangue dissipando-se, rosa e diluído. Eu não estava com fome.

— Faminto — respondi.

Beck deu um sorriso, encabulado.

— Você é frio pra cacete, Reacher.

— Já vi gente morta e espero ver de novo.

Ele assentiu.

— A cozinheira está de folga. Come fora, pode ser?

— Não tenho dinheiro.

Ele enviou a mão no bolso da calça e tirou um maço de notas. Começou a contá-las, depois deu de ombros, desistiu e me deu tudo. Devia ter uns mil dólares.

— Dinheiro pra andar por aí. Resolvemos o negócio do salário depois.

Coloquei a grana no bolso.

— O Harley está esperando no carro — disse ele.

Saí e levantei a gola do casaco. O vento diminuía. A chuva estava ficando vertical. O Lincoln continuava lá no canto da casa, com a tampa do porta-malas fechada. Harley tamborilava os polegares no volante. Entrei no lado do passageiro e arredei o banco para conseguir espaço

224

para as pernas. Ele ligou o carro, o limpador de para-brisa e arrancou. Tivemos que esperar Paulie desacorrentar o portão. Harley mexeu no aquecedor e o colocou no máximo. Nossas roupas estavam molhadas, e as janelas embaçavam. Paulie estava demorando. Harley começou a tamborilar novamente.

— Vocês dois trabalham pro mesmo cara? — perguntei a ele.

— Eu e o Paulie? — disse ele. — Claro.

— Quem é ele?

— O Beck não te contou?

— Não — respondi.

— Então também não vou contar, acho.

— Difícil fazer o meu serviço sem informação — reclamei.

— Isso é problema seu — disse ele. — Não meu.

Ele me lançou de novo seu sorriso amarelo e cheio de falhas. Imaginei que se desse um soco nele com força suficiente, meu punho arrancaria todos os toquinhos e pararia em algum lugar no fundo daquela garganta esquelética. Mas não fiz nada. Paulie afrouxou a corrente e abriu o portão para trás. Harley arrancou imediatamente e passou apertado com aproximadamente três centímetros de distância de cada lado. Aconcheguei-me no banco. Harley acendeu o farol, acelerou com força e borrifos de água em forma de rabo de cavalo elevaram-se atrás de nós. Seguimos na direção oeste, porque não havia opções durante os primeiros vinte quilômetros. Depois seguimos para o norte pela Rota 1, para longe de onde Elizabeth Beck tinha me levado, para longe do Old Orchard Beach e Saco, na direção de Portland. Não tinha visão de nada porque o tempo estava deplorável. Mal conseguia ver as lanternas traseiras do trânsito à nossa frente. Harley não disse nada. Ficava somente balançando para a frente e para trás no banco do motorista e tamborilando os polegares no volante. Não dirigia com suavidade. Estava sempre pisando ou no acelerador ou no freio. Nossa velocidade sempre aumentava e diminuía, aumentava e diminuía. Foram longos trinta quilômetros.

Depois a estrada fazia uma curva forte na direção oeste, e vi a I-295 aproximar-se à esquerda. Havia uma língua estreita de água cinza do mar além dela; depois ficava o aeroporto de Portland. Havia um avião decolando em meio a uma enorme nuvem de spray. Ele rugiu baixo sobre nossas cabeças e virou para o sul sobre o Atlântico. Depois surgiu um centro comercial à nossa esquerda com um estacionamento comprido e estreito em frente a ele. Tinha o tipo de lojas que você espera encontrar em um lugar ordinário encalhado entre duas estradas perto de um aeroporto. O estacionamento continha uma fileira de uns vinte carros, todos estacionados com a frente para o meio-fio num ângulo de noventa graus. O velho Saab era o quinto da esquerda. Harley encostou o Lincoln e parou exatamente atrás dele. Tamborilou os polegares no volante.

— Todo seu — disse ele. — As chaves estão no compartimento da porta.

Saí na chuva e ele arrancou assim que fechei a porta. Mas não voltou para a Rota 1. No final do estacionamento, virou à esquerda e pegou a próxima à direita. Eu o vi passar lentamente com o carrão por uma saída esburacada de concreto encharcado que levava ao estacionamento adjacente. Levantei minha gola novamente, o observei percorrê-lo devagar e depois desaparecer por trás de um conjunto novinho de construções. Eram galpões compridos e baixos feitos de metal corrugado brilhante. Uma espécie de parque industrial. Havia uma rede de estreitas estradas de asfalto. Estavam molhadas e brilhantes por causa da chuva. Tinham calçadas altas de concreto, lisas e novas. Vi o Lincoln de novo, por uma lacuna entre os galpões. Movimentava-se lenta e preguiçosamente, como se estivesse procurando um lugar para estacionar. Ele deslizou para trás de outro galpão e não o vi de novo. Virei. O Saab estava de frente para um depósito de bebidas baratas. De um lado havia uma loja de som automotivo e, do outro, um lugar cheio de lustres de cristal falso. Duvidei que a empregada tivesse sido enviada para comprar um lustre novo. Ou para pôr um tocador de CDs no Saab. Então deviam tê-la mandado à loja de bebidas. E ela devia ter encontrado um monte de gente esperando ali por ela. Quatro, talvez cinco camaradas. Pelo menos. Depois da surpresa inicial, ela se transformaria de empregada desnorteada em agente treinada lutando pela própria vida. Eles teriam previsto isso. Teriam ido ao local em bando. Olhei para os dois lados da calçada. Depois olhei para a loja de bebidas. Havia uma janela cheia de caixas. Não tinha vista para fora na parte de trás. Mas entrei mesmo assim.

A loja estava cheia de caixas, mas não havia ninguém lá dentro. A impressão era de que ela passava a maior parte do tempo desse jeito. Estava fria e empoeirada. O atendente atrás do balcão era um cara grisalho de uns 50 anos. Cabelo cinza, camisa cinza, pele cinza. Pareceria que não saía dali havia uma década. Ele não tinha nada que eu gostaria de comprar, para quebrar o gelo. Então eu fui em frente e fiz a pergunta:

— Está vendo aquele Saab ali fora?

Ele fez gesto exagerado de olhar lá para fora.

— Estou — respondeu ele.

— Você viu o que aconteceu com quem estava dirigindo?

— Não.

As pessoas que falam "não" logo de cara geralmente estão mentindo. Quem está falando a verdade é perfeitamente capaz de responder que não, mas em geral para e pensa primeiro. E completam com "sinto muito" ou coisa parecida. Talvez até faça algumas perguntas. É a natureza humana. Algo como "não, sinto muito, por quê?" ou "o que aconteceu?". Enfiei a mão no bolso e puxei uma nota do maço de Beck sem olhar. Era uma de cem. Dobrei-a na metade e levantei entre o indicador e o polegar.

— E agora, você viu? — perguntei.

Ele olhou para a esquerda dele. Minha direita. Na direção do parque industrial além das paredes da loja.

Uma olhada rápida, furtiva; virou e desvirou a cabeça.

— Não — repetiu.

— Town Car preto? — falei. — Que saiu praquele lado?

— Não vi — negou ele. — Estava ocupado.

— Dá mesmo pra ver que você está ocupadíssimo. É um milagre que um homem só consiga aguentar tanta pressão.

— Estava lá atrás. No telefone, eu acho.

Mantive os cem levantados por outro longo momento. Imaginei que cem dólares livres de impostos representariam uma bela fatia do lucro líquido semanal do sujeito. Mas ele desviou o olhar do dinheiro, o que também queria dizer muita coisa.

— Certo — falei. Coloquei o dinheiro de volta no bolso e saí.

★ ★ ★

Andei com o Saab pouco menos de duzentos metros no sentido sul pela Rota 1 e parei no primeiro posto de gasolina que vi. Entrei, comprei uma garrafa de água mineral e duas barras de chocolate. Paguei quatro vezes mais pela água do que pagaria pela gasolina, se fizesse o cálculo por litro. Em seguida saí, me abriguei perto da porta, abri um chocolate e comecei a comê-lo. Usei o tempo para dar uma olhada ao redor. Não havia vigilância. Caminhei até o telefone público e usei os trocados para ligar para Duffy. Tinha memorizado o número do quarto dela. Encurvei-me dentro da proteção de plástico e tentei continuar seco. Ela atendeu no segundo toque.

— Vai pra Saco, no norte — falei. — Agora. Me encontra no shopping grande de tijolinho na ilha do rio em uma cafeteria que chama Café Café. O último a chegar paga.

Terminei meu chocolate enquanto dirigia para o sul. O Saab era duro e barulhento em comparação com o Cadillac de Beck e o Lincoln de Harley. Era velho e surrado. Os carpetes eram finos e estavam soltos. Ele tinha seis dígitos no marcador. Mas dava conta do recado. Tinha pneus decentes e o limpador de para-brisa funcionava. Andava na chuva com tranquilidade. E tinha retrovisores grandes bacanas. Fiquei de olho neles durante todo o percurso. Ninguém veio atrás de mim. Cheguei à cafeteria primeiro. Pedi um expresso grande para lavar o gosto de chocolate da boca.

Duffy apareceu na porta seis minutos depois. Ficou parada na entrada, olhando ao redor, depois veio na minha direção e sorriu. Tinha trocado de jeans e estava com outra camisa de algodão, mas ela era azul, não branca. Por cima, a jaqueta de couro, e, cobrindo tudo, um casaco impermeável surrado que era grande demais para ela. Talvez fosse do cara mais velho. Talvez tenha pegado emprestado com ele. Não era de Eliot. Isso era óbvio. Ele era menor do que Duffy. Acho que ela não esperava encontrar um tempo tão ruim ali no norte.

— Este lugar é seguro? — questionou ela.

Não respondi.

— O quê? — perguntou ela.

— Você paga — falei. — Chegou aqui depois de mim. Vou pedir outro expresso. E você está me devendo o primeiro.

Ela me olhou inexpressiva, depois foi ao balcão e voltou com um expresso para mim e um cappuccino para ela. O cabelo estava um pouquinho molhado. Ela o tinha ajeitado com os dedos. Devia ter estacionado o carro na rua, caminhado pela chuva e conferido seu reflexo na vitrine de uma loja. Contou o troco em silêncio e me entregou notas e moedas que somavam o preço do meu primeiro expresso. Café era outra coisa muito mais cara do que gasolina, lá em cima no Maine. Mas imaginei que fosse a mesma coisa em qualquer lugar.

— O que está rolando? — perguntou ela.

Não respondi.

— Reacher, qual é o problema?

— Você colocou outro agente lá oito semanas atrás — falei. — Por que não me contou?

— O quê?

— O que eu falei.

— Que agente?

— Ela morreu hoje de manhã. Passou por uma mastectomia dupla radical sem o benefício da anestesia.

Ela olhou para mim e perguntou:

— A Teresa?

Abanei a cabeça e respondi:

— Não ela. A outra.

— Que outra?

— Não fica de sacanagem comigo — reclamei.

— *Que outra?*

Encarei-a. Com a cara fechada. Depois abrandei. Havia algo na luz da cafeteria. Talvez fosse o jeito que ela refletia na madeira clara, no metal escovado, no vidro e nas partes cromadas. Era como luz de raio--x. Como um soro da verdade. Ela tinha me mostrado o genuíno e incontrolável rubor de Elizabeth Beck. Eu queria que ela me mostrasse exatamente o mesmo rubor de vergonha e constrangimento, por eu a ter descoberto. Em vez disso, o que me mostrou foi surpresa total. Estava bem ali em seu rosto. Ela tinha ficado muito pálida. O choque a deixara branca como cera. Era como se o sangue tivesse sido drenado dela. E ninguém conseguia se forçar a ficar daquele jeito, do mesmo jeito que não dá para se forçar a ruborizar.

— Que *outra?* — repetiu ela. — Só tinha a Teresa. Como é que é? Você está me falando que ela está morta?

— A Teresa, não — repeti. — Tinha outra agente. Outra mulher. Ela tinha sido contratada como empregada pra trabalhar na cozinha.

— Não — disse ela. — Só tinha a Teresa.

Neguei com a cabeça de novo e afirmei:

— Eu vi o corpo. Não era a Teresa.

— Uma empregada da cozinha?

— Ela tinha um daqueles negócios de e-mail no sapato — expliquei.

— Exatamente igual ao meu. O salto foi entalhado pelo mesmo cara. Reconheci o trabalho dele.

— Isso não é possível — disse ela.

Encarei-a direto nos olhos.

— Eu teria te contado — afirmou Duffy. — É claro que teria te contado. E eu nem teria *precisado* de você se tivesse outro agente lá. Não percebe?

Desviei o olhar. Olhei de novo. Minha vez de ficar constrangido.

— Então quem diabos era ela? — questionei.

Ela não respondeu. Começou a girar a xícara no pires, cutucando a asa com o dedo indicador, movimentando-o dez graus a cada cutucada. A espuma densa e o pó de chocolate ficavam parados enquanto a xícara rodava. Ela estava pensando com força total.

— Oito semanas atrás? — perguntou ela.

Fiz que sim com a cabeça.

— O que os alertou? — continuou Duffy.

— Entraram no seu computador — respondi. — Hoje de manhã ou ontem à noite.

Ela levantou a cabeça e tirou os olhos da xícara.

— Era sobre isso que você estava me perguntando?

Assenti. Fiquei calado.

— A Teresa não está no sistema — disse Duffy. — Ela está trabalhando por debaixo dos panos.

— Você conferiu com o Eliot?

— Fiz mais do que conferir — disse ela. — Vasculhei o HD dele inteiro. E todos os arquivos dele no servidor principal lá em D.C. Tenho acesso total a todos os lugares. Procurei Teresa, Daniel, Justice, Beck, Maine e infiltrada. E ele não escreveu nenhuma dessas palavras em lugar nenhum.

Fiquei calado.

— Como foi que aconteceu? — perguntou ela.

— Não tenho muita certeza — respondi. — Acho que primeiro eles conseguiram a informação no sistema de que vocês tinham alguém lá dentro e que era uma mulher. Não tinham nome, nenhum detalhe. Aí eles a procuraram. E acho que foi em parte culpa minha eles a terem achado.

— Como?

— Eu tinha um pacote escondido — falei. — A sua Glock com a munição e mais algumas outras coisas. Ela o encontrou. E escondeu no carro que estava usando.

Duffy ficou quieta por um segundo.

— Certo — disse ela. — E você está achando que eles revistaram o carro e as suas coisas fizeram com que o negócio não pegasse bem pro lado dela, certo?

— Acho que sim.

— Mas talvez eles tenham revistado *ela* antes e achado o sapato.

Desviei o olhar e disse:

— Eu sinceramente espero que sim.

Ela fez uma careta.

— Não fique se responsabilizando. Não é culpa sua. Depois que entraram no sistema era só uma questão de tempo antes de escolherem uma delas. As duas se encaixavam no perfil. Afinal, quantas mulheres haviam lá para eles escolherem? Provavelmente só ela e a Teresa. Não tinham como errar.

Concordei com um gesto de cabeça. Tinha Elizabeth também. E a cozinheira. Só que nenhuma das duas figuraria num lugar muito alto da lista de suspeitas. Elizabeth era a esposa do cara. E a cozinheira provavelmente estava lá havia uns bons vinte anos.

— Mas quem era ela? — perguntei.

Ela ficou mexendo na caneca até o objeto estar no lugar em que tinha começado. Até que tivesse completado um círculo completo. A borda sem vidro na parte inferior fez um pequeno ruído agudo.

— Receio que seja óbvio — disse ela. — Pensa na cronologia. Olha pra trás a partir de hoje. Onze semanas atrás eu fodi o esquema com as fotos que tirei quando fazia a vigilância. Dez semanas atrás eles me tiraram do caso. Mas, como o Beck é peixe grande, eu não podia desistir, então nove semanas atrás eu coloquei a Teresa lá sem o conhecimento deles. Mas também, como o Beck é um peixe grande, eles devem ter dado o caso pra outra pessoa sem o *meu* conhecimento, e, oito semanas atrás, essa outra pessoa pôs a tal empregada lá, junto com a Teresa. A Teresa não sabia que a empregada estava chegando e a empregada não sabia que a Teresa já estava lá.

— Por que ela teria se metido nas minhas coisas?

— Acho que ela queria controlar a situação. Procedimento padrão. Até onde ela sabia, você não era nenhum fodão. Era só um sujeito descontrolado. Um encrenqueiro qualquer. Você era assassino de policiais e estava escondendo armas. Talvez ela tenha achado que você fosse de um grupo rival. Ela provavelmente estava pensando em te dedurar pro Beck. Teria melhorado a credibilidade dela com o Beck. E ela queria tirar você do caminho, porque não precisava de mais complicações. Se não o dedurasse pro Beck, ela o teria entregado pra gente, como um assassino de policiais. Estou surpresa por ela já não ter feito isso.

— Ela estava sem bateria.

— Oito semanas — disse ela. — Acho que as empregadas que trabalham na cozinha não têm muito acesso a carregadores de celular.

— O Beck falou que ela era de Boston.

— Faz sentido — concordou ela. — Eles provavelmente entregaram o caso pro escritório de campo de Boston. Era algo que funcionaria geograficamente. E explica por que ninguém em D.C. fofocou isso pra gente.

— Ele falou que ela foi recomendação de alguns amigos dele.

— Gente negociando redução de pena, com certeza. Usamos esse pessoal o tempo todo. Eles armam uns pros outros felizes da vida. Não existe código de silêncio com essa gente.

Então me lembrei de outra coisa que Beck tinha dito.

— Como a Teresa estava se comunicando? — perguntei.

— Ela tinha um negócio desse de e-mail igual ao seu.

— No sapato?

Duffy fez que sim com um gesto de cabeça. Não falou nada. Ouvi a voz de Beck alta dentro da cabeça. *Pode apostar que vou começar a revistar os sapatos das pessoas. Pode apostar sua vida que vou.*

— Quando foi a última vez que você recebeu mensagem dela?

— Perdemos contato no segundo dia — respondeu ela, depois ficou calada.

— Onde ela estava morando? — perguntei.

— Em Portland. Nós a colocamos num apartamento. Ela trabalhava no escritório, não era empregada na casa.

— Você esteve no apartamento?

Ela fez que sim e disse:

— Ninguém a viu lá depois do segundo dia.

— Você conferiu o guarda-roupa dela?

— Por quê?

— Precisamos saber que sapato ela estava usando quando a capturaram.

Duffy ficou pálida novamente.

— Puta merda — xingou ela.

— Isso mesmo — falei. — Que sapato ficou no guarda-roupa dela?

— O errado.

— Ela ia pensar em dispensar o negócio de e-mail?

— Não adiantaria nada. Ela ia ter que dispensar o sapato também. O buraco no salto ia entregar tudo, não ia?

— A gente tem que achar a Teresa.

— Tem mesmo — concordou ela. Depois ficou em silêncio por um tempinho. — Ela teve muita sorte hoje. Eles procuraram uma mulher e por acaso olharam para a empregada primeiro. Não podemos contar com essa sorte dela por muito mais tempo.

Não falei nada. *Muita sorte da Teresa, muito azar da empregada.* Cada sorte tem um revés. Duffy tomou um gole do café, fez uma careta, como se o gosto estivesse esquisito e pousou a xícara de volta na mesa.

— Mas o que fez com que ela fosse descoberta? — questionou Duffy. — Pra início de conversa. É isso o que eu quero saber. Afinal, ela só durou dois dias. E isso foi nove semanas antes de eles invadirem o sistema.

— Que história vocês inventaram pra ela?

— A de sempre pra esse tipo de trabalho. Solteira, sem laços, sem família, sem raízes. Igual a você, só que você não precisa fingir.

Concordei, calmamente.

Uma mulher bonita na casa dos 30 anos de quem ninguém jamais sentiria falta. Uma enorme tentação para caras como Paulie ou Angel Doll.

Talvez irresistível. *Uma diversão bacana de se ter por perto.* O resto do pessoal deles devia ser ainda pior. Como Harley, por exemplo. Ele não me parecia lá um garoto-propaganda dos benefícios da civilização.

— Talvez nada tenha feito com que ela fosse descoberta — opinei.

— Talvez ela tenha simplesmente desaparecido, sabe, como acontece com mulheres. Muitas mulheres desaparecem. Jovens, principalmente. Solteiras e sem laços. Acontece o tempo todo. Centenas por ano.

— Mas você achou o quarto em que eles a tinham colocado.

— Todas essas mulheres desaparecidas têm que estar em algum lugar. Elas só estão desaparecidas no que diz respeito ao restante das outras pessoas. Elas sabem onde estão, e os homens que as pegaram sabem onde elas estão.

Ela olhou para mim.

— Você acha que pode ter sido isso?

— É possível.

— Ela vai ficar bem?

— Não sei — respondi. — Espero que sim.

— Eles vão mantê-la viva?

Fiz que sim com a cabeça e respondi:

— Acho que querem mantê-la viva. Porque não sabem que ela é agente federal. Acham que ela é só uma mulher.

Uma diversão bacana de se ter por perto.

— Você consegue achá-la antes de eles conferirem o sapato?

— Eles podem nunca pensar em conferir — falei. — Você sabe: se estiverem olhando pra ela sob uma perspectiva específica, por assim dizer, seria uma mudança muito radical começar a vê-la de outro jeito.

Ela desviou o olhar. Ficou quieta.

— Uma perspectiva específica — repetiu ela. — Por que a gente não fala o que estamos querendo dizer?

— Porque não queremos — respondi.

Ela ficou quieta. Um minuto. Dois. Depois olhou diretamente para mim. Uma ideia completamente nova.

— E o seu sapato? — perguntou ela.

Abanei a cabeça e falei:

— Mesma coisa. Estão ficando acostumados comigo. Seria uma mudança muito radical começar a me ver de outro jeito.

— Mesmo assim, o risco é grande.

Dei de ombros e comentei:

— O Beck me deu uma Beretta M9. Vou esperar pra ver o que acontece. Se ele se abaixar pra dar uma olhada, meto uma bala na testa dele.

— Mas ele é só um empresário, não é? Basicamente? Ele realmente faria algo ruim com a Teresa sem saber que ela é uma ameaça pro negócio dele?

— Não sei — falei.

— Ele matou a empregada?

Neguei com a cabeça e afirmei:

— Foi o Quinn quem matou.

— Você testemunhou?

— Não.

— Então como é que você sabe?

Desviei o olhar.

— Reconheci o trabalho dele — respondi.

A quarta vez que vi a terceiro-sargento Dominique Kohl foi uma semana depois da noite que passamos no bar. Fazia calor. Rolava umas conversas sobre uma tempestade tropical que se aproximava vinda das Bermudas. Eu tinha um milhão de arquivos na minha mesa. Tínhamos estupros, homicídios, roubos de arma, agressões, e houvera um motim na noite anterior porque a refrigeração tinha estragado na cozinha do rancho e o sorvete acabara virando água. Eu tinha acabado de encerrar uma ligação com um amigo de Fort Irwin, na Califórnia, onde acontecia a mesma coisa sempre que os ventos do deserto sopravam para lá.

Kohl entrou de short e regata. Ainda não estava suando. Sua pele continuava morena. Carregava uma pasta, que naquele momento estava oito vezes mais grossa do que quando eu a tinha entregado a ela.

— O *sabot* tem que ser de metal — informou ela. — Essa é a conclusão final a que chegaram.

— É?

— Eles preferiam plástico, mas acho que era só exibicionismo.

— Entendi — falei.

— Estou te falando que eles terminaram o design do *sabot*. Agora estão prontos pra começar o que é importante.

235

— Você ainda está toda cheia de amores em relação ao tal do Gorowski?

Ela fez que sim com a cabeça e completou:

— Seria uma tragédia prender o sujeito. Ele é um cara legal e uma vítima inocente. Além disso, é bom no que faz e é útil pro Exército.

— Então o que você quer fazer?

— É complicado — respondeu ela. — Acho que o que eu quero fazer é trazer o Gorowski pro nosso lado e fazer com que ele forneça coisas falsas pra quem está por trás disso. Assim a gente continua a investigação sem arriscar entregar nenhuma informação de verdade.

— Mas...?

— A própria informação de verdade parece falsa. É um equipamento muito esquisito. Parece um dardo gigante. Não tem explosivo nele.

— Então como é que ele funciona?

— Energia cinética, metais densos, urânio empobrecido, calor, esse tipo de coisa. Você é pós-graduado em física?

— Não.

— Então não vai entender. Mas o meu palpite é de que se a gente avacalhar os designs, o bandido vai saber. E isso vai colocar o Gorowski em risco. Ou as menininhas dele.

— Então você quer deixar rolar os projetos de verdade?

— Acho que temos que fazer isso.

— Muito arriscado — alertei.

— Decisão sua — disse ela. — É por isso que você ganha esse salário enorme.

— Sou capitão — falei. — Eu estaria na fila da sopa da caridade se tivesse tempo pra comer.

— Decisão?

— Já tem alguma ideia de quem é o bandido? Tem alguma pista?

— Não.

— Está se sentindo confiante de que não vai deixar o cara escapar?

— Cem por cento — disse ela.

Sorri. Naquele momento, ela parecia o ser humano mais confiante que eu já tinha visto. Olhos brilhantes, expressão séria, cabelos atrás das orelhas, short cáqui, regata cáqui bem pequena, meia, bota de paraquedista e pele morena toda bronzeada.

— Então manda ver — autorizei.

— Eu nunca danço — disse ela.

— O quê?

— Não era só por sua causa — falou ela. — Na verdade, eu teria gostado. Gostei do convite. Mas nunca danço com ninguém.

— Por que não?

— Coisa minha — respondeu ela. — Fico constrangida. Não tenho muita coordenação.

— Nem eu.

— Talvez a gente devesse praticar em particular — disse ela.

— Separados?

— Um ajudando o outro — disse ela. — Tipo alcoolismo.

Ela deu uma piscada, saiu e deixou um rastro muito fraco de seu perfume no quente e pesado ar.

Duffy e eu terminamos o café em silêncio. O meu estava ralo, frio e amargo. Foi difícil tragar tudo. Meu sapato direito estava apertado. Não servia direito e estava começando a parecer uma daquelas bolas de ferro no tornozelo de prisioneiros. Eu o havia achado engenhoso no início. Inteligente, bacana e esperto. Lembrei-me da primeira vez em que tinha aberto o salto, três dias antes, logo depois de chegar à casa, logo depois de Duke trancar a porta do quarto. *Estou dentro.* Eu tinha me sentido como um cara num filme. Depois me lembrei da última vez. Lá no banheiro de Duke, uma hora e meia antes. Eu tinha ligado o aparelho e a mensagem de Duffy estava ali aguardando por mim: *Precisamos nos encontrar.*

— Por que você queria se encontrar comigo? — perguntei a ela.

Ela abanou a cabeça e falou:

— Não importa mais. Estou revendo a missão. Descartando todos os nossos objetivos com exceção de encontrar a Teresa. Encontre a Teresa e a tire de lá, só isso, entendido?

— E o Beck?

— Não vamos pegar o Beck. Fodi tudo de novo. Aquela empregada era uma agente legítima, e a Teresa, não. Nem você. E a empregada morreu, então eles vão me demitir por ter agido por debaixo dos panos com a Teresa e com você e vão abandonar o caso contra o Beck, porque eu comprometi o procedimento de tal maneira que eles nunca conseguiriam condená-lo no tribunal. Então só tira a Teresa daquele inferno, e aí cada um segue o seu caminho.

— Certo — falei.

— Você vai ter que esquecer o Quinn — disse ela. — Deixa isso pra lá.

Fiquei calado.

— De qualquer maneira, a gente fracassou — lamentou Duffy. — Você não encontrou nada útil. Nada. Nenhuma prova sequer. Foi uma completa perda de tempo, do início ao fim.

Fiquei calado.

— Igual à minha carreira — concluiu ela.

— Quando você vai contar pro Departamento de Justiça?

— Sobre a empregada?

Fiz que sim.

— Agora — respondeu ela. — Imediatamente. Tenho que fazer isso. Não tenho opção. Mas vou vasculhar os arquivos antes e descobrir quem a colocou lá. Porque prefiro dar a notícia cara a cara, eu acho, pra alguém com a mesma patente que a minha. Assim vou ter a oportunidade de pedir desculpa. De qualquer outro jeito, vai ser o maior pandemônio antes de eu sequer ter a oportunidade. Todos os meus códigos de acesso serão cancelados, vão me dar uma caixa de papelão e me mandar limpar minha mesa em trinta minutos.

— Há quanto tempo você está lá?

— Muito tempo. Pensei que seria a primeira mulher a assumir a diretoria.

Fiquei calado.

— Eu teria te contado — disse ela. — Juro, se tivesse colocado outro agente lá dentro, eu teria te contado.

— Eu sei — falei. — Me desculpa por ter feito conclusões precipitadas.

— É o estresse — afirmou ela. — Trabalhar infiltrado é barra.

Concordei com um gesto de cabeça e comentei:

— Parece uma sala dos espelhos aquilo lá. É um problema atrás do outro. Tudo parece irreal.

Deixamos nossas xícaras pela metade sobre a mesa e seguimos na direção da saída, chegamos aos corredores do shopping, depois à chuva do lado de fora. Tínhamos estacionado perto um do outro. Ela me deu um beijo na bochecha. Depois entrou no seu Taurus e seguiu para o sul, e eu entrei no Saab e segui para o norte.

Paulie fez a maior hora para abrir o portão para mim. Ele me fez esperar alguns minutos antes até mesmo de sair com passos pesados de sua casa. Ainda estava de capa de chuva. Depois ele parou e ficou olhando por um minuto antes de aproximar-se da tranca. Mas aquilo não me incomodava. Estava ocupado pensando. Ouvindo a voz de Duffy na cabeça: *estou revendo a missão*. Durante a maior parte da minha carreira militar, um cara chamado Leon Garber foi direta ou indiretamente o meu chefe. Ele explicava tudo a si mesmo inventando pequenas frases ou ditados. Ele costumava dizer: *rever objetivos é sensato, porque faz com que você pare de jogar dinheiro bom em cima de dinheiro podre*. Ele não queria dizer dinheiro em sentido literal. Ele estava se referindo a mão de obra, recursos, tempo, empenho, esforço, energia. Ele costumava se contradizer também. Com a mesma frequência, ele costumava dizer: *nunca perca o foco do serviço exato que tem em mãos*. É claro, provérbios geralmente são assim. *Cozinheiros demais estragam a sopa, muitas mãos aliviam o trabalho, mentes brilhantes pensam igual, idiotas nunca discordam*. Mas, no geral, depois de anular algumas camadas de contradição, o Leon era a favor da revisão. Muito a favor dela. Principalmente porque revisar envolvia pensar, e ele achava que pensar nunca fazia mal a ninguém. Eu estava pensando. E pensando muito, porque eu tinha consciência de que algo estava lenta e imperceptivelmente se arrastando sobre mim, logo fora do alcance da minha consciência. Algo conectado com o que Duffy me dissera: *você não encontrou nada útil. Nada. Nenhuma prova sequer*.

Ouvi o portão sendo aberto. Ergui os olhos e vi Paulie esperando que eu entrasse. A chuva açoitava a capa de chuva. Ele continuava sem chapéu. Me vinguei de leve, esperando um minuto também. A revisão de Duffy me servia muito bem. Eu não me importava muito com Beck. Não me importava mesmo, de um jeito ou de outro. Mas eu queria Teresa. E eu a encontraria. Queria Quinn também. E eu o encontraria também, independentemente do que Duffy falasse. A revisão não faria tanta diferença assim.

Olhei para Paulie outra vez. Continuava esperando. Era um idiota. Ele estava parado na chuva, eu estava dentro de um carro. Tirei o pé do acelerador e passei lentamente pelo portão. Depois acelerei com força e segui para a casa.

Pus o Saab de volta na vaga em que o tinha visto e caminhei até o pátio. O mecânico continuava na terceira garagem, a vazia. Eu não conseguia ver o que ele estava fazendo. Talvez estivesse apenas se abrigando da chuva. Corri de volta para casa. Beck ouviu o detector de metais anunciar a minha chegada e foi à cozinha para se encontrar comigo. Apontou para a bolsa esportiva. Ainda estava ali na mesa, bem no meio dela.

— Desaparece com essa merda — ordenou ele. — Joga ela no mar, pode ser?

— Tá bom.

Ele voltou para o saguão, e eu peguei a bolsa e me virei. Fui para fora e caminhei pelo chão escorregadio até a lateral da garagem que ficava virada para o oceano. Coloquei o meu embrulho novamente na fenda em que estivera escondido. *Quem economiza sempre tem.* E eu queria devolver a Glock à Duffy. Ela já estava com problemas demais sem precisar adicionar à lista a perda de sua arma de trabalho. A maioria das agências leva esse tipo de coisa muito a sério.

Caminhei na beirada das placas de granito, balancei a sacola e a arremessei longe no oceano. Ela girou e girou no ar, e os sapatos e o aparelho de e-mail saíram de dentro. Vi o eletrônico atingir a água e afundar imediatamente. O sapato esquerdo caiu com a parte da frente e o seguiu. A bolsa desceu um pouco como paraquedas e pousou gentilmente na superfície, virada para baixo, se encheu de água, virou e submergiu. O pé direito flutuou por um momento, como um minúsculo barquinho preto. Ele remexia, guinava e se agitava impacientemente, como se tentasse fugir para o leste. Subiu numa onda, depois escorregou para baixo na parte mais distante da crista. Começou a ficar de lado. Flutuou por mais uns dez segundos, depois se encheu de água e afundou sem deixar rastro.

Não havia movimento na casa. A cozinheira não estava em lugar algum. Richard podia ser visto na sala de jantar da família, comendo um sanduíche que ele mesmo devia ter preparado e fitando a chuva. Elizabeth ainda estava na saleta, ainda lendo *Doutor Jivago*. Já Beck, não vi em lugar algum. Por um processo de eliminação, imaginei que pudesse estar em seu retiro, talvez sentado na cadeira vermelha de couro e encarando a coleção de metralhadoras. Fazia-se silêncio por toda parte. Eu não estava entendendo. Duffy dissera que eles tinham cinco contêineres chegando, e Beck, que teria um fim de semana importante pela frente, mas ninguém estava fazendo nada.

Subi para o quarto de Duke. Não pensava nele como meu e esperava nunca fazê-lo. Deitei na cama e comecei a pensar de novo. Tentava perseguir aquilo que estava pairando no fundo da minha mente. *É fácil*, Leon Garber teria dito. *Trabalhe as pistas*. *Repasse tudo que você viu, tudo que escutou*. Foi o que fiz. Mas minha cabeça continuava voltando a Dominique Kohl. A quinta vez em que a vi, ela me levou de carro a Aberdeen, Maryland, num Chevrolet verde-oliva. Eu estava em dúvida sobre deixar os projetos verdadeiros daqueles projéteis serem vazados. Era um grande risco. Não era algo com que geralmente me preocuparia, mas eu precisava de mais progresso naquele caso. Kohl tinha identificado o local e a técnica de entrega. E onde, quando e como Gorowski estava deixando o seu contato saber que a entrega tinha sido feita. No entanto, ela ainda não tinha visto o contato fazer o recolhimento. Ainda não sabia quem era o sujeito.

Aberdeen era um lugar pequeno, uns trinta e poucos quilômetros a nordeste de Baltimore. O método de Gorowski era ir de carro para a cidade grande no domingo e fazer a entrega na área de Inner Harbor. Na época as reformas estavam no auge e era um lugar muito bacana para se frequentar, mas as pessoas ainda não tinham descoberto isso, de modo que ficava bem vazio na maior parte do tempo. Gorowski tinha um carro. Um Mazda Miata vermelho-vivo fabricado dois anos antes. No geral, um automóvel razoável. Não era novo, mas tampouco era vagabundo, porque se tratava de um modelo popular na época e ninguém conseguia muito desconto, de forma que os preços dos usados estavam bons. E tinha só dois lugares, o que não era adequado para as bebezinhas dele. Ou seja, ele tinha que ter outro carro. Sabíamos que a mulher dele não era rica. Aquilo podia ter me preocupado em relação a alguma outra pessoa, mas o cara era engenheiro. Era uma escolha característica. Ele não fumava, não bebia. Era inteiramente plausível que juntasse uma grana para comprar algo com um câmbio manual bacana e tração traseira.

No domingo em que o seguimos, ele parou em um estacionamento perto de uma das marinas de Baltimore e foi se sentar num banco.

Era um sujeito atarracado e peludo. Grande, mas não era alto. Estava com um jornal de domingo. Passou um tempo observando os veleiros. Depois fechou os olhos e levantou o rosto para o céu. O tempo ainda estava maravilhoso. Passou uns cinco minutos absorvendo o sol como um lagarto. Em seguida, abriu os olhos e o jornal e começou a lê-lo.

— É a quinta vez que ele vem — Kohl sussurrou para mim. — Terceira viagem desde que terminaram o negócio do *sabot*.

— Procedimento padrão até agora? — perguntei.

— Idêntico — respondeu a sargento.

Ele se ocupou do jornal por uns vinte minutos. Eu diria que realmente estava lendo. Ele prestava atenção em todos os cadernos, com exceção do de esportes, o que achei um pouco estranho para um torcedor dos Yankees. Por outro lado, acabei supondo que ele não ia querer que lhe enfiassem coisas sobre o Orioles goela abaixo o tempo todo.

— Lá vai ele — sussurrou Kohl.

Ele olhou para cima e tirou um envelope pardo do Exército de dentro do jornal. Deu uma balançada na mão esquerda para ajeitar as folhas do caderno que estava lendo. E como distração, porque, ao mesmo tempo, com a mão direita, largou o envelope na lata de lixo ao lado do banco

— Impecável — comentei.

— É isso aí — disse ela. — Esse menino não é bobo, não.

Assenti. Ele era bom. Não se levantou na hora. Ficou sentado lá por mais uns dez minutos, lendo. Depois dobrou o jornal lenta e cuidadosamente, levantou e caminhou até a margem da água e ficou fitando os barcos um pouco mais. Em seguida, deu meia-volta e começou a caminhar na direção de seu carro, o jornal enfiado debaixo do braço esquerdo.

— Olha agora — disse Kohl. Eu o vi tirar um naco de giz do bolso com a mão direita. Ele diminuiu o passo perto de um poste de ferro e fez uma marquinha de giz nele. Era a quinta marca no poste. Cinco semanas, cinco marcas. As quatro anteriores já estavam desaparecendo com o tempo, em sequência. Olhei para elas com meu binóculo enquanto ele caminhava para o estacionamento, entrava em seu conversível e ia embora lentamente. Virei-me novamente e voltei a focar na lata de lixo.

— O que acontece agora? — perguntei.

— Absolutamente nada — respondeu Kohl. —Já fiz isso duas vezes. Dois domingos inteiros. Não vai aparecer ninguém. Nem de dia nem de noite.

— Quando o lixo é retirado?

— Amanhã de manhã, bem cedinho.

— Talvez o lixeiro seja um intermediador.

Ela negou com a cabeça.

— Eu conferi. O caminhão compacta tudo e faz uma massa sólida quando é carregado, depois põe direto no incinerador.

— Então os nossos projetos secretos estão sendo queimados no incinerador municipal?

— Muito provavelmente.

— Talvez um desses velejadores esteja se esgueirando sorrateiramente no meio da noite.

— Só se o Homem Invisível comprou um veleiro.

— Então talvez não haja nenhum cara — falei. — Talvez a coisa toda tenha sido armada com muita antecedência e depois o responsável foi preso por alguma outra coisa. Ou amarelou e foi embora da cidade. Ou ficou doente e morreu. Talvez seja um esquema já defunto.

— Você acha mesmo?

— Na verdade, não — respondi.

— Vai abortar a missão? — perguntou ela.

Assenti e expliquei:

— Tenho que fazer isso. Posso ser um idiota, mas não sou completamente burro. Isso já saiu do nosso controle.

— Posso partir pro plano B?

Assenti novamente e disse:

— Reboca o Gorowski e ameaça mandar o cara pro paredão. Depois fala que, se ele jogar no nosso time e entregar projetos falsos, vamos ser legais.

— Difícil fazer com que sejam convincentes.

— Fala pra ele mesmo projetá-los — falei. — É o dele que tá na reta.

— Ou das filhas dele.

— Faz parte de ser pai — argumentei. — Vai fazer ele caprichar.

Ela ficou em silêncio por um momento. Depois disse:

— Você quer ir dançar?

— Aqui?

— A gente está bem longe de casa. Ninguém conhece a gente.

— Tudo bem — aceitei.

Depois descobrimos que estava cedo demais para dançar, então a gente tomou algumas cervejas e esperamos a noite. O bar em que estávamos era pequeno e escuro. Era de madeira e tijolo. Um lugar legal. Tinha uma jukebox. Passamos um tempão inclinados sobre ela, lado a lado, tentando escolher o nosso número de estreia. Debatemos intensamente a respeito. Ele começou a ganhar uma importância enorme. Tentei interpretar as escolhas dela analisando os ritmos. Nós iríamos dançar abraçados? Era esse tipo de dança? Ou seria do tipo comum em que as pessoas ficam pulando para lá e para cá juntas, mas separadas. No final, a gente precisaria de uma resolução das Nações Unidas, então simplesmente enfiamos uma moeda na máquina, fechamos os olhos e apertamos os botões aleatoriamente. Selecionamos *Brown Sugar*, dos Rolling Stones. Era uma música e tanto. Sempre foi. Na verdade, ela dançava muito bem. Mas eu era horrível.

Quando terminamos, estávamos sem fôlego, então a gente se sentou e pediu mais cerveja. E eu, repentinamente, percebi o que Gorowski estivera aprontando.

— Não é o envelope, o envelope está vazio. É o jornal. Os projetos estão no jornal. No caderno de esportes. Ele devia ter dado uma olhada na tabela do campeonato. O envelope é para despistar, para o caso de estar sendo vigiado. O rapaz foi muito bem treinado. Ele joga o jornal em outra lata de lixo. *Depois* de fazer a marca de giz. Provavelmente no caminho que faz pra sair do estacionamento.

— Puta merda — xingou Kohl. — Gastei cinco semanas.

— E alguém pegou três projetos de verdade.

— É um de nós — disse ela. — Forças Armadas, CIA ou FBI. Um profissional, pra ser tão espertinho.

O jornal, não o envelope. Dez anos depois eu estava deitado em uma cama no Maine pensando em Dominique Kohl dançando e num cara chamado Gorowski dobrando seu jornal, lenta e cuidadosamente, e olhando para uma centena de mastros de veleiros na água. *O jornal, não o envelope.* Isso parecia ainda ser relevante, de alguma maneira. *Isto, não aquilo.* Depois eu pensei na empregada escondendo o meu pacote no assoalho do porta-malas do Saab. Ela não havia escondido mais nada lá, ou o Beck teria encontrado e estaria junto com as provas que ele me mostrara na mesa da cozinha. Mas o carpete do Saab estava velho e solto. Se eu fosse o tipo de pessoa que esconde uma arma debaixo do estepe, eu também poderia esconder documentos debaixo do carpete do carro. E ser o tipo de pessoa que toma notas e faz relatórios.

Rolei para fora da cama e caminhei até a janela. A tarde já tinha esmorecido. A escuridão total estava a caminho. Dia quatorze, uma sexta-feira, próxima do fim. Fui até o andar de baixo, pensando no Saab. Beck andava pelo saguão. Estava com pressa. Preocupado. Foi à cozinha e pegou o telefone. Escutou por um segundo e estendeu a mão, segurando-o na minha direção.

— Todos os telefones estão mudos — afirmou.

Coloquei-o na orelha e escutei. Nada. Nenhum sinal de linha, nenhum ruído estridente de circuito aberto. Apenas um silêncio insípido e inerte, além do som de sangue correndo pela minha cabeça. Como uma concha do mar.

— Tenta o seu — mandou ele.

Voltei ao quarto de Duke no andar de cima. O telefone interno funcionava bem. Paulie atendeu no terceiro toque. Desliguei na cara dele. Mas a linha externa estava completamente muda. Eu continuava segurando o telefone, como se isso fizesse alguma diferença, quando Beck apareceu na porta.

— Consigo falar lá no portão — informei.

— É um circuito completamente diferente — explicou ele. — Nós mesmos instalamos. E a linha externa?

— Muda — respondi.

— Esquisito — comentou ele.

Coloquei o telefone no gancho. Olhei para a janela.

— Pode ser o tempo — sugeri.

— Não — discordou ele, pegando o celular. Era um Nokia prata minúsculo. — Este aqui também está mudo.

Ele o passou a mim. Havia uma telinha. Um marcador em barras na direita mostrava que a bateria estava totalmente carregada. Mas o medidor de sinal estava zerado. *Sem serviço* estava escrito na tela com letras grandes, pretas e nítidas.

— Preciso ir ao banheiro — falei. — Já vou descer.

Eu me tranquei lá dentro. Tirei o sapato. Abri o salto. Apertei *power*. A tela acendeu: *Sem serviço*. Eu o desliguei e enfiei no salto de novo. Dei descarga para reforçar a encenação e fiquei sentado ali na tampa.

Eu não era nenhum especialista em telecomunicações. Sabia que linhas telefônicas caíam de vez em quando. Sabia que a tecnologia de celular às vezes não era confiável. Mas quais eram as chances de que os telefones fixos de uma localidade falhassem exatamente no mesmo momento em que a torre de telefone celular mais próxima caísse? Muito pequenas, supus. Pequenas pra cacete. Ou seja, aquela tinha que ser uma interrupção premeditada — mas quem a tinha solicitado? Não a empresa de telefonia. Ela não faria manutenção bem na hora do rush de uma sexta--feira. Numa manhã de domingo cedo, talvez. E, de qualquer maneira, eles não desligariam as linhas dos telefones fixos ao mesmo tempo em que as torres de celular. Intercalariam os dois serviços, com certeza.

Então quem tinha providenciado aquilo? Uma agência governamental da pesada, talvez. Como a DEA, por exemplo. Talvez a DEA estivesse vindo em busca da empregada. Quem sabe uma equipe da SWAT não estava fazendo uma operação no porto primeiro e não queria que Beck soubesse antes que estivessem prontos para chegarem à casa?

Mas isso era improvável. A DEA teria mais de uma equipe da SWAT disponível. Seriam operações simultâneas. E mesmo que não tivesse, seria a coisa mais fácil do mundo fechar a estrada entre a casa e a primeira curva. Eles poderiam bloqueá-la para sempre. Havia um trecho de vinte quilômetros de oportunidades ilimitadas. Beck era um alvo fácil, com ou sem telefones.

Então quem?

Talvez Duffy, por baixo dos panos. O status dela podia fazer com que conseguisse um enorme favor, daqueles que se pede uma vez na vida, com gerente de uma empresa de telefonia. Especialmente um favor que era limitado geograficamente. Um pequeno filete de terra. E uma torre de celular, provavelmente em algum lugar ali perto na I-95. Isso deixaria sem sinal uma área de cinquenta quilômetros por onde as pessoas transitariam de carro, mas ela poderia ser capaz de providenciar isso. Talvez. Especialmente se o favor fosse de duração estritamente limitada. Com horário para terminar. Quatro ou cinco horas, digamos.

E por que de repente Duffy ficaria com medo de telefones por quatro ou cinco horas? Só havia uma resposta possível. Ela estava com medo por minha causa.

Os guarda-costas estavam soltos.

10

EMPO. DISTÂNCIA DIVIDIDA POR VELOCIDADE AJUSTADA à *direção é igual a tempo.* Ou eu tinha o suficiente ou não tinha nada. Eu não sabia qual seria. Os guarda-costas tinham ficado retidos no motel em Massachusetts onde planejamos a operação de oito segundos. Aquele que ficava a pouco mais de trezentos quilômetros ao sul. Disso, eu tinha certeza. Esses eram fatos. O restante era pura especulação. Mas eu conseguia montar um cenário provável. Eles tinham fugido do hotel e roubado um Taurus do governo. Depois haviam dirigido que nem loucos durante mais ou menos uma hora, esbaforidos de pânico, querendo se afastar bastante antes de fazer qualquer outra coisa. Podiam até ter ficado um pouco perdidos lá no campo. Depois conseguiram se localizar e chegaram à rodovia. Aceleraram no sentido norte. Acalmaram-se, conferiram se havia alguém atrás deles, diminuíram a velocidade, começaram a andar dentro da velocidade permitida e a procurar um telefone. Contudo, a essa altura Duffy já tinha cortado os telefones. Tinha agido rápido. Então a primeira parada deles acabou sendo uma perda de tempo. Dez minutos, talvez, contando com a redução de velocidade, estacionar, ligar para a casa, ligar para o celular, tentar de novo e voltar ao trânsito da rodovia. Depois eles fariam tudo de novo uma segunda vez na parada seguinte. Teriam atribuído o primeiro fracasso a uma falha técnica. Mais dez minutos. Em seguida, ou eles teriam sacado o que estava acontecendo ou decidiriam que estavam chegando perto o suficiente para só acelerarem sem trégua. Ou ambos.

Do início ao fim, um total de quatro horas, talvez. Mas quando essas quatro horas teriam começado? Eu não fazia ideia. Isso era óbvio. Certamente em algum momento entre quatro horas antes e, digamos, trinta minutos. Ou eu tinha tempo o suficiente ou não tinha nenhum.

Saí do banheiro rápido e olhei pela janela. A chuva tinha parado. Era noite lá fora. As luzes ao longo do muro estavam acessas e aureoladas pela névoa. Além delas havia escuridão absoluta. Nenhum farol ao longe. Desci para o andar de baixo. Encontrei Beck no saguão. Ele ainda estava cutucando seu Nokia, tentando fazê-lo funcionar.

— Vou sair — falei. — Subir um pouco na estrada.

— Por quê?

— Não estou gostando desse negócio com os telefones. Pode não ser nada, pode ser alguma coisa.

— Alguma coisa tipo o quê?

— Não sei — respondi. — Talvez alguém esteja vindo. Você acabou me contar sobre quanta gente você tem no seu encalço

— A gente tem um muro e um portão.

— Você tem um barco?

— Não — respondeu ele. — Por quê?

— Se eles chegarem até o portão, você vai precisar de um barco. Eles podem ficar sentados lá fora até você começar a passar fome e ter que sair.

Ele ficou calado.

— Vou pegar o Saab — falei.

— Por quê?

Porque é mais leve do que o Cadillac.

— Porque eu quero deixar o Cadillac pra você — respondi. — É maior.

— O que você vai fazer?

— Tudo que for preciso — respondi. — Sou o chefe da sua segurança agora. Talvez não esteja acontecendo nada, mas, se estiver, vou tentar cuidar disso.

— O que eu faço?

— Você mantém a janela aberta e escuta — falei. — À noite, com toda essa água ao redor, você vai me ouvir a uns três quilômetros daqui se eu estiver atirando. Se isso acontecer, põe todo mundo no Cadillac e dá no pé. Acelera mesmo. Não para. Vou segurá-los o suficiente pro Cadillac passar. Você tem algum outro lugar pra onde ir?

Ele assentiu. Não disse onde.

— Então vai pra lá — falei. — Se eu me safar, vou pro escritório. Fico esperando no carro. Você dá uma conferida lá mais tarde.

— Ok.

— Agora liga pro Paulie pelo telefone interno e fala pra ele ficar pronto pra me deixar passar pelo portão.

— Ok — repetiu ele.

Deixei-o ali no saguão. Fui envolvido pela noite ao sair. Rodeei o muro do pátio e peguei o meu embrulho no buraco. Levei-o de volta para o Saab e coloquei no banco de trás. Depois fui para o banco da frente, liguei o carro e saí de ré. Dei a volta lentamente pela rotatória e acelerei. As luzes no muro estavam brilhando adiante. Vi Paulie ao portão. Diminuí um pouco e calculei a velocidade de forma a não ter que parar. Passei direto. Segui na direção oeste, olhando fixamente pelo para-brisa em busca de faróis vindo na minha direção.

Percorri seis quilômetros e vi um Taurus. Estacionado no acostamento, estava virado na minha direção. Luzes apagadas. O cara mais velho sentado atrás do volante. Apaguei o farol, diminui a velocidade e parei janela com janela. Abri o vidro. Ele fez o mesmo. Apontou uma lanterna e uma arma para a minha cara até ver quem eu era. Então, baixou as duas.

— Os guarda-costas fugiram — disse ele.

— Imaginei. Quando?

— Há quase quatro horas.

Olhei para a frente, involuntariamente. *Tempo nenhum.*

— Tivemos duas baixas — informou ele.

— Morreram?

Ele assentiu. Não disse nada.

— A Duffy informou à agência?

— Ela não pode — respondeu ele. — Ainda não. Estamos trabalhando por baixo dos panos. Esta situação toda não está sequer acontecendo.

— Ela vai ter que informar — falei. — São dois caras.

— Ela vai — disse ele. — Mais tarde. Depois que mostrar algum resultado. Porque os objetivos foram todos restabelecidos. Ela precisa do Beck pra justificar a operação, agora mais do que nunca.

— Como foi que isso aconteceu?

Ele deu de ombros e explicou:

— Esperaram o momento certo. Eles eram dois, e nós, quatro. Era pra ter sido fácil. Mas o nosso pessoal ficou negligente, eu acho. É difícil manter pessoas presas num motel.

— Quais foram os dois que morreram?

— Os garotos que ficaram na Toyota.

Fiquei calado. Tinha durado aproximadamente 84 horas. Três dias e meio. Na verdade, um pouco melhor do que eu tinha esperado de início.

— Cadê a Duffy? — perguntei.

— Está todo mundo espalhado — respondeu ele. — Ela está lá em Portland com o Eliot.

— Ela mandou bem com os telefones.

O velho concordou com um gesto de cabeça e elogiou:

— Bem demais. Ela se preocupa com você.

— Por quanto tempo eles foram desligados?

— Quatro horas. Foi o máximo que ela conseguiu. Ou seja, vão voltar a funcionar em breve.

— Acho que os caras vão vir direto pra cá.

— Eu também. Foi por isso que eu vim.

— Perto de quatro horas, devem estar saindo da rodovia a qualquer momento. Então acho que os telefones não têm mais importância.

— Também acho.

— Você tem algum plano? — perguntei.

— Eu estava te esperando. Imaginamos que você fosse ligar os pontos.

— Eles pegaram armas?

— Duas Glocks — respondeu ele. — Pentes cheios.

Ele ficou em silêncio por um momento. Desviou o olhar, então falou:

— Menos de quatro tiros disparados na cena. Foi assim que descreveram. Quatro tiros, dois caras. Todos na cabeça.

— Não vai ser fácil.

— Nunca é — concordou ele.

— Precisamos achar um lugar.

Falei para ele deixar o carro onde estava e entrar comigo. Ele deu a volta e sentou no banco do passageiro. Usava o mesmo casaco impermeável com o qual Duffy tinha ido à cafeteria. Ele o tinha pegado de volta. Andamos mais dois quilômetros, e comecei a procurar um lugar. Encontrei um no qual a estrada estreitava e fazia uma longa e suave curva. Era relativamente bem asfaltado, parecia uma ponte baixa. Os acostamentos tinham menos de trinta centímetros de largura e despencavam abruptamente na direção de um terreno rochoso. Parei o carro, virei bastante, dei ré e andei para a frente de novo até ele ficar atravessado na pista. Descemos e conferimos. Era uma boa barreira. Não havia espaço para dar a volta, mas ficava bem óbvia na estrada, como eu sabia que seria. Os dois caras entrariam rasgando na curva e pisariam no freio com toda força, depois começariam a dar ré atirando.

— A gente precisa virar o carro — falei. — Como se fosse um acidente feio.

Peguei o meu embrulho no banco de trás.

Coloquei-o no acostamento, só por garantia. Em seguida fiz meu colega colocar o casaco dele na estrada. Esvaziei os bolsos e pus o meu depois do dele. Queria rolar o Saab em cima dos casacos. Tinha que devolvê-lo relativamente sem estragos. Em seguida, ficamos ombro a ombro com as nossas costas para o veículo e começamos a balançá-lo. É bem fácil virar um carro. Já vi isso ser feito no mundo todo. É só fazer os pneus e a suspensão ajudarem. Balançar o veículo, fazer com ele começar a quicar e depois manter o movimento até ele ficar suspenso no ar. Aí, é só virar. O cara comigo era forte. Fez a parte dele. Começamos a quicá-lo a aproximadamente 45 graus, depois giramos juntos, enganchamos as mãos debaixo do teto e o erguemos até ele ficar deitado de lado. Mantivemos o impulso e o pusemos de cabeça para baixo.

Ele deslizou facilmente e sem arranhar devido aos casacos, de forma que o pudemos posicionar exatamente do jeito que queríamos. Abri a porta de cabeça para baixo do motorista e instruí o homem mais velho a entrar e se fingir de morto pela segunda vez em quatro dias. Ele se enfiou lá dentro com dificuldade e ficou deitado de barriga, metade para dentro e metade para fora, com os braços jogados acima da cabeça. No escuro, ficou bem convincente. Nas sombras inóspitas do brilho dos faróis, não pioraria. Os casacos não ficariam visíveis, a não ser que estivessem realmente procurando por eles. Eu me afastei e peguei de volta o meu embrulho. Desci as rochas depois do acostamento e me agachei.

Esperamos.

Parecia uma longa espera. Cinco minutos, seis, sete. Recolhi pedras, três, todas um pouco maiores do que a minha palma. Observei o horizonte no oeste. O céu ainda estava cheio de nuvens baixas e imaginei que os feixes dos faróis refletiriam nelas enquanto saltitavam para cima e para baixo. Mas o horizonte permanecia negro. E quieto. Não conseguia escutar absolutamente nada além das rebentações distantes e a respiração do velho.

— Eles só podem estar vindo pra cá — gritou ele.

— Vão vir — falei.

Esperamos. A noite continuava escura e quieta.

— Qual é o seu nome — gritei.

— Por quê? — gritou ele de volta.

— Só quero saber. Não parece correto eu ter te matado duas vezes sem nem saber o seu nome.

— Terry Villanueva — gritou ele.

— É espanhol?

— Claro que é.

— Você não parece espanhol.

— Eu sei — disse ele. — Minha mãe era irlandesa, e o meu pai, espanhol. Mas o meu irmão e eu puxamos a minha mãe. O meu irmão mudou o nome dele pra Newton. Igual àquele cientista antigo ou àquele bairro residencial afastado. Porque é isso que Villanueva significa, *new town*, ou seja, cidade nova. Mas eu fiquei com o espanhol. Em respeito ao meu velho.

— Onde foi isso?

— South Boston — respondeu ele. — Não foi fácil, anos atrás, um casamento misto e tudo mais.

252

Ficamos em silêncio novamente. Eu observava e escutava. Nada. Villanueva mudou de posição. Ele não parecia confortável.

— Você é um guerreiro, Terry — gritei.

— Velha guarda — gritou ele de volta.

Então escutei um carro.

E o telefone de Villanueva tocou. O carro devia estar a pouco menos de dois quilômetros de nós. Eu conseguia escutar o emplumado som de um distante motor V-6 aumentando a rotação. Conseguia ver o brilho distante dos faróis aprisionado entre a estrada e as nuvens. O toque do telefone de Villanueva era uma insana versão acelerada da "Tocata e Fuga em Ré Menor", de Bach. Ele parou de se fingir de morto, ficou de joelhos aos trancos e barrancos e o arrancou com dificuldade do bolso. Apertou um botão, desligou a música e o atendeu. Era uma coisinha minúscula, perdida na mão dele. Ele a colocou na orelha. Escutou por um segundo. Escutei-o dizer, "Tá". Depois, "Estamos fazendo isso agora mesmo". Depois, "Certo". Depois falou "Certo" de novo, desligou o telefone e voltou a se deitar. Ficou com a bochecha no asfalto. Metade do telefone estava na mão dele, metade, fora dela.

— Acabaram de restaurar o sinal — exclamou ele para mim.

E mais tempo começou a se esgotar. Olhei para o leste à minha direita. Beck continuaria a tentar fazer ligações. Imaginei que assim que conseguisse sinal, ele sairia para me encontrar e avisar que o pânico tinha acabado. Olhei para o oeste à minha esquerda. Escutava o carro em alto e bom som. Os feixes dos faróis saltavam e balançavam, luminosos na escuridão.

— Trinta segundos — avisei.

O som ficou mais alto. Conseguia escutar os pneus, o câmbio automático e o motor como barulhos distintos. Me abaixei um pouco mais. Dez segundos, oito, cinco. O carro fez a curva correndo e suas luzes atravessaram minhas costas. Em seguida, ouvi o ruído do sistema hidráulico, o guinchar dos discos de freio, o uivo da borracha derrapando com tudo, e o carro parou, levemente de lado, a vinte metros do Saab.

Olhei para cima. Era um Taurus. Azul, cinzento ao luar da noite nublada. Um cone de luz branca à frente. Luzes chamejando em vermelho na traseira. Dois caras no interior. Seus rostos eram clareados pelas próprias luzes que refletiam no Saab. Eles ficaram parados por um segundo. Olhavam fixamente para a frente. Reconheceram o Saab. Deviam tê-lo visto centenas de vezes. Vi o motorista. Escutei-o empurrar a marcha para a frente e colocá-la em ponto morto. As luzes de freio apagaram. O motor permaneceu ligado. Eu sentia o cheiro da fumaça do cano de descarga e o calor que saía por baixo do capô.

Os dois caras abriram as portas em uníssono. Desceram e se puseram de pé atrás delas. Estavam com as Glocks nas mãos. Aguardaram. Saíram de trás das portas. Andaram para a frente lentamente com as armas abaixadas. Os feixes dos faróis iluminavam os dois bem da cintura para baixo. Era mais difícil ver a parte superior, mas eu conseguia discernir seus traços. As silhuetas. Eram os guarda-costas. Sem dúvida. Eram jovens e fortes, estavam tensos e cautelosos. Vestiam ternos escuros amarrotados e manchados. Estavam sem gravata. As camisas brancas tinham ficado cinza.

Agacharam-se ao lado de Villanueva. Ele estava na sombra dos dois. Moveram-se um pouco e deixaram o rosto dele na luz. Eu sabia que eles o tinham visto antes. Apenas um vislumbre ao passarem por ele, em frente ao portão da faculdade, 84 horas antes. Eu não esperava que se lembrassem dele e não acho que o fizeram. Mas já tinham sido enganados uma vez e não queriam ser enganados de novo. Estavam bastante cautelosos; não começaram imediatamente com os primeiros socorros. Simplesmente ficaram agachados ali sem fazer nada. Então o que estava mais perto de mim se levantou. Nesse momento eu estava a um metro e meio dele, segurando uma pedra na mão direita. Era um pouco maior do que minha própria mão. Movimentei o braço, aberto, na horizontal, rápido, como se fosse dar um tapa na cara dele. O impulso teria arrancado o meu braço do ombro se tivesse errado. Mas não errei. A pedra o acertou em cheio na têmpora, e o sujeito despencou na hora como se um peso tivesse caído do alto em cima dele. O outro foi mais rápido. Ele se arrastou para mais longe de mim e levantou com um giro. Villanueva tentou pegar as pernas dele, mas não conseguiu. O cara se afastou com um pulo e girou em velocidade. Levantou a Glock na minha direção. A única coisa que eu queria era impedir que ele atirasse, então arremessei a pedra bem na direção da cabeça dele. O cara se virou de novo e levou a pedrada na parte de trás do pescoço, bem no lugar em que o crânio faz a curva e se encontra com a espinha. Foi como um murro feroz que o lançou para a frente. Ele soltou a Glock e caiu de cara no chão como uma árvore e permaneceu imóvel.

Fiquei ali e observei a escuridão no leste. Não vi nada. Nenhuma luz. Não escutei nada, com exceção do mar distante. Villanueva se arrastou para fora do carro de cabeça para baixo, apoiado nas mãos e nos joelhos, e se aproximou do primeiro cara.

— Este está morto — diagnosticou ele.

Conferi: estava mesmo. Difícil sobreviver a uma pedrada de quase cinco quilos na têmpora. O crânio estava bem afundado, os olhos, arregalados, e não havia muita coisa acontecendo atrás deles. Conferi a pulsação no pescoço e no pulso e não encontrei. Fui ver o segundo cara. Agachei-me sobre ele. Morto também. O pescoço estava quebrado, destruído. Não fiquei surpreso. A pedra pesava quase cinco quilos, e eu a tinha arremessado feito um jogador profissional de beisebol.

— Dois passarinhos com uma pedra só — comentou Villanueva.

Fiquei calado.

— O quê? — questionou ele. — Você queria prender os dois de novo? Depois do que fizeram com a gente? Isso aí foi como se eles tivessem usado a polícia para cometer suicídio, simples assim.

Continuei calado.

— Algum problema? — perguntou Villanueva.

Eu não era *a gente*. Eu não era da DEA e não era policial. Mas pensei na mensagem confidencial que o Powell tinha me enviado: *10-2, 10-28. Esses caras têm que morrer, não se iluda.* E eu levava a mensagem a sério. É para isso que serve a lealdade nas unidades. Villanueva tinha a dele, e eu tinha a minha.

— Problema nenhum — respondi.

Encontrei a pedra no lugar em que ela havia parado e a rolei de volta para o acostamento. Depois fiquei de pé, me afastei, me inclinei para dentro do Taurus e apaguei o farol. Gesticulei para que Villanueva viesse na minha direção.

— Temos que ser muito rápidos agora — falei. — Usa seu telefone e pede à Duffy pra trazer o Eliot pra cá. Precisamos que ele leve este carro embora.

Villanueva usou a discagem rápida e começou a falar. Eu achei as duas Glocks na estrada e as enfiei de volta nos bolsos dos caras mortos, uma em cada. Depois fui até o Saab. Desvirá-lo seria muito mais difícil do que virá-lo. Por um segundo, fiquei preocupado com a possibilidade de isso ser impossível. Os casacos impediam todo o atrito com a estrada. Se o empurrássemos, ele iria simplesmente escorregar sobre o teto. Fechei a porta de cabeça para baixo do lado do motorista e aguardei.

— Eles estão vindo — gritou Villanueva.

— Me ajuda com isto aqui.

Nós empurramos com força o Saab sobre os casacos e o direcionamos, o máximo que conseguimos, para a casa. Ele deslizou do casaco de Villanueva para o meu. Deslizou até a ponta do meu e parou de repente quando o metal agarrou na estrada.

— Vai ficar arranhado — alertou Villanueva.

Concordei e falei:

— É um risco que vamos ter que correr. Agora entra no Taurus e dá um solavanco nele.

Ele levou o Taurus para a frente até ficar com o para-choque encostado no Saab. Eles se conectavam logo acima da linha da cintura, na coluna entre as portas. Assinalei para que ele acelerasse mais, e o Saab sacolejou de lado e o teto agarrou no asfalto. Subi no capô do Taurus e empurrei com força a parte de baixo da janela do Saab. Villanueva continuou impulsionando o Taurus lenta e constantemente. O Saab levantou e ficou de lado, quarenta graus, cinquenta, sessenta. Escorei os pés na base do para-brisa do Taurus, fui abaixando as mãos na lateral do Saab e as pus abertas no teto. Villanueva pisou no acelerador, minha espinha foi comprimida uns três centímetros, o Saab fez o giro completo e caiu ruidosamente sobre as rodas. Ele deu uma balançada, Villanueva freou com força, eu caí do capô e bati a cabeça na porta do Saab. Acabei esborrachado na estrada debaixo do para-lama dianteiro do Taurus. Villanueva deu ré, parou e ergueu o corpo para sair do carro.

— Você está bem? — perguntou ele.

Fiquei caído ali. Minha cabeça doía. Tinha batido com força.

— Como está o carro? — perguntei.

— Notícia boa ou ruim?

— Primeiro a boa — escolhi.

— Os retrovisores laterais estão tranquilos — disse ele. — Eles vão voltar pro lugar.

— Mas...

— Arranhões na pintura — informou ele. — Amassado pequeno na porta. Acho que você amassou com a cabeça. O teto está um pouco afundado também.

— Vou falar que bati num veado.

— Não tenho certeza se tem veados por aqui.

— Num urso, então. Ou em qualquer coisa. Numa baleia encalhada. Num monstro marinho. Numa lula gigante. Num mamute-lanoso recentemente libertado de uma geleira derretida.

— Tudo bem com você? — repetiu ele.

— Vou sobreviver.

Eu virei e fiquei de quatro. Levantei devagar e com cuidado.

— Você pode levar os corpos? — perguntou ele. — A gente não pode fazer isso.

— Então acho que vou ter que dar um jeito — falei.

Abrimos a tampa traseira do Saab com dificuldade. Estava um pouco desalinhada por causa do teto meio contorcido. Carregamos os caras mortos um de cada vez e os encaixamos no porta-malas. Eles ocuparam quase todo o espaço. Voltei ao acostamento, peguei meu embrulho, o levei até o carro e joguei em cima deles. O carro tinha uma tampa interna que deixava tudo fora de vista. Precisamos fazer um esforço conjunto para conseguir fechá-la. Cada um pegou um lado, e abaixamos com força. Depois recuperamos os nossos casacos na estrada, demos uma sacudida neles e os vestimos. Estavam úmidos, muito amarrotados e um pouco rasgados em alguns lugares.

— Você está bem? — perguntou o velho de novo.

— Entra no carro — falei.

Nós voltamos os retrovisores das portas para o lugar certo e entramos juntos. Virei a chave. Ele não ligava. Tentei de novo. Não tive sorte. Entre as duas tentativas, escutei a bomba de combustível guinchando.

— Solta a ignição um momento — disse Villanueva. — A gasolina vazou do motor. Quando ele estava de cabeça pra baixo. Espera um pouco, deixa ela voltar.

Esperei, e ele ligou na terceira tentativa. Engatei a marcha, endireitei o carro na estrada e percorri os dois quilômetros até onde tínhamos deixado o outro Taurus. O veículo em que Villanueva tinha chegado. Ele nos aguardava bem ali no acostamento, cinza e fantasmagórico ao luar.

— Agora volta e espera a Duffy e o Eliot — falei. — E eu sugiro que vocês vazem de lá. Encontro vocês mais tarde.

Ele me deu um aperto de mão e disse:

— Velha guarda.

— Dez-dezoito — falei. Esse era o código de rádio da Polícia do Exército para *missão cumprida*. Mas eu acho que ele não sabia disso, porque ficou apenas olhando pra mim.

— Se cuida — me despedi.

Ele abanou a cabeça e comentou:

— Caixa postal

— O que que tem?

— Quando um celular está sem serviço, geralmente você é redirecionado pra caixa postal.

— A torre inteira estava fora do ar.

— Mas a rede de celular não identifica isso. Pro equipamento, o Beck só estava com o telefone desligado. Então eles devem ter tido acesso à caixa postal. Num servidor central em algum lugar. Eles podem ter deixado um recado.

— Deixado pra quê?

Villanueva deu de ombros e disse:

— Eles podem ter falado pra ele que estavam voltando. Você sabe, talvez achassem que ele checaria as mensagens na hora. Podem ter contado a história inteira. Ou talvez não estivessem raciocinando direito, acharam que fosse igual a uma secretária eletrônica comum e ficaram falando, "ei, sr. Beck, atende, por favor!".

Fiquei calado.

— Eles podem ter deixado mensagens de voz — disse ele. — Hoje. Esse é o prazo, agora.

— Certo — falei.

— O que você vai fazer?

— Começar a atirar — respondi. — Sapato, caixa postal, ele está a um passo de descobrir tudo agora.

Villanueva abanou a cabeça e retrucou:

— Não. A Duffy precisa prender o Beck, precisa dele vivo. Só assim ela vai conseguir salvar a própria pele.

Desviei o olhar.

— Fala pra ela que vou fazer o meu melhor. Mas se for ele ou eu, é ele quem cai.

Villanueva ficou calado.

— O quê? — perguntei. — Agora virei sacrifício humano?

— Faça o seu melhor, só isso — disse ele. — A Duffy é uma menina legal.

— Eu sei que é — concordei.

Ele ergueu o corpo para fora do Saab, com uma mão na porta e outra no encosto do banco. Foi até o Taurus, entrou e foi embora, lenta e tranquilamente, com o farol desligado. Eu o vi acenar. Fiquei observando até perdê-lo de vista, então dei ré, virei e parei o Saab no meio da estrada, de frente para o oeste. Imaginei que, quando Beck saísse para me encontrar, acharia que eu estava fazendo um bom trabalho defensivo.

Porém ou Beck não estava conferindo os telefones com muita frequência ou não estava pensando muito em mim, porque fiquei sentado ali por dez minutos sem sinal dele. Passei parte do tempo testando minha hipótese de que uma pessoa que guarda uma arma debaixo do estepe também deveria esconder anotações debaixo do carpete. Os carpetes já estavam soltos e, virados de cabeça para baixo, não melhoraram em nenhum aspecto. Não havia absolutamente nada debaixo deles, com exceção de manchas de ferrugem e uma camada úmida de espuma acústica que parecia ter sido feita de suéteres velhos cinza e vermelhos. Nenhuma anotação. Hipótese ruim. Coloquei os carpetes de volta no lugar o melhor que pude e os ajeitei aos chutes até que estivessem razoavelmente planos de volta no piso.

Depois saí e conferi o estrago no exterior. Não havia nada que eu pudesse fazer sobre os arranhões na pintura. Estavam feios. Feios, mas não desastrosos. Nada que eu pudesse fazer em relação ao amassado na porta também, a não ser que eu pudesse desmontá-la e pressionar a lataria para fora. O teto estava um pouco afundado. Lembro que ele tinha um formato perfeito de abóboda. Mas agora estava um pouco achatado. Cheguei à conclusão de que talvez pudesse fazer algo em relação a isso por dentro. Subi no banco de trás e apoiei as duas mãos abertas no forro e empurrei com força. Fui recompensado com dois barulhos. Um deles foi das placas de metal voltando à forma. O outro foi o barulho de papel sendo amassado.

O carro não era novo, então o forro não era aquela peça única cinza-
-claro que todo mundo usa hoje. Era aquele negócio antigo de vinil
bege com armação de arame de um lado ao outro que o deixava com
três seções separadas. As beiradas eram presas debaixo de borracha de
vedação preta que dava a volta no teto inteiro. O vinil estava um pouco
enrugado no canto da frente, acima do banco do motorista. A borracha
de vedação parecia um pouco frouxa ali. Dava para uma pessoa flexionar
o vinil à força e depois desprendê-lo da borracha. Em seguida seria só
questão de empurrar lentamente até soltá-lo por inteiro. Isso daria acesso
lateral a qualquer uma das três seções que a pessoa decidisse usar. Mais
tarde a pessoa precisaria de tempo e unhas para colocar o vinil de volta
embaixo na borracha de vedação. Um pouco de cuidado faria com que
a intrusão fosse difícil de ser vista em um carro tão usado como aquele.

Eu me inclinei para a frente e conferi a seção que percorria a parte
acima dos bancos dianteiros. Empurrei o vinil para cima até sentir a
parte de baixo do telhado. Em toda a extensão do carro. Nada. Nada
na outra seção também. Mas a seção acima dos bancos traseiros tinha
papel escondido. Eu conseguia até mesmo sentir o tamanho e o peso.
Papel A4, talvez umas oito ou dez folhas amontoadas.

Saí da traseira e fui para o banco do motorista e analisei a borracha
de vedação. Tensionei um pouco o vinil e peguei a ponta. Consegui
enfiar uma unha por baixo da borracha e a abri um pouquinho, fazendo uma pequena boca de pouco menos de dois centímetros. Arrastei
a outra mão ao longo do teto, e o vinil descolou obedientemente da
vedação de borracha, o que me deu um buraco de tamanho suficiente
para eu enfiar o polegar.

Estava movimentando o polegar para trás e já tinha desprendido uns
vinte centímetros quando fui repentinamente iluminado por trás. Luz
forte, sombras duras. A estrada chegava por cima do meu ombro direito,
então olhei para o retrovisor na porta do passageiro. O espelho estava
quebrado. Cheio de vários conjuntos de faróis altos. Vi o aviso gravado
no retrovisor: OS OBJETOS NO ESPELHO ESTÃO MAIS PRÓXIMOS DO
QUE APARENTAM. Virei-me no assento e vi um único conjunto de faróis
altos movimentando-se inquietos para a esquerda e para a direita nas
curvas. Uns quinhentos metros atrás. Aproximando-se rápido. Baixei
minha janela três centímetros e ouvi o distante chiado dos pneus largos

e o ronco de um silencioso V-8 reduzindo para a segunda marcha. O Cadillac, em velocidade. Enfiei o vinil de volta no lugar; não havia tempo para encaixá-lo debaixo da borracha de vedação. Por isso apenas o empurrei para cima e torci para que ficasse no lugar.

O Cadillac chegou por trás de mim e parou de uma vez. O farol ficou aceso. Olhei no retrovisor, vi a porta abrir e Beck descer. Enfiei a mão no bolso e destravei a Beretta. Com Duffy ou sem Duffy, eu não estava interessado em uma longa discussão sobre caixa postal. Mas Beck não tinha nada nas mãos. Nem arma, nem o Nokia. Ele deu um passo à frente, eu desci e o encontrei quando emparelhei com o para--choque traseiro do Saab. Queria que ele ficasse longe dos amassados e arranhões. Isso o mantinha a 45 centímetros dos caras que tinha enviado para pegar seu filho.

— Os telefones voltaram a funcionar — disse ele.

— O celular também? — perguntei.

Ele fez que sim com a cabeça e completou:

— Mas olha isto.

Ele tirou o pequeno telefone do bolso. Mantive a mão na Beretta, fora de vista. Ela faria um buraco no meu casaco e outro maior ainda no casaco dele. Beck passou o telefone para mim. Eu o peguei, com a mão esquerda. Abaixei-o, na claridade dos faróis do Cadillac. Olhei para a tela. Não sabia o que eu tinha que ver. Alguns celulares que eu tinha visto informavam que havia mensagem de voz com um pequeno pictograma de um envelope. Outros usavam um simbolozinho feito com dois círculos unidos por uma barra na parte de baixo, igual a uma fita de gravador de rolo, o que eu achava esquisito, porque eu imaginava que a maioria dos usuários de celular nunca tinham visto uma fita de gravador de rolo na vida. E eu tinha certeza de que as empresas de telefonia não gravavam as mensagens usando essa tecnologia. Imaginava que faziam isso digitalmente, inerte dentro de algum tipo de circuito de estado sólido. Por outro lado, os sinais nos cruzamentos com estrada de ferro ainda tinham o desenho de uma locomotiva de que Casey Jones iria se orgulhar.

— Está vendo isso? — perguntou Beck.

Não estava vendo nada. Nenhum envelope, nenhuma fita de gravador de rolo. Somente a barra que mostrava a intensidade do sinal, a barra da bateria, o acesso ao menu e o acesso à agenda.

— O quê? — perguntei.

— A intensidade do sinal — respondeu ele. — Só tem três dos cinco palitos. Normalmente tem quatro.

— Talvez a torre tenha caído — falei. — Talvez ela recarregue aos poucos. Por alguma razão elétrica.

— Você acha?

— Esse negócio envolve micro-ondas — falei. — Provavelmente é complicado. Você devia olhar de novo mais tarde. Talvez ele ainda volte.

Devolvi o telefone para ele com a mão esquerda. Ele o pegou e enfiou no bolso, ainda aborrecido.

— Tudo tranquilo aqui?

— Feito um túmulo — respondi.

— Nada, então — concluiu ele. — Não era nada.

— É mesmo. Desculpa.

— Não, eu gostei da sua preocupação. Sério mesmo.

— Só estou fazendo o meu trabalho.

— Vamos jantar.

Beck voltou ao Cadillac e entrou. Travei a Beretta novamente e entrei no Saab. Ele deu ré, virou na estrada e me esperou. Imaginei que ele queria que passássemos pelo portão juntos para que Paulie tivesse que abri-lo e fechá-lo uma vez só. Fomos embora em comboio. Curtos seis quilômetros. O Saab não rodava bem, os faróis apontavam tortos para cima e a direção estava leve. Havia 180 quilos no porta-malas. E a ponta do forro do teto caiu quando bati na primeira protuberância na estrada e ficou caindo na minha cara todo o caminho de volta.

Colocamos os carros na garagem, e Beck esperou por mim no pátio. A maré estava subindo. Eu ouvia as ondas atrás dos muros. Elas descarregavam enormes volumes de água nas rochas. Eu conseguia sentir o impacto delas pelo chão. Era, definitivamente, uma sensação física. Não apenas som. Juntei-me a Beck, caminhamos juntos e usamos a porta da frente. O detector de metais apitou duas vezes, uma por causa dele outra por minha. Ele me entregou um molho com as chaves da casa. Eu o aceitei como se fosse um distintivo. Depois ele me disse que o jantar seria servido em trinta minutos e me convidou para me juntar à família.

Subi para o quarto de Duke e fiquei à janela alta. Oito quilômetros a oeste, achei ter visto lanternas traseiras vermelhas distanciando-se. Três pares de luzes. Villanueva, Eliot e Duffy, esperava eu, nos Taurus do governo. *10-18, missão cumprida.* Mas era difícil ter certeza se elas eram verdadeiras por causa da claridade das luzes no muro. Podiam ter sido manchas na minha visão, causadas por fadiga ou pela pancada que levei na cabeça.

Tomei um banho rápido e roubei outro conjunto de roupas de Duke. Fiquei com o mesmo sapato e a mesma jaqueta, deixei meu casaco destruído no armário. Não chequei os e-mails. Duffy tinha ficado muito ocupada para mandar mensagens. E, afinal, àquela altura nós estávamos na mesma. Não havia mais nada que ela pudesse me contar. Muito em breve eu contaria algo a ela, assim que tivesse a chance de arrancar o forro do teto do Saab.

Aproveitei a calmaria por trinta minutos e depois desci para o primeiro andar. Entrei na sala de jantar da família. Nunca a tinha visto. Era enorme. Havia uma comprida mesa retangular nela. De carvalho, pesada, maciça, nada estilosa. Dava para acomodar vinte pessoas. Beck ocupava a cabeceira. Elizabeth estava na outra ponta. Richard encontrava-se sozinho no lado mais distante. O lugar posto para mim era exatamente em frente a ele, de costas para porta. Pensei em pedir a ele para trocar comigo. Não gosto de me sentar de costas para porta. Mas decidi não fazer isso e apenas me sentei.

Paulie não estava lá. Obviamente, não tinha sido convidado. A empregada não estava também, claro. A cozinheira precisava dar conta de todo o trabalho braçal e não parecia muito satisfeita com isso. Porém tinha feito um bom trabalho com a comida. Começamos com uma sopa de cebola francesa. Estava bem autêntica. Minha mãe não a teria aprovado, mas sempre vai haver vinte milhões de mulheres francesas que acham que são as únicas a possuir a receita perfeita.

— Nos conte sobre a sua carreira nas Forças Armadas. — pediu Beck, como se quisesse puxar conversa. Ele não falaria de negócios. Isso ficou claro. Não em frente à família. Talvez Elizabeth soubesse mais do que fosse bom para ela, mas Richard parecia completamente alheio a tudo. Ou talvez apenas se esforçasse para não pensar a respeito. O que ele havia dito? Coisas ruins não aconteceram a não ser que você escolha recordá-las.

— Não há muito a ser dito — falei. Não queria falar sobre aquilo. Coisas ruins tinham acontecido, e eu não queria recordá-las.

— Deve haver alguma coisa — disse Elizabeth.

Todos os três estavam olhando para mim, então dei de ombros e contei a eles uma história sobre conferir um orçamento do Pentágono em que havia um gasto de oito mil dólares em DPRTAs. Disse a eles que andava me sentindo tão entediado que fiquei curioso com aquilo. Fiz algumas ligações e me disseram que o acrônimo significava *dispositivos pregadores rotativos de torque ajustável*. Contei que tinha investigado uma delas e descobri que era uma chave de fenda de três dólares. Aquilo tinha levado a martelos de três mil dólares, assentos de privada de mil dólares, à falcatrua toda. É uma boa história. É o tipo de história que se adequa a qualquer público. A maioria das pessoas tende a reagir à audácia, e tipos antigoverno fervem de entusiasmo. Mas não era verdade. A história não era inventada, eu acho, mas não tinha acontecido comigo. Era coisa de um departamento completamente diferente.

— Você matou pessoas? — perguntou Richard.

Quatro nos últimos três dias, pensei.

— Não faça esse tipo de pergunta — disse Elizabeth.

— A sopa está boa — elogiou Beck. — Talvez esteja faltando um pouquinho de queijo.

— Pai — contestou Richard.

— O quê?

— Você tem que pensar nas suas artérias. Elas vão ficar obstruídas.

— As artérias são minhas.

— E o pai é meu.

Eles se entreolharam. Ambos deram sorrisos envergonhados. Pai e filho, melhores amigos. *Ambivalência.* Estava tudo arranjado para que aquela fosse uma longa refeição. Elizabeth mudou o assunto do colesterol. Ela começou a falar sobre o Museu de Arte de Portland. O prédio era de I. M. Pei e tinha uma coleção de mestres americanos e impressionistas. Eu não conseguia concluir se ela estava tentando me educar ou persuadir Richard a sair de casa e fazer alguma coisa. Desliguei-me dela. Queria chegar ao Saab. Mas não podia, naquele momento. Então tentei prever o que exatamente eu encontraria lá. Como um jogo. Ouvi Leon Garber na cabeça. *Pense em tudo que você viu, tudo que escutou. Trabalhe as pistas.* Não

264

tinha ouvido muita coisa. Mas tinha visto muitas coisas. Supunha que todas eram pistas, atípicas. A mesa de jantar, por exemplo. A casa inteira e tudo nela. Os carros. O Saab era um lixo. O Cadillac e os Lincoln eram automóveis bacanas, mas não eram um Rolls-Royce ou um Bentley. A mobília era toda antiga, pesadona e maciça. Não era barata, mas, por outro lado, não representava gastos atuais. Já tinham pagado por ela há muito tempo. O que Eliot dissera em Boston? Sobre o gângster de Los Angeles? *Seu lucro deve ser de milhões de dólares por semana. Ele vive como um imperador.* Beck podia ocupar um degrau mais alto na pirâmide social, mas estava longe de viver como um imperador. Por que não? Ele era somente um Yankee cauteloso indiferente ao consumismo de quinquilharias?

— Olha — disse ele.

Eu voltei dos meus pensamentos e o vi segurando o telefone celular na minha direção. Eu o peguei e olhei para tela. A intensidade do sinal tinha voltado para quatro palitos.

— Micro-ondas — falei. — Talvez elas se intensifiquem aos poucos.

Dei mais uma olhada. Nenhum envelope, nenhuma foto de gravador de rolo. Nenhuma mensagem de voz. Mas era um telefone muito pequeno e, por meus polegares serem grandes, acidentalmente encostei num botãozinho debaixo da tela. Na mesma hora apareceu uma lista de nomes. A agenda dele, imaginei. A tela era tão pequena que mostrava somente três contatos de cada vez. O primeiro era *casa*. Depois, *portão*. O terceiro da lista era *Xavier*. Olhei para ele com tanta concentração que a sala ficou em silêncio ao meu redor, e o sangue rugiu nos meus olhos.

— A sopa estava muito boa — elogiou Richard.

Entreguei o telefone de volta para Beck. A cozinheira esticou o braço na minha frente e levou a tigela embora.

A primeira vez em que escutei o nome *Xavier* foi na sexta vez em que me deparei com Dominique Kohl. Foi dezessete dias depois de termos dançado no bar em Baltimore. O clima tinha virado. A temperatura tinha despencado, e o céu estava cinza e deplorável. Ela usava uniforme completo. Por um momento, pensei que devia ter agendado uma avaliação de produtividade e me esquecido completamente dela. Por outro lado, havia um funcionário da minha companhia que estava ali para me lembrar de coisas como aquela, e ele não tinha mencionado nada.

— Você vai odiar isso — afirmou Kohl.

— Por quê? Você foi promovida e está embarcando pra outro lugar?

Ela sorriu por causa do comentário. Eu me dei conta de que aquilo tinha saído mais como um elogio pessoal do que eu devia ter arriscado.

— Achei o bandido — disse ela.

— Como?

— Aplicação exemplar de habilidades competentes.

Olhei para ela e perguntei:

— A gente agendou uma avaliação de produtividade?

— Não, mas eu acho que deveríamos.

— Por quê?

— Porque eu achei o bandido. E acho que uma avaliação de produtividade é sempre melhor depois de uma grande descoberta.

— Você ainda está trabalhando com o Frasconi, certo?

— Somos parceiros — disse ela, o que não era exatamente uma resposta à minha pergunta.

— Ele está ajudando?

Ela fez uma careta e pediu:

— Permissão para falar francamente?

Dei autorização com um gesto de cabeça.

— Ele é um desperdício de boa comida.

Essa era a minha impressão também. O tenente Anthony Frasconi era confiável, mas não era a última bolacha do pacote.

— Ele é um cara legal — disse ela. — Não me entenda mal.

— Mas você está fazendo todo o trabalho — completei.

Ela fez que sim com a cabeça. Estava segurando a pasta original, aquela que eu lhe dera logo depois de descobrir que ela não era um cara feioso do Texas nem de Minnesota. Agora a pasta estava estufada de anotações.

— Mas *você* ajudou — afirmou ela. — Tinha razão. Os documentos estavam no jornal. O Gorowski jogou o jornal inteiro numa lata de lixo na saída do estacionamento. Mesma lata, dois domingos seguidos.

— E?

— E dois domingos seguidos o mesmo cara o pescou.

Fiquei em silêncio por um momento. Era um bom plano, com exceção de que a ideia de ficar pescando as coisas por aí em latas de lixo dava alguma vulnerabilidade. Uma certa falta de plausibilidade. Esse negócio com a lata de lixo é difícil de fazer, a menos que você esteja disposto a levar a encenação aos extremos e se vestir de sem-teto. E isso é difícil de fazer se você quiser ser realmente convincente. Gente sem-teto anda quilômetros, passa o dia inteiro naquilo, confere todas as latas de lixo no caminho. Imitar aquele comportamento com plausibilidade demanda tempo e cuidado infinitos.

— Que tipo de cara? — perguntei.

— Sei o que você está pensando — disse ela. — Quem fica remexendo latas de lixo a não ser gente de rua, certo?

— Então quem?

— Imagina um domingo qualquer — disse ela. — Um dia preguiçoso. Você está passeando a pé, talvez a pessoa com quem você vai se encontrar esteja um pouco atrasada, talvez o impulso pra sair e dar uma caminhada tenha se mostrado um pouco entediante. Mas o sol está brilhando e há um banco pra você se sentar, e você sabe que os jornais de domingo são sempre grossos e interessantes. Mas por acaso você não tem um.

— Certo — falei. — Estou imaginando.

— Já percebeu como jornal usado se transforma em propriedade coletiva? Como fazem em um trem, por exemplo? Ou no metrô? Um cara lê o jornal dele, deixa no banco quando sai, outro cara o pega na hora? Ele preferiria morrer a pegar meia barra de chocolate, mas pega o jornal sem o menor problema.

— Sim.

— O cara tem uns 40 anos — prosseguiu ela. — Alto, talvez com 1,85 metro, bom preparo, forte, cabelo preto escuro ficando grisalho, relativamente sofisticado. Usa roupas boas, calça de sarja, camisa polo. Ele meio que vagueia pelo estacionamento até a lata de lixo.

— Vagueia?

— É uma palavra — disse ela. — Tipo passear perdido em pensamentos, sem se preocupar com o mundo. Como se estivesse voltando do *brunch* de domingo. Então nosso sujeito nota o jornal em cima da lata, pega e confere as manchetes por um momento. Então, meio que dá uma inclinadinha na cabeça, depois coloca o jornal debaixo do braço como se fosse terminar de ler aquilo mais tarde e continua passeando.

— Vagueando.

— É de uma naturalidade incrível. Eu estava lá vendo aquilo acontecer e quase descartei a possibilidade. É quase subliminar.

Pensei naquilo. Ela estava certa. Era uma boa analista do comportamento humano. O que fazia dela uma boa policial. Se eu em algum momento tivesse tido tempo de fazer uma avaliação de produtividade, ela ia ficar bem acima da média.

— Tem outra coisa que você especulou — continuou Kohl. — Ele vagueia pela marina e entra num barco.

— Mora nele?

— Acho que não. Quer dizer, o barco tem beliches e tudo mais, mas acho que é mais um hobby.

— Como você sabe que tem beliches?

— Estive a bordo.

— Quando?

— No segundo domingo — disse Kohl. — Não se esqueça, tudo o que eu tinha visto até aquele momento era o negócio com o jornal. Eu ainda não tinha identificado o documento. Mas ele saiu em outro barco com alguns caras, aí eu dei uma conferida.

— Como?

— Aplicação exemplar de habilidades competentes — respondeu ela. — Usei biquíni.

— Usar biquíni é uma habilidade? — perguntei. Depois desviei o olhar. No caso dela, seria mais como uma performance artística de nível internacional.

— Ainda estava quente — disse ela. — Me juntei às outras garotas frequentadoras de iate. Dei uma passeada por lá e me aproximei da pequena prancha de embarque dele. Ninguém percebeu. Arrombei a tranca da escotilha e fiz uma busca por uma hora.

Tive que perguntar:

— Como você escondeu as gazuas no biquíni?

— Eu estava calçada — respondeu ela.

— Você achou o projeto?

— Achei todos.

— O barco tem nome?

Ela assentiu e respondeu:

— Eu o rastreei. Aquelas coisas todas têm um registro de iate.

— Então quem é o cara?

— Essa é a parte que você vai odiar — disse ela. — Ele é um militar de alta patente da Inteligência Militar. Um tenente-coronel especialista no Oriente Médio. Acabou de ganhar uma medalha por uma coisa aí que fez no Golfo.

— Merda — xinguei. — Mas pode haver uma explicação inocente.

— Pode haver — concordou ela. — Mas eu duvido. Acabei de me encontrar com o Gorowski.

— Certo — falei. Isso explicava o uniforme de gala. Muito mais intimidador do que biquíni. — E?

— E eu fiz ele me explicar o papel dele no negócio. As filhinhas têm 1 e 2 anos. A de 2 anos ficou desaparecida por um dia, há uns dois meses. Ela não fala sobre o que aconteceu enquanto esteve fora. Só chora muito. Uma semana depois o nosso amigo da Inteligência Militar insinuou que o sumiço da criança podia durar bem mais do que um dia, caso o papai não entrasse no jogo. Não vejo explicação inocente nenhuma para esse tipo de coisa.

— Não — concordei. — Nem eu. Quem é esse cara?

— O nome dele é Francis Xavier Quinn — revelou ela.

A cozinheira trouxe o prato seguinte, um tipo de costela assada, mas não prestei muita atenção porque ainda estava pensando em Francis Xavier Quinn. Era óbvio que ele tinha saído do hospital na Califórnia e jogado o *Quinn* de seu nome no lixo juntamente com a camisola hospitalar, os curativos e a pulseira escrito *Não identificado*. Ele tinha simplesmente ido embora e assumido uma identidade nova. Uma identidade com a qual sentia-se confortável, da qual ele sempre se lembraria e com a qual sabia que pessoas escondidas deveriam operar. Não mais tenente-coronel Quinn, F.X., Exército dos Estados Unidos, Inteligência Militar. A partir daquele momento, ele tinha passado a ser apenas Frank Xavier, cidadão anônimo.

— Mal-passado ou ao ponto? — perguntou Beck.

Ele estava talhando a costela com uma das facas de cabo preto da cozinha. Elas ficavam guardadas em um bloco de facas e eu tinha pensado em usar uma delas para matá-lo. A que ele estava usando naquele momento teria sido uma boa escolha. Tinha aproximadamente

25 centímetros de comprimento e cortava feito uma navalha afiada, a julgar pela facilidade com que ele fatiava a carne. A não ser que a carne estivesse inacreditavelmente macia.

— Mal-passada — respondi. — Obrigado.

Ele talhou dois pedaços para mim, e me arrependi instantaneamente. Tive a repentina memória do corpo na bolsa sete horas antes. Eu tinha aberto o zíper e visto outra obra à faca. A imagem era tão vívida que eu ainda conseguia sentir o frio do zíper de metal entre os dedos. Depois minha memória retornou em dez anos, bem ao começo com Quinn, e o ciclo estava completo.

— Molho? — ofereceu Elizabeth.

Pensei um pouco e servi uma colherada. A velha regra do Exército era *coma sempre que puder, durma sempre que puder*, porque você não tinha como saber quando haveria uma nova oportunidade de fazer essas coisas. Então expulsei Quinn da cabeça, me servi de verduras e comecei a comer. Recomecei a pensar. *Tudo que ouvi, tudo que vi.* Eu continuava voltando à marina de Baltimore ao sol forte, ao envelope e ao jornal. *Não isto, mas aquilo.* E àquilo que Duffy tinha me dito: *Você não encontrou nada útil. Nada. Nenhuma prova sequer.*

— Você já leu Pasternak? — perguntou Elizabeth.

— O que você acha de Edward Hopper? — interrogou Richard.

— Você acha que o M16 devia ser substituído? — questionou Beck.

Eu voltei à tona. Estavam todos olhando para mim. Era como se estivessem famintos por conversa. Como se estivessem todos solitários. Escutei as ondas quebrando em três das laterais da casa e entendi como podiam se sentir daquele jeito. Estavam muito isolados. Eu gosto de isolamento. Posso ficar três semanas sem falar uma palavra.

— Eu assisti ao *Doutor Jivago* no cinema — falei. — Do Hopper, gosto daquele quadro com as pessoas na lanchonete.

— *Nighthawks* — disse Richard.

— Esse mesmo. Gosto do cara à esquerda, sozinho.

— Você se lembra do nome da lanchonete?

— Phillies — respondi. — E acho que o M16 é um fuzil bom.

— Sério? — questionou Beck.

— Ele faz o que um fuzil tem que fazer — expliquei. — Não se pode pedir muito mais do que isso.

— O Hopper era um gênio — disse Richard.

— O Pasternak era um gênio — afirmou Elizabeth. — Infelizmente o filme o trivializou. E ele não foi bem traduzido. O Solzhenitsyn é supervalorizado em comparação a ele.

— Acho que o M16 é um fuzil *melhorado* — disse Beck.

— O Edward Hopper é igual ao Raymond Chandler — afirmou Richard. — Capturou uma época e um lugar específicos. É claro, o Chandler também era um gênio. Muito melhor do que o Hammett.

— Assim como o Pasternak é melhor do que o Solzhenitsyn? — perguntou a mãe dele.

Prosseguiram assim durante muito tempo. Dia quatorze, uma sexta--feira, quase no fim, jantando uma costela com três pessoas condenadas, conversando sobre livros, pinturas e fuzis. *Não isto, mas aquilo.* Eu os desliguei novamente e me arrastei dez anos no passado e optei por escutar a terceiro-sargento Dominique Kohl.

— Ele é mesmo do Pentágono — informou ela na sétima vez em que nos encontramos. — Mora ali perto na Virgínia. É por isso que ele mantém o barco em Baltimore, eu acho.

— Quantos anos ele tem? — perguntei.

— Quarenta — respondeu ela.

— Você viu a ficha completa dele?

Ela negou com a cabeça.

— A maior parte é confidencial.

Eu assenti, tentando organizar a cronologia mentalmente.

Alguém de 40 anos poderia ter sido recrutado para os dois últimos anos no Vietnã, aos 18 ou 19. Mas um cara que ascendeu a tenente-coronel antes dos 40 muito provavelmente tinha diploma universitário, talvez até doutorado, o que teria dado a ele uma dispensa. Então ele provavelmente não tinha ido à Indochina, o que, da forma habitual com que as coisas acontecem, teria desacelerado sua promoção. Nenhuma guerra sangrenta, nenhuma doença incapacitante — mesmo assim, sua promoção não tinha sido lenta. Afinal ele era tenente-coronel antes dos 40.

— Eu sei no que está pensando — disse Kohl. — Como pode ele ter duas patentes acima da sua?

— Na verdade eu estava pensado em você de biquíni.

Ela negou com a cabeça.

— Não estava, não.

— Ele é mais velho do que eu.

— Ele ascendeu como um foguete.

— Talvez seja mais inteligente do que eu — falei.

— Isso é quase certo — disse ela. — Mesmo assim, ele ascendeu demais, rápido demais.

Concordei com um gesto de cabeça e disse:

— Ótimo. Agora a gente está lidando com uma celebridade do serviço de inteligência.

— Ele tem muitos contatos com estrangeiros — informou ela. — Já o vi com todo tipo de pessoa. Israelenses, libaneses, iraquianos, sírios.

— É o que se espera dele — rebati. — O sujeito é especialista em Oriente Médio.

— Ele é da Califórnia. O pai dele era ferroviário. A mãe era dona de casa. Moravam em uma casa pequena no norte do estado. Ele a herdou, e é o único patrimônio que tem. E a gente pode dizer que ele está na folha de pagamento das forças armadas desde a faculdade.

— Certo — falei.

— Ele é um menininho pobre, Reacher — disse ela. — Então como pode alugar uma casa grande em Maclean, na Virgínia? Como pode ter um iate?

— É um iate?

— É um veleiro enorme com quartos. Isso é um iate, certo?

— Carro pessoal?

— Um Lexus novinho.

Fiquei calado.

— Por que o pessoal lá do Pentágono mesmo não faz esse tipo de pergunta? — questionou ela.

— Nunca fazem — falei. — Não percebeu isso ainda? O negócio pode ser claro como o dia e mesmo assim eles deixam passar batido.

— Eu realmente não entendo como isso acontece.

Dei de ombros.

— São humanos. Temos que dar um desconto pra eles. Preconcepções atrapalham. Eles se perguntam o quanto ele é bom, não o quanto é ruim.

Ela concordou e disse:

— Igual a mim quando passei dois dias vigiando o envelope, não o jornal. Preconcepções.

— Mas eles deveriam ser mais desconfiados.

— Também acho.

— Inteligência Militar — falei.

— O maior paradoxo do mundo — brincou ela, usando o ritual antigo e costumeiro. — Tipo perigo seguro.

— Tipo água seca.

— Você gostou? — perguntava Elizabeth, dez anos depois.

Não respondi. *Preconcepções atrapalham.*

— Você gostou? — repetiu Elizabeth.

Olhei direto para ela. *Preconcepções.*

— Perdão? — falei. *Tudo que ouvi.*

— Do jantar — disse ela. — Você gostou?

Baixei o olhar para o meu prato completamente vazio.

— Estava fabuloso — falei. *Tudo que vi.*

— Sério?

— Sem dúvida — enfatizei. *Você não encontrou nada útil.*

— Que bom — disse ela.

— Esquece o Hopper e o Pasternak — falei. — E o Raymond Chandler. A sua cozinheira é que é um gênio.

— Você está se sentindo bem? — perguntou Beck. Ele tinha deixado metade da carne no prato.

— Ótimo — falei. *Nada.*

— Tem certeza?

Fiquei em silêncio por um breve momento. *Nenhuma prova sequer.*

— Tenho. Estou falando sério.

E eu estava mesmo. *Porque eu sabia o que havia no Saab.* Tinha certeza. Sem dúvida alguma. Por isso eu me sentia maravilhoso. Mas me sentia um pouco envergonhado também. Porque eu tinha sido muito, muito lento. Uma lentidão dolorosa. Uma lentidão indecente. Precisei de 86 horas. Mais de três dias e meio. Eu tinha sido burro igualzinho à antiga unidade de Quinn. *O negócio pode ser claro como o dia e mesmo assim eles deixam passar batido.* Virei a cabeça e olhei fixamente para Beck, como se o estivesse enxergando pela primeiríssima vez.

11

EU SABIA, MAS ME ACALMEI RÁPIDO DURANTE A SOBREMESA e o café e deixei de me sentir ótimo. Deixei de me sentir envergonhado também. Afastei essas emoções. Eu vez disso, comecei a me sentir preocupado. Pois comecei a enxergar as dimensões exatas do problema tático. E eram enormes. Elas exigiriam a definição de uma forma totalmente nova de trabalho solitário e infiltrado.

O jantar acabou, e todo mundo arrastou a cadeira para trás e se levantou. Continuei na sala de jantar. Não toquei no Saab. Não estava com pressa. Podia me ocupar dele mais tarde. Não justificava o risco de arranjar um problema para confirmar algo de que eu já sabia. Ajudei a cozinheira a fazer a limpeza. Pareceu a coisa educada a fazer. Talvez até esperassem que eu o fizesse. Os Beck saíram para algum lugar enquanto eu levava os pratos para a cozinha. O mecânico estava lá comendo um pedaço de costela maior do que o meu. Olhei para ele e comecei a me sentir um pouco envergonhado de novo. Não tinha dado atenção nenhuma a ele. Não tinha pensado muito nele. Sequer tinha me perguntado para que ele estava ali. Mas agora eu sabia.

Coloquei os pratos na lava-louças. A cozinheira fez coisas econômicas com as sobras, e limpou as bancadas; em aproximadamente vinte minutos, tínhamos arrumado tudo. Em seguida, ela me disse que estava indo para cama, então dei boa-noite, saí pela porta de trás e caminhei pelas rochas. Queria olhar para o mar. Avaliar a maré. Não tinha experiência alguma com o mar. Sabia que a maré subia e descia, talvez duas vezes ao dia. Não sabia quando nem por quê. Algo a ver com a gravidade da lua, talvez. Possivelmente ela transformava o Atlântico numa banheira gigante, esparramando a água para o leste e o oeste entre a Europa e a América. Talvez quando a maré estivesse baixa em Portugal ela ficasse alta no Maine e vice-versa. Eu não tinha ideia. Naquele momento ela parecia estar mudando de alta para baixa. Em vez de vir, estava indo. Observei as ondas por mais cinco minutos e voltei para a cozinha. O mecânico tinha saído. Usei o molho de chaves que Beck me dera para trancar a porta de dentro. Deixei a de fora aberta. Em seguida, caminhei pelo saguão e conferi a frente. Supus que esse tipo de coisa tinha passado a ser tarefa minha. Estava trancada e com a corrente passada. A sala estava tranquila. Subi ao quarto de Duke e comecei a planejar as jogadas finais.

Havia uma mensagem de Duffy aguardando por mim no sapato. Ela perguntava: *Você está bem?* Respondi: *Obrigado mesmo pelos telefones. Você salvou a minha pele.*

Ela escreveu: *A minha também. Mesma porcentagem de interesse próprio.*

Não respondi. Não consegui pensar em nada para dizer. Fiquei sentado ali no silêncio. Ela tinha ganhado um adiamento mínimo, mas era só. O dela estava na reta, o que quer que acontecesse depois. Não havia nada que eu pudesse fazer a respeito.

Então ela mandou: *Fiz busca em todos os arquivos e não consegui repito não consegui encontrar nenhuma autorização para um 2o agente.*

Enviei: *Eu sei.*

Ela respondeu com apenas dois caracteres: *??*

Enviei: *Precisamos nos encontrar. Ou eu vou ligar ou aparecer do nada. Fique de prontidão.*

Em seguida, desliguei o aparelho, o enfiei de volta no salto e me perguntei se algum dia eu o tiraria dali de novo. Conferi meu relógio.

Era quase meia-noite. Dia quatorze, sexta-feira, estava quase no fim. Dia quinze, sábado, estava prestes a começar. Duas semanas desde o dia em que eu havia me enfiado numa aglomeração de pessoas em frente ao Symphony Hall, em Boston, a caminho de um bar ao qual nunca cheguei.

Deitei na cama, totalmente vestido. Cheguei à conclusão de que as próximas 24 ou 48 horas seriam cruciais e queria passar cinco das seis primeiras delas dormindo profundamente. De acordo com a minha experiência, o cansaço causa mais estragos do que falta de cuidado ou estupidez juntas. Provavelmente porque o próprio cansaço gere falta de cuidado e estupidez. Então me aconcheguei e fechei os olhos. Acertei o despertador na minha cabeça para as duas da manhã. Funcionou, como sempre. Acordei depois de um cochilo de duas horas, me sentindo bem.

Rolei para fora da cama e desci as escadas até o andar de baixo, lenta e silenciosamente. Deixei todas as coisas de metal na mesa. Não queria que o detector fizesse barulho. Fui para fora. Estava muito escuro. Não havia lua. Nenhuma estrela. O mar estava barulhento. O ar, frio. Uma brisa soprava. Tinha um cheiro úmido. Dei a volta até a quarta garagem e abri as portas. O Saab continuava ali, intacto. Abri a tampa do porta-malas e peguei meu embrulho. Saí com ele e o alojei na fenda. Voltei ao primeiro guarda-costas. Já fazia várias horas que ele tinha morrido, e a temperatura baixa estava adiantando o *rigor mortis*. Encontrava-se bem endurecido. Eu o puxei para fora e pus no ombro. Era como carregar um tronco de árvore de noventa quilos. Os braços estavam esticados como galhos.

Carreguei-o até a fenda em forma de V que Harley tinha me mostrado. Deitei-o ao lado dela e comecei a contar as ondas. Aguardei até a sétima. Ela entrou, e, logo antes de chegar a mim, empurrei o corpo para dentro. A água subiu por baixo dele e o empurrou de volta para mim. Era como se o cara estivesse tentando me agarrar com seus braços rígidos e me levar junto. Ou como se quisesse me dar um beijo de despedida. Ele flutuou ali por um segundo de um jeito bem preguiçoso depois a onda retrocedeu, a fenda esvaziou, e o corpo foi embora.

Funcionou da mesma maneira com o segundo cara. O oceano o carregou para que fosse se encontrar com o amigo e a empregada. Fiquei agachado ali por um longo momento, sentindo a brisa no rosto, ouvido a incansável maré. Depois voltei, fechei o porta-malas do Saab e entrei no lado do motorista. Terminei o serviço no forro, enfiei a mão e peguei as anotações da empregada. Havia oito páginas A4. Li todas ao fraco brilho da luz no teto. Estavam cheias de pormenores. Era bem detalhado. Mas no geral não me disseram algo de que eu já não soubesse. Li-as duas vezes e depois que terminei organizei uma sobre as outras direitinho e as levei de volta para a beirada da água. Sentei--me em uma pedra e fiz um barco de papel com cada página. Alguém tinha me ensinado quando eu era criança. Talvez tivesse sido o meu pai. Não me lembrava. Talvez tivesse sido o meu irmão. Lancei os oito barquinhos na maré, que baixava, um depois do outro, e os observei velejar balançando na direção do breu no leste.

Em seguida, voltei e demorei um pouco para arrumar o forro. Consegui fazer com que ficasse muito bem colocado. Fechei a garagem. Cheguei à conclusão de que eu já teria ido embora há muito tempo quando a abrissem novamente e vissem os estragos no carro. Caminhei de volta na direção da casa. Recarreguei os bolsos, retranquei a porta e subi lenta a silenciosamente. Fiquei só de cueca e caí na cama. Queria dormir mais três horas. Então desprogramei o alarme na cabeça, puxei o lençol e o cobertor, dobrei o travesseiro no meio e fechei os olhos de novo. Tentei dormir. Mas não consegui. O sono não vinha. O que vinha era Dominique Kohl. Ela veio bem na minha direção no escuro, do jeito que eu sabia que faria.

Na oitava vez em que nos encontrarmos, tínhamos problemas técnicos a discutir. Derrubar um oficial da inteligência era como abrir uma caixa de pandora. Obviamente o policial do Exército lida somente com militares que se perderam, portanto, agir contra um daqueles que faziam parte de nosso grupo não era novidade. No entanto, o Serviço de Inteligência era um caso à parte. Esse pessoal ficava separado e em segredo e se esforçavam muito para não ter que prestar contas a ninguém. Eles eram difíceis de enquadrar. Geralmente eles se fechavam em formação mais rápido do que o melhor esquadrão do Exército que você já possa ter visto. Por isso Kohl e eu tínhamos muito o que conversar. Eu não queria me reunir com ela na minha sala. Não havia cadeira para visitantes. Não queria que ela ficasse de pé o tempo todo. Então a gente voltou para o bar na cidade. Tinha cara de ser um local apropriado. Aquilo tudo estava se tornando tão pesado que começamos a ficar um pouco paranoicos. Sair da base parecia a coisa inteligente a se fazer. E eu gostava da ideia de discutir assuntos secretos como uma dupla de espiões, a uma mesinha escura nos fundos de uma taverna. Eu acho que Kohl pensava o mesmo.

Ela apareceu de roupa civil. Não de vestido, de calça jeans, camiseta branca uma jaqueta de couro por cima. Eu estava de uniforme de campanha. Não tinha nenhuma roupa civil. Estava frio naquela época. Pedi café. Ela quis chá. Queríamos manter as nossas cabeças limpas.

— Estou satisfeita por estarmos usando os projetos verdadeiros — comentou ela.

— Bom instinto — elogiei.

De acordo com as evidências que estávamos conseguindo, era necessário darmos uma guinada radical na coisa toda. Porque, com Quinn de posse dos projetos de verdade, ele daria prosseguimento ao esquema até o final. Qualquer coisa diferente disso e ele começaria a inventar histórias sobre testes a serem feitos, jogos de guerra, exercícios, esquemas em que ele mesmo se enrolaria.

— São os sírios — disse ela. — E eles estão pagando adiantado. Em parcelas.

— Como?

— Troca de maleta — revelou ela. — Ele se encontra com um adido da embaixada síria. Eles vão a um café em Georgetown. Os dois carregam aquelas maletas prateadas chiques, idênticas.

— Halliburton — afirmei.

Ele assentiu e explicou:

— Eles as colocam uma ao lado da outra debaixo da mesa e ele pega a do sírio quando vai embora.

— Ele vai falar que o contato é legítimo. Vai falar que é o sírio que está passando coisas para *ele*.

— Aí a gente fala: "Tá, mostra essas coisas pra gente".

— Ele vai falar que não pode, porque é confidencial.

Kohl ficou calada. Eu sorri.

— Ele vai inventar uma bela história — alertei. — Vai colocar a mão nos nossos ombros, olhar dentro dos nossos olhos e falar, acreditem, acreditem em mim, camaradas, isso envolve segurança nacional.

— Você já lidou com esses caras antes?

— Uma vez — respondi.

— E venceu?

Respondi que sim com a cabeça e opinei:

— Geralmente eles só falam merda. O meu irmão foi da Inteligência Militar por um tempo. Agora ele trabalha no Tesouro Nacional. Mas me contou tudo sobre o pessoal. Eles acham que são espertos, mas na verdade são iguais a qualquer outra pessoa.

— Então o que é que a gente faz?

— Vamos ter que recrutar o sírio.

— Mas aí a gente não vai poder prender o sujeito.

— Você quer dois por um? — questionei. — Não dá. O sírio só está fazendo o trabalho dele. Não dá pra condenar o cara por isso. O Quinn é que é o bandido nessa história.

Ela ficou quieta por um momento, um pouco desapontada. Depois deu de ombros e disse:

— Tá. Mas então como a gente pode agir? O sírio vai escapar fácil. Ele é adido da embaixada. Tem imunidade diplomática.

Sorri novamente.

— Imunidade diplomática é só um pedaço de papel do Departamento de Estado. Da outra vez eu fiz o seguinte: peguei o cara e pedi pra ele colocar o papel em frente à barriga. Depois saquei a pistola e perguntei se ele achava que aquele papel iria parar a bala. Ele disse que eu ia me meter em encrenca. Falei que por maior que fosse a encrenca que eu arranjasse, ela não afetaria o quão lentamente ele sangraria até a morte.

— E ele viu a situação do seu jeito?

Assenti e completei:

— Entrou no jogo direitinho.

Ela ficou calada novamente. Depois me fez a primeira das duas perguntas que muito mais tarde eu desejaria ter respondido de forma diferente:

— A gente pode se ver socialmente?

Estávamos sozinhos numa mesa em um bar escuro. Ela era linda para cacete e estava sentada bem ali do meu lado. Eu era um homem jovem naquela época e achava que tinha todo o tempo do mundo.

— Você está me chamando pra sair? — perguntei.

— Estou — respondeu ela.

Fiquei calado.

— Eu sei o que eu quero — afirmou ela.

Eu acreditava nisso. E eu acreditava em igualdade. Acreditava mesmo. Não muito antes daquilo eu tinha conhecido uma coronel da Força Aérea que comandava um B52 e cruzava os céus noturnos com mais poder explosivo em seu avião do que todas as bombas já lançadas em toda a história da humanidade. Eu achava que, se era possível confiar a ela poder suficiente para explodir o planeta, então era possível confiar à terceiro-sargento Dominique Kohl a decisão de com quem ela gostaria de sair.

— E aí? — disse ela.

Perguntas que eu desejaria ter respondido de forma diferente.

— Não — respondi.

— Por que não?

— Não é profissional. Você não deveria fazer isso.

— Por que não?

— Porque vai colocar uma mancha na sua carreira — expliquei. — Porque você é uma pessoa talentosa que não vai conseguir ser promovida além de sargento-major sem passar pela escola de oficiais, então você vai pra lá, vai mandar ver, e daqui a dez anos vai ser tenente-coronel, por mérito próprio, mas todo mundo vai ficar falando que conseguiu isso porque saiu com seu capitão muito tempo atrás.

Ela ficou calada. Chamou a garçonete e pediu duas cervejas. O lugar esquentava à medida que enchia. Tirei a jaqueta, ela tirou a dela. Eu estava com uma camiseta verde-oliva que tinha encolhido, ficado puída e desbotada por já ter sido lavada mil vezes. A camisa dela era uma peça de boutique. Tinha a gola um pouco mais cavada do que a maioria das camisetas de malha, e as mangas tinham um corte inclinado de maneira que se enrolavam um pouco nos músculos deltoides na parte de cima dos braços. O tecido era branco como a neve contraposto à pele dela. Era levemente translúcida. Dava para ver que ela não usava nada por baixo.

— A vida militar é cheia de sacrifícios — falei, mais para mim mesmo do que para ela.

— Vou superar.

Então ela me fez a segunda pergunta que eu desejava ter respondido diferente:

— Você me deixa fazer a prisão?

Dez anos depois, eu acordei sozinho na cama de Duke às seis da manhã. O quarto ficava na frente da casa, de forma que eu não tinha vista para o mar. Estava olhando para o oeste, pros Estados Unidos. Era uma manhã sem sol. Nenhuma sombra comprida da alvorada. Apenas uma luz cinza e opaca na estradinha que levava à casa, no muro e na paisagem de granito ao longe. O vento soprava no mar. Vi árvores se mexendo. Imaginei nuvens negras e tempestuosas atrás de mim, bem longe sobre o Atlântico, movendo-se em velocidade na direção da praia. Imaginei aves marinhas lutando contra o ar turbulento com suas penas chicoteando e ondeando contra a ventania. O dia quinze, começando cinza, frio, inóspito, e com cara de que ficaria pior.

Tomei um banho, mas não fiz a barba. Vesti outra calça jeans preta de Duke, amarrei o sapato e carreguei a jaqueta e o casaco no braço. Desci silenciosamente até a cozinha. A cozinheira já tinha feito café. Ela me deu uma caneca, eu a peguei e sentei à mesa. Ela tirou um pão de forma do freezer e o colocou no micro-ondas. Cheguei à conclusão de que eu teria que evacuá-la, em algum momento antes de as coisas ficarem desagradáveis. Bem como Elizabeth e Richard. O mecânico e Beck podiam ficar e encarar as consequências.

Dava para escutar o mar da cozinha, em alto e bom som. As ondas estrondeavam e a implacável contracorrente as puxava de volta. Poças enchiam e esvaziavam, e o cascalho rolava ruidosamente nas rochas. O vento lamuriava suavemente pelas gretas na porta de fora da varanda. Escutei os berros frenéticos das gaivotas. Eu as ouvia, bebericava café e aguardava.

Richard desceu dez minutos depois de mim, com o cabelo todo desgrenhado. Dava para ver a orelha que faltava. Ele pegou café e sentou em frente a mim. A ambivalência estava de volta. Eu conseguia enxergá-lo tendo que enfrentar o fato de não poder mais ir para a faculdade e de ter que passar o resto da vida se escondendo com a família. Caso sua mãe escapasse sem acusações, eles poderiam recomeçar em algum outro lugar. Dependendo do quanto ele fosse resiliente, poderia voltar para a faculdade sem perder muito mais do que uma semana do semestre. Se ele quisesse. A não ser que fosse uma faculdade cara, o que eu achava que era. Eles teriam problemas com dinheiro. Sairiam daquela situação só com as roupas do corpo. Se conseguissem sair.

A cozinheira foi arrumar a sala de jantar para o café da manhã. Richard a observou ir embora, eu o observei, vi a orelha novamente e uma peça do quebra-cabeça se encaixou.

— Cinco anos atrás — falei. — O sequestro.

Ele manteve a compostura. Apenas baixou os olhos para a mesa, em seguida os levantou para mim e jogou o cabelo em cima da cicatriz com os dedos.

— Você sabe no que é que o seu pai está realmente envolvido? — perguntei.

Ele confirmou com a cabeça. Ficou calado.

— Não são só tapetes, certo? — falei.

— Não — respondeu ele. — Não são só tapetes.

— Como você se sente em relação a isso?

— Há coisas piores — respondeu ele.

— Quer me contar o que foi que aconteceu há cinco anos? — sugeri.

Ele negou com a cabeça. Desviou o olhar.

— Não. Não quero.

— Conheci um cara chamado Gorowski — contei. — A filha dele de dois anos de idade foi raptada. Por um dia só. Quanto tempo você ficou sequestrado?

— Oito dias — respondeu ele.

— O Gorowski entrou na linha na mesma hora — falei. — Um dia foi o suficiente para ele.

Richard ficou calado.

— O seu pai não é o chefe por aqui — falei, como uma afirmação. Richard ficou calado.

— Ele entrou na linha cinco anos atrás. Depois de você ter ficado oito dias em cativeiro. É assim que vejo esta situação.

Richard estava em silêncio. Pensei na filha do Gorowski. Ela tinha 12 anos agora. Provavelmente tinha internet, um toca-disco e um telefone no quarto. Pôsteres na parede. E uma pequenina dor em sua memória sobre algo que acontecera muito antes em seu passado. Como uma fisgado que se tem em um osso curado há muito.

— Não preciso de detalhes — falei. — Só quero que você diga o nome dele.

— Nome de quem?

— Do cara que te aprisionou durante oito dias.

Richard abanou a cabeça.

— Eu ouvi o nome Xavier — falei. — Alguém o mencionou.

Richard desviou o olhar, e sua mão esquerda foi direto para a lateral da cabeça, a confirmação de que precisava.

— Me estupraram — disse ele.

Escutei o mar espancar as rochas.

— O Xavier?

Ele negou com a cabeça novamente e revelou:

— O Paulie. Ele tinha acabado de sair da prisão. Ainda tinha um gosto por esse tipo de coisa.

Fiquei em silêncio durante um longo momento.

— Seu pai sabe?

— Não — respondeu ele.

— Sua mãe?

— Não.

Eu não sabia o que dizer. Richard não falou mais nada. Ficou sentado ali em silêncio. Depois a cozinheira voltou e acendeu o fogão. Pôs gordura em uma frigideira e começou a esquentá-la. O cheiro deixou o meu estômago embrulhado.

— Vamos dar uma volta — convidei.

Richard me seguiu até as pedras do lado de fora. Havia maresia naquele ar revigorante e geladíssimo. A luz estava cinza. O vento, forte. Soprava bem no nosso rosto. O cabelo de Richard voava para trás, quase na horizontal. O spray explodia seis metros no ar, e gotas de água espumante nos açoitavam como balas.

— Todo céu um dia se enche de nuvens — comentei. Eu tinha que falar alto para ser ouvido devido ao vento e da rebentação. — Talvez um dia o Xavier e o Paulie se deparem com a devida punição, mas o seu pai vai para a prisão no processo.

Richard assentiu. Havia lágrimas em seus olhos. Talvez fossem por causa do vento frio. Talvez não.

— Ele merece — disse Richard.

Muito leal, dissera o pai dele. *Melhores amigos.*

— Eu fiquei oito dias em cativeiro — disse Richard. — Um deveria ter sido o suficiente. Como com esse outro cara que você mencionou.

— O Gorowski?

— Sei lá. O cara com a filha de 2 anos. Você acha que ela foi estuprada?

— Sinceramente espero que não.

— Eu também.

— Você sabe dirigir? — perguntei.

— Sei — respondeu ele.

— Talvez você tenha que sair daqui — falei. — Em breve. Você, a sua mãe e a cozinheira. Você precisa estar pronto. Para se e quando eu te falar para ir embora.

— Quem é você?

— Sou um cara pago pra proteger o seu pai. Dos supostos amigos dele, bem como dos inimigos.

— O Paulie não vai deixar a gente passar pelo portão.

— Ele em breve não vai ser mais problema.

Ele negou com a cabeça e disse:

— O Paulie vai te matar. Você não faz ideia. Você não tem como vencer o Paulie, quem quer que você seja. Ninguém tem.

— Eu venci aqueles caras lá na faculdade.

Ele negou outra vez com um gesto de cabeça. Seu cabelo esvoaçava. Fez-me lembrar do cabelo da empregada, debaixo da água.

— Aquilo foi falso — afirmou Richard. — Minha mãe e eu conversamos. Foi armado.

Fiquei em silêncio por um segundo. *Eu já confiava nele?*

— Não, aquilo foi real — discordei. *Não, ainda não.*

— É uma comunidade pequena — alegou Richard. — Eles têm mais ou menos cinco policiais. Nunca vi aquele cara na vida.

Fiquei calado.

— Nunca vi aqueles seguranças da faculdade também — continuou ele. — E eu estava lá há quase três anos.

Fiquei calado. *Erros, voltando pra me assombrar.*

— Então por que você largou a faculdade? — perguntei. — Já que foi uma armação.

284

Ele não respondeu.

— E como fizeram a emboscada pra mim e pro Duke?

Ele não respondeu.

— Então o que foi aquilo? — questionei. — Real ou armação?

Ele deu de ombros.

— Eu não sei.

— Você me viu atirar neles todos — argumentei.

Ele ficou calado. Eu desviei o olhar. A sétima onda rolou na nossa direção. Ela se ergueu a quarenta metros de distância e atingiu as rochas mais rápido do que um homem podia correr. O chão estremeceu e spray explodiu para cima como uma bomba de luz.

— Algum de vocês discutiu isso com o seu pai? — perguntei.

— Eu, não — disse ele. — Nem vou. Não sei a minha mãe.

E eu não sei você, pensei. A ambivalência é uma via de mão dupla. Às vezes vai, depois volta. A ideia do pai preso numa cela devia estar soando muito bem naquele momento. Mais tarde, poderia soar diferente. Quando a situação chegasse ao ponto crítico, esse cara era capaz de pender tanto para um lado quando para o outro.

— Salvei a sua pele — afirmei. — Não gosto que você finja que não.

— E daí? — disse ele. — Não tem nada que você possa fazer. Esta semana vai ser cheia. Você tem que lidar com o carregamento. E, depois disso, você vai ser um deles de qualquer maneira.

— Então me ajuda — falei.

— Eu não vou sacanear o meu pai — disse ele.

Muito leal. Melhores amigos.

— Você não precisa — argumentei.

— Então como eu posso te ajudar?

— Só fala que você me quer aqui. Fala pra ele que você não deveria ficar sozinho agora. Ele te escuta em relação a coisas desse tipo.

Richard não respondeu. Simplesmente se afastou e voltou para a cozinha. Foi direto para o saguão. Imaginei que estava indo tomar café na sala de jantar. Fiquei na cozinha. A cozinheira tinha arrumado o meu lugar na mesa de pinho. Não estava com fome, mas me forcei a comer. Cansaço e fome eram inimigos perigosos. Eu tinha dormido e estava prestes a comer. Não queria acabar fraco e com tonturas no momento errado. Comi torrada e tomei outra xícara de café. Depois mandei ver mais um pouco e comi ovos com bacon. Estava na terceira xícara de café quando Beck entrou me procurando. Estava usando roupa de sábado. Calça jeans e uma camisa vermelha de flanela.

— Nós vamos pra Portland — afirmou ele. — Pro depósito. Agora.

Voltou para o saguão. Supus que esperaria lá na frente. E supus que Richard não tinha falado com ele. Ou não tinha tido a oportunidade ou não quisera. Limpei a boca com as costas da mão. Conferi os bolsos para me certificar de que a Beretta estava acomodada de maneira segura e de que as chaves estavam ali. Em seguida, saí e busquei o carro. Dei a volta nele até a frente da casa. Beck estava me aguardando. Colocara uma jaqueta de lona sobre a camisa. Estava parecendo um cara normal do Maine que saía para cortar lenha ou recolher xarope de suas árvores de bordo. Mas não era nada disso.

Paulie já estava abrindo do portão, por isso tive que reduzir a velocidade, mas sem precisar parar. Olhei para ele ao passar. Concluí que ele morreria naquele mesmo dia. Ou no seguinte. Ou eu morreria. Deixei-o para trás e acelerei o carro pela estrada familiar. Depois de quase dois quilômetros passei pelo local em que Villanueva tinha estacionado. Seis quilômetros depois, fiz a curva onde armamos a tocaia pros guarda-costas. Beck ficou quieto o caminho todo. Estava com os joelhos separados e as mãos entre eles, um pouco inclinado para a frente no banco. A cabeça baixa, mas com os olhos levantados. Olhava fixamente para a frente através do para-brisa. Estava nervoso.

— Nunca tivemos a nossa conversa — falei. — Sobre as informações adicionais.

— Mais tarde.

Passei da Rota 1 e usei a I-95. Segui para o norte na direção da cidade. O céu permanecia cinza. O vento estava forte o bastante para ficar empurrando levemente o carro. Virei na 295 e passei pelo aeroporto. Ficava à minha esquerda, depois da língua de água. À minha direita, ficava a parte de trás do centro comercial onde a empregada fora capturada, e as costas do novo parque industrial onde eu achava que ela havia morrido. Continuei seguindo em frente e me enfiei pelo caminho que levava à área do porto. Passei pelo lote onde Beck parava seus veículos. Um minuto depois, chegamos ao depósito dele.

Estava rodeado de veículos. Eram cinco carros estacionados de frente para as paredes, como aeronaves em um terminal. Como animais num cocho. Como peixes num cadáver. Eram dois Lincoln Town Car pretos, dois Chevrolet Suburban azuis e um Mercury Grand Marquis cinza. Um dos Lincoln era o carro em que eu tinha estado quando Harley me dera uma carona para pegar o Saab. Depois de pormos a empregada no mar. Procurei um espaço para estacionar o Cadillac.

— Me deixa aqui — disse Beck.

Freei até parar:

— E?

— Volta lá pra casa — disse ele. — Cuida da minha família.

Assenti. Talvez Richard tivesse falado com ele afinal. Talvez a ambivalência do rapaz estivesse pendendo para o meu lado, apenas temporariamente.

— Certo. Como quiser. Quer que eu volte pra te buscar mais tarde?

Ele negou e disse:

— Tenho certeza de que consigo uma carona pra voltar.

Ele desceu e foi até a porta cinza desgastada pelo tempo. Tirei o pé do freio, dei a volta no depósito e saí no sentido sul.

Usei a Rota 1 em vez da 295 e fui direto para o parque industrial novo. Entrei e cruzei a rede de estradas novíssimas. Havia provavelmente mais de trinta construções de metal idênticas. Elas eram muito simples. Não era o tipo de lugar que dependia de atrair as pessoas que passavam ali por acaso. O tráfego de pedestres não era importante. Não havia estabelecimentos de varejo. Nenhum chamariz espalhafatoso. Nenhum outdoor enorme. Apenas números discretos nas unidades com pequenos nomes das empresas impressos ao lado deles. Empresas de fechadura, comerciantes de azulejo de cerâmica, umas duas gráficas. Havia um atacado de produtos de beleza. A unidade 26 era uma distribuidora de cadeira de rodas elétrica. E ao lado dela ficava a unidade 27: *Xavier eXport Company*. Os *Xs* eram muito maiores do que as outras letras. Havia o endereço da matriz na placa — não era o mesmo que o do parque industrial. Imaginei que ele se referia a algum lugar no centro de Portland. Então saí no sentido norte de novo, voltei a atravessar o rio e dirigi pela cidade.

Cheguei pela Rota 1 com um parque à minha esquerda. Entrei à direita em uma rua cheia de prédios comerciais. Era a rua errada. Fiquei rodando pelo distrito comercial durante cinco longos minutos até ver a placa com o nome certo da rua. Depois fiquei observando os números e parei a um hidrante em frente a um prédio com letras de aço inoxidável que se estendiam de um lado ao outro da fachada e formavam o nome: *Missionary House*. Havia um estacionamento no subsolo. Olhei para a entrada de veículos e tive certeza de que Susan Duffy tinha passado por ali onze semanas antes, com uma câmera na mão. Então me lembrei de uma aula de história que tive no ensino médio, em algum lugar quente, em algum lugar na Espanha, 25 anos antes — um sujeito velho falando para nós sobre o jesuíta espanhol Francisco Xavier. Consegui me lembrar até mesmo das datas: 1506 a 1552. Francisco Xavier, missionário espanhol. Francis Xavier, Missionary House. Lá em Boston, no início, Eliot tinha acusado Beck de estar brincando conosco. Ele estava errado. Era Quinn que tinha um senso de humor doentio.

Saí da frente do hidrante, encontrei a Rota 1 novamente e a peguei no sentido sul. Acelerei bastante, mas levei trinta minutos para chegar ao rio Kennebunk. Havia três Fords Taurus estacionados do lado de fora do motel, todos básicos e idênticos, com exceção das cores, e mesmo isso não era algo que variava muito. Eram cinza, cinza azulado e azul. Coloquei o Cadillac onde o colocara antes, atrás do estoque de propano. Voltei caminhando no frio e bati na porta de Duffy. Vi o olho mágico enegrecer por um segundo, e em seguida ela abriu. Não nos abraçamos. Vi Eliot e Villanueva no quarto atrás dela.

— Por que eu não consigo achar a segunda agente? — perguntou ela.

— Onde você procurou?

— Em todos os lugares — respondeu ela.

Duffy estava de calça jeans e camisa Oxford branca. Calça diferente, camisa diferente. Ela devia ter um estoque grande. Usava mocassim sem meia. Estava bonita, mas havia preocupação em seus olhos.

— Posso entrar? — pedi.

Ela refletiu por um segundo, preocupada. Depois saiu do caminho e eu a segui para dentro. Villanueva estava na cadeira da mesinha e a inclinava para trás. Torci para que as pernas fossem fortes. Ele não era um cara pequeno. Eliot se encontrava na ponta da cama, como quando esteve no meu quarto em Boston. Duffy tinha ficado sentada na cabeceira da cama. Isso era óbvio. Os travesseiros estavam empilhados na vertical, moldados pelo formato das costas dela.

— Onde você procurou? — perguntei novamente a ela.

— No sistema inteiro — respondeu Duffy. — No Departamento de Justiça todo, de cabo a rabo, o que significa tanto FBI como DEA. E ela não está lá.

— Conclusão?

— Ela também estava por baixo dos panos.

— O que impõe uma questão — disse Eliot. — Tipo: que merda está acontecendo?

Duffy se sentou na cabeceira da cama de novo e eu me sentei ao lado dela. Não havia mais nenhum lugar a que eu pudesse ir. Ela arrancou um travesseiro das costas e o enfiou atrás das minhas. Tinha calor corporal.

— Não muita coisa — falei. — Com exceção de que nós três começamos a agir duas semanas atrás como incompetentes.

— Como?

Fiz um careta.

— Eu estava obcecado pelo Quinn, vocês estavam obcecados pela Teresa Daniel. Estávamos todos tão obcecados que construímos um castelo de cartas.

— Como? — repetiu ele.

— Mais minha culpa do que de vocês. Pensem nisso tudo desde o início, onze semanas atrás.

— Há onze semanas, isto não tinha nada a ver com você. Você ainda não estava envolvido.

— Me conta exatamente o que aconteceu.

Ele deu de ombros. Repassou o acontecido na cabeça e começou:

— Recebemos a informação de Los Angeles de que um figurão tinha acabado de comprar uma passagem pra Portland, Maine.

— Aí vocês o seguiram até o encontro com o Beck — interferi. — E tiraram fotos dele fazendo o quê?

— Verificando produtos — disse Duffy. — Fazendo algum negócio.

— Em um estacionamento particular — falei. — E pra completar, se era particular o suficiente pra fazer com que você tivesse problemas por causa da quarta emenda, talvez você devesse ter se perguntado como o próprio Beck entrou lá.

Ela ficou calada.

— E depois? — perguntei.

— Nós vigiamos o Beck — respondeu Eliot. — Chegamos à conclusão de que ele era um importador e distribuidor dos grandes.

— O que ele indubitavelmente é — afirmei. — E vocês infiltraram a Teresa para pegar o cara.

— Por baixo dos panos — acrescentou Eliot.

— Isso é um detalhe mínimo — desconsiderei.

— Então o que deu errado?

— Era um castelo de cartas — falei. — Vocês cometeram um erro de julgamento minúsculo no começo e ele invalidou tudo o que veio depois.

— Qual?

— Uma merda de um negócio que eu devia ter visto muito tempo antes.

— O quê?

— Pergunte a si mesmo por que não consegue encontrar nenhum vestígio da empregada no sistema.

— Ela estava trabalhando por debaixo dos panos. É a única explicação possível.

Neguei com a cabeça e contestei:

— Ela estava lá da forma mais regular possível. Encontrei algumas anotações dela. Não há dúvida quanto a isso.

Duffy me encarou e perguntou:

— Reacher, o que exatamente está acontecendo?

— O Beck tem um mecânico — falei. — Uma espécie de técnico. Pra quê?

— Não sei — respondeu ela.

— Eu também nunca me fiz essa pergunta — confessei. — Deveria ter feito, na verdade eu não deveria nem mesmo ter precisado fazer essa pergunta, porque eu deveria ter descoberto antes mesmo de ter visto o tal mecânico. Mas eu estava preso em um lance, igual a vocês.

290

— Que lance?

— O Beck sabia o preço de varejo da Colt Anaconda — informei. — Sabia o quanto ela pesava. O Duke tinha uma Steyr SPP, arma australiana esquisita. O Angel Doll tinha uma PSM, arma russa esquisita. O Paulie tem uma NSV, provavelmente a única dentro dos Estados Unidos. O Beck estava obcecado pelo fato de termos sido atacados com Uzis, não com algo da Heckler & Koch. Ele tinha conhecimento suficiente para depenar uma Beretta 92 FS de modo que ela ficasse igualzinha a uma M9 militar normal.

— E?

— Ele não é o que a gente achava que ele era.

— Então ele é o quê? Você acabou de concordar que ele é um grande importador e distribuidor.

— Ele é.

— E?

— Você procurou no sistema errado — falei. — A empregada não trabalhava no Departamento de Justiça. Ela trabalhava no Tesouro.

— Serviço Secreto?

Abanei a cabeça e revelei:

— ATF — A Agência de Álcool, Tabaco e Armas de Fogo.

A sala ficou em silêncio.

— O Beck não é traficante de drogas — falei. — Ele é contrabandista de armas.

O quarto ficou em silêncio durante muito tempo. Duffy olhou para Eliot. Eliot olhou de volta para ela. Em seguida os dois olharam para Villanueva. Villanueva olhou para mim. Depois olhou para a janela. Esperei eles se darem conta do problema tático. O que não aconteceu. Não imediatamente.

— Então o que o cara de Los Angeles estava fazendo? — perguntou Duffy.

— Vendo amostras — respondi. — No porta-malas do Cadillac. Exatamente como você pensou. Mas eram amostras de armas que Beck estava negociando. Ele praticamente me contou. Disse que traficantes de drogas se deixam levar pela moda. Que gostam de coisas novas e bacanas. Que trocam de arma o tempo todo, estão sempre querendo a última moda.

— Ele te contou?

— Eu não estava escutando de verdade — expliquei. — Estava cansado. E ele misturou tudo com um papo de tênis e carros e casacos e relógios.

— O Duke foi pro Tesouro — disse ela. — Depois de ter sido policial.

— O Beck provavelmente o encontrou no trabalho — opinei. — Provavelmente o subornou.

— Onde o Quinn se encaixa nisso?

— Imagino que ele estava conduzindo uma operação rival — falei. — Provavelmente sempre fez isso, desde que saiu do hospital na Califórnia. Teve seis meses pra bolar seus planos. E armas combinam muito mais com um cara como o Quinn do que narcóticos. Imagino que em algum momento ele tenha identificado a operação do Beck como um alvo a ser tomado. Talvez ele tenha gostado da maneira como o Beck estava explorando o mercado de traficantes. Ou talvez tenha gostado só do lado do negócio voltado pros tapetes. É uma fachada ótima. Então, partiu pra cima. Sequestrou Richard há cinco anos, pra fazer com que o Beck assinasse na linha pontilhada.

— O Beck te falou que o pessoal de Hartford era cliente dele — disse Eliot.

— Era, sim — confirmei. — Mas por causa das armas, não da droga. Foi por isso que ele ficou intrigado com o negócio das Uzis. Ele provavelmente tinha acabado de vender um monte de H&Ks pra eles, e logo depois os caras estavam usando Uzis? Ele não conseguia entender aquilo. Deve ter pensado que eles tinham trocado de fornecedor.

— A gente foi bem burro — disse Villanueva.

— Eu fui mais burro do que vocês — confessei. — Fui inacreditavelmente burro. Havia evidências no lugar inteiro. O Beck não é rico o suficiente pra ser traficante de drogas. Ele faz uma boa grana, com certeza, mas não milhões por semana. Ele notou as marcas que fiz nos cilindros da Colt. Sabia o preço e o peso de uma mira laser pra Beretta que me deu. Colocou duas H&Ks em perfeito estado numa bolsa quanto precisou acertar umas contas em Connecticut. Provavelmente as tirou direto do estoque. Tem uma coleção particular de Thompsons.

— Pra que serve o mecânico?

— O cara deixa as armas prontas pra venda — respondi. — É o meu palpite. Ele as regula, ajusta, confere. Alguns fregueses do Beck não reagiriam bem a uma mercadoria abaixo do padrão.

— Não os que nós conhecemos.

— O Beck falou da M16 no jantar — continuei. — Ficou discorrendo sobre um fuzil, pelo amor de Deus. E quis saber a minha opinião sobre as Uzis em comparação às H&Ks, como se estivesse realmente fascinado. Eu achei que ele fosse só um desses fissurados por armas, vocês sabem, mas na verdade era interesse profissional. Ele tinha acesso ao sistema da fábrica da Glock em Deutsch-Wagram, na Áustria.

Ninguém falou. Fechei os olhos, depois os abri de novo.

— Na sala no porão, havia um cheiro — prossegui. — Eu deveria ter reconhecido. Era o cheiro de papelão com óleo lubrificante de arma. Isso acontece quando se empilha caixas de armas novas e as deixa assim por uma semana ou duas.

Ninguém falou.

— E os preços nos registros de contabilidade da Bizarre Bazaar — declarei. — Baixo, médio, alto. Baixo para munição, médio para revólveres e pistolas, alto para metralhadoras e armas exóticas.

Duffy olhava para a parede, muito concentrada.

— Certo — disse Villanueva. — Acho que todos nós fomos um pouco burros.

Duffy olhou para ele. Em seguida, olhou para mim. Ela estava começando a se dar conta do problema tático.

— Não temos jurisdição — disse ela.

Ninguém falou.

— Isso é problema da ATF — afirmou Duffy. — Não da DEA.

— Foi um erro honesto — tentou aliviar Eliot.

Ela abanou a cabeça e se explicou:

— Não estou me referindo a antes, estou me referindo a agora. Não podemos estar lá dentro. Temos que vazar, neste minuto, pra já.

— Não vou vazar — falei

— Você tem que vazar. Porque *nós* temos que fazer isso. Temos que levantar acampamento e ir embora. E você não pode ficar lá dentro sozinho e sem suporte.

A definição de uma forma totalmente nova de trabalho solitário e infiltrado.

— Vou ficar.

Vasculhei a minha alma durante um ano inteiro depois do que aconteceu e cheguei à conclusão de que não teria respondido de maneira diferente mesmo que ela não estivesse cheirosa e nua debaixo de uma camiseta fina sentada ao meu lado em um bar quando fez a pergunta fatídica. *Você me deixa fazer a prisão?* Eu teria respondido sim, quaisquer que fossem as circunstâncias. Com certeza. Mesmo que ela fosse um cara grandão e feioso do Texas ou de Minnesota em posição de sentido na minha sala, eu teria dito sim. Ela tinha feito o trabalho. Ela merecia o crédito. Eu estava vagamente interessado em ser promovido naquela época, talvez menos do que a maioria das pessoas, mas qualquer estrutura que tem um sistema hierárquico te deixa tentado a querer escalá-lo. Portanto, eu estava vagamente interessado. Mas eu não era um cara que se aproveitava das conquistas dos subordinados para sair bem na fita. Nunca fiz isso. Se alguém agiu bem, fez um bom trabalho, eu sempre fiquei satisfeito em recuar e deixar o responsável ser recompensado. Era um princípio ao qual aderi ao longo da minha carreira. Eu podia sempre me consolar com o calor do brilho deles. Era a minha companhia, afinal de contas. Parte daquele reconhecimento era coletivo. Às vezes.

E, além disso, eu gostava muito da ideia de um praça da PE prender um tenente-coronel da Inteligência. Porque eu sabia que um cara como Quinn odiaria essa situação. Ele a enxergaria como a indignidade suprema. Um cara que comprava Lexus e veleiros e usava camisas polo não ia querer ser preso por um *sargento* qualquer.

— Você me deixa fazer a prisão? — repetiu ela.

— Eu quero que você faça.

— É uma questão puramente legal — disse Duffy.

— Pra mim, não — contestei.

— Não temos autoridade.

— Não trabalho pra você.

— É suicídio — alertou Eliot.

— Sobrevivi até aqui.

— Só porque ela bloqueou os telefones.

— Os telefones são história — argumentei. — O problema com os guarda-costas se resolveu por conta própria. Então eu não preciso mais de suporte.

— Todo mundo precisa de suporte. Não dá para ficar infiltrado sem isso.

— E o suporte da ATF serviu muito pra empregada — falei.

— Nós te arranjamos um carro. Te ajudamos em todos os passos.

— Não preciso mais de carro. O Beck me deu um molho de chaves. E uma arma. E balas. Sou o novo braço direito dele. Ele confia a mim a proteção da própria família.

Eles não falaram nada.

— E eu posso trazer a Teresa Daniel de volta — revelei.

— A ATF pode trazer a Teresa de volta — retrucou Eliot. — Nós vamos à ATF agora e nos livramos do problema da nossa própria agência. A empregada era deles, não nossa. Sem dano, sem problema.

— A ATF não está ligada no que está acontecendo — falei. — Teresa vai acabar no meio do fogo cruzado.

Houve um longo silêncio.

— Segunda — disse Villanueva. — Vamos segurar a informação até segunda-feira. A gente tem que contar pra ATF segunda-feira, no máximo.

— A gente devia contar pra eles agora mesmo — contestou Eliot.

Villanueva concordou com um gesto de cabeça e falou:

— Só que não vamos. E, se for necessário, eu mesmo me certifico de que não vamos contar nada. Eu digo para darmos um prazo até segunda ao Reacher.

Eliot não contestou. Apenas desviou o olhar. Duffy deitou a cabeça para trás no travesseiro e olhou para o teto.

— Merda — xingou ela.

— Vai estar tudo acabado na segunda — afirmei. — Vou trazer a Teresa pra cá e vocês vão poder ir embora e fazer as ligações que quiserem.

Ela ficou em silêncio por um minuto. Depois falou:

— Tá. Você pode voltar. E acho que tem que sair agora. Já ficou muito tempo fora. Só isso já serve como suspeita.

— Certo.

— Mas primeiro pensa — orientou ela. — Você tem certeza absoluta?

— Não sou responsabilidade sua — falei.

— Não interessa. Só responde à pergunta. Você tem certeza?

— Tenho.

— Agora pensa de novo. Ainda tem?

— Tenho.

— Estaremos aqui — disse ela. — Liga pra gente se precisar.

— Certo.

— Ainda tem certeza?

— Tenho.

— Então vai.

Ela não levantou. Nenhum deles. Desci da cama calmamente e atravessei o quarto silencioso. Eu estava a meio-caminho do Cadillac quando Terry Villanueva saiu atrás de mim. Ele gesticulou para que eu o esperasse e caminhou até mim. Movia-se com rigidez e lentidão, como o sujeito velho que era.

— Me põe lá dentro — pediu ele. — Em qualquer chance que tiver, quero estar lá.

Fiquei calado.

— Posso te ajudar a sair — argumentou ele.

— Você já ajudou.

— Eu preciso fazer mais do que isso. Pela menina.

— Pela Duffy?

Ele abanou a cabeça e completou:

— Não, pela Teresa.

— Vocês têm alguma ligação?

— Tenho responsabilidade — respondeu ele.

— Como?

— Fui o mentor — respondeu ele. — Eu trabalho desse jeito. Você sabe como é.

Assenti. Eu sabia exata, total e completamente como era.

— Teresa trabalhou pra mim durante um período — contou ele. — Eu a treinei. Basicamente a botei pra dentro. Depois ela subiu. Mas dez semanas atrás ela me procurou e perguntou se deveria aceitar essa missão. Ela estava em dúvida.

— E você falou pra ela aceitar.

Ele fez que sim com a cabeça e reclamou:

— Como um maldito idiota.

— Você tinha realmente como impedi-la?

Ele fez que sim de novo e disse:

— Provavelmente. Ela teria me dado ouvidos se eu tivesse dado justificativas sobre o porquê não deveria participar. Ela teria tomado a própria decisão, mas me daria ouvidos.

— Entendo — falei.

E entendia mesmo, sem dúvida. Deixei-o ali de pé no estacionamento do motel, entrei no carro e o observei me observar indo embora.

Continuei pela Rota 1 por todo o caminho entre Biddeford, Saco e Old Orchard Beach, depois peguei a longa e solitária estrada que seguia no sentido leste até a casa. Conferi meu relógio quando cheguei perto e me dei conta de que fiquei fora duas horas, das quais somente quarenta minutos foram legítimos. Vinte minutos até o depósito, vinte de volta. Mas eu não esperava ter que me explicar a alguém. Beck nunca saberia que eu não fui direto para casa, e os outros nunca saberiam que era isso o que eu deveria ter feito. Eu achava que estava prestes a fazer a jogada final da partida, embalado na direção da vitória.

Mas eu estava errado.

Soube disso antes de Paulie chegar à metade do caminho para abrir o portão. Ele saiu da casa e foi até a tranca. Estava de terno. Sem casaco. Ele suspendeu a tranca dando um golpe nela para cima com o punho cerrado. Tudo continuava normal. Eu o tinha visto abrir o portão uma dezena de vezes, e ele não estava fazendo nada que não tivesse feito antes. Envolveu a tranca com os punhos. Puxou o portão. Porém antes de chegar na metade, ele parou repentinamente. Abriu apenas o espaço suficiente para passar apertado seu corpo gigante. Depois saiu para se encontrar comigo. Ele deu a volta na direção da minha janela e, quanto estava a dois metros de distância do carro, parou, sorriu e tirou duas armas dos bolsos. Isso aconteceu em menos de um segundo. Dois bolsos, duas mãos, duas armas. Eram as minhas Anacondas. O aço parecia fosco à luz cinza. Vi que ambas estavam carregadas. Havia cartuchos de latão brilhantes com pontinhos achatados piscando para mim de todos os orifícios do tambor que eu conseguia enxergar. Eram .44 Remington Magnums, sem dúvida. Encamisados. Dezoito dólares uma caixa com vinte. Mais impostos. Noventa e cinco centavos cada. Doze balas. Onze dólares e quarenta centavos de munição precisa, pronta para a ação, cinco dólares e setenta centavos em cada mão. E ele estava sustentando aquelas mãos com muita firmeza. Eram como rochas. A esquerda estava apontada para um local um pouco acima do pneu da frente do Cadillac. A direita estava apontada exatamente para a minha cabeça. Paulie mantinha os dedos firmes nos gatilhos. Os canos não se moviam um milímetro sequer. Nada. Ele era como uma estátua.

Fiz tudo que era habitual. Todas as contas. O Cadillac era um carro grande com portas compridas, mas ele tinha se posicionado a uma distância suficiente para evitar que eu desse um empurrão na porta e o acertasse. E o carro estava imóvel. Se eu metesse o pé no acelerador, ele dispararia as duas armas instantaneamente. A bala da arma na mão direita poderia muito bem passar por trás da minha cabeça, mas o pneu da frente se movimentaria exatamente na trajetória da bala disparada pela mão esquerda. Eu bateria com força nos portões, perderia o impulso e, com um pneu dianteiro estourado e a direção possivelmente danificada, seria um alvo fácil. Ele atiraria mais dez vezes e, mesmo que não morresse imediatamente, eu ficaria muito ferido, e o carro, estropiado. Ele ia poder simplesmente se aproximar e ficar me olhando sangrar enquanto recarregava.

Eu podia engatar a ré e sair cantando pneu, contudo a marcha à ré é bem lenta na maioria dos carros, portanto, eu me movimentaria relativamente devagar. E me distanciaria numa trajetória que seria uma linha de tiro perfeita. Não havia deslocamento lateral. Ou seja, não aproveitaria nenhum outro benefício de ser um alvo em movimento. E uma Remington .44 Magnum sai do cano da arma a mais de 1.200 quilômetros por hora. Não existia uma maneira fácil de fugir dela.

Eu podia tentar a Beretta. Teria que ser um tiro muito rápido através da janela. Mas o vidro do Cadillac é bem grosso. Eles o fazem assim para que o interior fique silencioso. Mesmo que eu sacasse a arma e atirasse antes dele, seria puro acaso se o acertasse. O vidro iria se estilhaçar com certeza, porém, a não ser que eu tivesse todo o tempo necessário para me certificar de que a trajetória seria exatamente perpendicular à janela, a bala iria desviar. Talvez radicalmente. Poderia errá-lo por muito. Mesmo que o atingisse, seria puro acaso se o ferisse. Lembrei-me do chute que tinha dado no rim dele. A menos que eu o acertasse no olho ou direto no coração, ele acharia que tinha sido picado por uma abelha.

Eu podia abaixar o vidro. Mas seria muito lento. E eu conseguia prever exatamente o que aconteceria. Ele iria endireitar o braço enquanto o vidro estivesse se movimentando e posicionar a Colt na mão direita a um metro de distância da minha cabeça. Mesmo que eu colocasse a Beretta para fora muito rápido, ainda assim ele teria uma vantagem dos infernos. As probabilidades não eram boas. Não eram nada boas. *Fique vivo,* Leon Garber costumava dizer. *Fique vivo e veja o que o minuto seguinte oferece.*

Paulie deu as ordens no minuto seguinte.

— Põe no ponto morto — gritou ele.

Eu o escutei claramente, mesmo com o vidro grosso. Coloquei no ponto morto.

— Mão direita onde eu posso ver — gritou novamente.

Pus a palma da mão direita na janela, com os dedos estendidos, igualzinho a quando sinalizei *vi cinco pessoas* para Duke.

— Abre a porta com a esquerda — berrou ele.

Arrastei a mão sem olhar para a porta, peguei a maçaneta e puxei. Empurrei o vidro com a direita. A porta abriu. O ar frio entrou. Senti-o ao redor dos joelhos.

— As duas mãos onde eu possa ver — ordenou ele. Falou mais baixo, agora que o vidro não estava entre nós. Apontou a Colt na mão esquerda para mim, agora que o carro não estava com a marcha engatada. Olhei para os canos gêmeos. Era como estar sentado na proa de um navio de guerra olhando para um par de canhões. Coloquei as duas mãos onde ele conseguia ver.

— Pés fora do carro — comandou ele.

Girei lentamente apoiado no traseiro sobre o couro. Coloquei os pés no asfalto. Senti-me como Terry Villanueva em frente ao portão da faculdade, na manhã do dia onze.

— Levanta — ordenou ele. — Se afasta do carro.

Ergui o corpo e fiquei de pé. Afastei-me do carro. Ele apontou as duas armas na direção do meu peito. Estava a pouco mais de um metro.

— Fica paradinho — disse ele.

Fiquei paradinho.

— Richard — chamou ele.

Richard Beck saiu pela porta da casa do portão. Estava pálido. Vi Elizabeth Beck atrás dele nas sombras. Sua blusa estava aberta na frente. Ela a enrolava com força ao redor do corpo. Paulie abriu um sorriso para mim. Um sorriso repentino e lunático. Mas as armas não oscilaram. Nem um milímetro. Elas permaneceram firmes como rochas.

— Você voltou um pouco cedo demais — disse ele. — Eu estava prestes a botar o Richard para fazer sexo com a mãe dele.

— Você está doido? — perguntei. — Que merda é essa?

— Recebi uma ligação — disse ele. — É isso o que está acontecendo. *Eu deveria ter voltado uma hora e vinte minutos atrás.*

— O Beck te ligou?

Ele abanou a cabeça e falou:

— O Beck, não. O meu chefe.

— O Xavier? — perguntei.

— O *sr.* Xavier.

Ele me encarou, como se em desafio. As armas não se moveram.

— Eu fui fazer compras — argumentei. *Fique vivo. Veja o que o minuto seguinte oferece.*

— Não me interessa o que você fez.

— Não consegui achar o que eu queria, por isso estou atrasado.

— A gente já sabia que você ia se atrasar.

— Por quê?

— Temos informações novas.

Fiquei calado.

— Anda de costas — ordenou ele. — Pelo portão.

Ele manteve as duas armas a pouco mais de um metro do meu peito e andava para a frente enquanto eu me movimentava de costas. Ele me acompanhava passo a passo. Parei no meio do caminho de entrada seis metros depois do portão. Ele se virou um pouco, de maneira que me cobria com a mão esquerda e, Richard e Elizabeth com a direita.

— Richard — gritou ele. — Fecha o portão.

Ele manteve a Colt na mão esquerda apontada para mim e virou a Colt na direita para Richard, que a viu movimentar-se na sua direção, caminhou, agarrou o portão e o fechou. Ao se encaixar, fez um barulhão metálico.

— Agora passa a corrente.

Richard se atrapalhava com ela. Eu a escutava tilintar e raspar contra o ferro. Ouvi o Cadillac, funcionando tranquila e obedientemente a dez metros de distância. Vi Elizabeth à porta da casa do portão. Encontrava--se a três metros da enorme metralhadora pendurada com corrente. Ela não tinha trava de segurança. Mas Paulie estava no ponto cego. A janela de trás não dava vista para ele.

300

— Tranca — ordenou Paulie.

Richard passou a tranca.

— Agora você e a sua mãe vão ficar atrás do Reacher.

Eles se encontraram perto da porta da casa do portão. Caminharam na minha direção. Passaram por mim. Os dois estavam pálidos e tremendo. O cabelo de Richard esvoaçava. Vi a cicatriz. A blusa de Elizabeth continuava aberta. Ela permanecia com os braços cruzados com força contra o peito. Ouvi ambos pararem atrás de mim. Ouvi os sapatos deles no asfalto enquanto se posicionavam de modo a ficarem de frente para as minhas costas. Paulie foi para o centro do caminho. Virou-se para ficar de frente para mim. Manteve-se a três metros de distância. Os dois canos estavam apontados para o meu peito, um para o lado esquerdo, outro para o direito. Magnums .44 me atravessariam e provavelmente atravessariam Richard e Elizabeth também. Era possível que fossem até a casa. Podiam até quebrar algumas janelas do primeiro andar.

— Agora o Reacher estende os braços de lado — gritou Paulie.

Eu os abri, afastando-os do corpo, firmes e esticados, um pouco inclinados para baixo.

— Agora o Richard tira o casaco do Reacher — gritou Paulie. — Tira pela gola.

Senti as mãos de Richard no meu pescoço. Estavam frias. Elas agarraram a gola e puxaram o casaco para baixo. Ele deslizou pelos meus ombros e desceu pelos braços. Passou por um pulso, depois pelo outro.

— Enrola o casaco.

Escutei Richard enrolando-o.

— Traz pra cá.

Richard saiu de trás de mim carregando o casaco enrolado. Ele chegou a um metro e meio de Paulie e parou.

— Joga por cima do portão — disse Paulie. — Bem longe.

Richard o jogou por cima do portão. Bem longe. Os braços sacolejaram no ar, o casaco subiu e desceu, e escutei o barulho abafado da Beretta no bolso batendo com força no capô do Cadillac.

— Mesma coisa com a jaqueta — disse Paulie.

Richard fez o mesmo com a jaqueta. Ela caiu ao lado do casaco no capô do Cadillac, escorregou pela pintura brilhante e acabou na estrada em um amontoado enrugado. Eu estava com frio. O vento soprava e a minha camiseta era fina. Eu conseguia escutar a respiração rápida e superficial de Elizabeth. Richard estava parado ali, a um metro e meio de Paulie, aguardando pela próxima instrução.

— Agora você e a sua mãe dão cinquenta passos — disse Paulie a ele. — De volta pra casa.

Richard se virou, começou a caminhar de volta e passou por mim novamente. Ouvi Elizabeth acertar o passo com o do filho. Escutei os dois se afastarem juntos. Virei a cabeça e os vi parar uns cinquenta metros atrás, dar meia-volta e ficarem de frente de novo. Paulie parou a um metro e meio do portão depois de andar de ré arrastando os pés, um passo, dois, três. Eu estava cinco metros à frente dele, e supus que Paulie conseguia enxergar Richard e Elizabeth por cima do meu ombro, provavelmente a uns quarenta metros de distância. Estávamos todos formando uma fila perfeita na estradinha, Paulie perto do portão de frente para a casa, Richard e Elizabeth a meio caminho da casa de frente para ele, eu entre os três, tentando ficar vivo para ver o que o próximo minuto ofereceria, de frente para Paulie, fitando os olhos dele sem parar. Paulie sorriu e falou:

— Beleza. Agora presta bastante atenção.

Permaneceu de frente para mim o tempo todo. Manteve contato visual. Ele se agachou e pôs as duas armas cuidadosamente no asfalto ao lado dos pés, depois as empurrou na direção da base do portão. Ouvi as armações de aço arrastando na superfície áspera. Eu as vi parar um metro atrás dele. Vi as mãos dele voltarem, vazias. Ele levantou novamente e me mostrou as palmas.

— Sem armas — disse ele. — Vou te matar na base da porrada.

12

EU AINDA CONSEGUIA ESCUTAR O CADILLAC. ELE RONCAVA suavemente no ponto-morto. Conseguia escutar o sussurro grumoso do V-8 e o borbulhar líquido dos canos de descarga. Conseguia escutar correias dentadas girando lentamente debaixo do capô. Conseguia escutar os estalos do silenciador se ajustando a uma nova temperatura.

— Regras — gritou Paulie. — Se passar por mim, você pega as armas.

Fiquei calado.

— Se chegar até elas, você pode usá-las.

Fiquei calado. Ele estava sorrindo.

— Entendeu? — perguntou.

Assenti. Olhei-o nos olhos.

— Ok — disse ele. — Não vou encostar nas armas a não ser que você fuja. Se fizer isso, eu as pego e atiro nas suas costas. Justo, não é? Você tem que ficar e lutar agora.

Fiquei calado.

— Como homem — gritou ele.

Continuei calado. Estava com frio. Sem casaco. Sem jaqueta.

— Como oficial e cavalheiro — completou ele.

Olhei-o nos olhos.

— Ficou claro?

Fiquei calado. O vento estava nas minhas costas.

— Ficou claro? — repetiu ele.

— Cristalino — respondi.

— Você vai correr? — perguntou ele.

Fiquei calado.

— Eu acho que vai. Porque você é um fracote.

Não reagi.

— Oficial fracote — cutucou ele. — Puta de escalão de retaguarda. Covarde.

Fiquei parado ali. Ele podia me chamar de tudo que quisesse. *Paus e pedras podem quebrar meus ossos, mas palavras nunca me machucarão.* E eu duvidava que ele sabia alguma palavra que eu já não tivesse escutado umas cem mil vezes. Policiais do Exército nunca são muito populares. Parei de prestar atenção na voz dele e priorizei a observação dos olhos, das mãos e dos pés. Me concentrei bastante. Sabia muito sobre ele. E não havia nada de bom. Ele era grande, era louco e era rápido.

— Seu espião da ATF escroto — gritou ele.

Não exatamente, pensei.

— Aí vou eu — gritou ele.

Paulie não se moveu. Nem eu. Mantive minha posição. Ele estava cheio de metanfetamina e esteroides. Seus olhos flamejavam.

— Vou te pegar — proclamou Paulie.

Ele não se moveu. Era pesado. Pesado e forte. Muito forte. Se me acertasse, eu tombaria. E, se tombasse, eu jamais me levantaria de novo. Observei. Ele começou a se aproximar na ponta dos pés. Avançou, rápido. Deu uma finta para a esquerda e parou. Permaneci imóvel. Mantive minha posição. Observei-o. Raciocinei depressa. Seu peso era muito superior ao pretendido pela natureza, talvez por uns cinquenta ou sessenta quilos. Possivelmente mais. Em outras palavras: ele era rápido, mas não seria rápido para sempre.

Respirei fundo e comecei:

— A Elizabeth falou que as coisas aí não sobem mais.

Ele me encarou. Eu ainda conseguia escutar o Cadillac. Ainda conseguia escutar as ondas. Elas batiam ruidosamente lá atrás da casa.

— Cara grandalhão — falei. — Mas não em todo lugar.

Nenhuma reação.

— Aposto que meu mindinho esquerdo é maior — continuei.

Eu o levantei, mas deixando-o meio encurvado na direção da palma da mão.

— E mais duro.

O rosto dele escureceu. Parecia que Paulie tinha inchado. Então explodiu na minha direção. Lançou-se para a frente com o braço direito posicionado de lado como se arremessasse uma bola de basebol em curva. Desviei do corpo enorme com um passo de lado, me abaixei por baixo do braço dele, me ergui novamente e girei. Ele parou de uma vez sobre as pernas rígidas e virou na minha direção depressa. Tínhamos trocado de lugar. Agora eu estava mais perto das armas do que ele, que entrou em pânico e partiu para cima de mim de novo. Mesmo movimento. O braço direito suspenso. Dei um passo de lado, abaixei e voltamos à posição em que tínhamos começado. Mas ele estava com a respiração um pouco mais pesada do que a minha.

— Você parece um blusão de menina — xinguei.

Era um xingamento que eu havia escutado em algum lugar, acho que na Inglaterra. Eu não tinha a menor ideia do que aquilo queria dizer, mas funcionava muito bem com certos tipos de caras. Funcionou com Paulie. Ele partiu para cima de mim sem hesitar. Exatamente o mesmo movimento. Desta vez eu dei uma cotovelada na lateral do corpo dele quando girei debaixo do braço. Nenhum efeito. Ele travou os joelhos e ricocheteou direto para cima de mim. Eu me esquivei novamente e senti a brisa quando seu pulso gigante passou centímetros acima da minha cabeça.

Ele ficou parado ali, ofegante. Eu estava esquentando bem. Comecei até a achar que podia ter alguma chance. Ele lutava muito mal. Muitos caras grandes são assim. Ou tinham um tamanho tão intimidador que fazia com que as brigas sequer começassem, ou suas dimensões faziam com que ganhassem qualquer coisa com um só soco. De um jeito ou de outro, eles não tinham como praticar muito. Não desenvolviam muita *finesse*. E ficavam fora de forma. Um corpo treinado à base de musculação e esteiras não substituía a boa forma imediata, ansiosa, ofegante, sufocante, veloz e entupida de adrenalina necessária para brigas de rua. Cheguei à conclusão de que Paulie era um exemplo clássico da pessoa que tinha levantado tanto peso que seu corpo ficara desproporcional à carcaça.

Mandei um beijo para ele.

Ele atravessou o ar fervilhando para cima de mim. Veio igual a um bate-estaca. Esquivei para a esquerda e meti um cotovelo no rosto dele, com a mão esquerda, Paulie me acertou e jogou de lado como se eu não pesasse absolutamente nada. Caí sobre um joelho e me levantei bem a tempo de desviar do golpe alucinado que ele desferiu em seguida. Seu punho passou a meio centímetro da minha barriga e o impulso exagerado fez com que ele passasse por mim e se abaixasse um pouco, o que pôs a lateral da cabeça dele bem na mira de um gancho de esquerda. Mandei ver com toda a força que tinha dos pés à cabeça. Meu punho explodiu na orelha dele, que cambaleou para trás, e completei com um uma direita colossal em seu maxilar. Saltei para trás, dei uma pausa para respirar e tentei ver o estrago que eu tinha feito.

Nenhum.

Eu o tinha golpeado quatro vezes, e era como se não tivesse acertado um soco sequer. As duas cotoveladas haviam sido das boas, e os dois murros, dos mais fortes que eu já tinha dado na vida. O lábio superior sangrava por causa da segunda cotovelada, mas não havia absolutamente mais nada de errado com ele. Teoricamente, Paulie deveria estar inconsciente. Em coma. Já tinham se passado uns trinta anos desde que eu tive que bater num cara mais do que quatro vezes. Mas ele não demonstrava dor nenhuma. Preocupação nenhuma. Não estava inconsciente. Não estava em coma. Saltitava de um lado para o outro e sorria. Estava relaxado. Movimentando-se com facilidade. Enorme. Inabalável. *Não havia como machucá-lo.* Olhei para ele e tive certeza de que eu não tinha a menor chance. E ele olhou para mim e soube exatamente o que eu estava pensando. Abriu ainda mais o sorriso. Equilibrou-se na ponta dos dois pés, curvou os ombros bem para baixo e colocou as mãos à frente como se fossem garras. Bateu os pés, esquerdo, direito, esquerdo, direito. Era como se ele estivesse arrastando patas no chão. Como se fosse avançar em mim, me pegar e me estraçalhar. Sua expressão se distorceu em um terrível e largo esgar de prazer.

Paulie veio direto para cima de mim, e me esquivei para a esquerda, mas ele estava preparado para essa manobra e acertou um gancho de direita no centro do meu peito. A sensação foi exatamente a de ser atingido por um levantador de pesos de 180 quilos a dez quilômetros por hora. Tive a sensação de que o meu esterno tinha quebrado e achei que o meu coração ia parar por causa do impacto. A partir daí era uma questão de escolher viver ou escolher morrer. Escolhi viver. Rolei duas vezes, dei impulso com as mãos, me ergui e fiquei de pé. Pulei de lado para trás e esquivei de um assalto direto que teria me matado.

Depois disso, era uma questão de ficar vivo e ver o que o meio segundo seguinte me reservava. Meu peito doía demais, e a minha mobilidade estava abaixo de cem por cento, mas me esquivei de tudo que ele tentou fazer durante mais ou menos um minuto. Ele era rápido, mas não tinha talento. Meti uma cotovelada naquele rosto, quebrando o nariz. Era para ter feito seu nariz atravessar o crânio e sair por trás da cabeça. Mas pelo menos fez Paulie começar a sangrar. Ele abriu a boca para respirar. Eu me esquivava, saltava e aguardava. Levei um soco fortíssimo de cima para baixo no ombro esquerdo que quase inutilizou o meu braço. Então por muito pouco ele errou um direito e por uma fração de segundo baixou a guarda. A boca estava aberta por causa do sangue no nariz. Avancei e soltei um soco-cigarrinho. Um golpe de briga de boteco que aprendi há muito tempo. Você oferece ao seu adversário um cigarro, ele o pega, leva até os lábios e abre a boca uns dois centímetros. Em consequência, você consegue calcular muito bem o momento exato de meter um uppercut debaixo do queixo dele. O golpe fecha a boca dele com o impacto, quebra o maxilar, estoura os dentes e ainda é capaz que ele arranque um pedaço da língua na mordida. *Obrigado e boa noite.* Eu não precisei oferecer um cigarro a Paulie, porque a boca dele já estava entreaberta. Só precisei soltar o uppercut. Dei com tudo que eu tinha. Foi um murro perfeito. Eu ainda estava conseguindo pensar e ficar de pé com firmeza. Embora pequeno em comparação a ele, sou um cara grande e tenho muita experiência e treinamento. Acertei o soco bem onde o maxilar dele estreitava debaixo do queixo. Puro contato osso com osso. Fiquei na ponta dos pés e dei continuidade ao golpe que se estendeu por mais quase um metro. Era para ter quebrado o pescoço dele assim como o maxilar. Era para ter arrancado a cabeça e a feito rolar pela terra. Mas não deu em nada.

Absolutamente nada. Apenas o fez arredar uns centímetros para trás. Ele mexeu a cabeça para o lado uma vez e me deu um soco no rosto. Eu o vi chegando e fiz tudo que podia fazer. Joguei a cabeça para trás e abri bastante a boca para não perder dente em nenhuma das partes do meu maxilar. Devido ao movimento para trás, tirei um pouco de ímpeto do murro, mas, mesmo assim o impacto foi tremendo. Como ser atingido por um trem. Como uma batida de carro. As luzes se apagaram, desabei com força, perdi a noção de onde estava, e o asfalto me atingiu como um segundo e enorme soco nas costas. O ar foi expulso à força dos meus pulmões e vi um spray de sangue sair da minha boca. A parte de trás da minha cabeça atingiu o chão. O céu escureceu acima de mim.

Tentei me mover, mas era como um carro que não liga no primeiro giro da chave. *Clique... nada.* Perdi meio segundo. Meu braço esquerdo estava fraco, então usei o direito. Afastei-me um pouco do chão. Dobrei as pernas e me ergui. Sentia-me tonto. Destruído. Mas Paulie estava parado de pé me observando. E sorrindo.

Eu me dei conta de que ele iria se divertir às minhas custas o máximo que pudesse. De que iria curtir de verdade.

Procurei as armas. Elas ainda estavam atrás dele. Não tinha como chegar a elas. Eu o acertara seis vezes e ele estava rindo de mim. Ele tinha me batido três vezes e eu estava um caco. Muito abalado. Ia morrer. Soube disso com uma claridade repentina. Eu ia morrer em Abbot, Maine, numa manhã de sábado nublada no final de abril. E metade de mim estava dizendo *ei, todo mundo morre um dia. Que importância tem onde ou quando?* Contudo a outra metade flamejava com a fúria e a arrogância que tanto energizavam a minha vida: *vai deixar esse cara aí acabar com você?* Acompanhei a discussão silenciosa atentamente, fiz minha escolha, cuspi sangue, respirei fundo e me aprumei pela última vez. Minha boca doía. Minha cabeça doía. Meu ombro doía. Meu peito doía. Estava enjoado e zonzo. Cuspi de novo. Passei a língua pelos dentes. Isso fez com que eu me sentisse como se estivesse sorrindo. *Então olha pelo lado bom.* Não tinha nenhum ferimento fatal. Ainda. Não tinha levado tiro. Então eu sorri para valer, cuspi pela terceira vez e falei para mim mesmo *Tá certo; vamos morrer lutando.*

Paulie também continuava a sorrir. Tinha sangue no rosto, mas, fora isso, parecia completamente normal. A gravata continuava impecável.

Ele ainda estava de blazer. Ainda parecia ter bolas de basquete enfiadas nos ombros. Paulie me viu me aprumar, abriu ainda mais o sorriso, se inclinou de novo, fez o esquema das garras com a mão e começou a arrastar as patas no chão. Achei que conseguiria me esquivar uma vez mais, talvez duas, quem sabe três se eu tivesse muita sorte, e depois estaria tudo acabado. Morto, no Maine. Num sábado de abril. Visualizei Dominique Kohl na cabeça e disse *Eu tentei, Dom, tentei mesmo.* Olhei para a frente. Vi Paulie respirar fundo. Depois o vi se mover. Ele se virou. Andou três metros. Virou de novo. Então partiu para cima de mim, rápido. Esquivei. Seu blazer roçou em mim quando ele passou. No canto do olho, vi Richard e Elizabeth distantes, observando. Estavam de boca aberta, como se dissessem *aqueles que estão prestes a morrer, nós os saudamos.* Paulie mudou de direção depressa e veio na minha direção a uma velocidade mortífera.

Mas aí ele quis esnobar, e eu soube que iria ganhar no final das contas.

Ele tentou me dar um chute em um estilo meio artes marciais, a coisa mais idiota a se fazer numa briga de rua cara a cara. No momento em que você tira um pé do chão, perde o equilíbrio e fica vulnerável. Praticamente pede para perder. Ele veio a mim rápido com o corpo de lado feito um idiota lutador de kung fu na televisão. Seu pé estava muito suspenso no ar e ele avançou assim, com o calcanhar na frente e o sapato gigante paralelo ao chão. Se tivesse acertado, teria me matado, sem dúvida. Mas não acertou. Eu esquivei para trás, peguei o pé dele com as duas mãos e simplesmente o ergui. *Se eu consigo levantar um supino de 180 quilos? Bom, vamos descobrir, cuzão.* Usei toda a minha força, o tirei do chão e levantei o mais alto que pude, depois larguei de cabeça no chão. Ele ficou esparramado num monte atordoado, com o rosto virado para mim. A primeira regra da briga de rua é: quando você joga seu adversário no chão, acabe com ele, sem hesitação, sem pensar, sem inibição, sem cavalheirismo. Você *acaba* com ele. Paulie tinha ignorado essa regra. Eu, não. Dei o chute mais forte que podia na cara dele. Sangue esguichou, ele rolou para longe, dei um pisão na mão direita dele com o calcanhar e estraçalhei todos os carpos, metacarpos e falanges que ele tinha ali. Repeti o golpe. Cento e treze quilos pisando com força em ossos quebrados. Dei mais um pisão e estourei o punho dele. Depois o antebraço.

Ele era sobrehumano. Rolou e deu impulso com a mão esquerda. Ficou de pé e se afastou. Dei um salto para cima dele e mandei um enorme gancho de esquerda que o golpeou de lado, então acertei um soco curto de esquerda no nariz quebrado. Ele saiu balançando para trás e dei-lhe uma joelhada na virilha. Ele jogou a cabeça para a frente e dei mais um soco-cigarrinho nele com a mão direita. A cabeça dele pendeu para trás e dei-lhe uma cotovelada na garganta com a esquerda. Mais pisões, desta vez no dorso do pé, uma, duas vezes, depois enfiei os polegares em seus olhos. Ele virou e tentou se afastar, mas dei um chute na parte de trás de seu joelho direito, ele dobrou a perna e caiu de novo. Botei o pé esquerdo no pulso esquerdo de Paulie. Seu braço direito estava completamente inutilizado, pendurado e balançando de um lado a outro. Estava imobilizado, a menos que conseguisse suspender, com a palma da mão encostada no chão, 113 quilos verticalmente só com o braço esquerdo. E ele não conseguia. Acho que, no final das contas, esteroides não davam esse poder todo. Então pisei na mão esquerda com o pé direito até conseguir ver os ossos estraçalhados saírem pela pele. Aí girei, pulei e aterrissei direto no plexo solar. Dei um passo atrás e emendei bicudos fortes no alto da cabeça dele, um, dois, três. Depois de novo, uma quarta vez, com tanta força que meu sapato se desfez e o dispositivo de e-mail se desprendeu e saiu arrastando no asfalto. Ele parou exatamente onde o pager de Elizabeth Beck tinha caído quando eu o jogara do Cadillac. Paulie o seguiu com os olhos e o ficou observando. Dei-lhe mais uma bica na cabeça.

Ele se sentou. Ergueu-se com a força de seus gigantescos músculos abdominais. Os dois braços pendendo inúteis nas laterais do corpo. Peguei seu pulso esquerdo e girei o cotovelo ao contrário até a junta deslocar e quebrar. Ele sacudiu o pulso direito na minha direção e me bateu com a mão ensanguentada. Eu a agarrei com a mão esquerda e espremi as articulações quebradas. Mirei dentro dos olhos dele e esmaguei os ossos destroçados. Ele não fez som algum. Continuei segurando sua mão viscosa, girei o ombro direito ao contrário, me joguei de joelho sobre ele e o ouvi quebrar. Esfreguei a palma das mãos no cabelo dele e saí andando até o portão. Peguei as Colts.

Ele se levantou. Foi um movimento desajeitado. Seus braços não prestavam mais para nada. Ele puxou os pés na direção da bunda, impulsionou o peso para a frente sobre eles e se ergueu. Seu nariz estava esmagado e jorrando sangue; os olhos, vermelhos e furiosos.

— Anda — falei. Eu estava sem fôlego. — Pras rochas.

Ele ficou parado ali como um boi atordoado. Havia sangue na minha boca. Dentes bambos. Eu não sentia satisfação naquilo. Nenhuma. Eu não tinha derrotado Paulie. Ele tinha se derrotado sozinho. Com aquela bizarrice de kung fu. Se tivesse vindo para cima de mim com um murro, eu estaria morto em menos de um minuto, e nós dois sabíamos disso.

— Anda — falei. — Ou eu atiro.

Ele deu uma levantada no queixo, como se fizesse uma pergunta.

— Você vai pra água — afirmei.

Ele ficou parado. Eu não queria atirar. Não queria ter que levar uma carcaça de 180 quilos por cem metros até o mar. Ele ficou parado, e minha mente começou a trabalhar no problema. Talvez eu pudesse enrolar a corrente do portão nos tornozelos dele. Os Cadillacs tinham ganchos para reboque? Eu não estava certo disso.

— Anda — repeti.

Vi Richard e Elizabeth vindo na minha direção. Eles davam a volta fazendo um círculo grande. Queriam chegar a mim sem passar perto de Paulie. Era como se ele fosse uma figura mítica, como se fosse capaz de qualquer coisa. Eu sabia como eles se sentiam. Estava com os dois braços quebrados, mas eu mantinha meus olhos nele como se minha vida dependesse disso. O que era verdade. Se ele corresse até mim e me derrubasse, conseguiria me esmagar até a morte com os joelhos. Comecei a duvidar que as Colts fariam alguma coisa com ele. Eu imaginei Paulie fervilhando na minha direção, me obrigando a descarregar vinte balas nele sem ser capaz de retardá-lo nem um pouco.

— Anda — ordenei.

Ele andou. Virou e começou a caminhar pelo caminho da entrada. Eu o seguia, mantendo dez passos de distância. Richard e Elizabeth avançaram um pouco mais pela grama. A princípio, pensei em falar para ficarem onde estavam. Mas depois achei que tinham ganhado, cada um à sua maneira, o direito de assistir.

Ele deu a volta na rotatória. Parecia saber onde eu o queria. E parecia não se importar. Passou pelas garagens e seguiu por trás da casa na direção das rochas. Eu o escoltava a dez passos de distância, mancando, pois o salto tinha soltado do meu sapato. O vento soprava no meu rosto. O mar fazia muito barulho ao nosso redor. Estava agitado e furioso. Ele fez todo o percurso até a fenda de Harley. Parou ali, ficou imóvel e se virou para me encarar.

— Não sei nadar — disse ele, embolando as palavras. Eu tinha quebrado alguns dos dentes. E batido com força na garganta. O vento uivava ao seu redor, levantando-lhe o cabelo e adicionando mais três centímetros à sua altura. Um spray de água passou por ele e veio direto a mim.

— Não vai precisar.

Atirei doze vezes no peito dele. Todas as doze balas o atravessaram. Grandes nacos de carne e músculo as seguiram na direção do oceano. Um cara, duas armas, doze explosões barulhentas, onze dólares e quarenta centavos em munição. Ele tombou de costas na água. Fez uma tremenda onda ao cair. O mar estava agitado, mas a maré era a errada. Não estava puxando. Permaneceu flutuando ali na água turbulenta. O oceano ficou rosa ao seu redor. Ele flutuava, estático. Depois começou a ser levado pela corrente. Foi levado para fora, muito devagar, cabriolando para cima e para baixo violentamente no swell. Flutuou durante um minuto. Dois. A correnteza o arrastou três metros. Seis. Ele deu uma rodopiada de frente que ressoou um barulho alto de sucção e em seguida girou lentamente na correnteza. Depois mais rápido. Estava preso logo abaixo da superfície da água. O blazer ensopado inchava com o ar, que vazava pelos doze buracos de bala. O oceano o jogava para cima e para baixo como se ele não pesasse absolutamente nada. Coloquei as duas armas vazias nas rochas, agachei e vomitei no oceano. Continuei abaixado, com a respiração ofegante, observando-o flutuar. Observando-o girar. Observando a correnteza carregá-lo. Richard e Elizabeth permaneceram a seis metros de mim. Enfiei a mão na água salgada gelada e enxaguei o rosto. Fechei os olhos. Eu os mantive fechados por um tempo muito, muito longo. Quando os reabri, olhei para a superfície agitada do mar e vi que ele não estava mais lá. Tinha finalmente submergido.

Continuei abaixado. Soltei o ar. Olhei meu relógio. Eram quase onze horas. Observei o oceano por um momento. Levantei e caí. Ondas quebravam e spray me banhava. Vi a andorinha-do-mar de novo. Era preta e procurava um lugar para aninhar. Minha mente estava vazia. Então comecei a pensar. Comecei a analisar cuidadosamente as coisas. Comecei a avaliar as circunstâncias que tinham sido alteradas. Pensei durante cinco minutos e no final me convenci pelo otimismo. Com Paulie descartado tão cedo, achei que a jogada final tinha acabado de ficar mais rápida e mais fácil.

Eu estava enganado sobre isso também.

A primeira coisa que deu errado foi que Elizabeth não quis ir embora. Falei para ela pegar Richard e o Cadillac e dar o fora dali. Mas ela se recusou. Ficou parada nas rochas com o cabelo voando e as roupas estapeando ao vento.

— Esta é minha casa — alegou ela.

— Muito em breve ela vai ser uma zona de guerra — falei.

— Vou ficar.

— Não posso deixar você ficar.

— Não vou embora. Não sem o meu marido.

Eu não sabia o que dizer. Fiquei parado ali sentindo cada vez mais frio. Richard se aproximou por trás de mim, deu a volta e olhou para o mar, depois para mim.

— Aquilo foi legal — disse ele. — Você derrotou o Paulie.

— Não, foi ele que se derrotou — corrigi.

Havia gaivotas barulhentas no ar. Lutavam contra o vento, circulando um local no oceano a aproximadamente quarenta metros de distância. Estavam mergulhando e bicando as cristas das ondas. Comiam fragmentos de Paulie que boiavam na superfície. Richard as observava com olhos inexpressivos.

— Conversa com a sua mãe — pedi a ele. — Você precisa convencê-la a ir embora.

— Eu não vou — repetiu Elizabeth.

— Nem eu — disse Richard. — É aqui que a gente mora. Nós somos uma família.

Eles estavam em uma espécie de estado de choque. Não conseguia argumentar com eles. Então tentei colocá-los para trabalhar. Caminhamos entre o portão e a casa, lenta e silenciosamente. O vento remexia as nossas roupas. Eu mancava por causa do sapato. Parei onde as manchas de sangue começavam e peguei o dispositivo de e-mail. Estragado. A tela de plástico estava quebrada, e ele não ligava. Coloquei-o no bolso. Em seguida, achei o salto de borracha, sentei de perna cruzada no chão e o coloquei de volta no lugar. Andar ficou mais fácil depois disso. Chegamos ao portão, o desacorrentamos e abrimos, peguei minha jaqueta e meu casaco e os vesti. Abotoei o casaco e levantei a gola. Depois passei com o Cadillac pelo portão e parei ao lado da porta da casa do portão. Richard passou a corrente novamente. Fui lá dentro, abri a culatra da enorme metralhadora russa e soltei a cinta de munição. Depois tirei a arma da corrente. Levei-a para o vento lá fora e a coloquei de lado no banco de trás do Cadillac. Entrei novamente, coloquei a cinta de munição de volta na caixa, tirei a corrente do gancho no teto e o arranquei da viga em que estava parafusado. Levei a caixa, a corrente e o gancho lá para fora e os coloquei no porta-malas do Cadillac.

— Posso ajudar em alguma coisa? — perguntou Elizabeth.

— Há mais vinte caixas de munição lá dentro — respondi. — Quero todas elas.

— Não vou entrar lá — negou ela. — Nunca mais.

— Então eu acho que você não pode ajudar em nada.

Eu carregava duas caixas de cada vez, então precisei de dez viagens. Eu ainda estava com frio e todo dolorido. Ainda sentia o gosto de sangue na boca. Empilhei as caixas no porta-malas e em todo o assoalho de trás e no do passageiro na frente. Depois sentei no banco do motorista e inclinei o retrovisor. Tinha os lábios rasgados e as gengivas cobertas de sangue. Meus dentes incisivos superiores estavam bambos. Fiquei chateado com aquilo. Eles foram tortos e um pouco lascados durante anos, mas eu os tinha desde os 8 anos, estava acostumado com eles e eram os únicos que eu tinha.

— Você está bem? — perguntou Elizabeth.

Apalpei a parte de trás da cabeça. O lugar que tinha batido no asfalto estava mole. Havia um hematoma severo na lateral do ombro esquerdo. Meu peito estava machucado, e respirar não era inteiramente indolor. Mas no geral eu estava bem. Tinha uma condição física melhor do que a de Paulie, e aquilo era o que importava. Apertei com o polegar meus dentes para dentro da gengiva e os segurei ali.

— Nunca me senti melhor — respondi.

— Seu lábio está todo inchado.

— Vou sobreviver.

— A gente devia comemorar.

Desci do carro.

— A gente devia conversar sobre vocês dois irem embora daqui — retruquei.

Ela não respondeu. O telefone dentro da casa do portão começou a tocar. Era um toque antiquado, baixo, lento e relaxante. Soava fraco e distante, abafado pelo barulho do vento e do mar. Tocou uma vez, depois duas. Dei a volta no capô do Cadillac, fui lá dentro e atendi. Falei o nome de Paulie, esperei um pouquinho e ouvi a voz de Quinn pela primeira vez em dez anos.

— Ele já apareceu? — perguntou ele.

Fiquei em silêncio por um tempinho e respondi:

— Dez minutos atrás — falei. Mantive a mão meio sobre o bocal e falei com a voz alta e leve.

— Ele já está morto? — perguntou Quinn.

— Cinco minutos atrás — respondi.

— Ok, fique preparado. O dia vai ser longo.

Tem toda razão, pensei. Depois o telefone foi desligado, eu o coloquei no gancho e fui lá para fora.

— Quem era? — perguntou Elizabeth.

— O Quinn — respondi.

A primeira vez que escutei a voz de Quinn fora dez anos antes em uma fita cassete. Kohl tinha grampeado um telefone. Não tinha autorização, mas na época a lei militar era bem mais generosa do que os procedimentos civis. O cassete era uma coisa de plástico transparente que deixava à mostra os dois pequenos carretéis de fita lá dentro. Kohl tinha um toca-fitas do tamanho de uma caixa de sapatos em que enfiou a fita cassete e apertou um botão. A voz de Quinn encheu a minha sala. Ele estava conversando com um banco estrangeiro, fazendo acordos financeiros. Parecia relaxado. Falava clara e lentamente com o sotaque neutro e homogeneizado que se adquire com uma vida no Exército. Ele pronunciava números de conta, fornecia senhas e dava instruções que envolviam um total que chegava a meio milhão de dólares. Queria que a maior parte fosse transferida para as Bahamas.

— Ele manda a grana pelo correio — informou Kohl. — Pra Grand Cayman, primeiro.

— Isso é seguro? — perguntei.

Ela fez que sim com a cabeça e respondeu:

— Seguro o bastante. O único risco seria o de um funcionário do correio roubar a remessa. Mas o destinatário é uma caixa postal, e ele manda como se fosse um pacote de livros. Ninguém rouba livro do correio, então ele se dá bem nesse esquema.

— Meio milhão de dólares é muito dinheiro.

— É uma arma valiosa.

— É mesmo? Valiosa *assim?*

— Você não acha?

Dei de ombros e respondi:

— Parece muito pra mim. Pra um dardo gigante.

Ela apontou para o toca-fitas. Apontou para voz de Quinn preenchendo o ar.

— Bom, isso é o que estão pagando, obviamente. Afinal, de que outra maneira ele conseguiria meio milhão de dólares? Com certeza, não poupou isso do salário dele

— Quando você vai agir?

— Amanhã — respondeu ela. — Tem que ser. Ele está com o último projeto. O Gorowski falou que é a chave pra coisa toda.

— Como vai ser o esquema?

— O Frasconi está lidando com o sírio. Ele vai marcar o dinheiro, com um promotor de justiça militar observando. Depois, todos nós vamos assistir à transação. Vamos abrir a maleta que o Quinn entregar pro sírio imediatamente, em frente ao mesmo promotor. Documentaremos o conteúdo, que será o projeto-chave. Depois pegamos o Quinn. Vamos rendê-lo e apreender a maleta que o sírio entregou a *ele*. O promotor pode nos ver abri-la mais tarde. Vamos encontrar a grana marcada lá dentro, e assim teremos uma transação com testemunha e documentada. O Quinn vai ser preso e vai continuar preso.

— Impecável — elogiei. — Bom trabalho.

— Obrigada — agradeceu ela.

— O Frasconi está de acordo?

— Tem que estar. Eu não posso lidar com o sírio eu mesma. Aqueles caras são esquisitos com mulheres. Eles não podem encostar na gente, não podem olhar, às vezes não podem nem falar com a gente. Então isso vai ter que ficar a cargo do Frasconi.

— Quer que eu dê uma mão a ele?

— A parte dele é toda nos bastidores — disse ela. — Não tem muito jeito de ele fazer merda.

— Acho que vou dar uma mão a ele de qualquer maneira.

— Obrigada.

— E ele vai com você fazer a prisão.

Ela ficou calada.

— Não posso te mandar sozinha — argumentei. — Você sabe disso.

Ela fez que sim.

— Mas eu vou falar para ele que você é quem está no comando da investigação — falei. — Vou deixar claro pra ele que o caso é seu.

— Ok — concordou Kohl.

Ela apertou o botão de stop no toca-fitas. A voz de Quinn sumiu, deixando uma palavra pronunciada pela metade. A palavra seria *dólares*, um complemento para *duzentos mil*. Mas o que saiu foi *dol*. A pronúncia foi clara, alegre e vigorosa, como um cara no auge do jogo, totalmente consciente de que estava vencendo. Kohl ejetou a fita cassete. Colocou-a no bolso. Então piscou para mim e saiu da sala.

— Quem é Quinn? — perguntou Elizabeth, dez anos depois.

— Francis Xavier — respondi. — Ele costumava ser chamado de Quinn. O nome completo dele era Francis Xavier Quinn.

— Você *conhece* esse cara?

Assenti e respondi:

— Por que mais eu estaria aqui?

— Quem é você?

— Sou um cara que conhecia o Frank Xavier quando ele era Francis Xavier Quinn.

— Você trabalha no governo.

Neguei com a cabeça.

— Isso é estritamente pessoal.

— O que vai acontecer com o meu marido?

— Não faço ideia — respondi. — E, de qualquer maneira, não estou nem aí.

Voltei para dentro da casinha de Paulie e tranquei a porta da frente Saí de novo e tranquei a porta da frente. Conferi a corrente no portão. Estava firme. Achei que conseguiríamos manter os intrusos do lado de fora por um minuto, talvez um minuto e meio, o que já devia ser o suficiente. Coloquei a chave da tranca no bolso da calça.

— De volta pra casa grande agora — falei. — Vocês infelizmente vão ter que ir andando.

Levei o Cadillac, com as caixas de munição empilhadas atrás de mim e ao meu lado. Vi Elizabeth e Richard pelo retrovisor, apressando-se lado a lado. Eles não queriam ir embora dali, mas com certeza não pareciam dispostos a serem deixados sozinhos. Parei o carro à porta da frente, dei ré e o deixei pronto para ser descarregado. Abri o porta-malas, peguei o gancho de teto e a corrente e corri pro quarto de Duke lá em cima. Da janela dele era possível enxergar todo o caminho até o portão. Seria uma canhoneira ideal. Tirei a Beretta do bolso do casaco, destravei-a e dei um tiro no teto. Vi Elizabeth e Richard a cinquenta metros pararem de supetão e depois começarem a correr na direção da casa. Talvez tivessem pensado que eu tinha matado cozinheira. Ou me matado. Subi numa cadeira e cutuquei o buraco de bala, arrancando o reboco até encontrar uma viga de madeira. Parafusei o gancho, passei a corrente nele e a testei com o meu peso. Aguentou.

Voltei lá para baixo e abri as portas de trás do Cadillac. Quando Elizabeth e Richard chegaram, falei para eles carregarem as caixas. Levei eu mesmo a metralhadora imensa. O detector de metal na porta da frente berrou por causa dela, alto e intenso. Levei-a lá para cima, onde a pendurei na corrente e acoplei a ponta da primeira cinta. Virei o cano para a parede e abri a parte de baixo da janela. Voltei o cano para a posição anterior, o atravessei de um lado ao outro e movimentei de cima a baixo. Ele cobria toda a largura do muro e toda a extensão do portão até a rotatória. Richard parou, olhando para mim.

— Continua a empilhar as caixas — mandei.

Depois me aproximei da mesinha de cabeceira, peguei o telefone e liguei para Duffy no motel.

— Você ainda quer ajudar? — perguntei a ela.

— Quero.

— Então preciso de vocês três na casa — falei. — O mais rápido que puderem.

Depois disso não havia mais nada que pudesse ser feito até eles chegarem. Fiquei esperando ao lado da janela, pressionando dentes para dentro da gengiva com o polegar enquanto vigiava a estrada. Fiquei vendo Richard e Elizabeth se esforçarem para manusear as caixas pesadas. Olhei para o céu. Era meio-dia, mas estava escurecendo. O clima piorava ainda mais. O vento estava refrescante. Costa do Atlântico Norte, no final de abril. Imprevisível. Elizabeth Beck entrou e empilhou uma caixa. Estava ofegante. Ficou parada.

— O que vai acontecer? — perguntou ela.

— Impossível dizer — respondi.

— Pra que essa arma?

— Precaução.

— Precaução contra o quê?

— Contra o pessoal do Quinn — falei. — Nossas costas estão pro mar. Talvez a gente tenha que pará-los no caminho depois do portão.

— Você vai atirar?

— Se necessário.

— E o meu marido? — perguntou ela.

— Você se importa?

Ela assentiu.

— Me importo, sim.

— Vou atirar nele também.

Elizabeth ficou calada.

— Ele é um criminoso — continuei. — É sempre um risco.

— As leis que fazem dele um criminoso são inconstitucionais.

— Você acha?

Ela assentiu de novo.

— A Segunda Emenda é clara.

— Então leva isso pra Suprema Corte — sugeri. — Não pra mim.

— As pessoas têm o direito de possuir armas.

— Traficantes de drogas, não. Nunca vi uma emenda dizendo que está liberado disparar armas automáticas no meio de um bairro lotado. Usando balas que atravessam paredes de tijolos, uma atrás da outra. E que atravessam pedestres inocentes, um atrás do outro. Bebês e crianças.

Ela ficou calada.

— Já viu uma bala atingir um bebê? — perguntei. — Ela não desliza para dentro como uma agulha. Ela entra *despedaçando*, como um porrete. Despedaçando e dilacerando.

Ela ficou calada.

— Nunca diga a um soldado que arma é um negócio divertido — instrui.

— A lei é clara — alegou ela.

— Então entra pra Associação Nacional de Rifles — falei. — Estou satisfeito aqui no mundo real.

— Ele é meu marido.

— Você falou que ele merece ir pra prisão.

— Falei — confirmou ela. — Mas ele não merece morrer.

— Você acha?

— Ele é meu marido — repetiu Elizabeth.

— Como ele faz as vendas? — perguntei.

— Ele usa a I-95. Corta os miolos dos tapetes e enrola as armas neles. Como tubos ou cilindros. Leva pra Boston ou New Haven. Tem gente que se encontra com ele lá.

Lembrei-me das fibras de tapete que tinha visto jogadas por ali.

— Ele é meu marido — disse Elizabeth.

— Se ele tiver a sensatez de não ficar bem do lado do Quinn, pode acabar ficando bem.

— Promete pra mim que ele vai ficar bem. Aí eu vou embora. Com o Richard.

— Não posso fazer isso — falei.

— Então a gente fica.

Fiquei calado.

— A sociedade nunca foi voluntária, você sabe — argumentou ela. — Essa com o Xavier, quero dizer. Você tem que entender isso.

Ela se movimentou até a janela e fitou Richard lá embaixo. Ele estava tirando a última caixa de munição do Cadillac.

— Meu marido foi coagido — explicou ela.

— É, cheguei a essa conclusão.

— Ele sequestrou o meu filho.

320

— Eu sei — falei.

Então ela se moveu de novo e olhou direto para mim.

— O que ele fez com você? — perguntou.

Eu me encontrei com Kohl mais duas vezes naquele dia enquanto ela preparava sua parte da missão. Estava fazendo tudo certo. Era como uma jogadora de xadrez. Nunca fazia nada sem olhar duas jogadas à frente. Sabia que o promotor de justiça militar a quem tinha pedido para monitorar a transação teria que se afastar na subsequente corte marcial, então ela escolheu um que sabia que os promotores odiavam. Seria um obstáculo a menos depois. Ela tinha um fotógrafo a postos para fazer registros visuais. Cronometrara o tempo que demoraria para chegar à casa de Quinn, na Virgínia. O arquivo que eu tinha dado a ela no início já enchia duas caixas de papelão. Na segunda vez em que nos encontramos naquele dia, ela as carregava, uma em cima da outra, e seus bíceps estavam tensionados devido ao peso.

— Como é que o Gorowski está segurando a barra? — perguntei.

— Não muito bem — respondeu Kohl. — Mas amanhã o céu dele volta a clarear.

— Você vai ficar famosa.

— Espero que não — disse ela. — Isso devia ficar confidencial pra sempre.

— Famosa no mundo confidencial. Muita gente vê essas coisas.

— Então eu acho que devia solicitar minha avaliação de produtividade — falou ela. — Depois de amanhã.

— A gente devia jantar hoje à noite — sugeri. — Devia sair. Tipo uma comemoração. No melhor lugar que a gente conseguir achar. Eu pago.

— Eu achava que o seu negócio era auxílio-refeição do governo.

— Dei uma economizada.

— Você teve muito tempo pra isso. Foi um caso longo.

— Lerda feito lesma — brinquei. — Esse é o seu único problema, Kohl: você é eficiente, mas é devagar.

Ela sorriu de novo e levantou um pouco as caixas com um puxão.

— Você devia ter aceitado sair comigo — comentou ela. — Aí eu poderia ter te mostrado como devagar pode ser melhor do que rápido.

Ela levou as caixas embora, e me encontrei com ela mais tarde em um restaurante na cidade. Era um lugar elegante, então eu tinha tomado banho e vestido um uniforme limpo. Ela foi de vestido preto. Não o mesmo de antes. Não tinha bolinhas. Todo preto. Ele a deixava linda, não que Kohl precisasse dessa ajuda. Parecia ter 18 anos.

— Ótimo — falei. — Vão achar que você está jantando com o seu pai.

— Meu tio, talvez — brincou ela. — O irmão mais novo do meu pai.

Foi uma daquelas refeições em que a comida não era importante. Eu consigo me lembrar de todo o restante da noite, menos do que comi. Filé, talvez. Ou ravióli. Alguma coisa. Sei que comemos. Conversamos muito, sobre o tipo de coisa que provavelmente não compartilharíamos com praticamente ninguém. Cheguei muito perto de sucumbir e perguntar a ela se queria ir a um motel. Mas não sucumbi. Tomamos uma taça de vinho cada, depois trocamos para água. Havia um acordo não verbal de que tínhamos que nos manter afiados para o dia seguinte. Paguei a conta e fomos embora à meia-noite, separados. Ela estava radiante, mesmo apesar do horário. Estava cheia de vida, energia e foco. Estava explodindo de expectativa. Seus olhos brilhavam. Fiquei na rua observando-a ir embora de carro.

— Alguém está vindo — avisou Elizabeth, dez anos depois.

Olhei pela janela e vi um Taurus cinza bem longe. A cor se misturava às rochas e ao clima e dificultava enxergá-lo. Ele estava a uns três quilômetros, fazendo uma curva da estrada, em velocidade. O carro de Villanueva. Falei para Elizabeth permanecer onde estava e ficar de olho em Richard e desci e saí pela porta de trás. Peguei as chaves de Angel Doll no meu embrulho escondido. Coloquei-as no bolso da jaqueta. Peguei a Glock de Duffy e os pentes sobressalentes também. Queria que ela os recebesse de volta intactos. Era importante para mim. Ela já estava com problemas demais. Meti tudo no bolso do casaco junto com a Beretta, dei a volta até a frente da casa e entrei no Cadillac. Fui até o portão, saí e aguardei fora de vista. O Taurus parou do lado de fora do portão, vi Villanueva ao volante com Duffy ao seu lado e Eliot atrás. Saí de onde estava escondido, tirei a corrente do portão e o abri. Villanueva entrou lentamente e parou frente a frente com o Cadillac. Depois três portas foram abertas. Eles desceram no frio e olharam para mim.

— O que aconteceu com você? — perguntou Villanueva.

Encostei na minha boca. Estava inchada e sensível.

— Dei de cara numa porta — falei.

Villanueva deu uma olhada no portão da casa.

— Ou num *porteiro* — comentou ele. — Estou certo?

— Você está bem? — perguntou Duffy.

— Melhor que o porteiro.

— Por que a gente está aqui?

— Plano B — respondi. — A gente vai pra Portland, mas, se não acharmos o que precisamos lá, vamos ter que voltar pra cá e esperar. Então dois de vocês vão sair comigo agora e o outro vai ficar aqui pra cuidar do forte. — Eu me virei e apontei para a casa. — A janela do meio no segundo andar tem uma metralhadora enorme pra dar cobertura a uma possível aproximação. Preciso de um de vocês lá fazendo a guarnição.

Ninguém se voluntariou. Olhei para Villanueva. Era velho o bastante para ter sido recrutado, tempos atrás. Devia ter passado um tempo lidando com metralhadoras enormes.

— Você faz isso, Terry.

— Eu, não — contestou ele. — Vou com você encontrar a Teresa.

Ele falava como se não houvesse espaço para discussão ali.

— Tudo bem, eu fico — cedeu Eliot.

— Obrigado — falei. — Você já viu filme de Vietnã? Viu um atirador num Huey? Aquele é você. Se eles vierem, não vão tentar passar pelo portão. Vão entrar pela janela da frente da casa do portão e sair pela porta ou janela de trás. Então esteja pronto para meter bala neles quando saírem.

— E se estiver escuro?

— A gente vai estar de volta antes disso.

— Certo. Quem está na casa?

— A família do Beck. Eles são não combatentes, mas não querem ir embora. E a cozinheira.

— E o Beck?

— Ele vai voltar com os outros. Se ele escapar na confusão, não vou ficar de coração partido. Mas, se ele for atingido, também não vou ficar de coração partido.

— Certo.

— Eles provavelmente não vão aparecer — falei. — Estão ocupados. Isto tudo é só uma precaução.

— Certo — repetiu ele.

— Você fica com o Cadillac — falei. — A gente vai levar o Taurus.

Villanueva entrou de novo no Ford e deu ré lá para fora. Saí a pé com Duffy, tranquei o portão pelo lado de fora, passei a corrente e joguei a chave da tranca para Eliot.

— A gente se vê.

Ele deu meia-volta no Cadillac e eu o vi seguir na direção da casa. Depois entrei no Taurus com Duffy e Villanueva. Ela ficou no banco da frente. Fui para trás. Tirei a Glock e os pentes sobressalentes do bolso e os passei a ela, de maneira um pouco cerimonial.

— Obrigado pelo empréstimo — falei.

Ela enfiou a Glock no coldre de seu ombro e os pentes na bolsa.

— De nada — disse ela.

— Teresa primeiro — pediu Villanueva —, Quinn depois. Combinado?

— Combinado — falei.

Ele deu meia-volta na estrada e saiu no sentido oeste.

— Então, onde a gente vai procurar? — perguntou nele.

— Temos que escolher um entre três lugares — expliquei. — O depósito, um escritório no centro da cidade e um parque industrial perto do aeroporto. Não dá para manter um prisioneiro num prédio comercial no centro da cidade durante o fim de semana. E o depósito é muito movimentado. Eles acabaram de receber um carregamento grande. Então o meu voto vai pro parque industrial.

— I-95 ou Rota 1?

— Rota 1 — respondi.

Seguimos em silêncio, 25 quilômetros terra adentro, e viramos para o norte na Rota 1, sentido Portland.

13

RA O INÍCIO DA TARDE DE SÁBADO E O PARQUE INDUSTRIAL estava tranquilo. A chuva o lavara e ele agora parecia novo. Os galpões de metal brilhavam como estanho fosco sob o cinza do céu. Cruzamos a rede de ruas a uns trinta quilômetros por hora. Não vimos ninguém. O galpão de Quinn parecia estar trancado. Virei a cabeça enquanto passávamos em frente a ele e analisei a placa novamente: *Xavier eXport Company*. As palavras eram gravadas de maneira profissional em aço inoxidável grosso, mas os *Xs* exagerados pareciam uma ideia de designer gráfico amador.

— Por que está escrito *export*? — perguntou Duffy. — Ele está é importando coisas, com certeza.

— Como a gente entra? — perguntou Villanueva.

— Invadindo — respondi. — Por trás, imagino.

Os galpões eram dispostos de costas uns para os outros, com estacionamentos em frente a cada um. Todo o restante no parque era ou uma estrada ou um gramado novo delimitado por calçadas de concreto perfeitas. Não havia cerca em lugar nenhum. O galpão exatamente atrás do de Quinn tinha uma placa que dizia: *Paul Keast & Chris Maden Serviço*

Profissional de Catering. Era um bufê, no momento fechado e deserto. Dava para ver o caminho inteiro até a porta de trás de Quinn, que era um retângulo de metal liso pintado de vermelho fosco.

— Ninguém por aqui — comentou Duffy.

Havia uma janela na parede de trás de Quinn perto da porta vermelha. Era de vidro ártico. Provavelmente a janela de um banheiro. Tinha barras de ferro.

— Sistema de segurança? — questionou Villanueva.

— Num lugar novo feito esse? — perguntei. — Muito provavelmente.

— Conectado diretamente com a polícia?

— Duvido. Isso não seria inteligente, pra um cara como o Quinn. Ele não quer os policiais metendo o nariz por aqui toda vez que um moleque detona a janela dele.

— Empresa privada?

— É o meu palpite. Ou o pessoal dele mesmo.

— Então como a gente vai fazer?

— Muito rápido. A gente entra e sai antes de alguém reagir. Dá pra arriscar uns cinco ou dez minutos, provavelmente.

— Um na frente e dois atrás?

— Isso aí. Você fica na frente.

Falei para ele abrir o porta-malas, depois eu e Duffy saímos. O ar estava frio e úmido, e ventava. Peguei a chave de roda debaixo do estepe, fechei a tampa do porta-malas e observei o carro ir embora. Duffy e eu caminhamos pela lateral do bufê e atravessamos o gramado que o separava da janela do banheiro de Quinn. Pus minha orelha na parede gelada de metal e escutei. Não ouvi nada. Depois olhei pela lateral das barras da janela, uma peça única de ferro retangular e superficial presa por oito parafusos, dois em cada um dos lados do retângulo. Os parafusos atravessavam flanges soldadas do tamanho de moedas de 25 centavos. As cabeças dos parafusos eram do tamanho de moedas de cinco centavos. Duffy sacou a Glock de dentro do coldre de ombro. Eu a escutei roçar no couro. Conferi a Beretta no bolso do meu casaco. Levantei a chave de roda com as duas mãos. Coloquei a orelha de novo na parede de metal. Escutei o carro de Villanueva parar em frente ao galpão. Dava para ouvir a

326

batida do motor percorrendo o metal. A porta sendo aberta e fechada, ele deixou o carro ligado. Escutei seus passos na calçada da frente.

— Fica de olho — alertei.

Senti Duffy se mover atrás de mim. Escutei Villanueva bater ruidosamente na porta da frente. Enfiei a ponta da chave de roda na parede ao lado de um dos parafusos e dei uma amassadinha no metal Coloquei o ferro de lado e por baixo das barras e me pendurei nele. O parafuso aguentou. Estava claro que ele atravessava a parede e transpassava a armação de aço. Então recoloquei a chave e dei um solavanco mais forte, depois outro. A cabeça do parafuso quebrou, e as barras se moveram um pouquinho. Tive que quebrar um total de seis parafusos. Levei aproximadamente meio minuto. Villanueva continuava batendo na porta, mas ninguém atendia. Quando o sexto parafuso quebrou, agarrei as barras e puxei de modo que fizessem uma abertura com um ângulo de noventa graus, como uma porta. Os dois parafusos restantes guincharam em protesto. Peguei a chave de roda de novo e quebrei o vidro ártico. Enfiei a mão lá dentro, achei a trava e abri a janela Saquei a Beretta e entrei no banheiro de cabeça.

Era um cubículo de uns dois por três metros. Havia uma privada e uma pia com um pequeno espelho sem moldura acima, uma cesta de lixo e uma prateleira com rolos de papel higiênico, um balde e um esfregão escorado num canto. Linóleo limpo no chão, um cheiro forte de desinfetante. Virei e conferi a janela. Parafusado no peitoril, havia um pequeno mecanismo para disparar um alarme. O galpão ainda estava em silêncio, porém. Nenhuma sirene; um alarme silencioso. Nesse momento um telefone deveria estar tocando em algum lugar, ou um alerta, piscando na tela de um computador.

Dei passos cuidadosos para fora do banheiro e cheguei a um corredor nos fundos do lugar. Ninguém ali. Estava escuro. Sem me virar, voltei de ré até a porta dos fundos. Fui apalpando atrás de mim sem olhar e a destranquei. Abri-a com um puxão. Escutei os passos de Duffy entrando.

Ela provavelmente tinha passado seis semanas em Quantico durante o treinamento básico e ainda se lembrava dos movimentos certos. Segurou a Glock com as duas mãos, passou por mim e tomou posição ao lado de uma porta que levaria do corredor de acesso ao restante do galpão. Ela encostou no umbral e dobrou os cotovelos para levantar a arma e tirá-la do meu caminho. Avancei, meti uma bicuda na porta, passei por ela, esquivei para a esquerda, ela girou depois de mim e foi para a direita. Estávamos em outro corredor. Era estreito. Estendia-se por toda a construção até a frente. Havia salas ao longo dele, à esquerda e à direita. Seis. Três de cada lado. Seis portas. Todas fechadas.

— Frente — sussurrei. — Villanueva.

Seguimos pelo caminho, de costas um para o outro e andando como caranguejos, dando atenção a uma porta de cada vez. Permaneciam fechadas. Chegamos até a porta da frente, a destrancamos e abrimos. Villanueva entrou e a fechou. Ele tinha uma Glock 17 em sua velha mão enrugada. A arma pareceria estar em casa nela

— Alarme? — sussurrou ele.

— Silencioso — sussurrei de volta

— Então vamos agir rápido

— Sala por sala.

Não era uma sensação boa. Havíamos feito tanto barulho que ninguém no galpão teria dúvida de que estávamos ali. E o fato de não terem agido impulsivamente para nos confrontar significava que eram espertos o suficiente para ficarem bem quietos atrás das portas com as armas engatilhadas e os olhos treinados fixos na altura do peito. Além disso, o corredor central só tinha aproximadamente um metro de largura, o que não nos dava muito espaço de manobra. Uma sensação nada boa. As dobradiças das portas ficavam todas na esquerda, de modo que coloquei Duffy à minha esquerda de frente para as portas do lado oposto para nos dar cobertura. Eu não queria que ficássemos todos olhando para o mesmo lado. Não queria que fôssemos baleados pelas costas. Pus Villanueva à minha direita. A função dele era chutar as portas, uma a uma. Fiquei no centro. Minha função era entrar primeiro, sala por sala.

Começamos pela sala da frente à esquerda. Villanueva chutou a porta, com força. A tranca quebrou, a armação se estilhaçou e a porta abriu ruidosamente. Entrei na mesma hora. A sala estava vazia. Era um quadrado de três por três com uma janela, uma mesa e uma parede de arquivos. Saí na mesma hora, giramos em uníssono e atacamos imediatamente a porta do lado oposto. Duffy cobriu nossas costas. Villanueva chutou a porta e eu entrei. Também estava vazia. Mas ganhamos um bônus. A divisória entre ela e a sala ao lado havia sido removida. Tinha três por seis e duas portas para o corredor. Havia três mesas na sala, computadores e telefones. Pendurado num cabideiro no canto havia um casaco impermeável feminino.

Atravessamos o corredor até a quarta porta. Terceira sala. Villanueva a chutou e eu rolei pelo umbral. Vazia. Outra três por três. Sem janela. Uma mesa com um quadro de cortiça grande logo atrás. Listas presas na cortiça. Um carpete oriental cobrindo a maior parte do linóleo.

Quatro conferidas. Faltavam duas. Escolhemos a sala dos fundos à direita. Villanueva golpeou a porta. Entrei. Estava vazia. Três por três, tinta branca, linóleo cinza. Completamente nua. Absolutamente nada lá dentro. Com exceção de manchas de sangue. Tinham sido lavadas, mas não muito bem. Manchas espirais marrons no chão, onde um esfregão encharcado as tinha espalhado. As paredes estavam respingadas. Alguém as tinha limpado um pouco e deixado algumas para trás. As marcas se estendiam até a altura da cintura. O local onde se encontravam o linóleo e o rodapé estava amarronzado e enegrecido.

— A empregada — falei.

Ninguém respondeu. Ficamos parados por um longo e silencioso momento. Depois recuamos, viramos e golpeamos a última porta, com força. Entrei apontando a arma.

E parei abruptamente.

Era uma prisão. E estava vazia.

Três por três. Tinha paredes brancas e teto baixo. Nenhuma janela. Linóleo cinza no chão. Um colchão no linóleo. Lençóis desarrumados no colchão. Dezenas de caixas de papelão de comida chinesa espalhadas pelo lugar. Garrafas de plástico vazias que já tinham contido água mineral.

— Ela estava aqui — comentou Duffy.

Assenti e comentei:

— Igual ao porão lá na casa.

Fui até o fundo da sala e suspendi o colchão. A palavra JUSTICE estava escrita e borrada no chão, grande e nítida, pintada com o dedo. Debaixo dela estava a data daquele mesmo dia, seis números, dia, mês e ano, desbotando, em seguida ficava mais forte depois de ela ter recarregado a ponta do dedo com algo preto e marrom.

— Ela tem esperança de que a gente a rastreie — comentou Villanueva. — Dia a dia, de lugar em lugar. Menina inteligente.

— Isso está escrito com sangue? — perguntou Duffy.

Eu conseguia sentir cheiro de comida velha e bafo na sala inteira. Conseguia sentir cheiro de medo e desespero. Ela tinha escutado a empregada morrer. Duas portas finas não tinham bloqueado muito som.

— Molho hoisin — falei. — Assim espero.

— Há quanto tempo eles a levaram?

Olhei dentro das caixas de papelão mais próximas e respondi:

— Umas duas horas.

— Merda.

— Então vamos embora — disse Villanueva. — Vamos achar a garota.

— Cinco minutos — pediu Duffy. — Preciso achar alguma coisa pra dar pra ATF. Pra consertar este negócio todo.

— A gente não tem cinco minutos — contestou Villanueva.

— Dois minutos — falei. — Cata o que puder e confere depois.

Saímos novamente da cela. Ninguém olhou para o cômodo da frente. Duffy nos levou de volta para a sala com o tapete oriental. *Escolha inteligente*, pensei. Provavelmente era o escritório do próprio Quinn. Ele era o tipo de cara que iria se presentear com um tapete. Ela pegou uma pasta grossa em uma gaveta na mesa em que estava escrito *Pendente* e arrancou todas as listas do quadro de cortiça.

— Então vamos embora — repetiu Villanueva.

Saímos pela porta da frente exatos quatro minutos depois de eu ter entrado pela janela do banheiro. A sensação era de que tinham se passado quatro horas. Nós nos amontoamos no Taurus cinza e estávamos de vota à Rota 1 um minuto depois.

— Continua pro norte — falei. — Segue pro centro da cidade.

Ficamos em silêncio no início. Ninguém olhava para ninguém. Ninguém falava. Estávamos pensando na empregada. Eu fiquei no banco de trás, enquanto Duffy estava na frente com Villanueva, cheia de documentos de Quinn espalhados no colo. O trânsito para atravessar a ponte estava lento. Muitas pessoas iam fazer compras na cidade e dirigiam com cautela. A pista estava escorregadia por causa da chuva e da névoa salina. Duffy remexia nos papéis, dando uma olhada em cada um. Foi ela quem quebrou o silêncio. Um alívio.

— Isto é tudo muito obscuro — reclamou ela. — Tem *XX* e *BB*.

— Xavier Export Company e Bizarre Bazaar — decifrei.

— BB importa — disse ela — e XX exporta. Mas é obvio que estão ligados. São como duas metades da mesma operação.

— Isso não me interessa — falei. — Só quero o Quinn.

— E a Teresa — disse Villanueva.

— Planilha do primeiro trimestre — disse Duffy. — Eles estavam trabalhando pra girar 22 milhões de dólares este ano. Isso é arma demais, não é?

— Duzentos e cinquenta mil revólveres e pistolas chulés — falei. — Ou quatro tanques Abrams.

— Mossberg — disse Duffy. — Já ouviu esse nome?

— Por quê?

— A XX acabou de receber um carregamento disso.

— O.F. Mossberg and Sons — informei. — De New Haven, Connecticut. Fabricante de escopetas.

— O que é Persuader?

— Uma escopeta — respondi. — A Mossberg M500 Persuader. É uma arma paramilitar.

— A XX está enviando Persuaders para algum lugar. Duzentas. Valor total da nota fiscal, sessenta mil dólares. Basicamente em troca de alguma coisa que a BB está recebendo.

— Importação-exportação — falei. — É assim que funciona.

— Mas a conta não fecha — disse ela. — A nota fiscal do carregamento que está chegando é de setenta mil. Ou seja, a XX está saindo com dez mil dólares a mais.

— A magia do capitalismo.

— Não, espera, tem mais um item. Agora os valores batem. Duzentas Mossberg Persuaders mais um item-bônus de dez mil dólares pra fazer a conta fechar.

— O que é o item-bônus? — perguntei.

— Não fala. O que custaria dez mil?

— Isso não me interessa — repeti.

Ela remexeu em mais papéis.

— Keast & Maden — falou ela. — Onde nós vimos esses nomes?

— O galpão atrás do Quinn — respondi. — O bufê.

— Ele os contratou — disse Duffy. — Vão entregar alguma coisa hoje.

— Onde?

— Aqui não fala.

— Que tipo de coisa?

— Não fala. Dezoito itens de 55 dólares cada. Um total de quase mil dólares.

— Pra onde agora? — perguntou Villanueva.

Tínhamos saído da ponte e estávamos fazendo uma curva no sentido noroeste, com o parque à nossa esquerda.

— Pega a segunda à direita — orientei.

Entramos direto na garagem subterrânea do Missionary House. Havia um segurança de uniforme pomposo dentro de uma guarita. Registrou nossa entrada sem muita atenção. Depois Villanueva mostrou a ele o distintivo da agência e disse a ele para ficar quieto e de boca fechada. Falou para ele não chamar ninguém. Atrás dele a garagem estava tranquila. Havia umas oitenta vagas e menos de doze carros. Mas um deles era o Grand Marquis cinza que eu tinha visto do lado de fora do depósito de Beck.

— Foi aqui que tirei as fotos — disse Duffy.

Fomos de carro para os fundos da garagem e estacionamos em um canto. Saímos e pegamos o elevador até o lobby no primeiro andar. Havia uma cansada decoração de mármore e um painel com o nome das empresas que ocupavam cada sala. A Xavier Export Company dividia o quarto andar com um escritório de advocacia chamado Lewis, Strange & Greville. Ficamos satisfeitos com isso. Significava que haveria um corredor interno lá em cima. Nós não sairíamos do elevador direto no escritório de Quinn.

Voltamos para o elevador e apertamos o quatro. Viramos para a frente. As portas se fecharam e o motor foi ativado. Paramos no quatro. Escutamos vozes. A campainha do elevador sibilou. A porta abriu. O corredor estava cheio de advogados. Havia uma porta de mogno à esquerda com um uma plaquinha de bronze em que estava escrito *Lewis, Strange & Greville, Advogados.* Ela estava aberta, três pessoas haviam saído por ela e aguardavam que um deles a fechasse. Dois homens, uma mulher. Estavam de roupas casuais. Todos carregavam maletas. Todos davam a impressão de estar felizes. Todos se viraram e olharam para nós. Saímos do elevador. Eles sorriram e nos cumprimentaram com gestos de cabeça, como se faz com estranhos em corredores estreitos. Ou talvez tivessem pensado que tínhamos ido ali para consultá-los a respeito de alguma questão legal. Villanueva sorriu para eles e gesticulou a cabeça na direção da porta da Xavier Export. *Não são vocês que estamos procurando. São eles.* A advogada desviou o olhar, passou por nós no espaço apertado e entrou no elevador. Seus sócios trancaram o escritório e se juntaram a ela. As portas se fecharam e escutamos o elevador descer ruidosamente.

— Testemunhas — sussurrou Duffy. — Merda.

Villanueva apontou para a porta da Xavier Export.

— E tem alguém ali. Esses advogados não parecem surpresos com a gente aqui a esta hora em um sábado. Então eles *devem* saber que tem alguém ali. Talvez tenham pensado que tínhamos marcado um horário ou algo assim.

Assenti.

— Um dos carros lá na garagem estava no depósito hoje de manhã.

— Quinn? — perguntou Duffy.

— Sinceramente, espero que sim.

— Nós combinamos, a Teresa primeiro — lembrou Villanueva. — Depois o Quinn.

— Estou mudando os planos — falei. — Não vou embora. Não se ele estiver aí dentro. Não se ele for um alvo de oportunidade.

— De qualquer maneira, a gente não pode entrar — falou Duffy. — Fomos vistos.

— *Vocês* não podem entrar — consertei. — Eu posso.

— O quê? Sozinho?

— É assim que eu quero. Ele e eu.

— A gente deixou um rastro.

— Então apaguem esse rastro. Voltem pra garagem e vão embora. O guarda vai registrar a saída de vocês. Liguem para este escritório cinco minutos depois. O período entre o registro na garagem e o registro no telefone vai servir como prova de que nada aconteceu enquanto vocês estiveram aqui.

— Mas e você? Vai ficar registrado que nós te deixamos aqui.

— Duvido — contestei. — Não acho que o cara lá da garagem tenha prestado essa atenção toda. Não acho que ele faça uma contagem de cabeças ou coisa do tipo. Ele simplesmente anota a placa do carro.

Ela ficou calada.

— De qualquer maneira, eu não me importo — falei. — É difícil me achar. E planejo deixar ainda mais difícil.

Ela olhou para a porta do escritório de advocacia. Depois para a da Xavier Export. Depois para o elevador. Depois para mim.

— Tá — concordou ela. — Vamos te deixar aqui. Eu na verdade não quero, mas tenho que fazer isso, você entende?

— Completamente — respondi.

— A Teresa pode estar lá com ele — sussurrou Villanueva.

Concordei com a cabeça e falei:

— Se estiver, eu a levo pra você. Me encontrem no final da rua. Dez minutos depois do telefonema.

Ambos hesitaram um segundo, depois Duffy pôs o dedo no botão para chamar o elevador. Escutamos barulhos no fosso quando o maquinário começou a funcionar.

— Toma cuidado — disse ela.

A campainha sibilou e a porta abriu. Eles entraram. Villanueva deu uma olhada para mim, apertou o botão para o lobby, as portas fecharam como cortinas de teatro e eles foram embora. Eu me afastei e encostei na parede do lado contrário ao da porta de Quinn. Estar sozinho fez com que eu me sentisse bem. Coloquei a mão ao redor do cabo da Beretta no meu bolso e esperei. Imaginei Duffy e Villanueva saindo do elevador e caminhando até o carro. Saindo com ele da garagem. O segurança fazendo o registro. Estacionando na esquina e ligando para a lista telefônica. Pegando o número do escritório de Quinn. Virei-me e olhei para a porta. Imaginei Quinn do outro lado dela, à mesa, com o telefone à sua frente. Eu encarava a porta como se pudesse enxergá-lo através dela.

A primeira vez em que o vi foi no dia da operação. Frasconi havia mandado bem com o sírio. O cara estava muito bem preparado. Frasconi era muito adequado para situações como aquela. Se dessem tempo e um objetivo claro, ele entregava o serviço bem-feito. O sírio carregava dinheiro em espécie de dentro da embaixada, e todos nós sentamos juntos em frente ao advogado para contá-lo. Havia cinquenta mil dólares. Chegamos à conclusão de que era a última prestação de muitas. Marcamos separadamente cada uma das notas. Marcamos também a maleta. Colocamos as iniciais do promotor de justiça militar nela com esmalte transparente, perto de uma das dobradiças. O promotor redigiu uma declaração juramentada a ser arquivada no processo, Frasconi ficou na cola do sírio, e Kohl e eu nos posicionamos para fazer a vigilância. O fotógrafo já estava a postos à janela no segundo andar de um prédio do outro lado da rua onde ficava o café, a vinte metros dali. O promotor se juntou a nós dez minutos depois. Estávamos usando um furgão estacionado ao meio-fio. Ele tinha escotilhas e vidros espelhados. Kohl o tinha pegado emprestado com o FBI. Ela recrutara três pica-fumos para completar a ilusão. Eles estavam usando macacão da companhia de energia e realmente cavando a rua.

Nós esperamos. Não conversávamos. Não havia muito ar no furgão. Tinha voltado a fazer calor. Frasconi soltou o sírio depois de quarenta minutos. Ele veio caminhando tranquilamente do norte e entrou no nosso campo de visão. Nós o tínhamos alertado sobre o que aconteceria caso nos entregasse. Kohl escrevera o roteiro e Frasconi o tinha representado. Eram ameaças que provavelmente não poderíamos cumprir. Mas ele não sabia disso. Achei que eram plausíveis, baseado no que acontecia com pessoas na Síria.

Ele sentou a uma mesa na calçada. Estava a três metros de nós. Colocou a maleta no chão, paralela à lateral da mesa. Era como um segundo convidado. O garçom se aproximou e tomou o pedido dele. Voltou depois de um minuto com um expresso. O sírio acendeu um cigarro. Fumou metade dele e o esmagou no cinzeiro.

— O sírio está esperando — disse Kohl, com tranquilidade. Ela tinha ligado um gravador. A ideia dela era ter a gravação do áudio em tempo real para servir de material de apoio. Ela vestia o uniforme de gala, pronta para a prisão. Estava lindíssima nele.

— Confere — disse o promotor. — O sírio está esperando.

O sírio terminou o café e gesticulou para que o garçom lhe trouxesse mais um. Acendeu outro cigarro.

— Ele sempre fuma tanto assim? — perguntei.

— Por quê? — questionou Kohl.

— É um aviso para o Quinn?

— Não, ele sempre fuma — respondeu Kohl.

— Ok — falei. — Mas eles podem ter combinado um sinal para abortarem.

— Ele não vai usar. O Frasconi meteu medo nele de verdade.

Esperamos. O sírio terminou o segundo cigarro. Colocou a palma das mãos na mesa. Tamborilou com os dedos. Estava bem. Parecia um cara esperando por outro cara que talvez estivesse um pouco atrasado. Acendeu mais um cigarro.

— Não estou gostando dessa fumação toda — desconfiei.

— Relaxa, ele sempre faz isso — disse Kohl.

— Fica parecendo que ele está nervoso. O Quinn pode sacar.

— É normal. Ele é do Oriente Médio.

Esperamos. Observei a quantidade de pessoas aumentar. Estava perto do horário do almoço.

— Agora o Quinn está se aproximando — relatou Kohl.

— Confere — disse o promotor. — Quinn está se aproximando agora.

Olhei para o sul. Ele era uma cara de aparência impecável, arrumado e elegante, de mais ou menos 1,85 metro e cerca de noventa quilos. Aparentava um pouco menos de 40 anos. Tinha cabelo preto um pouco grisalho perto das orelhas. Estava de terno azul, camisa branca e uma gravata vermelha fosca. Tinha a mesma aparência que praticamente todo mundo em D.C. Movimentava-se de forma ágil, mas deixava a impressão de que estava devagar. Fazia movimentos precisos. Nitidamente em forma e atlético. Era bem provável que corria com frequência. Carregava uma maleta da Halliburton. Era uma gêmea idêntica à do sírio. Ao sol, ela emitia um leve brilho dourado.

O sírio pôs o cigarro no cinzeiro e esboçou um cumprimento acenando. Parecia pouco à vontade, mas supus que isso fosse apropriado. Espionagem da pesada no coração da capital do seu inimigo não era um joguinho qualquer. Quinn o viu e foi na direção dele. O sírio se levantou, e eles deram um aperto de mão, um de cada lado da mesa. Sorri. Eles tinham um sistema engenhoso em funcionamento. Era um quadro tão comum em Georgetown que se tornava praticamente invisível. Um americano de terno dando um aperto de mão num estrangeiro a uma mesa cheia de xícaras de café e cinzeiros. Ambos sentaram. Quinn se remexeu na cadeira até ficar confortável e posicionou sua maleta bem ao lado da que já estava ali. As duas maletas, se olhadas de maneira casual, pareciam uma só, de tamanho maior.

— As maletas estão adjacentes — disse Kohl ao microfone.

— Confere — disse o promotor. — As maletas estão adjacentes.

O garçom voltou com o segundo expresso do sírio. Quinn disse algo, e ele saiu de novo. O sírio falou algo para Quinn, que sorriu. Era um sorriso de puro controle. Pura satisfação. O sírio não falou mais nada. Fazia seu papel. Ele achava que estava salvando a própria vida. Quinn esticou o pescoço à procura do garçom. O sírio pegou o cigarro de novo, virou a cabeça para o outro lado e soprou fumaça bem na nossa direção. Depois colocou o cigarro no cinzeiro. O garçom voltou com a bebida de Quinn. Uma caneca grande. Provavelmente café com leite. O sírio bebericou o expresso. Quinn bebeu o café. Não conversavam.

— Eles estão nervosos — disse Kohl.

— Ansiosos — falei. — Estão quase lá. Este é o último encontro. A fita de chegada está à vista. Pros dois. Só querem acabar logo com isso.

— Observem as maletas — alertou Kohl.

— Estou observando — respondeu o promotor.

Quinn colocou a xícara no pires. Arrastou a cadeira para trás. Esticou o braço direito. Pegou a mala do sírio.

— Quinn está com a maleta do sírio — falou o promotor.

Quinn se levantou. Disse uma última coisa, virou-se e foi embora. Havia certa leveza em seus passos. Nós o observamos até ele sair de vista. A conta ficou para o sírio. Ele pagou e foi caminhando na direção norte, até Frasconi sair por uma porta, pegá-lo pelo braço e levá-lo direto para nós. Kohl abriu a porta de trás do furgão e Frasconi empurrou o cara lá para dentro. Não tínhamos muito espaço ali com cinco pessoas.

— Abra a maleta — ordenou o promotor.

De perto o sírio parecia muito mais nervoso do que através do vidro. Suava e não cheirava muito bem. Ele pôs a maleta deitada no chão e agachou na frente dela. Deu uma olhada para cada um de nós, a destravou e levantou a tampa.

A maleta estava vazia.

Escutei o telefone tocar dentro do escritório da Xavier Export Company. A porta era grossa e pesada, o que fazia o som ficar abafado e distante. Mas era um telefone, e ele estava tocando exatamente cinco minutos depois que Duffy e Villanueva deviam ter saído da garagem. Tocou duas vezes e alguém o atendeu. Não escutei a conversa. Imaginei que Duffy inventaria alguma história sobre ter ligado para o número errado. Calculei que manteria uma conversa tempo suficiente para que ela fosse significativa em um registro de ligações telefônicas. Dei um minuto. Ninguém mantém uma ligação falsa por mais de sessenta segundos.

Tirei a Beretta do bolso e abri a porta com força. Entrei numa ampla recepção. Havia madeira escura e tapetes. Uma sala à esquerda, fechada. Um escritório à direita, fechado. Um balcão à minha frente. Uma pessoa ao balcão, desligando um telefone. Não era Quinn, era uma mulher. Devia ter uns trinta anos. Tinha cabelo louro, olhos azuis. Em frente a ela havia uma placa de acetato em um suporte de madeira. Estava escrito: *Emily Smith*. Atrás dela, um cabideiro. Havia um casaco impermeável nele. Além de um vestido de festa preto embalado num plástico de lavanderia e dependurado num cabide. Apalpei às minhas costas com a mão esquerda e tranquei a porta para o corredor. Encarei os olhos de Emily Smith. Estavam apontados exatamente na minha direção. Não se moviam. Não viraram para a esquerda nem para a direita, na direção de nenhuma das salas. Então ela provavelmente estava sozinha. Eles não baixaram na direção de uma bolsa ou gaveta. Então provavelmente estava desarmada.

— Era pra você estar morto — disse ela.

— E estou?

Ela fez que sim com um vago gesto de cabeça, como se não conseguisse processar o que estava vendo.

— Você é o Reacher — disse ela. — O Paulie disse que tinha acabado com você.

— Certo, eu sou um fantasma. Não encosta no telefone.

Eu me aproximei e dei uma olhada no balcão. Não havia arma nele. O telefone era um console complexo coberto de botões. Eu me inclinei e arranquei o fio da tomada com a mão esquerda.

— Levanta — mandei.

Ela levantou. Simplesmente arrastou a cadeira para trás e se ergueu.

— Vamos conferir as outras salas — falei.

— Não tem ninguém lá — disse ela. Havia medo em sua voz, portanto era provável que estivesse falando a verdade.

— Vamos conferir mesmo assim — reiterei.

Ela saiu de trás do balcão. Era cerca de trinta centímetros mais baixa do que eu. Estava de saia e camisa escuras. Sapatos elegantes. Imaginei que cairiam bem mais tarde com o vestido de festa. Encostei o cano da Beretta na espinha dela, agarrei o colarinho na parte de trás da camisa com a mão esquerda e a fiz andar para a frente. Ela se sentiu pequena e frágil. Seu cabelo caía sobre a minha mão. Tinha cheiro de limpo. Conferimos a sala à esquerda primeiro. Ela abriu a porta para mim, eu a empurrei lá para dentro, dei passos de lado para me afastar da entrada da sala. Não queria levar um tiro nas costas da recepção.

Era só um escritório. Um espaço decente. Ninguém ali. Havia um tapete oriental e uma mesa. Um banheiro. Apenas um cubículo com uma privada e uma pia. Ninguém ali. Eu a girei e levei até a área da recepção, depois à sala da direita. Mesma decoração. Mesmo tipo de tapete oriental. Mesmo tipo de mesa. Estava desocupada. Não havia ninguém. Não tinha banheiro. Mantive o colarinho dela bem seguro, empurrei-a pelas costas até o centro da área da recepção. Parei-a exatamente ao lado do balcão.

— Não tem ninguém aqui.

— Eu te disse — disse ela.

— Então cadê todo mundo?

Ela não respondeu. Senti-a retesar o corpo. Como se ela fosse fazer de tudo para não responder.

— Pra ser mais específico, cadê a Teresa Daniel?

Nenhuma resposta.

— Cadê o Xavier? — perguntei.

Nenhuma resposta.

— Como você sabe o meu nome?

— Beck contou pro Xavier. Ele pediu permissão dele pra te contratar.

— Xavier me investigou?

— Até onde conseguiu.

— E ele deu permissão ao Beck?

— É óbvio.

— Então por que ele mandou o Paulie me pegar hoje de manhã?

Ela retesou o corpo de novo e respondeu:

— A situação mudou.

— Hoje de manhã? Por quê?

— Ele recebeu informações novas.

— Que informações?

— Não sei exatamente — respondeu ela. — Alguma coisa sobre um carro.

O Saab? As anotações desaparecidas da empregada?

— Ele fez deduções — disse ela. — Agora sabe tudo sobre você.

— Figura de linguagem — falei. — Ninguém sabe tudo sobre mim.

— Ele sabe que você estava de conversa com a ATF.

— Como eu falei, ninguém sabe realmente de nada.

— Ele sabe o que você tem feito aqui.

— Ele sabe? Você sabe?

— Ele não me contou.

— Como você se encaixa nisto tudo?

— Sou gerente de operações.

Enrolei o colarinho da camisa dela com mais força com a mão esquerda, movimentei o cano da Beretta e o usei para coçar minha bochecha, onde o hematoma estava esticando a pele. Pensei em Angel Doll, John Chapman Duke, nos dois guarda-costas cujos nomes eu sequer sabia e em Paulie. Cheguei à conclusão de que adicionar Emily Smith à lista de baixas não sairia muito caro para mim, num sentido cósmico. Pus a arma na cabeça dela. Escutei um avião ao longe, saindo do aeroporto. Ele rugiu pelo céu, a menos de dois quilômetros dali. Calculei que podia esperar o próximo e puxar o gatilho. Ninguém escutaria nada. E ela provavelmente merecia.

Ou talvez não.

— Onde ele está? — perguntei.

— Não sei.

— Você sabe o que ele fez dez anos atrás?

Viver ou morrer, Emily. Se soubesse, ela iria falar. Com certeza. Por orgulho, para se sentir incluída ou por presunção. Ela não seria capaz de guardar aquilo. E, se soubesse, merecia morrer. Porque saber o que ele havia feito e ainda assim trabalhar com o cara a fazia merecer.

— Não, ele nunca me contou — respondeu ela. — Eu não o conhecia dez anos atrás.

— Tem certeza?

— Tenho.

Acreditei nela.

— Você sabe o que aconteceu com a empregada do Beck? — perguntei.

Quem está falando a verdade é perfeitamente capaz de responder que não, mas em geral para e pensa primeiro. Talvez até faça algumas perguntas. É a natureza humana.

— Com quem? — perguntou ela. — Não, o quê?

Soltei a respiração.

— Certo — falei.

Coloquei a Beretta de volta no bolso, soltei o colarinho, a virei e segurei os dois pulsos dela com a mão esquerda. Peguei o fio do telefone com a direita. Empurrei-a com o braço esticado para a sala da esquerda e, de lá, para o banheiro. Joguei-a lá dentro.

— Os advogados já foram para casa — afirmei. — Não vai ter ninguém aqui no prédio até segunda de manhã. Então pode berrar e gritar o quanto quiser que ninguém vai te escutar.

Ela ficou calada. Fechei a porta. Amarrei o fio do telefone com força na maçaneta. Abri a porta do escritório no máximo e atei a outra ponta do fio na maçaneta dela. Emily podia puxar a porta do banheiro o fim de semana inteiro sem chegar a lugar algum. Ninguém é capaz de arrebentar um fio elétrico puxando-o longitudinalmente. Calculei que ela desistiria dali a uma hora, depois ficaria sentadinha, beberia água da torneira da pia, usaria o vaso e tentaria passar o tempo.

Sentei-me ao balcão. Pra mim, um gerente de operações devia ter uma documentação interessante. Mas ela não tinha. A melhor coisa que achei foi a cópia do pedido para Keast & Maden. O bufê. *18 a $55.* Alguém tinha feito uma anotação a lápis na parte de baixo. A caligrafia era de mulher. Provavelmente da própria Emily Smith. Dizia o seguinte: *Cordeiro, não porco!* Girei a cadeira e olhei o vestido embalado no cabideiro. Depois girei novamente e olhei meu relógio. Meus dez minutos tinham acabado.

Peguei o elevador até a garagem e fui embora por uma saída de emergência nos fundos. O segurança não me viu. Dei a volta no quarteirão e cheguei a Duffy e Villanueva por trás. O carro deles estava estacio-

341

nado na esquina e eles estavam juntos na frente, olhando através do para-brisa. Imaginei que queriam ver duas pessoas andando pela rua na direção deles. Abri a porta, sentei no banco de trás e eles viraram para mim com expressões desapontadas. Neguei com a cabeça e falei:

— Nenhum dos dois.

— Alguém atendeu ao telefone — comentou Duffy.

— Uma mulher chamada Emily Smith — informei. — A gerente de operações dele. Ela não me contou nada.

— O que você fez com ela?

— Tranquei a mulher no banheiro. Até segunda-feira, ela não faz mais nada.

— Você tinha que ter dado uma prensa nela — reclamou Villanueva — Devia ter arrancado as unhas dos dedos dessa mulher.

— Não é meu estilo — falei. — Mas você pode mandar ver, se quiser. Fica à vontade. Ela ainda está lá em cima. Não vai a lugar nenhum

Ele balançou a cabeça e ficou lá sentado

— E agora? — perguntou Duffy.

— E agora? — perguntou Kohl.

Nós ainda estávamos dentro do furgão: Kohl, o promotor de justiça militar e eu. Frasconi tinha levado o sírio embora. Kohl e eu pensávamos sem parar e o promotor estava no processo de lavar as mãos em relação àquela coisa toda.

— Eu estava aqui só pra observar — disse ele. — Não posso dar nenhuma orientação jurídica a vocês. Não seria apropriado. E, francamente, eu não saberia mesmo o que lhes dizer.

Ele nos encarou com raiva, saiu pela porta traseira e foi embora caminhando. Não olhou para trás. Eu acho que aquele era o aspecto negativo de se usar um belo de um pé-no-saco como observador. *Consequências imprevistas.*

— Mas o que foi que aconteceu? — questionou Kohl. — O que exatamente a gente viu?

— Só existem duas possibilidades — confabulei. — Um, ele estava aplicando um golpe no cara, pura e simplesmente. Caso clássico de pilantragem baseada na confiança. Você vaza as coisas não importantes aos pingos e depois dá para trás na última prestação. Ou dois, ele estava trabalhando legitimamente como oficial de inteligência. Numa operação oficial. Pra provar que o Gorowski não era de confiança, para provar que os sírios estavam dispostos a pagar uma grana alta pelo negócio.

— Ele sequestrou a filha do Gorowski — disse ela. — Impossível isso ter sido autorizado oficialmente.

— Coisas piores já aconteceram.

— Era um golpe dele nos sírios

— Concordo com você. Era um golpe.

— Então o que é que a gente pode fazer a respeito?

— Nada — respondi. — Por que se a gente for em frente e acusá-lo de sacanear os caras pra obter lucro, ele vai automaticamente falar não, eu não estava fazendo isso, eu na verdade estava trabalhando disfarçado em uma operação e convido vocês a provarem o contrário. Aí ele, de maneira não muito educada, vai nos lembrar de que devíamos manter os nossos narigões fora dos negócios da inteligência.

Ela ficou calada.

— E quer saber de uma coisa? — prossegui. — Ainda que ele esteja aplicando um golpe, eu não saberia como acusá-lo. O Regulamento Militar impede alguém de receber dinheiro de idiotas estrangeiros em troca de maletas cheias de ar fresco?

— Não sei.

— Nem eu.

— Não interessa, de qualquer jeito, porque os sírios vão ficar putos — disse ela. — Não vão? Pagaram meio milhão de dólares. Vão ter que reagir. O orgulho deles está em jogo. Mesmo que Quinn *esteja* agindo com legitimidade, assumiu um risco dos infernos. Meio milhão de riscos. Eles vão atrás dele. E o Quinn não tem como desaparecer. Vai continuar trabalhando. Vai ser um alvo fácil.

Refleti por um momentinho. Olhei para ela e falei:

— Se ele não vai desaparecer, por que estava movimentando todo aquele dinheiro?

Ela ficou calada. Olhei para o meu relógio. Pensei: *Isto, não aquilo.* Ou, quem sabe, uma vez só, isto *e* aquilo.

— Meio milhão é muito dinheiro — comentei.

— Pra quê?

— Pros sírios pagarem. Simplesmente não vale isso tudo. Vai haver um protótipo em breve. Depois vão fazer um lote de pré-produção. Vai haver cem armas prontas no nível do oficial de suprimentos numa questão de meses. Eles poderiam comprar um deles por dez mil dólares, provavelmente. Um cabo pilantra venderia um para eles. Poderiam até mesmo roubar um, de graça. Aí seria uma questão de fazer a engenharia reversa.

— Ok, então eles são negociadores burros — disse Kohl. — Mas a gente escutou o Quinn na gravação. Ele pôs meio milhão no banco.

Olhei para o meu relógio novamente e falei:

— Eu sei. Isso é fato.

— E?

— Mesmo assim é muito. Os sírios não são mais burros do que o resto do mundo. Ninguém ia avaliar um dardo gigante metido a besta em meio milhão.

— Mas a gente sabe que foi isso que eles pagaram. Você acabou de concordar que isso é fato.

— Não — discordei. — Nós sabemos que o Quinn tem meio milhão no banco. Esse é o fato. Isso não prova que os sírios o pagaram meio milhão. Essa parte é especulação.

— O quê?

— O Quinn é especialista em Oriente Médio. É uma cara inteligente e é bandido. Acho que você parou de investigar cedo demais.

— Investigar o quê?

— O Quinn. Aonde ele vai, com quem ele se encontra. Quantos regimes dúbios existem lá no Oriente Médio? Quatro ou cinco, no mínimo. Suponha que ele esteja mancomunado com dois ou três ao mesmo tempo. Ou com todos. E cada um deles imagina que é o único. Suponha que ele esteja fazendo o mesmo esquema umas três ou quatro vezes. Isso explicaria o porquê de ele ter meio milhão de dólares no banco por uma coisa que não vele meio milhão de dólares para ninguém individualmente.

— E ele está enganando *todo mundo*?

Conferi meu relógio de novo e respondi:

— Talvez. Ou talvez ele esteja jogando limpo com um deles. Talvez tenha sido assim que isso começou. Talvez ele tivesse a intenção de que fosse uma jogada limpa do início ao fim, com um cliente preferencial. Mas não tinha como conseguir com ele o dinheirão todo que queria. Aí tentou multiplicar a rentabilidade.

— Eu devia ter vigiado mais cafés — reclamou ela. — Não devia ter parado no cara da Síria.

— Ele provavelmente tem uma rota fixa — falei. — Um monte de encontros diferentes, um atrás do outro. Igual a um carteiro.

Ela conferiu o relógio e disse:

— Ok. Então agora ele está levando o dinheiro do sírio pra casa.

Assenti e completei:

— E vai sair logo em seguida pra se encontrar com o próximo cara. Então você tem que pegar o Frasconi e ir vigiar o cara um pouco mais. Ache o Quinn no caminho dele de volta pra cidade. Prenda todo mundo com quem ele trocar uma maleta. Talvez você acabe só com um monte de maletas vazias, mas uma delas pode conter algo, e neste caso a gente está de volta ao jogo.

Ela olhou ao redor dentro do furgão. Baixou os olhos para o gravador.

— Esquece — orientei. — Não temos tempo pra essas coisas engenhosas. Vai ter que ser só você e o Frasconi lá na rua.

— O depósito — falei. — A gente vai ter que dar uma conferida nele.

— Vamos precisar de apoio — disse Duffy. — Todos eles vão estar lá.

— Espero que estejam.

— Perigoso demais. Somos só três.

— Na verdade, acho que eles estão todos a caminho de outro lugar. É possível que já tenham saído.

— Pra onde eles estão indo?

— Mais tarde — respondi. — Vamos dar um passo de cada vez.

Villanueva arrancou, afastando o Taurus do meio-fio.

— Espera — falei. — Pega a primeira à direita. Quero conferir uma coisa antes.

Eu o mandei seguir adiante por duas quadras depois virar. Chegamos ao estacionamento onde eu tinha deixado Angel Doll no porta-malas do carro. Villanueva aguardou ao lado de um hidrante e eu saí. Desci até a entrada de veículos e deixei meus olhos se acostumarem com a penumbra. Caminhei até a vaga que tinha usado. Havia um carro nela.

Mas não era o Lincoln preto de Angel Doll. Era um Subaru Legacy verde-metálico. A versão Outback, com o bagageiro e pneus grandes. Ele tinha um adesivo da bandeira dos Estados Unidos na janela de trás. Um motorista patriota. Mas não patriota o suficiente para comprar um automóvel americano.

Andei pelos dois corredores adjacentes, apenas para ter certeza, embora já tivesse. Não era o Saab, mas o Lincoln. Não o desaparecimento das anotações da empregada, mas a pulsação ausente de Angel Doll. *Ele sabe tudo sobre você.* Agora eu entendia. Ninguém sabe tudo sobre uma pessoa. Porém ele sabia mais sobre mim do que eu gostaria. Voltei pelo caminho por onde tinha chegado. Subi a rampa de entrada e fui envolvido pela luz do dia. Estava nublado, cinza, mortiço e sombreado por prédios altos, mas a sensação que tive era de que a luz de um holofote havia me atingido. Entrei de volta ao Taurus e fechei a porta sossegadamente.

— Tudo bem? — perguntou Duffy.

Não respondi. Ela se virou no banco e me olhou.

— Tudo bem? — repetiu ela.

— A gente tem que tirar o Eliot de lá — afirmei.

— Por quê?

— Eles acharam o Angel Doll.

— Quem?

— O pessoal do Quinn.

— Como?

— Não sei.

— Tem certeza? — perguntou ela. — Pode ter sido a polícia de Portland. Um carro suspeito estacionado durante muito tempo...

Neguei com um gesto de cabeça e expliquei:

— Eles teriam aberto o porta-malas. E agora estariam tratando a garagem toda como cena de crime. Eles a teriam isolado com fita. O lugar ia estar cheio de policiais.

Ela ficou calada.

— Está tudo fora de controle — falei. — Liga pro Eliot. Pro celular dele. Manda ele sair de lá. Fala pra levar os Beck e a cozinheira. No Cadillac. Pra apontar a arma e prender todo mundo se for necessário. Manda ele achar um outro motel e se esconder.

346

Ela vasculhou a bolsa em busca do Nokia. Pressionou o botão de discagem rápida. Esperou. Cronometrei o tempo na cabeça. Uma chamada. Duas chamadas. Três chamadas. Quatro chamadas. Duffy olhou para mim, angustiada. Então Eliot atendeu. Duffy respirou aliviada e, impaciente, deu a ele as instruções, em alto e bom som. Em seguida, desligou.

— E aí? — perguntei.

Ela assentiu e completou:

— Tive a impressão de que ele ficou bem aliviado.

Era para ficar mesmo. Não tinha nada de divertido ficar agachado em frente à coronha de uma metralhadora, de costas para o mar, olhando para paisagem cinza, sem saber o que poderia vir na sua direção nem quando.

— Então vamos nessa — falei. — Pro depósito.

Villanueva se afastou novamente do meio-fio. Sabia o caminho; tinha vigiado o depósito duas vezes, com Eliot. Dois longos dias. Ele se lançou para sudoeste pela cidade e se aproximou do porto pelo noroeste. Ficamos todos em silêncio. Não houve conversa. Tentei avaliar os danos. Eram totais. Um desastre. Mas era também uma liberação. Deixava tudo às claras. Não havia mais fingimento. O esquema tinha dissolvido. Eu tinha passado a ser o inimigo deles, pura e simplesmente. E eles, os meus. Era libertador.

Villanueva era um operador inteligente. Fazia tudo certo. Ele deu a volta no depósito num raio de três quadras. Cobriu todos os quatro lados. Ficamos limitados a breves entreolhadas por becos e lacunas entre as construções. Quatro vãos, quatro vislumbres. Não havia carros lá. A porta de correr estava fechada. Nenhuma luz nas janelas.

— Onde estão todos eles? — perguntou Duffy. — Esse aqui era para ser um fim de semana da pesada.

— E é — falei. — Acho que é muito da pesada. E acho que o que eles estão fazendo faz muito sentido.

— O que é que eles *estão fazendo*?

— Mais tarde — adiei. — Vamos lá dar uma olhada nas Persuaders. E vamos ver o que eles estão recebendo em troca.

Villanueva estacionou dois prédios a nordeste em frente a uma porta com uma placa que dizia *Taxidermia Fina e Importada do Brian*. Ele trancou

347

o Taurus, nós caminhamos no sentido sudoeste e demos a volta para chegar ao imóvel de Beck por trás, onde não havia janelas. A porta de serviço do depósito estava trancada. Espiei o interior através da janela do escritório dos fundos e não vi ninguém. Dei a volta e olhei pela sala de operações. Ninguém ali. Chegamos à porta cinza descascada e paramos. Estava trancada.

— Como a gente entra? — perguntou Villanueva.

— Com isso — respondi.

Tirei as chaves de Angel Doll do bolso e destranquei a porta. Abri. O alarme começou a apitar. Entrei e folheei os papéis no quadro de cortiça, encontrei a senha e a digitei. A luz vermelha ficou verde, o *bip* parou e o lugar ficou silencioso.

— Eles não estão aqui — disse Duffy. — Não temos tempo para explorar. Precisamos ir encontrar a Teresa.

Eu já conseguia sentir o cheiro de óleo lubrificante para arma. Estava flutuando bem ali acima do cheiro de algodão cru dos tapetes.

— Cinco minutos — falei. — Depois a ATF vai até te dar uma medalha.

— Eles deviam te dar uma medalha — disse Kohl.

Ela estava me ligando de um telefone público no campus da Universidade de Georgetown.

— Deviam?

— Nós o pegamos. Podemos garfar o cara. Ele está totalmente acabado.

— E quem era?

— Os iraquianos — respondeu ela. — Dá pra acreditar?

— Faz sentido, eu acho. Eles acabaram de tomar uma porrada e estão querendo se preparar pra próxima.

— Que audácia.

— Me conta o que aconteceu.

— A mesma coisa que a gente viu antes. Mas com maletas Samsonites, não Halliburtons. Pegamos vazias de um cara libanês e de um iraniano. Depois a gente achou nosso prêmio com o sujeito do Iraque. O projeto de verdade,

— Tem certeza?

— Absoluta — confirmou ela. — Liguei pro Gorowski, e ele inseriu uma autenticação numérica no canto inferior.

— Quem testemunhou a transferência?

— Nós dois. Eu e o Frasconi. Mais alguns estudantes e docentes. Eles fizeram a troca numa cafeteria universitária.

— Quais docentes?

— A gente arranjou um professor de direito.

— O que ele viu?

— A coisa toda. Mas ele não pode prestar juramento em relação à troca em si. Eles foram muito ardilosos, como se fosse um truque de mágica. As maletas eram idênticas. Isso é o suficiente?

Perguntas que eu queria ter respondido diferente. Era possível que Quinn alegasse que o iraquiano já tinha o projeto, de fontes desconhecidas. Que ele sugerisse que o cara simplesmente gostava de carregá-lo por aí. Que negasse que houve alguma troca. Mas aí eu pensei no sírio e no cara libanês e no iraniano. E em todo o dinheiro na conta bancária de Quinn. As vítimas enganadas estavam contrariadas. Elas poderiam estar dispostas a testemunhar a portas fechadas. O Departamento de Estado poderia oferecer uma espécie de troca de favores. E as digitais de Quinn estavam na maleta em posse do iraquiano. Ele não usaria luvas durante o encontro. Suspeito demais. No geral, achei que tínhamos o suficiente. Tínhamos um padrão claro, tínhamos dólares inexplicáveis na conta bancária de Quinn, tínhamos um projeto ultrassecreto do Exército dos EUA nas mãos de um agente iraquiano, tínhamos dois PEs e um professor de direito para relatar como o documento tinha chegado até eles e tínhamos impressões digital na alça da maleta.

— É o bastante — falei. — Vá fazer a prisão.

— Pra onde eu vou? — perguntou Duffy.

— Vou mostrar — respondi.

Passei por ela ao atravessar a área aberta. Entrei no escritório dos fundos. Fui até o cubículo do depósito. O computador de Angel Doll ainda estava ali na mesa. A cadeira ainda espalhava o estofamento por toda parte. Encontrei o interruptor e iluminei o pátio do depósito. Dava para ver tudo da divisória de vidro. Os racks de tapetes continuavam ali. A empilhadeira continuava ali. Porém, no meio do pátio, havia quatro pilhas de caixotes na altura da cabeça. Estavam separadas em dois grupos. Mais distantes da porta de correr, havia pilhas de caixas de madeira surradas, em que estavam grafadas com estêncil letras de alfabetos estrangeiros desconhecidos, a maioria cirílica, encobertas com rabiscos da direita para a esquerda em alguma língua árabe. Imaginei que aquelas eram as importações da Bizarre Bazaar. Mais perto da porta havia duas pilhas de caixotes novos pintados em inglês: *Mossberg Connecticut*. Devia ser o carregamento da Xavier Export Company a ser despachado. Importação-exportação, escambo na sua mais pura forma. *Troca justa não é roubo*, como Leon Garber teria dito.

— Não é tão enorme assim, né? — comentou Duffy. — Afinal, são cinco pilhas de caixas. Cento e quarenta mil dólares? Achei que fosse um negócio grande.

— Eu acho que é grande — discordei. — Em importância, talvez, mais do que em quantidade.

— Vamos dar uma olhada — disse Villanueva.

Fomos para o pátio do depósito. Ele e eu baixamos o caixote de Mossberg. Era pesado. Meu braço esquerdo ainda estava um pouco fraco. O centro do meu peito ainda doía. Ele fazia com que eu nem sentisse minha boca destruída.

Villanueva encontrou um martelo em cima de uma mesa. Usou-o para retirar os pregos da tampa do caixote. Em seguida, levantou a tampa e a colocou no chão. O caixote estava cheio de bolinhas de isopor. Enfiei as mãos e retirei uma arma comprida enrolada em papel-filme. Rasguei o papel. Era uma M500 Persuader. Modelo Cruiser. Sem coronha de ombro, só um cabo de pistola. Calibre doze, cano de dezoito polegadas e meia, tambor de três polegadas, capacidade de seis tiros, metal azulado, punho sintético frontal preto, sem mira. Era uma arma de rua sórdida, brutal, de curta distância. Movimentei a telha, *claque-claque*. Ela deslizou como seda na pele. Apertei o gatilho. Clicou como uma Nikon.

— Está vendo alguma munição? — perguntei.

— Aqui — respondeu Villanueva. Ele tinha uma caixa de munição Brenneke Magnum na mão. Atrás dele, havia uma caixa de papelão com dezenas de pacotes idênticos. Rasguei duas caixas, carreguei a arma com seis balas, mandei uma para a câmara e carreguei a sétima. Travei a arma, porque as Brennekes não eram brincadeira. Tinham um projétil de cobre sólido de 28 gramas que saía da Persuader a impecáveis 1.700 quilômetros por hora. Fariam um buraco num muro de blocos de concreto de um tamanho que seria capaz de eu passar. Pus a arma na mesa e desembrulhei mais uma. Carreguei-a, travei e coloquei ao lado da primeira. Peguei Duffy me olhando.

— É pra isso que elas servem — falei. — Arma vazia não é útil pra ninguém.

Coloquei os pacotes vazios de Brenneke na caixa de papelão e fechei a tampa. Villanueva estava examinando os caixotes da Bizarre Bazaar. Tinha alguns documentos nas mãos.

— Isso parece tapete pra você? — perguntou ele.

— Não muito — respondi.

— Já a alfândega acha que parece. Um cara chamado Taylor autorizou a passagem da mercadoria, alegando que são tapetes da Líbia tecidos à mão.

— Isso vai ajudar — falei. — Você pode entregar esse tal de Taylor pra ATF. Eles podem conferir as contas bancárias dele. Pode fazer com que vocês fiquem mais populares.

— Então o que é que tem neles de verdade? — perguntou Duffy. — O que eles fazem na Líbia?

— Nada — respondi. — Eles plantam tâmara.

— Essa coisa toda é russa — disse Villanueva. — Passou por Odessa duas vezes, foi importado pela Líbia, depois deu meia-volta e foi exportado direto pra cá. Em troca de duzentas Persuaders. Só porque alguém quer ficar com cara de durão nas ruas de Trípoli.

— E eles fazem um monte de coisa na Rússia — comentou Duffy.

Concordei com um gesto de cabeça e falei:

— Vamos ver o que, exatamente.

Eram nove caixotes em três pilhas. Peguei o caixote de cima da pilha mais próxima e Villanueva se ocupou dela com o martelo. Ele puxou a tampa e viu um monte de AK-74s em serragem de madeira. Fuzis Kalashnikov padrão, bastante usados. Ordinários até dizer chega, valendo cada um umas duzentas pratas, dependendo de onde estivessem sendo vendidos. E não eram armas da moda. Não conseguia ver nenhum dos caras de jaqueta da North Face trocando suas belas Heckler & Koch pretas foscas por eles.

O segundo caixote era menor. Estava cheio de serragem de madeira e submetralhadoras AKSU-74. Eram derivativas da AK-74. Eficientes, porém desajeitadas. Eram usadas também, mas bem-conservadas. Nada que gerasse entusiasmo. Não eram melhores do que uma meia-dúzia de equivalentes ocidentais. A OTAN não ia perder o sono por causa delas.

O terceiro caixote estava cheio de pistolas Makarov nove milímetros. A maioria arranhada e velha. Era uma imitação de design bruto e ineficiente da antiga Walther PP. As forças armadas soviéticas nunca tiveram uma grande tradição de armas pequenas. Eles achavam que usá-las era uma coisa tão antiquada quanto arremessar pedras.

— Isso é tudo bosta — concluí. — A melhor coisa a fazer com isso seria derreter e usar o material pra fazer âncoras.

Começamos a vasculhar a segunda pilha e encontramos algo muito mais interessante no primeiro caixote. Estava cheio de fuzis VAL Silent Sniper. Permaneceram secretos até 1994, quando o Pentágono capturou um. Eram pretos, de metal e tinham a coronha aberta. Eles disparavam violentos cartuchos subsônicos de nove milímetros. Testes demonstraram que eles penetravam qualquer colete à prova de balas que alguém optasse por usar a uma distância de 450 metros. Eu me lembro de eles terem despertado uma preocupação significativa na época. Havia doze. Mais doze na caixa seguinte. Eram armas de qualidade. E aparentavam estar boas. Essas ficariam muito bem nos caras de jaqueta da North Face. Especialmente as pretas com detalhes em prata.

— São caras? — perguntou Villanueva.

Dei de ombros e respondi:

— Difícil dizer. Depende daquilo que as pessoas estão dispostas a pagar, eu acho. Mas uma Vaime ou SIG equivalente nova nos EUA deve custar mais de cinco mil pratas.

— Então o valor todo da nota fiscal está aí dentro.

Concordei com um gesto de cabeça e falei:

— São armas das boas. Mas não têm muita utilidade na região centro-sul de Los Angeles. Então o valor de rua delas deve ser bem menor.

— Devíamos ir — disse Duffy.

Dei uns passos atrás para alinhar a vista através do vidro com a janela do escritório dos fundos. Estávamos no meio da tarde. Sombrio, porém ainda claro.

— Daqui a pouco — falei.

Villanueva abriu o último caixote na segunda pilha.

— Que merda é essa?

Cheguei perto. Vi um ninho de serragem de madeira. E um tubo preto fino com uma parte de madeira que servia como apoio de ombro. Um míssil acoplado na ponta. Tive que olhar duas vezes para ter certeza.

— É um RPG-7 — afirmei. — Um lançador de foguete antitanque. Uma arma de infantaria que fica apoiada no ombro na hora do disparo.

— RPG significa *rocket propelled grenade*, ou seja, é uma granada lançada por foguete — disse ele.

— Isso em inglês — continuei. — Em russo significa *reaktivniy protivotankovyi granatomet*, foguete lançador de granadas antitanque. Mas ele lança míssil, não granada.

— Tipo o penetrador por energia cinética? — perguntou Duffy.

— Mais ou menos — respondi. — Mas é explosivo.

— Ele explode tanques?

— Essa é a ideia.

— Então quem é que vai comprar isso do Beck?

— Não sei.

— Traficantes de drogas?

— É possível. Seria muito eficiente contra uma casa. Ou uma limusine blindada. Se o rival do cara tiver comprado uma BMW à prova de balas, o tal cara vai precisar de um desses.

— Ou terroristas — disse ela.

Assenti e completei:

— Ou os malucos de milícia.

— Isso é muito, muito sério.

— É difícil de mirar — falei. — O míssil é grande e lento. Nove a cada dez vezes um vento lateral leve faz você errar. Mas isso não é consolo pra quem é atingido por engano.

Villanueva arrancou a tampa seguinte.

— Outra — disse ele. — A mesma.

— A gente tem que ligar pra ATF — disse Duffy. — Provavelmente pro FBI também. Agora.

— Daqui a pouco — falei.

Villanueva abriu os dois últimos caixotes. Pregos guincharam, madeira rachou.

— Mais coisa esquisita — falou ele.

Olhei. Vi grossos tubos de metal pintados de amarelo-claro. Módulos eletrônicos colados na parte de baixo. Desviei o olhar.

— Grails — identifiquei. — Grails SA-7. Mísseis terra-ar russos.

— Guiados por calor?

— Isso mesmo.

— Pra derrubar aviões? — perguntou Duffy.

Fiz que sim e completei:

— E são muito bons contra helicópteros.

— Qual o alcance? — perguntou Villanueva.

— Funciona bem até uns dez mil pés — respondi.

— Dá pra derrubar um avião comercial.

Assenti e expliquei:

— Perto de um aeroporto. Logo depois de ele decolar. A pessoa pode usá-lo de um barco no East River. Imagina atingir um avião saindo do La Guardia. Imagina essa aeronave caindo em Manhattan. Seria como o 11 de Setembro todo de novo.

Duffy olhou para os tubos amarelos e comentou:

— Inacreditável.

— Isso não tem mais a ver com traficantes — comentei. — Eles expandiram o mercado. Isso tem a ver com terrorismo. Só pode ser. Este carregamento sozinho equiparia uma célula terrorista inteira. Eles poderiam fazer praticamente qualquer coisa com isso.

— A gente precisa saber quem está fazendo fila pra comprar esse material. E por que o querem.

Em seguida escutei o som de pés no chão à porta. O ruído de uma bala se alojando na câmara de uma pistola automática. E uma voz:

— A gente não pergunta pra que eles querem o material. Nunca perguntamos. Só queremos o maldito dinheiro.

14

ERA HARLEY. A BOCA DELE ME PARECIA UM BURACO IRREGU-lar acima do cavanhaque. Dava para ver os dentes amarelos. Estava segurando uma Para Ordnance P14 na mão direita. A P14 é uma cópia canadense muito boa da Colt 1911 e era pesada demais para ele. Harley tinha pulsos finos e fracos. Uma Glock 19 seria mais adequada, como a de Duffy.

— Vi as luzes acessas — disse ele. — Pensei em vir dar uma olhada. Depois ele olhou direto para mim e disse.

— Aposto que o Paulie fez merda. E que você imitou a voz dele quando o sr. Xavier te ligou.

Olhei para o dedo do gatilho. Estava na posição correta. Passei meio segundo puto comigo mesmo por tê-lo deixado entrar sem ser notado. Em seguida, comecei a tentar descobrir uma maneira de acabar com ele. Pensei: *Villanueva vai me xingar se eu acabar com ele antes de perguntarmos sobre Teresa.*

— Você não vai me apresentar pro pessoal? — disse ele.

— Este é o Harley — falei.

Todos ficaram calados.

— Quem é esse pessoal? — perguntou Harley.

Fiquei calado.

— Somos agentes federais — respondeu Duffy.

— Mas o que estão fazendo aqui? — perguntou Harley.

Ele fez a pergunta como se estivesse realmente interessado. Vestia um terno diferente, de um preto lustroso. Usava uma gravata prateada por baixo. Tinha tomado banho e lavado o cabelo. O rabo de cavalo estava preso com um elástico marrom normal.

— Estamos trabalhando — respondeu Duffy.

— O Reacher viu o que a gente faz com mulheres do governo. Viu com os próprios olhos.

— Você devia abandonar o barco agora, Harley — falei. — O esquema está todo desmoronando.

— Você acha?

— Eu sei.

— Que esquisito, porque não parece, pelo que a gente anda vendo nos sistemas de computador. A nossa amiga no saco preto ainda não contou nada. O pessoal ainda está esperando o primeiro relatório dela. Vamos ser realistas: parece até que eles se esqueceram completamente dela.

— A gente não tem nada a ver com os sistemas de computador.

— Melhor ainda — disse ele. — Vocês são freelancers, ninguém sabe que estão aqui, e eu peguei vocês todos.

— O Paulie também tinha me pegado.

— Com uma arma?

— Com duas.

Ele baixou os olhos por um segundo. Depois os levantou de novo.

— Eu sou mais esperto que o Paulie — afirmou. — Coloquem as mãos na cabeça.

Colocamos as mãos na cabeça.

— O Reacher tem uma Beretta — disse Harley. — Tenho certeza disso. Imagino que tem mais duas Glocks aqui. Muito provavelmente uma 17 e uma 19. Quero ver todas no chão, devagar e com delicadeza, uma de cada vez.

Ninguém se mexeu. Harley sombreou a P14 na direção de Duffy.

— A mulher primeiro — ordenou. — Indicador e polegar.

Duffy deslizou a mão esquerda para dentro da jaqueta e puxou a Glock, pendurada entre os dedos indicados. Ela a colocou no chão Dobrei o braço e comecei a movimentar a mão na direção do bolso.

— Espera — falou Harley. — Você não é confiável.

Ele se aproximou, estendeu o braço e pressionou o cano da P14 no meu lábio inferior, bem onde Paulie tinha batido. Em seguida, abaixou o braço esquerdo e vasculhou meu bolso. Tirou a Beretta. Jogou-a ao lado da Glock de Duffy.

— Você é o próximo — falou para Villanueva.

Harley manteve a P14, fria e dura, onde estava. Eu sentia a pressão do cano no dente bambo. Villanueva jogou a Glock no chão, e Harley juntou as três armas atrás de si com o pé antes de se afastar.

— Certo — disse ele. — Agora venham aqui pra perto da parede.

Ele nos fez girar até que fosse ele quem estivesse ao lado dos caixotes, e nós, enfileirados contra a parede dos fundos.

— A nossa equipe tem mais uma pessoa — revelou Villanueva. — Ela não está aqui.

Erro, pensei. Harley sorriu e disse:

— Então liga pra ele. Fala pra ele vir pra cá.

Villanueva ficou calado. Parecia ser o fim da linha. E que acabou virando uma armadilha.

— Liga pra ele — repetiu Harley. — Agora, senão começo a atirar.

Ninguém se mexeu.

— Ou você liga, ou eu meto uma bala na coxa da mulher.

— Ela é que tem telefone — disse Villanueva.

— Na minha bolsa — disse Duffy.

— E cadê a bolsa?

— No carro.

Boa resposta, pensei.

— Cadê o carro? — perguntou Harley.

— Aqui perto — respondeu Duffy.

— O Taurus estacionado perto daquele lugar que vende animal empalhado?

Duffy assentiu. Harley hesitou.

— Usa o telefone do escritório — decidiu. — Liga pro cara.

— Não sei o número — alegou Duffy.

Harley a ficou encarando.

— Está na agenda do celular — falou ela. — Não memorizei o número.

— Cadê a Teresa Daniel? — perguntei.

Harley apenas sorriu. *Pergunta feita e resposta dada*, pensei.

— Ela está bem? — perguntou Villanueva. — É bom que esteja.

— Ela está ótima — disse Harley. — Em perfeitas condições.

— Você quer que eu vá buscar o telefone? — perguntou Duffy.

— Todo mundo aqui vai — respondeu Harley. Depois de vocês arrumarem esses caixotes. Fizeram muita bagunça. Não deviam ter feito isso.

Ele caminhou até Duffy, colocou o cano da arma na têmpora dela e disse:

— Vou esperar bem aqui. E a mulher pode esperar aqui comigo, ser o meu seguro de vida.

Villanueva me dispensou um olhar. Dei de ombros. Parecia que tínhamos sido escalados para fazer o trabalho do oficial de suprimentos. Adiantei-me e peguei o martelo no chão. Villanueva pegou a tampa do primeiro caixote de Grail. Olhou para mim outra vez. Abanei minha cabeça somente o suficiente para ele perceber o gesto. Eu teria adorado enterrar o martelo na cabeça de Harley. Ou na boca. Resolveria os problemas dentais dele de uma vez por todas. Mas um martelo não era o suficiente contra um cara com uma arma na cabeça de uma refém. E, de qualquer maneira, eu tinha uma ideia melhor, que dependia de um espetáculo de submissão. Então fiquei segurando o martelo e aguardei educadamente Villanueva colocar a tampa no lugar acima do míssil grosso e amarelo. Eu a encaixei com o cutelo da mão até os pregos se acomodarem nos antigos buracos. Depois os martelei, me levantei e aguardei novamente.

Fizemos a mesma coisa com o segundo caixote de Grail. Nós a levantamos e a empilhamos novamente em cima da primeira. Depois cuidamos das RPG-7s. Pregamos as tampas e a empilhamos exatamente como as encontramos, então fizemos o mesmo com os fuzis VAL Silent Snipers. Harley nos vigiava com cuidado. Estava ficando mais relaxado, porém. Bancávamos os submissos. Villanueva parecia compreender a nossa intenção; sacou a situação depressa. Pegou a tampa do caixote de Makarovs. Parou um pouco antes de colocá-la no lugar.

— Alguém compra essas coisas? — perguntou ele.

Perfeito, pensei. O tom era conversacional e demonstrava perplexidade, além de ter um interesse profissional, bem como agiria um agente da ATF.

— Por que não comprariam? — perguntou Harley.

— Porque isso tudo é lixo — respondi. — Já tentou usar?

Harley negou com a cabeça.

— Vou te mostrar uma coisa — falei. — Ok?

Harley manteve a arma pressionada na têmpora de Duffy.

— Mostrar o quê?

Enfiei a mão no caixote e peguei uma das pistolas. Soprei-a para tirar a serragem de madeira e a levantei. Era velha e toda arranhada. Bem usada.

— Mecanismo muito tosco — comecei. — Eles simplificaram o design original da Walther. O estragaram, para falar a verdade. Ação dupla, igual à original, mas com um gatilho que é um pesadelo.

Apontei a arma para o teto, pus o dedo no gatilho e deixei só o polegar na coronha para exagerar o efeito. Pincei a mão e puxei o gatilho. O mecanismo rangeu como a marcha de um carro velho que se recusa a engatar, e a arma revirou desajeitadamente na minha mão.

— Lixo. — Repeti o movimento, escutei o ruído e deixei a arma revirar e balançar entre meus indicador e polegar. — Caso perdido. Não tem como acertar nada, a não ser que o alvo esteja bem do seu lado.

Joguei a arma de volta no caixote. Villanueva colocou a tampa na posição.

— Você devia ficar preocupado, Harley — avisou ele. — A sua reputação vai virar uma merda se colocar este tipo de lixo nas ruas.

— Não é problema meu — disse Harley. — A reputação não é minha. Só trabalho aqui.

Martelei os pregos, devagar, como se estivesse cansado. Começamos a fechar o caixote de AKSU-74s. As submetralhadoras velhas. Depois guardamos as AK-74s.

— Você podia vender essas aqui pra estúdios de cinema — disse Villanueva. — Pra produção de dramas históricos. É praticamente só pra isso que elas servem.

Martelei os pregos e empilhamos o caixote junto com os outros, até estarmos com todas as importações da Bizarre Bazaar de volta em uma pilha separada, igualzinho a como a tínhamos encontrado. Harley continuava a nos observar. Ainda estava com a arma na cabeça de Duffy. Mas o pulso tinha cansado, e o dedo já não estava mais tão firme no gatilho. Ele o tinha deslizado para cima e o posicionado na parte de cima do guarda-mato, pois ali ajudava a sustentar o peso. Villanueva empurrou o caixote de Mossberg pelo chão na minha direção. Pegou a tampa. Só tínhamos aberto um.

— Quase pronto — falei.

Villanueva pôs a tampa na posição.

— Segura aí — falei. — Deixamos duas na mesa.

Caminhei até elas e peguei a primeira Persuader. Olhei para ela.

— Está vendo isto? — comentei com Harley. Apontei para a trava. — Eles fizeram o envio delas com a trava acionada. Não deviam fazer isso. Pode estragar o percussor.

Destravei a arma, enrolei no papel-filme e enterrei no fundo das bolinhas de isopor. Voltei para pegar a segunda.

— Mesmíssima coisa — comentei.

— Vocês vão sair do ramo com certeza — afirmou Villanueva. — Seu controle de qualidade é uma porcaria.

Destravei a arma e fui até o caixote. Girei sobre o pé direito como um jogador de beisebol e puxei o gatilho. O tiro atravessou a barriga de Harley, a bala Brenneke estourando como uma bomba e literalmente cortando Harley no meio. Em um momento lá estava ele; no seguinte, não mais. Tinha se transformado em dois pedaços caídos no chão, o depósito cheio de fumaça acre e o ar, empapuçado com o fedor quente do sangue de Harley e do sistema digestivo dele. Duffy berrava, porque o homem bem ao lado dela tinha acabado de explodir. Meus ouvidos zumbiam. Duffy continuou gritando e saltou para longe da poça de sangue que se espalhava a seus pés. Villanueva a pegou e abraçou com força, eu engatilhei a Persuader e vigiei a porta para o caso de haver mais surpresas vindo na nossa direção. Não havia. A estrutura do depósito parou de ressoar, minha audição voltou e não sobrou nada com exceção de silêncio e da respiração profunda de Duffy.

— Eu estava bem do lado dele — disse ela.

— Não está mais — falei. — Por isso fiz o que fiz.

Villanueva a soltou, caminhou, se abaixou e foi pegar nossas armas no lugar no qual Harley as tinha deixado. Tirei a segunda Persuader carregada de dentro do caixote, a desembrulhei e travei novamente.

— Gostei muito delas — confessei.

— Parece que estão funcionando direitinho — comentou Villanueva.

Segurei as duas escopetas e coloquei a Beretta no bolso.

— Pega o carro, Terry — falei. — Deve ter alguém ligando pra polícia agora nesse exato instante.

Ele saiu pela porta da frente e olhou para o céu através da janela. Estava nublando, porém ainda havia muita luz do dia.

— E agora? — perguntou Duffy.

— Agora a gente vai pra algum lugar e espera — respondi.

Esperei por mais de uma hora, sentado à minha mesa, olhando para o telefone, aguardando a ligação de Kohl. Ela tinha previsto a ida de carro a Maclean levando 35 minutos. Sair do campus da Universidade de Georgetown devia ter acrescentado de cinco a dez minutos à viagem, dependendo do trânsito. Analisar a situação na casa de Quinn podia ter acrescentado mais dez. Deviam ter levado menos de um minuto para prendê-lo. Algemá-lo e levar para o carro, mais uns três. Cinquenta e nove minutos, do início ao fim. Mas já tinha se passado uma hora, e nada de ela ligar.

Comecei a ficar preocupado depois de setenta minutos. Comecei a ficar muito preocupado na altura dos oitenta. Exatamente aos noventa minutos, pedi um carro oficial e caí na estrada.

Terry Villanueva estacionou o Taurus no asfalto esburacado em frente à porta do escritório e o deixou ligado.

— Vamos ligar pro Eliot — falei. — Vamos descobrir pra onde ele foi e vamos pra lá esperar junto com ele.

— O que é que a gente está esperando? — perguntou Duffy.

— Escurecer — respondi.

Ela foi até o carro em ponto morto, pegou a bolsa e voltou com ela. Procurou o telefone no interior e ligou para Eliot. Cronometrei na cabeça. Uma chamada. Duas. Três. Quatro. Cinco. Seis.

— Ele não atende — disse Duffy.

Então o rosto dela se iluminou. E escureceu novamente.

— Caixa postal — revelou. — Tem algo errado.

— Vamos embora — falei.

— Pra onde?

Olhei para o meu relógio, olhei para o céu pela janela. *Cedo demais.*

— Pra estrada costeira.

Saímos do depósito, deixando as luzes apagadas e as portas trancadas. Havia muita coisa boa ali dentro para que o deixássemos aberto e acessível. Villanueva foi para o banco do motorista. Duffy ficou ao lado dele. Sentei atrás com as Persuaders no banco ao meu lado. Aceleramos para fora da área do porto. Passamos pelo lote onde Beck estacionava seus veículos. Chegamos à rodovia, passamos do aeroporto e nos distanciamos da cidade no sentido sul.

Saímos da rodovia e partimos para leste pela familiar estrada costeira. Não havia trânsito algum. O céu estava nublado e cinzento, e o vento que soprava do mar era forte o suficiente para uivar ao redor das laterais do para-brisa. Havia pingos de água no ar. Talvez fossem de chuva. Talvez respingos do mar, açoitados quilômetros terra adentro pela ventania. Ainda estava claro demais. *Cedo demais.*

— Tenta ligar pro Eliot de novo.

Duffy pegou o telefone. Usou o botão de discagem rápida. Pôs o celular na orelha. Escutei cinco toques baixinhos e o sussurro da caixa postal. Ela negou com a cabeça e desligou de novo.

— Certo — falei.

Ela girou o corpo no banco e perguntou:

— Tem certeza que está todo mundo na casa?

— Você reparou no terno do Harley?

— Preto — disse ela. — Vagabundo.

— Foi o mais próximo que ele conseguiu chegar de um smoking. Foi o que ele achou elegante pra sair à noite. E Emily Smith tinha um vestido de festa preto no escritório. Ela ia trocar de roupa. Já estava com um sapato elegante. Eu acho que vai ter um banquete.

— Keast & Maden — inferiu Villanueva. — O pessoal do bufê.

— Exatamente — concordei. — Comida de banquete. Dezoito pessoas a 55 dólares por cabeça. Hoje à noite. E a Emily Smith fez uma anotação no pedido. *Cordeiro, não porco*. Quem come cordeiro e não porco?

— Gente que se mantém kosher.

— E árabes — completei. — Líbios, talvez.

— Os fornecedores.

— Exatamente. Acho que estão prestes a consolidar a parceria comercial. Acho que todas aquelas coisas russas eram uma espécie de carregamento simbólico, uma demonstração. Mesma coisa com as Persuaders. Estavam mostrando um pro outro que os dois lados são capazes de honrar seu lado de acordo. Agora eles vão compartilhar o pão e começar a fazer negócios pra valer.

— Na casa?

Fiz que fim com a cabeça e concluí:

— É um lugar imponente. Isolado, muito dramático. E tem uma mesa de jantar grande.

Ele ligou o limpador de para-brisa. O vidro manchava e desmanchava. Era spray do mar que açoitava horizontalmente do atlântico. Cheio de sal.

— Mais uma coisa — falei.

— O quê?

— Eu acho que a Teresa Daniel é parte do acordo.

— O quê?

— Acho que vão vender a Teresa junto com as escopetas. Uma garota americana bonita. Acho que ela é o bônus de dez mil dólares.

Ninguém falou.

— Acho que a mantiveram alimentada, viva e intocada.

Pensei: *O Paulie não iria atormentar Elizabeth Beck se Teresa estivesse disponível pra ele. Com todo o respeito a Elizabeth.*

Ninguém falou.

— Eles provavelmente estão aprontando a Teresa agora — falei.

Ninguém comentou.

— Acho que ela vai ser enviada pra Trípoli como parte do acordo. Como um agrado.

Villanueva meteu o pé no acelerador. O vento uivou ainda mais alto ao redor das laterais do para-brisa e dos retrovisores. Dois minutos depois, chegamos ao local onde havíamos feito a tocaia para os guarda-costas. Ele diminuiu mais uma vez a velocidade. Estávamos a oito quilômetros da casa. Teoricamente, já estávamos visíveis das janelas dos andares de cima. Paramos de uma vez no centro da estrada e esticamos o pescoço para a frente e olhamos para o leste.

Usei um Chevrolet verde-oliva e cheguei a Maclean em 29 minutos. Parei no centro da estrada, duzentos metros antes da residência de Quinn. Ficava num loteamento tranquilo, verde e bem-cuidado que tostava preguiçosamente ao sol. As casas ficavam em terrenos de um acre, meio escondidas atrás de grossas cercas sempre-vivas. As entradas para as garagens eram bem pretas. Eu ouvia passarinhos cantando e um distante irrigador girando devagar e espalhando seus jatos d'água em ângulos de sessenta graus numa calçada encharcada. Vi gordas libélulas no ar.

Tirei o pé do freio e rastejei cem metros à frente. A casa de Quinn era ladeada por tábuas de cedro escuro. Tinha uma entradinha de pedras e murinhos também de pedra na altura dos joelhos limitando canteiros cheios de abetos e rododendros. Tinha janelas pequenas, e o jeito com que as calhas no teto encontravam-se com a parte de cima das paredes dava a impressão de que a casa estava agachada de costas para mim.

O carro de Frasconi estava parado na entrada da casa. Era um Chevrolet verde-oliva idêntico ao meu. Vazio. O para-choque dianteiro estava colado na porta da garagem de Quinn, que era baixa, comprida e tripla e estava fechada. Não havia som em lugar algum, com exceção dos pássaros, do irrigador distante e do zumbido de insetos.

Estacionei atrás do carro de Frasconi. O som dos pneus no asfalto quente dava a impressão de estarem molhados. Desci e tirei minha Beretta do coldre. Destravei-a e comecei a subir a entradinha de pedra. A porta da frente estava trancada. A casa estava em silêncio. Dei uma espiada lá dentro pela janela da entrada. Não vi coisa alguma além daquela mobília maciça e neutra comum em imóveis caros.

Caminhei até a parte de trás. O pátio era de piso de pedras, onde havia uma churrasqueira. Uma mesa de teca acinzentando-se às intempéries e quatro cadeiras. Um ombrelone esbranquiçado. Um gramado e muitos arbustos de sempre-vivas que requeriam pouco cuidado. Uma cerca de cedro manchada da mesma cor escura da madeira que ladeava a outra parte da casa tampava a vista do vizinho.

Conferi a porta da cozinha. Estava trancada. Olhei pela janela. Não enxerguei nada. Dei a volta pelo perímetro da parte de trás e cheguei à janela seguinte, onde não vi nada. Na janela seguinte, porém, vi Frasconi caído de costas.

Ele estava no meio do chão da sala. Havia um sofá e duas poltronas, tudo coberto com um tecido resistente cor de lama. O chão era acarpetado de uma parede à outra e combinava com o oliva do uniforme dele. Tinha levado um tiro na testa. Nove milímetros. Fatal. Mesmo pela janela eu conseguia discernir aquele único buraco encrostado e a cor opaca do crânio debaixo da pele. Havia um lago de sangue debaixo da cabeça. Tinha encharcado o carpete e já estava secando e ficando escuro.

Eu não queria entrar pelo térreo. Se Quinn ainda estivesse ali, estaria esperando no andar de cima, onde tinha vantagem tática. Então arrastei a mesa do pátio até a parte de atrás da garagem e subi nela para chegar ao telhado. Usei o telhado para me aproximar da janela do andar de cima. Apoiei o cotovelo para passar pela vidraça. Depois entrei de frente em um quarto de hóspedes. Tinha cheiro de mofo, de um lugar sem uso. Atravessei-o e saí num corredor. Fiquei parado e escutei. Não ouvi nada. A casa parecia completamente vazia. Havia um aspecto morto no ar. Uma total falta de som. Nenhuma vibração humana.

Mas eu sentia cheiro de sangue. Atravessei o corredor e encontrei Dominique Kohl no quarto principal. Estava de costas na cama. Completamente nua. As roupas rasgadas. Tinha sido espancada o bastante no rosto para deixá-la atordoada; depois, fora destroçada. Os seios arrancados com uma faca grande, que também tinha sido enfiada na carne macia debaixo do queixo dela até atravessar o céu da boca e chegar ao cérebro.

Eu já tinha visto muita coisa. Certa vez acordara depois de um ataque terrorista com parte do osso do maxilar de um homem enterrado na minha barriga. Tive que tirar a carne dele dos meus olhos para conseguir enxergar e me afastar de quatro. Engatinhei vinte metros em meio a pernas e braços arrancados, batendo o joelho em cabeças decepadas, a mão no abdômen para não deixar meus próprios intestinos saírem do corpo. Tinha visto homicídios e acidentes e homens metralhados em animosidades e pessoas reduzidas a pasta rosa em explosões e blocos retorcidos enegrecidos em incêndios. Mas nunca tinha visto nada tão terrível quanto o corpo destroçado de Dominique Kohl. Vomitei no chão e depois, pela primeira vez em mais de vinte anos, chorei.

— E agora? — disse Villanueva, dez anos depois.

— Vou entrar sozinho — falei.

— Vou com você.

— Não discute — impus. — Só me leva um pouco mais pra perto. E vai muito devagar.

Era um carro cinza em um dia cinza, e objetos lentos são menos perceptíveis que os rápidos. Ele tirou o pé do freio e encostou no acelerador. Começou a andar a uns quinze quilômetros por hora. Conferi a Beretta e os pentes sobressalentes. Quarenta e cinco balas, menos as duas disparadas no teto de Duke. Conferi as Persuaders. Quatorze balas, menos a disparada nas tripas de Harley. Um total de 56 balas contra menos de 18 pessoas. Não sabia quem estava na lista de convidados, mas Emily Smith e Harley com certeza não apareceriam.

— É burrice fazer isso sozinho — alegou Villanueva.

— É burrice fazer isso juntos — retruquei. — A abordagem vai ser suicida.

Ele não respondeu.

— Melhor vocês ficarem aqui fora — falei.

Villanueva não contestou. Ele queria me dar cobertura e queria Teresa, mas era inteligente o bastante para enxergar que andar na direção de uma casa fortificada e isolada com o fiapo final da luz do dia não seria nada divertido. Ele apenas manteve o carro movendo-se devagar. Depois tirou o pé do acelerador, pôs no ponto morto e o deixou parar sozinho. Ele não queria correr o risco de ser visto por causa do brilho da luz de freio na névoa. Estávamos a uns quinhentos metros da casa.

— Vocês esperam aqui — defini. — Enquanto a guerra durar.

Villanueva desviou o olhar.

— Me deem uma hora — pedi.

Esperei até que ambos concordassem com um gesto de cabeça.

— Depois liguem pra ATF, se eu não tiver voltado.

— Talvez seja melhor fazer isso agora — sugeriu Duffy.

— Não — contestei. — Quero uma hora antes disso.

— A ATF vai pegar o Quinn — argumentou ela. — Eles não vão deixar o cara se safar.

Lembrei daquilo que tinha visto e abanei a cabeça.

Quebrei todas as regras e ignorei todos os procedimentos protocolares. Saí da cena do crime sem reportá-la. Obstruí a justiça de todas as maneiras. Deixei Kohl no quarto e Frasconi na sala. Deixei o veículo deles lá. Voltei de carro até a minha sala, peguei uma Ruger Standard .22 com silenciador na reserva de armamento e fui procurar as pastas encaixotadas de Kohl. Meu instinto me dizia que Quinn faria uma parada antes de seguir para as Bahamas. Ele devia ter uma reserva de emergência em algum lugar. Talvez uma identidade falsa, talvez um maço de grana, talvez uma mala feita, talvez as três coisas. Ele não esconderia esse tipo de coisa no trabalho nem na casa que alugava. Era profissional demais para isso. Cuidadoso demais. Não: Quinn iria querer que esse material estivesse em um lugar seguro e distante. Eu apostava que era no lugar que ele tinha herdado no norte da Califórnia. Dos pais dele, o ferroviário e a mãe dona de casa. Ou seja: eu precisava do endereço.

A caligrafia de Kohl era perfeita. As duas caixas de papelão estavam cheias de anotações. Eram abrangentes. Meticulosas. E partiram meu coração. Encontrei o endereço da Califórnia em uma biografia de oito páginas que ela tinha preparado. Era uma casa com um número de cinco dígitos em uma rua atendida pelo correio de Eureka. Provavelmente um lugar isolado, bem longe da cidade. Fui até o ordenança da minha companhia e solicitei um monte de autorizações de viagem. Enfiei a minha Beretta e a Ruger com silenciador numa mochila de lona e fui de carro ao aeroporto. Lá, me deram papéis para assinar antes de deixarem que eu embarcasse com as armas carregadas. Eu não as despacharia. Achava que havia uma grande possibilidade de Quinn pegar o mesmo voo. Se o visse ao portão ou no avião, acabaria com ele ali mesmo.

Mas não o vi. Peguei um avião para Sacramento, caminhei pelo corredor depois da decolagem, analisei cada um dos rostos, e ele não estava ali. Depois fiquei sentado durante todo o voo. Apenas olhando para o nada. Os comissários de bordo ficaram bem longe de mim.

Aluguei um carro no aeroporto de Sacramento. Peguei a I-5 no sentido norte, depois a Rota 299 para o noroeste. Era uma estrada marcadamente pitoresca que serpenteava pelas montanhas. Eu não olhava para nada além da linha amarela à minha frente. Tinha ganhado três horas por cruzar três fusos horários, só que mesmo assim estava ficando escuro quando cheguei à fronteira de Eureka. Achei a estrada de Quinn. Era uma pista sinuosa que se estendia no sentido norte-sul no alto das colinas acima da U.S. 101. A rodovia dispunha-se longe de mim lá embaixo. Dava para ver os faróis fluindo para o norte. As lanternas traseiras seguindo para o sul. Imaginei que houvesse uma ferrovia em algum lugar lá embaixo. Quem sabe uma estação ou um armazém nas proximidades, de onde era conveniente para o velho pai de Quinn voltar quando estava trabalhando.

Encontrei a casa. Passei por ela sem diminuir a velocidade. Era uma cabana rude de um andar. No lugar da caixa de correio, tinha um latão de leite. O jardim da frente tinha virado um matagal uma década antes. Dei a volta quinhentos metros depois de passar e percorri duzentos metros no sentido contrário com o farol apagado. Estacionei atrás de uma lanchonete abandonada com o telhado caído. Saí e percorri cem metros colina acima. Caminhei trezentos metros na direção da casa e cheguei a ela por trás.

À luz do crepúsculo, dava para ver uma estreita varanda para o quintal e uma área desgastada ao lado onde era possível estacionar carros. Estava óbvio que se tratava do tipo de lugar que se usa a porta de trás, em vez de a da frente. Não havia luz lá dentro. Vi empoeiradas cortinas descoradas pelo sol meio fechadas às janelas. O lugar todo parecia vazio e sem uso. Dava para ver uns três quilômetros ao norte e ao sul e não havia carros na estrada.

Desci a colina a pé devagar. Circulei a casa. Escutei em todas as janelas. Não havia ninguém lá dentro. Calculei que Quinn estacionaria atrás e entraria pelos fundos, então arrombei a frente. A porta era fina e velha, e eu apenas a empurrei com força até a ombreira interna começar a ceder, depois forcei a tranca com um empurrão. A madeira estilhaçou, a porta abriu, eu entrei, fechei-a novamente e a escorei com uma cadeira. Pelo lado de fora, a impressão seria de que estava tudo inalterado.

O interior era bolorento e fazia fácil uns três graus menos do que do lado de fora. Estava escuro. Escutei uma geladeira funcionando na cozinha, então havia eletricidade. As paredes eram cobertas de papel de parede antigo. Estavam desbotados e amarelados. Eram apenas quatro cômodos. Uma cozinha e uma sala. Dois quartos. Um pequeno e o outro menor ainda. Imaginei que o menor tinha sido de Quinn, quando criança. Havia um banheiro solitário entre os quartos. Instalações brancas, com manchas de ferrugem.

Quatro cômodos e um banheiro tornam a busca facílima. Achei o que eu estava procurando quase imediatamente. Levantei um tapete esfarrapado no chão da sala e encontrei um alçapão quadrado que dava acesso a um buraco no assoalho. Se estivesse na entrada, eu o teria descoberto inspecionando o entrepiso. Mas estava na sala. Peguei um garfo na cozinha e o abri. Debaixo havia uma bandeja rasa de madeira entalhada entre as vigas de madeira. Na bandeja, uma caixa de sapatos embrulhada com uma folha de plástico opaco. Dentro da caixa de sapatos havia três mil dólares e duas chaves. Imaginei que as chaves fossem de caixas de depósito em bancos ou armários de bagagem. Peguei a grana e deixei as chaves no lugar. Depois coloquei a tampa do alçapão de volta, arrumei o tapete, escolhi uma poltrona e me sentei para aguardar com a Beretta no bolso e a Ruger atravessada no colo.

— Toma cuidado — disse Duffy.

— É claro.

Villanueva não falou nada. Desci do Taurus com a Beretta no bolso e segurando uma Persuader em cada mão. Atravessei, fui direto para o acostamento da estrada, me afastei o máximo possível nas rochas e comecei a seguir na direção leste. Ainda havia luz do dia atrás das nuvens, mas eu estava de preto, carregava armas pretas, não estava exatamente na estrada e achei que pudesse ter uma chance. O vento soprava com força na minha direção e havia água no ar. Eu conseguia ver o oceano adiante. Estava tempestuoso. A maré baixava. Eu conseguia escutar as ondas distantes quebrando com força e a longa sucção da contracorrente arrastando areia e cascalho.

Fiz uma pequena curva e vi que as luzes do muro estavam acesas, incandescentes e azul-esbranquiçadas contra o céu turvo. O contraste entre a luz elétrica e a escuridão do final da tarde além significava que eles me veriam cada vez menos, quanto mais perto eu chegasse. Então subi novamente para a estrada e comecei a correr devagar. Cheguei o mais perto que ousava, depois desci novamente e me agarrei nas rochas da costa. O oceano estava bem aos meus pés. Eu sentia o cheiro de alga marinha e sal. As pedras estavam escorregadias. As ondas espancavam, o spray subia até mim e a água redemoinhava furiosamente.

Fiquei parado. Respirei fundo. Dei-me conta de que não conseguiria dar a volta pelo muro nadando. Não desta vez. Seria loucura. O mar estava agitado demais. Eu não teria chance. Nenhuma chance. Seria arremessado de um lado para o outro como uma rolha, jogado contra as pedras e espancado até a morte. A não ser que a contracorrente me pegasse primeiro, puxasse, engolisse para as profundezas e me afogasse.

Não tenho como dar a volta, não tenho como passar por cima. Tenho que atravessar.

Subi as rochas novamente e entrei na faixa de luz o mais longe do portão que consegui. A partir do ponto onde as fundações lançavam-se na direção da água, me mantive bem perto do muro e caminhei ao longo dele. Estava banhado de luz. No entanto ninguém a leste do muro podia me ver porque ele estava entre mim e a casa e era mais alto do que eu. E todo mundo a oeste era amigo. Eu só tinha que me preocupar em não pisar nos sensores enterrados no chão. Dava os passos mais leves que conseguia e torcia para que eles não tivessem deixado nenhum tão próximo do muro.

Acabei concluindo que não, porque consegui chegar ao portão sem problemas. Arrisquei uma olhada lá dentro através da fresta nas cortinas da janela da frente e vi a sala iluminada e o substituto de Paulie muito ocupado relaxando no sofá quebrado. Era um cara que eu ainda não tinha visto. Tinha a idade e o tamanho parecidos com o de Duke. Devia estar próximo dos 40 e ser talvez um pouco mais magro do que eu. Passei mais um tempo calculando a altura dele. Isso seria importante. Uns cinco centímetros mais baixo do que eu, provavelmente. Estava de calça e jaqueta jeans e camiseta de malha branca. Obviamente não participaria da festinha. Ele era a Cinderela, que tinha a incumbência de vigiar o portão enquanto os outros festejavam. Eu torcia para que fosse o único. Torcia para que estivessem trabalhando com uma equipe escassa. Mas eu não apostaria nisso. Por mínima que fosse a precaução, teriam colocado um segundo cara na porta da frente da casa e talvez um terceiro lá em cima na janela de Duke. Porque sabiam que Paulie tinha fracassado. Sabiam que eu estava à solta em algum lugar.

Eu não podia me dar ao luxo de fazer o barulho que atirar no cara novo envolveria. As ondas batiam ruidosamente e o vento uivava, mas nenhum dos dois sons mascarariam o da Beretta. E nada na Terra mascararia uma Persuader disparando uma Brenneke Magnum. Então recuei alguns metros, coloquei as Persuaders no chão e tirei o casaco e a jaqueta. Depois tirei a camiseta e a enrolei com força no punho esquerdo. Encostei minhas costas nuas no muro e fui andando de lado até a beirada da janela. Com as unhas da mão direita, dei umas batidinhas de leve no canto de baixo do vidro, na parte que estava com a cortina, intermitentemente, pequeninas e baixas, como um camundongo faz quando corre pelo forro. Fiz isso quatro vezes e estava prestes a começar a quinta quando vi, no canto do olho, a luz na janela repentinamente ficar baixa. O que significava que o cara novo tinha saído do sofá e encostado o rosto contra o vidro para tentar ver que tipo de criaturinha estava lá fora o incomodando. Nesse momento eu me concentrei em calcular a altura exata, girei 180 graus e mandei um murro gigante de esquerda com o punho acolchoado, explodindo o vidro primeiro e o nariz do cara novo no milésimo de segundo seguinte. Ele desmoronou em um amontoado do lado de dentro do peitoril. Enfiei a mão pelo buraco que eu tinha feito, destranquei a janela, a abri e pulei lá para dentro. O cara estava caído de bunda no chão, com o nariz sangrando e o rosto cortado pelo vidro. Ele estava grogue. Havia uma arma no sofá, e o cara estava a menos de três metros dela. A quatro dos telefones. Ele sacudiu a cabeça para se recuperar e levantou o olhar para mim.

— Você é o Reacher — disse. Havia sangue na boca dele.

— Correto.

— Você não tem a menor chance — falou ele.

— Você acha?

Ele assentiu.

— A ordem é atirar pra matar.

— Em mim?

Ele assentiu de novo.

— Ordem pra quem?

— Todo mundo.

— Ordem do Xavier?

Ele assentiu mais uma vez. Colocou as costas da mão debaixo do nariz.

— As pessoas vão obedecer a essa ordem? — perguntei.

— Com certeza.

— Você vai?

— Acho que não.

— Promete?

— Acho que sim.

— Tá bom.

Fiquei em silêncio por um momento e pensei em fazer mais algumas perguntas. Ele podia ficar relutante. Só que eu podia dar uns tapas no sujeito e conseguir todas as respostas que ele tivesse. Mas acabei chegando à conclusão de que aquelas respostas não importavam muito. Não fazia nenhuma diferença prática para mim se havia dez, ou vinte, ou quinze inimigos na casa e quais armas eles tivessem. *Atira pra matar. É eles ou eu.* Então apenas me afastei e fiquei tentando decidir o que fazer com o cara quando ele tomou a decisão por mim ao voltar atrás na promessa que tinha feito. Levantou-se do chão e mergulhou na direção da arma no sofá. Eu o peguei com soco rápido e forte de esquerda na garganta. Foi um murro firme e sortudo. Não para ele, porém, que teve a laringe estraçalhada. Ele caiu no chão novamente e sufocou. Foi relativamente rápido. Aproximadamente um minuto e meio. Não havia nada que eu pudesse fazer. Não sou médico.

Fiquei imóvel durante um minuto, depois vesti a camiseta novamente, saí pela janela, peguei as escopetas, a jaqueta, o casaco, entrei de novo, atravessei a sala e olhei para a casa lá fora pela janela dos fundos.

— Merda — xinguei e desviei o olhar.

O Cadillac estava estacionado na rotatória. Eliot não tinha ido embora. Nem Elizabeth, nem Richard, nem a cozinheira. Isso inseria três não combatentes na mistura. E a presença de não combatentes faria com que qualquer ataque fosse cem vezes mais difícil. E aquele ali, de início, já era difícil o bastante.

Olhei de novo. Ao lado do Cadillac havia um Lincoln Town Car preto. Ao lado do Town Car, dois Suburbans azul-escuros. Não havia nenhuma van de bufê. Talvez tivesse dado a volta pela lateral e estava à porta da cozinha. Talvez fosse chegar mais tarde. Ou talvez nem mesmo apareceria ali. Talvez não houvesse banquete. Talvez eu tivesse errado tudo na interpretação da situação.

Olhei através das luzes hostis no muro para a penumbra ao redor da casa. Não vi nenhum guarda na porta da frente. Por outro lado, fazia frio, e o ar estava úmido o suficiente para que qualquer pessoa com o mínimo de bom-senso estivesse dentro no saguão vigiando através do vidro. Não vi ninguém na janela de Duke. Porém ela estava aberta, exatamente do jeito que eu a tinha deixado. Presumivelmente, a NSV ainda estava pendurada ali pela corrente.

Olhei para os veículos outra vez. O Town Car podia ter entrado com quatro pessoas. Os Suburbans, sete cada. Dezoito pessoas, no máximo. Talvez quinze ou dezesseis convidados e dois ou três guarda-costas. Mas podiam ser apenas três motoristas. Talvez eu estivesse completamente errado.

Só existe um jeito de descobrir.

E essa era a parte mais difícil. Eu tinha que atravessar as luzes. Ponderei achar o interruptor e apagá-las. Mas isso seria um alerta precoce instantâneo para as pessoas na casa. Cinco segundos depois de apagadas eles estariam ao telefone perguntando ao guarda no portão o que tinha acontecido. E o guarda no portão não poderia responder, porque o guarda no portão estava morto. Como consequência, eu teria quinze pessoas ou mais fervilhando atrás de mim na penumbra. Muito fácil evitar a maioria. Mas o difícil seria saber quem evitar e quem pegar. Porque eu tinha certeza de que, se eu deixasse Quinn escapar de mim, nunca mais o veria.

Então eu tinha que agir com as luzes acesas. Duas possibilidades. Uma era correr direto na direção da casa. Isso diminuiria o tempo que eu passaria iluminado. Mas envolveria movimentação rápida, e movimentação rápida salta aos olhos. A outra possibilidade seria avançar pelo muro todo o caminho até o oceano. Cinquenta metros, lentamente. Seria agonizante, mas provavelmente era a melhor opção.

Porque as luzes estavam instaladas no muro, apontadas para longe dele. Havia um túnel escuro entre o muro e a beirada inferior dos feixes de luz. Era um triângulo apertado. Eu podia engatinhar ao longo, bem na base da estrutura. Devagar. Através do campo de tiro da NSV.

Abri lentamente a porta dos fundos. Não havia luz no portão em si. Elas começavam vinte metros à minha direita, onde a parede da casa do portão tornava-se o muro que cercava o terreno. Coloquei o corpo um pouco para fora e me agachei. Virei noventa graus para a direita e procurei meu túnel. Ele estava ali. Tinha menos de um metro de largura no nível do chão. Ele se estreitava até se fechar na altura da cabeça e não era muito escuro. O chão refletia alguma luz e feixes brilhantes aqui e ali saíam da parte de trás das lâmpadas. O túnel estava no meio termo entre escuridão total e iluminação brilhante.

Arrastei-me para a frente de joelhos, estiquei o braço para trás e fechei a porta. Segurei as Persuaders uma em cada mão, me joguei sobre a barriga e pressionei o ombro direito com força na base do muro. Esperei. Somente tempo o bastante para alguém que achasse que viu a porta se mexer perder o interesse. Depois comecei a me arrastar. Devagar.

Percorri aproximadamente três metros. Parei novamente. Rápido. Ouvi um veículo na estrada. Não um Sedan. Algo maior. Talvez outro Suburban. Inverti a direção. Rastejei empenhado de volta até a porta dos fundos da casa do portão, fiquei de joelhos, a abri, entrei e me levantei. Pus as Persuaders numa cadeira e tirei a Beretta do bolso. Eu conseguia escutar um belo V-8 em ponto morto do outro lado do portão.

Decisões. Quem quer que estivesse ali aguardava pelos serviços do guarda do portão. E eu apostava que quem quer que estivesse lá fora saberia que eu não era o porteiro de verdade. Ou seja, eu teria que desistir de rastejar. Cheguei à conclusão de que agiria do jeito barulhento. Atiraria neles, tomaria o veículo e iria até a casa com tudo antes que o sujeito na NSV pudesse reagir. Depois, arriscar tudo no caos que se seguiria.

Voltei à porta dos fundos. Destravei a Beretta e respirei fundo. Eu tinha a vantagem inicial. Já sabia exatamente o que fazer. Todo mundo lá fora teria que reagir. E isso levaria um segundo — um tempo longo demais para eles.

Então me lembrei da câmera na coluna do portão. Do monitor de vídeo. Eu poderia ver exatamente com quem estava lidando. Contar as cabeças. *Um homem prevenido vale por dois.* Cheguei perto dos monitores e dei uma conferida na imagem cinza e embaçada. Era uma van. Com um escrito na lateral. *Keast & Maden.* Respirei aliviado. Não havia motivo para que conhecessem o porteiro. Coloquei a Beretta de volta no bolso. Tirei a jaqueta e o casaco. Arranquei o negócio jeans do corpo do cara do portão e o vesti. Ficou apertado, e havia sangue nele. Mas até que ficou convincente. Saí pela porta, mantive as costas para a casa e tentei dar a impressão de que era cinco centímetros mais baixo. Caminhei até o portão. Dei um golpe para cima na tranca do mesmo jeito que Paulie costumava fazer e abri tudo. A van branca avançou e emparelhou comigo. A pessoa no banco do passageiro abaixou o vidro. Estava de smoking. O cara ao volante estava de smoking. *Mais não combatentes.*

— Pra onde? — perguntou o passageiro.

— Dá a volta na casa pela direita — respondi. — A porta da cozinha fica lá nos fundos.

A janela subiu novamente. A van passou. Acenei. Fechei o portão. Voltei ao chalé e observei a van da janela. Ela seguiu direto na direção da casa e depois virou à direita na rotatória. Os feixes do farol dela correram sobre o Cadillac, o Town Car e os dois Suburbans. Vi o lampejo da luz de freio, e ela saiu de vista.

Aguardei dois minutos. Queria que escurecesse mais. Depois troquei de roupa e pus de novo o casaco e a jaqueta e catei as Persuaders na cadeira. Abri a porta com cuidado, engatinhei para fora, fechei e me joguei de barriga. Pressionei o ombro contra a base da parede e comecei a rastejar tudo de novo. Mantinha o meu rosto virado para o lado contrário da casa. Havia pedrinhas no chão e eu as sentia fincar em meus cotovelos e joelhos. Mas o que mais me incomodava era um latejar nas minhas costas. Elas estavam viradas para uma arma que podia disparar doze balas de meia polegada por segundo. Provavelmente havia um cara durão lá atrás com as mãos apoiadas de leve nos punhos da metralhadora. Eu estava com a esperança de que ele erraria a primeira rajada. Provavelmente erraria; atiraria muito para baixo ou muito para cima. Em consequência disso, eu levantaria e sairia correndo em zigue-zague em direção à escuridão antes de ele conseguir mirar para arriscar um disparo melhor.

Fui me adiantando centímetro a centímetro. Dez metros. Quinze. Vinte. Mantive o movimento bem lento. O rosto virado para o muro. Torcia para estar parecido com uma sombra indistinta na penumbra. Aquilo era completamente contraintuitivo. Eu combatia uma vontade poderosa de levantar e sair correndo. Meu coração batia adoidado no peito, e eu suava, mesmo com o frio que fazia. O vento me agredia, vindo do mar, atingindo o muro e escorrendo por ele como uma onda que tentava me fazer rolar para fora, na direção do lugar em que as luzes eram mais fortes.

Segui em frente. Estava mais ou menos na metade do caminho. Percorrera aproximadamente trinta metros, e havia mais uns trinta adiante. Meus cotovelos estavam doloridos. Meus braços estavam sofrendo o tranco de ficar segurando as Persuaders acima do chão. Parei para descansar. Simplesmente soltei o corpo na terra. Tentei ficar parecido com uma pedra. Virei a cabeça e arrisquei uma olhada na direção da casa. *Ponto sem volta.* Continuei a rastejar. Tinha que me forçar para manter a velocidade baixa. Quanto mais perto da casa eu chegava, mais eu sentia aquele formigamento nas costas. Estava ofegando, quase em pânico. A adrenalina fervilhava, gritando *corre, corre.* Eu arfava, ofegava e forçava as pernas a permanecerem coordenadas. A permanecerem *lentas.* Quando cheguei a dez metros da ponta, comecei a acreditar que conseguiria ir até o fim. Parei. Respirei fundo. Uma vez mais. Retomei o progresso. O terreno se inclinou para baixo e continuei avançando de frente. Cheguei à água. Senti lodo sob mim, pequenas ondas me atingindo e o borrifo dos respingos de água. Fiz uma curva de noventa graus para a esquerda e parei. Eu estava bem na margem do campo de visão de qualquer pessoa, mas precisava atravessar trinta metros de luz forte. Desisti de manter a lentidão. Abaixei a cabeça, levantei, fiquei encurvado e saí em disparada.

Demorei uns quatro segundos para percorrer todo o caminho, iluminado como nunca antes na vida. A sensação foi de que a corrida durou quatro vidas. Eu estava cego. Depois me agachei de novo na escuridão e fiquei à escuta. Não ouvi nada além do mar bravio. Não vi nada além de manchas roxas nos olhos. Dei mais dez passos cambaleantes na direção das rochas e parei. Olhei para trás. *Estava dentro.* Sorri no escuro. *Quinn, estou indo pegar você.*

15

EZ ANOS ATRÁS, ESPEREI DEZOITO HORAS POR ELE. Nunca duvidei de que apareceria. Fiquei sentado na poltrona com a Ruger no colo e esperei. Não dormi. Mal pisquei. Apenas fiquei sentado. A noite inteira. A madrugada inteira. A manhã seguinte inteira. O meio-dia chegou e se foi. Permaneci sentado e esperei.

Ele chegou às duas da tarde em ponto. Escutei um carro diminuir a velocidade na estrada, levantei, fiquei bem afastado da janela e o observei entrar. Estava num carro alugado, similar ao meu. Era um Pontiac vermelho. Eu o vi nitidamente através do para-brisa. Estava de banho tomado e arrumado, com o cabelo penteado. Vestia uma camisa azul com o colarinho aberto. Sorria. O carro passou pela lateral da casa e eu o escutei parar dando uma leve derrapada na terra em frente à cozinha. Caminhei até a entrada. Fiquei bem encostado na parede ao lado da porta da cozinha.

Escutei a chave na fechadura. Escutei a porta ser aberta. As dobradiças guincharam em protesto. Ele a deixou aberta. Escutei o carro em ponto morto do lado de fora. Não o tinha desligado. Não planejava se demorar. Escutei os passos dele no linóleo da cozinha. Passos rápidos, leves e confiantes. De um homem que achava que estava jogando e vencendo. Ele passou pela porta. Dei-lhe uma cotovelada na lateral da cabeça.

Ele caiu de costas no chão, eu abri a mão e o agarrei pela garganta. Pus a Ruger de lado e o revistei. Estava desarmado. Soltei a garganta; ele levantou a cabeça e eu a soquei no chão de novo com o lado da mão debaixo do queixo dele. A parte de trás da cabeça bateu no chão, e os olhos rodopiaram. Fui até a cozinha e fechei a porta. Voltei e o arrastei para a sala pelos pulsos. Joguei-o no chão e dei dois tapas nele. Apontei a Ruger no meio da cara dele e esperei os olhos se abrirem.

Eles abriram e focaram primeiro a arma, depois eu. Eu estava de uniforme e todo coberto de insígnias de patente e designações de unidades, de modo que ele não levou muito tempo para saber quem eu era e por que estava ali.

— Espera — pediu ele.

— Pra quê?

— Você está cometendo um equívoco.

— Estou?

— Você entendeu errado.

— Entendi?

Ele assentiu e explicou:

— Eles estavam recebendo um por fora.

— Quem?

— O Frasconi e a Kohl.

— Estavam?

Ele fez que sim novamente e continuou:

— Aí ele tentou sacanear a garota.

— Como?

— Posso sentar?

Neguei com a cabeça. Mantive a arma onde estava e respondi:

— Não.

— Eu estava trabalhando disfarçado em uma operação — disse ele. — Junto com o Departamento de Estado. Contra embaixadas hostis. Fazendo um arrastão.

— E a filha do Gorowski?

Ele abanou a cabeça com impaciência e disse:

— Não aconteceu nada com a porcaria da menina, seu idiota. O Gorowski tinha um roteiro pra seguir, só isso. Era uma armação. Pro caso dos inimigos o investigarem. Nós armamos essas coisas com precisão. Precisa existir uma cadeia a ser seguida pro caso de alguma suspeita ser levantada. A gente estava até entregando uns documentos pra eles e tudo mais. Pro caso de estarmos sendo vigiados.

— E o Frasconi e a Kohl?

— Eles eram bons. Eles me pegaram bem rápido. Achavam que eu era desonesto. O que me deixou lisonjeado. Porque isso significava que eu estava fazendo a minha parte muito bem. Aí eles debandaram pro mau caminho. Vieram a mim e disseram que iam atrasar a investigação se eu pagasse. Disseram que iam me dar tempo pra fugir do país. Acharam que eu queria fazer isso. Aí eu pensei, ei, porque não fingir entrar na deles? Afinal, quem sabe de antemão quantos bandidos um arrastão pode pegar? E quanto mais, melhor, não é mesmo? Então fui na deles.

Fiquei calado.

— A investigação estava lenta, não estava? — perguntou ele. — Você deve ter percebido isso. Semanas e mais semanas. Estava lenta.

Lerda que nem lesma.

— Aí ontem aconteceu aquilo lá — disse ele. — Fiz o esquema com os sírios, os libaneses e os iranianos. Depois com os iraquianos, que eram os peixes grandes. Aí achei que ia pegar o pessoal da sua equipe também. Eles apareceram pra receber o pagamento final. Era muito dinheiro. Mas o Frasconi quis tudo. Ele bateu na minha cabeça. Voltei a mim e vi que ele tinha picado a Kohl. Ele era louco, acredite. Peguei uma arma numa gaveta e atirei.

— Então por que você fugiu?

— Porque eu estava assustado. Sou do Pentágono. Nunca tinha visto sangue antes. Eu não sabia quem mais podia estar naquilo com o seu pessoal. Podia ter mais gente.

Frasconi e Kohl.

— Você é muito bom — elogiou ele. — Veio direto pra cá.

Concordei com um gesto de cabeça. Pensei de novo na biografia de oito páginas sobre ele, na caligrafia imaculada de Kohl. *Profissão dos pais, casa da infância.*

— De quem foi a ideia? — interroguei.

— Originalmente? — perguntou ele. — Do Frasconi, é claro. Ele tem patente mais alta que a dela.

— Qual era o nome dela?

Vi algo faiscar nos olhos dele.

— Kohl — respondeu ele.

Ela tinha saído para fazer a prisão de uniforme de gala. Uma placa de acetato preta com o nome acima do seio direito. *Kohl.* Gênero neutro. *Uniforme, militar feminina, a placa com o nome é ajustada levando em consideração as diferenças individuais e fica centralizada horizontalmente no lado direito, de três a cinco centímetros acima do botão superior do casaco.* Ele a teria visto assim que Kohl entrasse pela porta.

— Primeiro nome?

Ele ficou em silêncio por um instante, depois respondeu:

— Não me recordo.

— Primeiro nome do Frasconi?

Uniforme, oficial masculino, a placa com o nome fica centralizada na aba do bolso do peito direito equidistante entre a costura e o botão.

— Não me recordo.

— Tenta — insisti.

— Não consigo me recordar — disse ele. — É só um detalhe.

— Três em dez — falei. — Vou te dar nota 3.

— O quê?

— Esse seu teatro. Você foi reprovado.

— O quê?

— O seu pai era ferroviário — afirmei. — A sua mãe, dona de casa. Seu nome completo é Francis Xavier Quinn.

— E?

— As investigações são assim — expliquei. — Quando planejamos pegar alguém, descobrimos tudo sobre a pessoa antes. Você estava de esquema com aqueles dois há semanas e não sabe os primeiros nomes deles? Nunca procurou a ficha militar deles? Nunca fez anotação nenhuma? Nunca preencheu nenhum relatório?

Ele ficou calado.

— E o Frasconi nunca teve uma ideia própria na vida — continuei. — Se ninguém mandasse, nem cagar ele ia. Ninguém conectado àqueles dois falaria *Frasconi e Kohl.* Falaria *Kohl e Frasconi.* Você está mais sujo que pau de galinheiro e nunca viu o meu pessoal na sua vida antes do exato minuto em que eles apareceram na sua casa para te prender. E você matou os dois.

380

Ele provou que eu estava certo ao tentar me bater. Eu estava preparado. Ele começou a se levantar, eu o bati de encontro ao chão de novo com muito mais força do que o necessário. Quinn ainda estava inconsciente quando o coloquei no porta-malas do carro dele. Ainda inconsciente quando o transferi para o meu, atrás da lanchonete abandonada. Percorri uma parte curta da rodovia U.S. 101 no sentido sul antes de entrar à direita numa estrada que levava ao Pacífico. Parei num acostamento de cascalho. A vista era fabulosa. Eram três da tarde; o sol brilhava e o oceano estava azul. O acostamento tinha uma barreira de metal na altura do joelho antes de meio metro de cascalho. Depois disso, somente uma queda longa até o oceano. O trânsito estava bem leve. Talvez um carro a cada dois minutos. A estrada era apenas um contorno arbitrário fora da rodovia.

Abri o porta-malas e o bati com força novamente só para o caso de ele estar acordado e planejando saltar em mim. Mas não estava. Sentia falta de ar e estava quase inconsciente. Arrastei-o para fora, o escorei nas pernas moles e o fiz caminhar. Deixei-o olhando para o oceano por um minuto enquanto conferia se havia testemunhas em potencial. Não havia. Então eu o virei. Afastei-me cinco passos.

— O nome dela era Dominique — revelei.

E atirei nele. Duas vezes na cabeça, uma no peito. Eu imaginei que ele desmoronaria ali mesmo no cascalho, onde eu planejava me aproximar e meter uma quarta bala na órbita ocular antes de jogá-lo no oceano. Mas ele não desmoronou no cascalho. Cambaleou para trás, tropeçou na proteção, caiu por cima dela, bateu de ombro no último meio metro dos Estados Unidos e rolou penhasco abaixo. Agarrei a barreira com uma mão, me inclinei e olhei para baixo. Vi quando bateu nas rochas. A rebentação o cobriu. Não o vi mais. Fiquei lá durante um minuto. Pensei: *dois na cabeça, um no coração, uma queda de 35 metros dentro do oceano. Não existe possibilidade de sobreviver a isso.*

Recolhi os estojos.

— Dez-dezoito, Dom — disse a mim mesmo antes de caminhar de volta para o carro.

Dez anos depois, o sol se punha muito rápido enquanto eu escolhia o caminho que faria pelas rochas atrás das garagens. O mar se erguia e se agitava com violência à minha direita. O vento fustigava o meu rosto. Eu não esperava que houvesse alguém perambulando por ali, principalmente nas laterais e nos fundos da casa, então me movimentava rápido, com a cabeça erguida, alerta, e uma Persuader em cada mão. *Estou indo te pegar, Quinn.*

Quando cheguei à parte de trás das garagens, pude ver a van do serviço de bufê estacionada no canto posterior da casa, exatamente onde Harley tinha parado o carro para retirar a empregada de Beck do porta-malas. As portas de trás da van estavam abertas, pois o motorista e o passageiro iam e voltavam para descarregá-la. O detector de metal na porta da cozinha apitava toda vez que entravam com uma vasilha de metal. Eu estava com fome. Sentia cheiro de comida quente no vento. Os dois sujeitos estavam de smoking e permaneciam com as cabeças baixas por causa do vento. Não prestavam atenção em nada a não ser no trabalho. De qualquer maneira, mantive distância, permaneci na beirada das rochas e fiz o contorno. Pulei a fenda usada por Harley e segui em frente.

Quando me vi o mais distante possível do pessoal do bufê, fiz a curva e segui na direção dos fundos da casa no lado oposto. Eu me sentia muito bem, silencioso e invisível, como uma espécie de força primitiva, vindo do mar. Parei para calcular quais eram as janelas da sala de jantar. Encontrei. As luzes do cômodo estavam acesas. Cheguei perto e arrisquei uma olhada pelo vidro.

A primeira pessoa que vi foi Quinn. Ele estava de pé, parado bem ereto e vestindo um terno escuro. Segurava um copo. Seu cabelo estava todo grisalho. As cicatrizes na testa eram pequenas, rosadas e brilhantes. Ele parecia um pouco encurvado. Tinha engordado um pouco. Estava dez anos mais velho.

Ao lado dele vi Beck, também de terno e segurando um copo, ombro a ombro com o chefe. Juntos, eles estavam virados para três caras árabes, por sua vez baixos e com cabelos curtos e oleosos, usando roupas americanas. Terno de sharkskin azul-acinzentado. Também seguravam copos.

Atrás deles, Richard e Elizabeth Beck, de pé, conversavam. Aquele negócio todo parecia um coquetel à beira da mesa de jantar gigante, posta para dezoito pessoas. Era muito formal. Cada lugar tinha três copos e talheres suficientes para uma semana de refeições. A cozinheira atravessava a sala alvoroçada com uma bandeja de bebidas. Vi que havia taças de champanhe e copos de uísque. Ela estava de saia branca e blusa escura. Tinha sido relegada a garçonete de coquetel. Talvez o expertise dela não se estendesse à culinária árabe.

Teresa Daniel não estava à vista. Talvez estivessem planejando fazê-la sair do bolo mais tarde. Os outros ocupantes da sala eram todos homens. Três. Os melhores capangas de Quinn, provavelmente. Era um trio aleatório. Uma mistura. Caras fechadas, mas provavelmente não mais perigosos do que tinham sido Angel Doll e Harley.

Então, dezoito lugares, mas apenas dez presentes. Oito ausentes. Duke, Angel Doll, Harley e Emily Smith eram quatro. O cara que mandaram substituir Paulie provavelmente era o quinto. Isso fazia com que faltassem três. Um na porta da frente, um na janela do quarto de Duke e um com Teresa Daniel, provavelmente.

Fiquei do lado de fora, examinando o interior. Já fui muitas vezes a coquetéis e jantares formais. Em alguns quartéis, eles eram muito comuns. Calculei que aquelas pessoas ficariam ali três, quatro horas, no mínimo, e não sairiam a não ser para idas ao banheiro. Quinn estava falando. Ele gerenciava contato visual com os três árabes de forma meticulosa. Tagarelava sem parar. Sorria, gesticulava, ria. Parecia um cara que estava jogando e vencendo. Mas não estava. Os planos tinham sido interrompidos. Um banquete para dezoito pessoas tinha se transformado em um jantar para dez, porque eu ainda estava na ativa.

Abaixei a cabeça embaixo da janela e engatinhei até a cozinha. Fiquei de joelhos, tirei o casaco e deixei as Persuaders embrulhadas nele num lugar em que podia encontrá-las novamente. Depois me levantei e entrei direto na cozinha. O detector de metal apitou por causa da Beretta no meu bolso. Os caras do bufê estavam lá. Faziam algo com papel alumínio. Cumprimentei-os com um gesto de cabeça como se morasse ali e fui direto para o saguão. Meus passos não faziam barulho nos tapetes grossos. Eu ouvia o ruído de fundo da conversa que vinha do coquetel na sala de jantar. Vi um cara à porta da frente. De costas para mim, olhava para fora pela janela. Estava encostado de ombro na beirada do vão. As luzes distantes do muro desenhavam uma auréola azul naquele cabelo. Caminhei sem titubear até as costas dele. *Atira pra matar. É eles ou eu.* Parei por um segundo. Estiquei o braço e segurei o queixo dele com a mão direita. Coloquei as articulações dos dedos esquerdos na base de seu pescoço. Dei um puxão para cima e para trás com a mão direita, empurrei para frente e para baixo com a esquerda e quebrei a coluna dele na quarta vértebra. Ele despencou sobre mim. Eu o segurei por debaixo dos braços, levei para a saleta de Elizabeth Beck e o joguei no sofá. O *Doutor Jivago* ainda estava ali numa mesinha.

Um a menos.

Fechei a porta da saleta e fui até a escada. Subi, rápido e rasteiro. Parei em frente ao quarto de Duke. Eliot estava estatelado logo além da porta. Morto. De costas. O blazer estava aberto, e a camisa, dura por causa do sangue e cheia de buracos. Os tapetes abaixo estavam encrostados. Caminhei até ele, e olhei para dentro do quarto de trás da porta. Vi porque ele morrera. A NSV tinha emperrado. Ele deve ter atendido a ligação de Duffy e quando estava prestes a sair do quarto viu um comboio vindo em sua direção pela estrada. Devia ter se lançado na direção da arma enorme. Apertou o gatilho e a sentiu emperrar. Aquilo era um lixo. Ela estava desmontada no chão em frente ao mecânico, que, agachado, tentava consertar o mecanismo que puxava a cinta de munição. Estava imerso no serviço. Não me viu chegar. Não me ouviu.

Atira pra matar. É eles ou eu.

Dois a menos.

Deixei o mecânico caído sobre o a metralhadora. O cano despontava por debaixo dele, parecendo um terceiro braço. Conferi a vista da janela. As luzes do muro ainda brilhavam com força. Olhei meu relógio. Tinha gastado exatamente trinta minutos da hora de que dispunha. Voltei lá para baixo. Atravessei o saguão. Como um fantasma. Até a porta do porão. As luzes estavam acesas lá embaixo. Desci a escada. Atravessei a academia. Passei pela máquina de lavar. Tirei a Beretta do bolso. Destravei-a. Posicionei-a à minha frente, virei no corredor e fui direto pros dois cômodos trancados. Um deles estava vazio e com a porta aberta. O outro, fechado, um cara jovem e magro numa cadeira logo em frente. O sujeito a inclinava para trás na direção da porta. Ele olhou para mim. Arregalou os olhos. Escancarou a boca. Nenhum som saiu dela. Ele não parecia ser uma ameaça. Usava uma camisa em que estava escrito *Dell*. Talvez aquele fosse o Troy, o nerd da computação.

— Fica calado se quiser viver — falei.

Ele ficou calado.

— Você é o Troy?

Ele continuou calado e assentiu.

— Certo, Troy — falei.

Calculei que estávamos exatamente debaixo da sala de jantar. Eu não podia arriscar atirar em um porão de pedra bem debaixo dos pés de todo mundo. Então eu voltei com a Beretta para bolso, o peguei pelo pescoço e bati a cabeça dele na parede, duas vezes, e o coloquei para dormir. Talvez tivesse rachado o crânio dele; talvez, não. De qualquer maneira, eu não me importava muito. O serviço dele tinha matado a empregada.

Três a menos.

Achei a chave no bolso dele. Destranquei e abri a porta. Teresa Daniel estava sentada no colchão. Ela se virou e olhou direto para mim. Era igualzinha às fotos que Duffy mostrara no quarto do motel na manhã do dia onze. Parecia em perfeito estado de saúde. O cabelo estava limpo e penteado. Usava um vestido branco virginal. Meia-calça branca e sapatos brancos. A pele era clara, e os olhos, azuis. Parecia um sacrifício humano.

Fiquei refletindo por um momento, indeciso. Não tinha como prever a reação. Ela devia ter percebido o que queriam fazer. E não me conhecia. Até onde sabia, eu era um deles, pronto para levá-la direto para o altar. E ela era uma agente federal treinada. Se a pedisse para me acompanhar, ela podia começar a lutar. Ela devia estar se preparando para agir quando aparecesse a oportunidade. E eu não queria que as coisas ficassem barulhentas. Ainda, não.

Mas depois olhei novamente para os olhos dela. Uma pupila estava enorme. A outra, minúscula. Ela estava praticamente imóvel. Muito quieta. Bamba e atordoada. Estava dopada. Talvez com alguma substância extravagante. O que era? Boa noite Cinderela? Rohypnol? Rophynol? Não conseguia lembrar o nome. Não era a minha área de expertise. Eliot saberia. Duffy e Villanueva também deviam saber. Fazia com que as pessoas ficassem passivas, obedientes e aquiescentes. Com que se deitassem e aceitassem qualquer coisa que lhe dissessem para aceitar.

— Teresa? — sussurrei.

Ela não respondeu.

— Você está bem? — cochichei.

Ela assentiu e respondeu:

— Estou bem.

— Você consegue andar?

— Consigo — disse ela.

— Vem comigo.

Ela levantou. Estava trôpega. Fraqueza muscular, supus. Tinha ficado enjaulada por nove semanas.

— Por aqui — indiquei.

Ela não se moveu. Ficou parada ali. Estendi a mão. Ela a pegou. Sua pele estava quente e seca.

— Vamos — chamei. — Não olha pro homem no chão.

Parei-a de novo logo depois que passamos pela porta. Soltei a mão dela e arrastei o Troy para dento do quarto, fechei a porta e a tranquei. Peguei a mão de Teresa novamente e saímos. Ela estava muito sugestionável. Muito obediente. Mantinha o olhar fixo à frente e caminhava comigo. Saímos do corredor e passamos pela máquina de lavar. Atravessamos a academia. O vestido era sedoso e rendado. Ela segurava minha mão como se estivéssemos num encontro. Eu me sentia como se estivesse indo para o baile de formatura. Subimos a escada, lado a lado. Chegamos ao topo.

— Espera aqui — falei. — Não vai a lugar nenhum sem mim, está bem?

— Tá — sussurrou ela.

— Não faça nenhum barulho, tá?

— Não vou fazer.

Fechei a porta e a deixei no último degrau, com a mão pousada de leve no corrimão e uma lâmpada nua queimava atrás dela. Conferi o saguão cuidadosamente e voltei à cozinha. Os caras da comida ainda estavam ocupados ali.

— Vocês se chamam Keast e Maden? — perguntei.

O que estava perto de mim fez que sim.

— Paul Keast — disse ele.

— Chris Maden — apresentou-se o sócio.

— Preciso arredar a van, Paul — falei.

— Por quê?

— Porque está no caminho.

O cara olhou para mim e reclamou:

386

— Vocês falaram pra eu parar ali.

— Mas não pra deixar ali.

Ele deu de ombros, revolveu as coisas sobre uma bancada e me trouxe as chaves.

— Tá bom — falou ele.

Peguei as chaves, saí e verifiquei a carroceria da van. Estava equipada com racks de metal nos dois lados. Para bandejas de comida. No centro havia um pequeno corredor. Nenhuma janela. Serviria. Deixei as portas de trás abertas, entrei pelo lado do motorista e liguei o veículo. Dei ré até a rotatória, dei meia-volta e regressei até a porta da cozinha. Agora ela estava virada para o lado certo. Desliguei, mas deixei as chaves nele. Entrei de novo na cozinha. O detector de metal apitou.

— O que é que eles vão comer? — perguntei.

— Kebab de cordeiro — respondeu Maden. — Arroz branco, cuscuz e homus. Charuto de folha de uva de entrada. Baklava de sobremesa. Com café.

— Isso é líbio?

— É genérico — respondeu ele. — Comem em qualquer lugar.

— Eu costumava comer isso por um dólar — comentei. — Vocês estão cobrando 55.

— Onde? Em *Portland?*

— Em Beirute — respondi.

Fui lá fora e conferi o saguão. Tudo tranquilo. Abri a porta do porão. Teresa Daniel esperava no mesmo lugar, como um robô. Estendi a mão.

— Vamos — chamei.

Ela saiu. Fechei a porta. Levei-a para a cozinha. Keast e Maden olharam para ela. Eu os ignorei e atravessei com ela. Saímos pela porta de trás. Fomos até a van. Eu a ajudei a entrar na carroceria.

— Me espera aqui — falei. — Bem quietinha, combinado?

Ela assentiu e não falou nada.

— Vou fechar as portas — avisei.

Concordou novamente.

— Vou te tirar daí daqui a pouco — falei.

— Obrigada — disse ela.

Fechei as portas e voltei para a cozinha. Fiquei parado escutando. Ouvia conversas vindas da sala de jantar. Estava tudo com uma aparência bem social.

— Quando eles vão jantar? — perguntei.

— Em vinte minutos — respondeu Maden. — Quando tiverem terminado as bebidas. Os 55 dólares incluíam champanhe, sabe?

— Tá certo — falei. — Não quis ofender.

Olhei meu relógio. Tinham se passado 45 minutos. Faltavam quinze. *Hora do show.*

Voltei para o frio lá fora. Entrei na van do bufê e a liguei. Virei com ela lentamente no canto da casa, dei a volta na rotatória, percorri a estradinha de entrada. Afastei-me da casa. Passei pelo portão. Cheguei à estrada. Acelerei. Fiz as curvas em velocidade. Parei de uma vez emparelhado com o Taurus de Villanueva. Desci num pulo. Villanueva e Duffy saíram imediatamente para me encontrar.

— A Teresa está aí atrás — falei. — Ela está bem, mas dopada.

Duffy vibrou com os punhos fechados, pulou em mim e me abraçou com força. Villanueva abriu com violência as portas. Teresa caiu nos braços dele, que a desceu como uma criança. Em seguida, Duffy a levou embora, e foi a vez de ele me abraçar.

— Vocês deviam levá-la pro hospital — sugeri.

— Vamos levá-la pro motel — discordou Duffy. — Ainda estamos trabalhando por debaixo dos panos.

— Tem certeza?

— Ela vai ficar bem — explicou Villanueva. — Parece que deram boa noite Cinderela para ela. Provavelmente conseguiram com os traficantes amigos deles. Mas não dura muito. O efeito passa rápido.

Duffy abraçava Teresa como a uma irmã. Villanueva ainda estava me abraçando.

— Eliot está morto — revelei. O que deu uma bela esfriada no ânimo. — Liga pra ATF do motel — falei. — Se eu não ligar pra vocês primeiro.

Eles apenas olharam para mim.

— Agora eu vou voltar — afirmei.

Dei meia-volta na van e voltei. Via a casa à minha frente. As janelas brilhavam em amarelo. As luzes do muro resplandeciam azuis na névoa. A van cortava o vento. *Plano B,* decidi. Quinn era meu; os outros podiam ser dor de cabeça da ATF.

Parei no lado da rotatória que ficava mais distante da casa e dei ré pela lateral. Estacionei em frente à cozinha. Saí, dei a volta pelos fundos da casa e peguei o meu casaco. Desembrulhei as Persuaders. Vesti o casaco. Precisava dele. Era uma noite fria, e eu estaria na estrada novamente em uns cinco minutos.

Fui até as janelas da sala de jantar para dar uma olhada lá dentro. Tinham fechado as cortinas. *Fazia sentido,* pensei. Era uma noite muito tempestuosa. A sala de jantar ficaria com uma aparência melhor com as cortinas fechadas. Mais aconchegante. Tapetes orientais no chão, revestimento de madeira nas paredes, prataria na toalha de mesa de linho.

Peguei as Persuaders e voltei para a cozinha. O detector de metais soou. Os caras da comida tinham dez pratos com charutos de folha de uva alinhados em uma bancada. As folhas tinham uma aparência escura, oleosa e firme. Eu estava com fome, mas não podia comer nenhum. Do jeito que meus dentes estavam, seria impossível. Sabia que ficaria à base de sorvete durante uma semana, graças a Paulie.

— Segura a comida por cinco minutos, pode ser? — falei.

Keast e Maden olhavam fixamente para as escopetas.

— As chaves — falei.

Joguei-as ao lado das folhas de uva. Não precisava mais delas. Estava com as chaves que Beck tinha me dado. Pelos meus cálculos, sairia pela porta da frente e usaria o Cadillac. Mais rápido. Mais confortável. Tirei uma faca do bloco de madeira. Usei-a para fazer um rasgo no interior do bolso direito do meu casaco, apenas o suficiente para enfiar o cano de uma Persuader dentro do forro. Peguei a que tinha usado para dar cabo de Harley e a coldreei ali. Segurei a outra com as duas mãos. Respirei fundo. Andei até o saguão. Keast e Maden me observaram sair. A primeira coisa que fiz foi conferir o lavabo. Não havia porque fazer o maior drama se Quinn sequer estivesse na sala de jantar. O lavabo estava vazio, porém. Ninguém tinha dado uma ida ao banheiro.

A porta da sala de jantar estava fechada. Respirei fundo novamente. E então de novo. Meti uma bicuda na porta, entrei e dei dois tiros de Brenneke no teto. Eram como bombas de efeito moral. As explosões gêmeas foram colossais. Choveu reboco e madeira. Poeira e fumaça preencheram o ar. Todo mundo ficou paralisado como estátua. Apontei a arma para o peito de Quinn. Os ecos morreram.

— Lembra de mim? — perguntei.

Elizabeth Beck gritou no silêncio repentino.

Dei mais um passo para dentro da sala, mantendo o cano em Quinn.

— Lembra de mim? — repeti.

Um segundo. Dois. A boca dele começou a se mexer.

— Eu te vi em Boston — respondeu ele. — Na rua. Num sábado à noite. Há umas duas semanas.

— Tenta de novo — falei.

O rosto dele estava completamente inexpressivo. *Foi diagnosticado com amnésia*, dissera Duffy. *Certamente por causa do traumatismo, porque isso é quase inevitável. Chegaram à conclusão de que ele realmente não devia se lembrar do incidente nem de um ou dois dias antes.*

— Sou Reacher — falei. — Preciso que você se lembre de mim.

Ele olhou em vão para Beck.

— O nome dela era Dominique — continuei.

Ele se virou e me encarou. Olhos arregalados. Sabia quem eu era. Seu rosto mudou. O sangue foi drenado e a fúria fervilhou. E o medo. As cicatrizes da .22 ficaram branquíssimas. Pensei em mirar bem no meio delas. Seria um tiro difícil.

— Você achou mesmo que eu não ia te encontrar? — falei.

— Podemos conversar? — perguntou ele. Parecia que estava com a boca seca.

— Não — respondi. — Você já teve dez anos extras de conversa.

— Estamos todos armados aqui — disse Beck. Ele parecia amedrontado. Os três árabes estavam olhando pra mim. Eles tinham poeira de reboco grudada nos cabelos oleosos.

— Então avisa pra ninguém atirar — ordenei. — Não há motivo pra mais de uma baixa aqui.

As pessoas se afastavam lentamente de mim. A poeira ia se acomodando na mesa. Uma placa do teto tinha quebrado um copo. Eu me movimentava com o grupo, virando-me e ajustando a geometria para arrebanhar os bandidos no mesmo canto. Ao mesmo tempo, tentava forçar Elizabeth, Richard e a cozinheira a se agruparem no outro. Onde estariam a salvo, ao lado da janela. Pura linguagem corporal. Virava o ombro, avançava centímetro a centímetro e ainda que a mesa estivesse entre mim e a maioria das outras pessoas, eles foram para onde eu os queria. A reuniãozinha se separou obedientemente em dois grupos, oito e três.

— Todo mundo deve se afastar do sr. Xavier agora — avisei.

Todos se afastaram, com exceção de Beck. Permaneceu ombro a ombro com ele. Eu o encarei. Então me dei conta de que Quinn lhe agarrava o braço. Ele o estava segurando com força logo abaixo do cotovelo. Puxando-o. Puxando-o com força. Em busca de um escudo humano.

— Esses projéteis têm uma polegada — disse a ele. — Contanto que eu consiga enxergar uma polegada sua, isso não vai funcionar muito bem.

Ele não falou nada. Apenas continuou puxando. Beck resistia. Havia medo nos olhos dele também. Era uma pequena disputa estática em câmera lenta. Mas pelo visto parecia que Quinn estava ganhando. Em dez segundos estava com parte do corpo atrás de Beck. O ombro esquerdo de Beck estava se sobrepondo ao direito de Quinn. Ambos estremeciam de tanto esforço. Ainda que a Persuader tivesse um cabo de pistola em vez de coronha, eu a suspendi até o ombro e mirei cuidadosamente usando o cano.

— Eu ainda consigo ver você — avisei.

— Não atira — disse Richard Beck, atrás de mim.

Algo na voz dele.

Dei uma olhada para trás. Apenas uma rápida virada de cabeça. Só um relance. Para lá e para cá. Ele estava com uma Beretta na mão. Era idêntica à que eu tinha no bolso. Estava apontada para a minha cabeça. A luz elétrica a iluminava friamente. Ela estava brilhando. Ainda que eu tivesse olhado por uma fração de segundo, tinha visto a gravação elegante no ferrolho. *Pietro Beretta.* Tinha visto a umidade do óleo novo. O pontinho vermelho que fica exposto quando ela está destravada.

— Abaixa isso, Richard — ordenei.

— Não enquanto o meu pai estiver ali — respondeu ele.

— Larga o Beck, Quinn — mandei.

— Não atira, Reacher — disse Richard. — Eu vou atirar em você primeiro.

Nesse momento, Quinn tinha coberto o corpo quase todo com Beck.

— Não atira, Reacher — repetiu Richard.

— Abaixa isso, Richard — falei.

— Não.

— Abaixa.

— Não.

Eu escutava cuidadosamente a voz dele. Não estava se movendo; permanecia no mesmo lugar. Eu sabia exatamente onde ele estava. Sabia qual era o ângulo que eu teria que virar. Ensaiei o movimento na cabeça. Vira. Atira. Carrega. Vira. Atira. Eu conseguiria acertar os dois em um segundo e 25 milésimos. Rápido demais para que Quinn reagisse. Respirei fundo.

Então visualizei Richard na cabeça. O corte de cabelo bobo, a orelha ausente, os dedos compridos. Visualizei a o projétil Brenneke grande explodindo-o, estraçalhando, porreteando, o impacto da imensa energia cinética. Eu não podia fazer aquilo.

— Larga essa arma — insisti.

— Não.

— Por favor.

— Não.

— Você está ajudando essa gente.

— Estou ajudando o meu pai.

— Não vou acertar o seu pai.

— Não posso correr esse risco. Ele é meu pai.

— Elizabeth, fala com ele.

— Não — disse ela. — Ele é meu marido.

Impasse.

Pior do que impasse. Porque não havia absolutamente nada que eu pudesse fazer. Não podia atirar em Richard. Porque eu não me permitiria fazer isso. Portanto, não podia atirar em Quinn. E eu não podia *falar* que não atiraria em Quinn, senão oito caras iriam imediatamente sacar armas para mim. Eu podia até acertar alguns, porém mais cedo ou mais tarde um deles me acertaria. E eu não tinha como separar Quinn de Beck. De jeito nenhum Quinn iria soltar Beck e sair da sala sozinho comigo.

Impasse.

Plano C.

— Larga essa arma, Richard.

Escute.

— Não.

Ele não tinha se movimentado. Ensaiei de novo. *Vira. Atira.* Respirei fundo. Girei e atirei. Trinta centímetros à direita de Richard, na janela. O projétil atravessou rasgando as cortinas, atingiu o batente da janela e o explodiu. Dei três passos e pulei de cabeça no buraco. Rolei duas vezes embrulhado em uma cortina rasgada de veludo, levantei atabalhoado e saí correndo. Direto para as rochas.

Eu me virei depois de vinte metros e fiquei parado. A cortina remanescente ondulava ao vento. Agitava-se para dentro e para fora do buraco. Eu ouvia o tecido estapear e golpear. Luz amarela brilhava atrás dele. Dava para ver figuras iluminadas por trás se aglomerando atrás do vidro estilhaçado. Tudo se movia. A cortina, as pessoas. A luz esmorecia e incandescia à medida que a cortina se agitava para dentro e para fora. Então tiros começaram a vir na minha direção. Armas eram disparadas. Primeiro duas, depois quatro, cinco. Depois mais. Balas zuniam ao meu redor. Atingiam as pedras, faiscavam e ricocheteavam. Lascas de pedras voavam para todo lado. Os tiros não eram barulhentos. Pareciam estalos abafados insignificantes. O som deles se perdia no uivo do vento e nos estrondos das ondas. Caí de joelhos. Suspendi a Persuader. Os tiros pararam. Não disparei. A cortina desapareceu. Alguém a tinha arrancado. A luz escorreu para fora e me atingiu. Vi Richard e Elizabeth serem empurrados para a frente da aglomeração de pessoas à janela. Os braços estavam presos atrás deles. Vi o rosto de Quinn atrás do ombro de Richard. Ele estava apontando a arma na minha direção.

— Atira em mim agora — gritou ele.

A voz dele quase se perdeu no vento. Escutei a sétima onda bater atrás de mim com um estrondo. A água que espirrou no ar foi capturada pelo vento e me atingiu com força atrás da cabeça. Vi um dos capangas de Quinn atrás de Elizabeth. O rosto dela estava contorcido de dor. O pulso direito dele repousava no ombro dela. A cabeça dele estava atrás da cabeça dela. Tinha uma arma na mão. Vi outra coronha aparecer e bater nos cacos de vidro que ainda restavam na armação. Arrancaram tudo até ficar limpa. Depois empurraram Richard para a frente. O joelho dele ficou em cima do peitoril. Quinn empurrou até ele ficar completamente do lado de fora. Saiu atrás dele, ainda segurando-o próximo de si.

— Atira em mim agora — gritou Quinn novamente.

Atrás dele alguém levantou Elizabeth e a empurrou para fora. Um braço grosso lhe rodeava a cintura. Ela batia as pernas desesperadamente. A pessoa a cravou no chão e puxou para trás para usá-la como escudo. Eu via o rosto dela, pálido no escuro. Contorcido de dor. Arredei para trás sem levantar muito os pés do chão. Mais pessoas saíram pela janela. Apinhavam-se. Elaboravam uma formação: uma cunha. Richard e Elizabeth eram mantidos ombro a ombro à frente, deixando a ponta reta. A cunha começou a avançar na minha direção. Era descoordenada. Conseguia ver cinco armas. Eu me afastava de costas sem levantar muito os pés do chão. Começaram a disparar novamente.

Estavam apontando para errar. Miravam para me encurralar. Eu movimentava para trás. Contava as balas. Cinco pentes cheios, pelo menos 75 balas. Talvez mais. E tinham disparado umas vinte. Estavam longe de ficar sem munição. E atiravam controladamente. Não estavam simplesmente atirando ao acaso. Miravam à minha esquerda e direita, nas rochas, disparos com intervalos regulares de dois segundos. Aproximando-se como uma máquina. Como um tanque blindado por humanos. Levantei. Me movimentava para trás. A cunha continuava a vir para cima de mim.

Richard estava na direita e Elizabeth, na esquerda. Escolhi um cara atrás e à direita de Richard e apontei. O sujeito percebeu e se escondeu melhor. A cunha se comprimiu ainda mais. Tinha se transformado numa coluna estreita. Continuava avançando. Eu não tinha onde atirar. Andava para trás, passo a passo.

Meu calcanhar esquerdo se deparou com a beirada da fenda de Harley.

A água espumou fenda acima e cobriu meu sapato. Ouvi as ondas. O cascalho fazia barulho ao rolar para trás e para a frente. Movi meu pé direito e o alinhei ao esquerdo. Equilibrei na beirada. Vi Quinn rindo para mim. Só o brilho de seus dentes no escuro.

— Dá boa-noite agora — gritou ele.

Fique vivo. Veja o que o minuto seguinte oferece.

Braços surgiram na coluna. Uns seis ou sete, que se esticaram e viraram suas armas para a frente. Apontaram. Estavam aguardando um comando. Escutei a sétima onda estrondear aos meus pés. Ela subiu até os meus tornozelos e inundou três metros à minha frente. Pausou ali por um segundo, em seguida retrocedeu, indiferente. Como um metrônomo. Olhei para Elizabeth e Richard. Olhei para seus rostos. Respirei fundo. Pensei: *é eles ou eu*. Soltei a Persuader e me joguei de costas na água.

Primeiro veio o choque do frio, depois foi como cair de um prédio. Com exceção de que não era uma queda livre, mas como cair em um tubo lubrificado geladíssimo e ser sugado a um ângulo bem inclinado e direcionado. Com aceleração. Eu estava de cabeça para baixo. Minha cabeça viajava na frente. Eu tinha caído de costas e, por uma fração de segundo, não senti nada. Somente a água gelada nas orelhas, nos olhos e no nariz. Ela fez meu lábio pinicar. Eu estava aproximadamente trinta centímetros abaixo da superfície e não iria a lugar algum. Estava preocupado com a possibilidade de voltar a boiar. Eu iria surgir na superfície bem em frente ao pessoal. Eles estariam aglomerados ao redor da beirada da fenda com as armas apontadas para a água.

Então senti meu cabelo levantar. Foi uma sensação suave, delicada. Como se alguém o estivesse penteando para cima e puxando de leve. Em seguida senti algo agarrar minha cabeça. Como se um homem de mãos grandes estivesse prendendo meu rosto entre as palmas e me puxando, com muita delicadeza no início, depois um pouco mais forte. E mais forte. Senti a força no pescoço. Era como se eu estivesse ficando mais alto. Depois senti o mesmo no peito e nos ombros. Meus braços flutuavam livremente, mas de repente foram puxados com força por cima da cabeça. Então despenquei do prédio. Foi como um perfeito salto de anjo, de costas. Arqueei para baixo. Mas em velocidade. Bem mais rápido do que numa queda livre no ar. Era como se eu estivesse sendo puxado por uma correia elástica gigante.

Não conseguia ver nada. Não sabia se meus olhos estavam abertos ou fechados. O frio era tão atordoante e a pressão no meu corpo tão uniforme que eu na verdade não sentia nada. Nenhuma força física. Era completamente fluido. Como algum tipo de transporte de ficção científica. Como se estivesse sendo irradiado para baixo. Como se eu fosse líquido. Como se tivesse sido alongado. Como se de repente eu tivesse dez metros de altura e três centímetros de espessura. Era tudo escuridão e frio. Prendi a respiração. Toda a tensão se esvaiu e eu inclinei minha cabeça para trás de modo a sentir a água no couro cabeludo. Estiquei os dedos. Arqueei a coluna. Estendi os braços bem acima de mim. Abri os dedos para sentir a água fluir entre eles. Sentia-me muito calmo. Eu era um projétil. Estava gostando daquilo.

Então senti o impacto do pânico no peito e percebi que estava me afogando. Comecei a lutar. Rodopiei, e meu casaco se enrolou na minha cabeça. Eu o arranquei às pressas, girando e dando cambalhotas no tubo congelante. O casaco açoitou meu rosto e se afastou violentamente. Tirei a jaqueta, que desapareceu. De repente, senti um frio terrível. Eu ainda estava afundando depressa. Senti muita pressão nos ouvidos. Eles zuniam. Eu rodopiava em câmera lenta. Afundava violentamente, sem parar, mais rápido do que eu jamais viajara, girando e cambalhotando como se estivesse atolado em melado.

Qual era a espessura do tubo? Eu não sabia. Comecei a bater as pernas desesperadamente e a unhar a água ao meu redor. Parecia areia movediça. *Não nade para baixo.* Batia as pernas, lutava e tentava encontrar a borda. Barganhei comigo mesmo. *Concentre-se. Encontre a borda. Progrida. Fique calmo. Deixe-se levar quatro metros para o fundo a cada trinta centímetros que se mover pro lado.* Parei por um segundo, me recompus e comecei a nadar adequadamente. E com força. Como se o tubo fosse a superfície plana de uma piscina e eu estivesse numa corrida. Como se houvesse uma garota, uma bebida e um trono no final para o vencedor.

Por quanto tempo eu estava submerso? Não sabia. Talvez quinze segundos. Eu conseguia segurar a respiração por mais ou menos um minuto. *Então relaxa. Nada com força. Encontra a borda.* Tinha que haver uma borda. Não era o oceano inteiro que se movimentava daquele jeito. Não podia ser assim, ou Portugal estaria debaixo d'água. E metade da Espanha. A pressão urrava nos meus ouvidos.

Eu estava de frente para que lado? Não interessava. Tinha apenas que sair da corrente. Eu nadava adiante. Sentia a corrente lutar contra mim. Ela tinha uma força incrível. Era suave antes. Agora me rasgava como se estivesse ressentida da minha decisão de resistir. Cerrei os dentes e continuei a bater as pernas. Era como rastejar pelo chão com uma tonelada de tijolos nas costas. Meus pulmões inchavam e queimavam. Eu soltava ar aos poucos entre os lábios. Batia as pernas sem parar. Unhava a água à minha frente.

Trinta segundos. Eu estava me afogando. Sabia disso. Estava enfraquecendo. Meus pulmões estavam vazios. Meu peito estava comprimido. Eu tinha bilhões de toneladas de água acima de mim. Sentia o rosto contorcer de dor. As orelhas urravam. Tinha um nó no estômago. O ombro esquerdo estava queimando no lugar em que Paulie tinha batido. Escutei a voz de Harley na cabeça: *Nunca voltou nenhum.* Continuei a bater as pernas.

Quarenta segundos. Eu não fazia progresso. Estava sendo puxado para as profundezas. Eu ia bater no leito do mar. Continuei a bater as pernas. Unhava a corrente. *Cinquenta segundos.* As orelhas chiavam. A cabeça explodia. Meus lábios travados nos dentes. Eu estava com muita raiva. Quinn tinha conseguido sair do oceano. *Por que eu não conseguia?*

Continuei a bater as pernas desesperadamente. *Um minuto inteiro.* Os dedos estavam congelados e duros. Os olhos ardiam. *Mais de um minuto.* Eu esmurrava e me debatia. Abria caminho na água na porrada. Batia as pernas e lutava. Então senti uma mudança na corrente. *Achei a borda.* Foi como pegar um poste telegráfico de um trem em velocidade. Atravessei a pele do tubo aos murros e uma nova corrente agarrou minhas mãos, me golpeou na cabeça e a turbulência me espancou; de repente eu estava rodopiando, flutuando livre numa água que me dava a impressão de estar parada, limpa e geladíssima.

Agora pensa. Pra que lado eu subo? Usei cada pingo de autocontrole que eu tinha e parei de lutar. Apenas flutuei. Tentei calcular a direção. Não ia a lugar algum. *Meus pulmões estavam vazios.* Meus lábios travados. *Não podia respirar.* Minha flutuabilidade era neutra. Não me movimentava. Estava parado na água. Num quilômetro cúbico de oceano negro. Abri os olhos. Olhei em todas as direções. Pra cima, para baixo, pros lados. Eu virava e revirava. Não via nada. Era como o espaço sideral. Um breu. Nenhuma luz sequer. *Nunca voltou nenhum.*

Sentia uma leve pressão no peito. Menos nas costas. Eu estava com o rosto para baixo na água. Suspenso. Flutuava para cima, muito lentamente, com as costas para superfície. Concentrei-me muito. Fixei a sensação na mente. Fixei minha posição. Arqueei a coluna. Dei impulso com as mãos. Bati as pernas. Estiquei os braços na direção da superfície. *Agora vai. Não respira.*

Bati as pernas furiosamente. Dava impulso com enormes movimentos de braço. Travei os lábios. *Estava sem ar.* Mantive o rosto para cima posicionado de maneira que a primeira coisa a irromper na superfície fosse a minha boca. *Que distância?* Estava tudo negro acima de mim. Não havia nada. Estava muito fundo. *Não tinha ar.* Eu ia morrer. Abri os lábios. A água inundou minha boca. Cuspi e engoli. Continuei batendo as pernas. Comecei a ver manchas roxas nos olhos. A cabeça zumbia. Senti-me febril. Como se estivesse queimando. Em seguida, como se estivesse congelando. Depois, como se estivesse enrolado em edredons de penas. Eram macios. Eu não sentia absolutamente nada.

Então parei de bater os pés, pois tive certeza de que tinha morrido. Abri a boca para respirar. Suguei água do mar. Meu peito deu um espasmo e a expeliu com uma tosse. Pra dentro e para fora, duas vezes mais. Estava respirando água pura. Bati as pernas uma vez mais. Era tudo o que eu conseguia fazer. Uma última batida. Foi das grandes. Depois simplesmente fechei os olhos, flutuei e respirei a água gelada.

Atingi a superfície meio segundo depois. Senti o ar no meu rosto como a carícia de uma amante. Abri a boca, meu peito se ergueu, soltei um jato d'água e traguei ar antes mesmo de que ela caísse de volta em mim. Depois lutei como um louco para manter o rosto para cima no frio e doce oxigênio, batendo as pernas e arquejando, inspirando e soprando e tossindo e forçando vômito.

Estiquei bastante os braços, deixei as pernas flutuarem e inclinei a cabeça para trás com a boca bem aberta. Observei meu peito levantar e abaixar, encher e esvaziar. Ele se movia com uma rapidez incrível. Eu me senti cansado. E em paz. E confuso. Não tinha oxigênio no cérebro. Fiquei largado na água durante um minuto, só respirando. Minha visão clareou. Vi uma nuvem carregada acima de mim. Minha mente clareou. Respirei um pouco mais. Para dentro, para fora, para dentro, para fora, os lábios franzidos, soprando como uma locomotiva. Minha cabeça começou a doer. Bati as pernas na água e procurei o horizonte. Não consegui encontrá-lo. Eu subia e descia em ondas velozes e impetuosas, para cima e para baixo, para cima e para baixo, uns três ou quatro metros de cada vez. Bati um pouquinho as pernas e calculei de modo que a próxima onda me carregasse para a sua crista. Olhei fixamente para a frente. Não vi absolutamente nada antes de a onda voltar a me submergir.

Não tinha ideia de onde estava. Virei noventa graus para o lado, peguei a próxima crista e procurei de novo. À minha direita. Talvez houvesse um barco em algum lugar por ali. Não havia. Não havia nada. Estava sozinho no meio do Atlântico. À deriva. *Nunca voltou nenhum.* Virei 180 graus, peguei outra crista e olhei para a esquerda. Nada ali. A onda me baixou novamente peguei a próxima crista e olhei para trás. Estava a cem metros da praia.

Consegui ver a casa. Consegui ver as janelas iluminadas. Consegui ver o muro. Consegui ver a neblina azul das luzes dele. Puxei a camisa até os ombros. Estava encharcada e pesada. Tomei fôlego. Virei de bruços e comecei a nadar.

Cem metros. Qualquer competidor olímpico mediano conseguia nadar cem metros em 45 segundos. E qualquer nadador mediano do ensino médio conseguia fazer isso em menos de um minuto. Levei quase quinze. A maré estava baixando. Eu tinha a impressão de estar andando de ré. Sentia que ainda me afogava. No entanto, por fim, cheguei à costa. E coloquei os braços em volta de uma pedra lisa coberta de lodo e me agarrei com força. O mar ainda estava muito agitado. Ondas grandes me espancavam, esmagavam minha bochecha contra o granito e com a regularidade de um relógio. Eu não me importava. Saboreava os impactos. Todos, sem exceção. Eu amava aquela pedra.

Descansei nela durante mais um minuto, depois dei a volta rastejando por trás das garagens. Em seguida saí apoiado nas mãos e joelhos Virei e deitei de costas. Fiquei olhando para o céu. *Agora uma pessoa voltou, Harley.*

As ondas se aproximavam e me atingiam na altura da cintura. Eu me arrastei de costas até que me atingissem apenas os joelhos. Voltei a ficar de bruços. Permaneci deitado com o rosto pressionado na pedra. Eu me sentia inchado. Estava com frio. Gelado até o osso. Tinha perdido o casaco e a jaqueta. Tinha perdido as Persuaders. Tinha perdido a Beretta.

Levantei. Eu jorrava água. Cambaleei alguns passos. Escutei Leon Garber na cabeça: *O que não te mata te deixa mais forte.* Ele achava que o JFK tinha dito isso. Eu achava que na verdade tinha sido Friedrich Nietzsche, e ele disse *destrói*, não *mata*. *O que não nos destrói, nos tona mais fortes.* Cambaleei mais dois passos, apoiei nas costas do muro do pátio e vomitei uns quatro litros de água salgada. Isso fez com que eu me sentisse um pouco melhor. Comecei a sacudir os braços e dar chutes com uma perna de cada vez para tentar melhorar a circulação e livrar minhas roupas de um pouco de água. Depois joguei meu cabelo encharcado para trás e tentei dar algumas respiradas longas. Estava preocupado com a possibilidade de tossir. Minha garganta estava esfolada e doendo por causa do frio e do sal.

Em seguida caminhei ao longo do muro dos fundos e virei no canto. Achei a minha pequena fenda e peguei meu embrulho escondido pela última vez. *Estou indo te pegar, Quinn.*

O meu relógio ainda estava funcionando e me mostrava que a minha hora já tinha esgotado havia muito. Duffy ligara para a ATF vinte minutos antes. Mas a resposta deles seria lenta. Eu duvidava que tinham um escritório de campo em Portland. Provavelmente o mais próximo era em Boston. De onde a empregada tinha sido enviada. Então eu ainda tinha tempo suficiente.

A van do bufê tinha ido embora. Evidentemente, o jantar tinha sido cancelado. Os outros veículos ainda estavam lá, porém. O Cadillac, o Town Car, os dois Suburbans. Oito inimigos ainda na casa. Mais Elizabeth e a cozinheira. Não sabia em que categoria colocar Richard.

Permaneci grudado à parede da casa e verifiquei cada uma das janelas. A cozinheira estava na cozinha. Arrumava tudo. Keast e Maden tinham deixado tudo ali. Eu me abaixei por baixo do peitoril e segui em frente. A sala de jantar estava em ruínas. O vento que soprava para dentro pela janela estilhaçada tinha pegado a toalha de mesa e jogado pratos e copos para todo lado. Havia dunas de poeira de reboco nos cantos onde o vento tinha empilhado. Havia dois buracos no teto. Provavelmente também no teto do cômodo em cima e no do cômodo acima. As Brennekes devem ter atravessado até o telhado, como lançamentos espaciais.

Na sala quadrada em que eu tinha jogado roleta-russa, vi os três líbios e os três capangas de Quinn, todos sentados ao redor da mesa de carvalho sem fazer nada. Os rostos estavam inexpressivos, e eles pareciam estar em choque. Mas também conformados. Não iriam a lugar algum. Passei por baixo do peitoril e segui em frente. Dei a volta até chegar à saleta de Elizabeth Beck. Ela estava lá dentro. Com Richard. Alguém havia tirado o cara morto de lá. Ela estava no sofá, falando rápido. Eu não conseguia escutar o que dizia, mas Richard escutava com muita atenção. Passei por baixo do peitoril e segui em frente.

Beck e Quinn estavam na salinha de Beck. Quinn na poltrona vermelha e Beck de pé em frente ao armário com o mostruário de metralhadoras. Beck estava pálido, carrancudo e hostil. Quinn estava cheio de si. Segurava um gordo charuto apagado e o rodopiava entre os dedos e o polegar, aproximando um cortador de prata da ponta.

Votei para a cozinha após completar a volta. Entrei. Não fiz barulho algum. O detector de metal ficou em silêncio. A cozinheira não me viu entrar. Peguei-a por trás. Tampei a boca dela com força e a arrastei até uma bancada. Eu não assumiria risco algum depois do que Richard tinha feito. Peguei uma toalha de linho numa gaveta e a usei como mordaça. Peguei outra para amarrar seus pulsos e outra para os tornozelos. Deixei-a sentada desconfortavelmente no chão ao lado da pia. Peguei uma quarta toalha e coloquei-a no bolso. Fui para o saguão.

Estava em silêncio. Ouvi a voz de Elizabeth, baixa. A porta da saleta estava aberta. Não conseguia escutar mais nada. Fui direto para a porta do retiro de Beck. Abri. Entrei. Fechei-a novamente.

Fui recepcionado por uma névoa de fumaça de charuto. Quinn tinha acabado de acendê-lo. Tive a impressão de que havia estado rindo de alguma coisa. Ficou paralisado, em choque. Aconteceu o mesmo com Beck. Pálido, paralisado. Ficaram só me encarando.

— Voltei — falei.

Beck estava com a boca aberta. Dei um soco-cigarrinho nele. A boca foi fechada pelo impacto, a cabeça, jogada para trás, os olhos rodopiaram, e ele desmoronou na hora sobre os tapetes muito grossos no chão. Foi um murro decente, mas não o meu melhor. Parecia que, no fim das contas, o filho tinha salvado a vida dele. Se eu não estivesse tão cansado de nadar, um soco melhor o teria matado.

Quinn partiu para cima de mim. Saltou da poltrona. Largou o charuto. Moveu a mão na direção do bolso. Dei-lhe um murro na barriga. O ar saiu de dentro dele de uma vez, ele se dobrou para a frente e caiu de joelhos. Esmurrei-lhe a cabeça e o empurrei para que caísse de bruços. Ajoelhei nas suas costas, com os joelhos entre as escápulas.

— Não — implorou ele, sem ar. — Por favor.

Pus a palma de uma mão na parte de trás da cabeça dele. Tirei o cinzel do meu sapato e o enfiei atrás da orelha dele até o cérebro, lentamente, centímetro a centímetro. Ele estava morto antes de metade do cinzel ter penetrado, mas continuei enfiando até o cabo. Não o tirei depois. Limpei o punho com a toalha que tinha no bolso, estiquei-a por cima da cabeça dele e me levantei, exausto.

— Dez-dezoito, Dom — falei comigo mesmo.

Pisei no charuto aceso de Quinn. Tirei as chaves do Cadillac do bolso de Beck e fui silenciosamente até o saguão. Atravessei a cozinha. A cozinheira me seguiu com os olhos. Dei a volta cambaleando até a frente da casa e entrei no Cadillac. Eu o liguei e arranquei no sentido oeste.

Levei trinta minutos para chegar ao motel de Duffy. Ela e Villanueva estavam juntos no quarto dele com Teresa Justice. Ela não era mais Teresa Daniel. Também não estava mais com as roupas de boneca. Tinham-na vestido com um roupão do motel. Havia tomado banho e voltava a si rápido. Estava com uma aparência fraca e abatida, mas parecia gente. Parecia uma agente federal. Olhou para mim horrorizada. A princípio, pensei que ela pudesse estar confusa em relação a quem eu era. Tinha me visto no porão, afinal, e talvez achasse que eu era um dos bandidos.

Mas aí eu me vi no espelho da porta do guarda-roupa e entendi o problema. Eu estava molhado dos pés à cabeça Tremia e estremecia. Minha pele estava com uma palidez cadavérica. O corte no meu lábio tinha aberto e ficado azul nas extremidades. Estava com hematomas novos onde as ondas haviam me golpeado contra as rochas. Alga marinha se agarrava no cabelo, e havia lodo na camisa.

— Caí no mar — expliquei.

Ninguém falou nada.

— Vou tomar um banho — falei —, daqui a um minuto. Vocês ligaram pra ATF?

Duffy assentiu.

— Eles estão a caminho. A polícia de Portland já isolou o depósito. Eles vão bloquear a estrada costeira também. Você saiu bem a tempo.

— Em algum momento eu estive lá?

Villanueva fez que não e falou:

— Você não existe. Com certeza a gente nunca te viu.

— Obrigado.

— Velha guarda — disse ele.

Eu me senti melhor depois do banho. Estava com uma aparência melhor também. Mas eu não tinha roupa. Villanueva me emprestou algumas peças. Eram um pouco curtas e largas. Usei o casaco impermeável dele para escondê-las. Ajeitei-o bem apertado, pois ainda estava com frio. Pedimos pizza. Estávamos todos famintos. Eu sentia muita sede além disso devido à água salgada. Comemos e bebemos. Eu não conseguia morder a massa da pizza. Só chupei o recheio. Depois de uma hora, Teresa Justice foi dormir. Ela apertou minha mão. Deu boa-noite, muito educadamente. Não tinha ideia de quem eu era.

— O boa noite Cinderela elimina a memória de curto prazo — explicou Villanueva.

Começamos a falar de trabalho. Duffy estava muito para baixo. A situação para ela era um pesadelo. Tinha perdido três agentes numa operação ilegal. E ter conseguido salvar Teresa não melhorava as coisas em nada, porque Teresa nem deveria estar lá, para começar.

— Então pede demissão — sugeri. — Entra pra ATF. Você acabou de entregar um caso enorme de bandeja pra eles. Vai ficar muito famosa lá

— Eu vou me aposentar — disse Villanueva. — Já estou velho r bastante e já tolerei o bastante.

— Eu não posso me aposentar — disse Duffy.

No restaurante na noite anterior à prisão, Dominique Kohl tinha me perguntado:

— Por que você está fazendo isto?

Eu não entendi direito o que ela estava querendo dizer.

— Jantando com você?

— Não, trabalhando como PE? Você podia ser qualquer coisa. Podia entrar pras Forças Especiais, pra Inteligência, pra Cavalaria Aérea, pra Divisão Blindada, qualquer coisa que quisesse.

— Você também.

— Eu sei. E sei por que *eu* estou fazendo isto. Quero saber por que você está.

Era a primeira vez que alguém me perguntava aquilo.

— Porque eu sempre quis ser policial — respondi. — Mas eu estava predestinado às Forças Armadas. Histórico familiar; eu não tinha a menor escolha. Então virei policial do Exército.

— Isso não é uma resposta de verdade. Por que você queria ser policial?

Dei de ombros e respondi:

— Sou assim, só isso. Os policiais põem as coisas no devido lugar.

— Que coisas?

— Eles cuidam das pessoas. Fazem com que o cara menorzinho fique bem.

— Por causa disso? Do cara menorzinho?

Neguei com a cabeça e expliquei:

— Não. Na verdade, não. Eu nem ligo pro cara menorzinho. Só que eu odeio o cara grandão. Odeio as pessoas grandonas e presunçosas que acham que podem se safar de tudo.

— Você gera os resultados certos pelas razões erradas, então.

Assenti e completei:

— Mas eu tento fazer a coisa certa. Acho que as razões não são o que realmente importa. Seja lá o porquê, gosto de ver a coisa certa ser feita.

— Eu também — confessou ela. — Tento fazer a coisa certa. Mesmo que todo mundo odeie a gente, que ninguém queira nos ajudar nem nos agradeça no final. Eu acho que fazer a coisa certa é um fim em si mesmo. Tem que ser assim mesmo, não tem?

★ ★ ★

— Você fez a coisa certa? — perguntei, dez anos depois.

— Fiz.

— Não tem dúvida nenhuma?

— Não — respondeu ela.

— Tem certeza?

— Total.

— Então relaxa — falei. — Isso é o melhor que você pode querer. Ninguém ajuda e ninguém agradece no final.

Ela ficou em silêncio por um breve momento, depois perguntou:

— *Você* fez a coisa certa?

— Sem dúvida — respondi.

Paramos por aí. Duffy tinha colocado Teresa Justice no antigo quarto de Eliot. Assim, Villanueva ficou no próprio quarto, e eu, no de Duffy.

404

Ela parecia um pouco desconfortável com o que tinha falado antes. Sobre a nossa falta de profissionalismo. Eu não conseguia definir se ela estava tentando reforçar aquilo ou retirar o que tinha dito.

— Não entra em pânico — falei. — Estou cansado demais pra isso.

E desta vez, eu provei que estava. Não por falta de tentativa. Nós começamos. Ela deixou claro que queria retirar o que tinha dito. Deixou claro que concordava que falar sim era melhor do que falar não. Eu estava muito feliz com isso, porque gostava muito dela. Então nós começamos. Ficamos nus, fomos juntos para cama e me lembro de beijá-la com tanta força que minha boca doeu. Mas isso é tudo de que me lembro. Eu peguei no sono. Dormi o sono dos mortos. Onze horas direto. Tinham todos ido embora quando acordei. Ido encarar o que quer que o futuro reservava para eles. Fiquei sozinho no quarto com um monte de memórias. Já era o fim da manhã. O sol entrava pelas cortinas. Partículas de poeira dançavam no ar. As roupas de Villanueva não estavam mais no encosto da cadeira. No lugar delas havia uma sacola de compras. Estava cheia de roupas baratas. Parecia que me serviriam muito bem. Susan Duffy sabia julgar bem tamanhos. Eram dois conjuntos completos. Um para frio e um para calor. Ela não sabia para onde eu estava indo. Então tinha providenciado roupas para ambas as possibilidades. Era uma mulher muito prática. Percebi que sentiria saudade dela. Por um tempo.

Vesti as roupas para calor. Deixei as de frio ali mesmo no quarto. Decidi ir com o Cadillac de Beck para a I-95. Até a parada na estrada em Kennebunk. Poderia abandoná-lo lá. Poderia pegar uma carona para o sul sem o menor problema. E a I-95 levava a todas as espécies de lugares, estendendo-se até Miami lá embaixo.

Impresso no Brasil pelo
Sistema Cameron da Divisão Gráfica da
DISTRIBUIDORA RECORD DE SERVIÇOS DE IMPRENSA S.A.
Rua Argentina, 171 – Rio de Janeiro, RJ – 20921-380 – Tel.: (21)2585-2000